CARROUSEL MATHÉMATIQUE 1

PREMIÈRE SECONDAIRE
TOME 2

GUY BRETON

CENTRE ÉDUCATIF ET CULTUREL INC.
8101, boul. Métropolitain Est, Anjou, Qc, Canada. H1J 1J9
Téléphone: (514) 351-6010 Télécopie: (514) 351-3534

Chargée de projet
et réviseure linguistique
Carole Lortie

Conception
et réalisation graphique
Matteau Parent Graphistes inc.

Conception
et réalisation
de la page couverture
Stéphane Lortie

Dépôt légal : 2e trimestre 1993
Bibliothèque nationale du Québec
Bibliothèque nationale du Canada

ISBN 2-7617-1053-3
Imprimé au Canada
4 5

Remerciements

*L'auteur et l'éditeur tiennent à remercier
les personnes suivantes qui ont expérimenté
le matériel ou qui ont participé à l'élaboration
du projet à titre de consultants et de consultantes :*

Gaétane Boucher,
enseignante, polyvalente Saint-François

Claire Bourdeau,
enseignante, collège Durocher-Saint-Lambert

Claude Delisle,
conseiller pédagogique, C.S. Black Lake-Disraeli

Céline Doyon,
enseignante, polyvalente de Black Lake

Denis Fortin,
enseignant, polyvalente des Appalaches

Ghislain Labbé,
enseignant, polyvalente Veilleux

Jean-Guy Smith,
enseignant, école secondaire Bernard-Gariepy

TABLE DES MATIÈRES

ITINÉRAIRE 12

Les figures géométriques

ITINÉRAIRE 13

Transformation de figures

ITINÉRAIRE 14

Triangles et quadrilatères

ITINÉRAIRE 15

Périmètre et aire

AVANT-PROPOS

Le monde est un grand carrousel gravitant autour de la mathématique! Nous te proposons de devenir l'explorateur ou l'exploratrice qui partira à la découverte du monde et de la mathématique. Plusieurs itinéraires traceront ton périple et **Carrousel mathématique 1** sera ton astronef. L'aventure t'attend dans des continents aussi vastes que les nombres, la géométrie et la statistique.

Ces voyages te permettront d'acquérir des connaissances mathématiques que tu consigneras dans tes carnets de voyage et qui constitueront des souvenirs inoubliables. Ce sera également l'occasion pour toi de développer une «belle tête», c'est-à-dire d'acquérir un bon sens du nombre et des opérations, et de devenir habile en calcul mental et en estimation. De plus, tu auras à maîtriser les règles du calcul écrit tout en intégrant et en te familiarisant avec la calculatrice et l'ordinateur.

L'aventure de **Carrousel mathématique 1** ne s'arrête pas là. Elle t'amènera à relever de nombreux défis dans la résolution de problèmes. Tu auras à raisonner, à communiquer ta pensée mathématique, à imaginer des solutions originales tout en apprenant à travailler en équipe.

L'aventure te tente? Allons-y! Avant de partir, consulte le plan des itinéraires.

Bon voyage et bonne année scolaire!

Guy Breton

NOTATIONS ET SYMBOLES

$\mathbb{N}$: ensemble des nombres naturels = {0, 1, 2, 3,...}

$\mathbb{N}^*$: ensemble des nombres naturels, sauf zéro = {1, 2, 3,...}

$\mathbb{Z}$: ensemble des nombres entiers = {..., -3, -2, -1, 0, 1, 2, 3,...}

$\mathbb{Z}_+$: ensemble des nombres entiers positifs = {0, 1, 2, 3,...}

$\mathbb{Z}_-$: ensemble des nombres entiers négatifs = {0, -1, -2, -3,...}

$\mathbb{Q}$: ensemble des nombres rationnels

$\in$: ... est élément de... ou ... appartient à...

$\notin$: ... n'est pas élément de... ou ... n'appartient pas à...

$\frac{a}{b}$: fraction *a*, *b*

^-a : opposé du nombre *a*

a^2 : *a* au carré

$\frac{1}{a}$: inverse du nombre *a*

a^x : *a* exposant *x*

$a \times 10^n$: notation scientifique avec $1 \leq a < 10$ et $n \in \mathbb{Z}$

(a, b) : couple *a*, *b*

$=$: ... est égal à...

$\neq$: ... n'est pas égal à... ou ... est différent de...

$<$: ... est inférieur à...

$>$: ... est supérieur à...

$\leq$: ... est inférieur ou égal à...

$\geq$: ... est supérieur ou égal à...

$\approx$: ... est à peu près égal à... ou ... est approximativement égal à...

$\cong$: ... est congru à... ou ... a la même mesure que... ou ... est congruent à... ou ... est isométrique à...

$\triangleq$: ... correspond à...

$\Rightarrow$: implique que

$\Leftrightarrow$: ... est logiquement équivalent à...

$\longmapsto$: ... a comme image...

$\bullet A$: point *A*

$\overset{A\quad B}{\bullet\!\!-\!\!-\!\!\bullet}$: segment *AB* ou $\overline{AB}$

m $\overline{AB}$ ou mes $\overline{AB}$: mesure du segment *AB*

$\overset{A\quad B}{-\!\bullet\!-\!\!-\!\bullet\!-}$: droite *AB* ou *AB*

$\overline{\quad d \quad}$: droite *d*

$\overset{A\quad B}{\bullet\!-\!\!-\!\bullet\!-}$: demi-droite *AB*

$\bullet\!-\!\!-\!\!-$ *d* : demi-droite *d*

$//$: ... est parallèle à...

$\not\parallel$: ... n'est pas parallèle à...

$\perp$: ... est perpendiculaire à...

$\angle A$: angle de sommet *A*

m $\angle A$ ou mes $\angle A$: mesure de l'angle *A*

$n°$: *n* degré

$\llcorner$: angle droit

$\Delta\, ABC$: triangle de sommets *ABC*

t : translation *t*

r : rotation *r*

$\mathcal{s}$: réflexion $\mathcal{s}$

k$: millier de dollars

M$: million de dollars

G$: milliard de dollars

km/h : kilomètre par heure

m/s : mètre par seconde

°C : degré Celsius

ITINÉRAIRE 8

LES NOMBRES DÉCIMAUX

Les grandes idées :

- la lecture et l'écriture des nombres décimaux;
- la représentation des nombres décimaux;
- la grandeur relative des nombres décimaux.

Objectif terminal :

Comparer des nombres rationnels exprimés sous diverses formes.

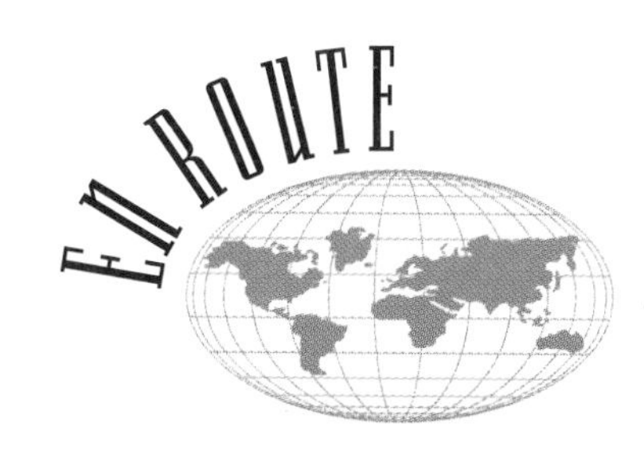

... VERS LES NOMBRES À VIRGULE

LES FRACTIONS DÉCIMALES ET LES NOMBRES DÉCIMAUX

- Le prix de l'essence ordinaire est-il plus élevé chez Toto ou chez Mécano?
- Le prix de l'essence extra est-il plus bas chez Toto ou chez Mécano?
- Les propriétaires de ces deux stations-service affichent leurs prix de façon différente. Explique ces deux façons différentes d'afficher les prix.

Chez Toto et chez Mécano, on utilise les **nombres décimaux** pour afficher le prix de l'essence.

a) Si le grand carré représente l'unité, quelle fraction est représentée par :

1) une barre? 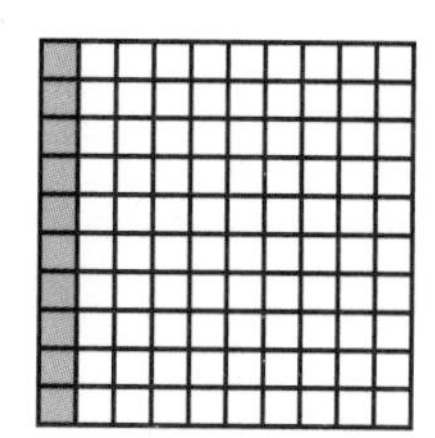

2) un petit carré? 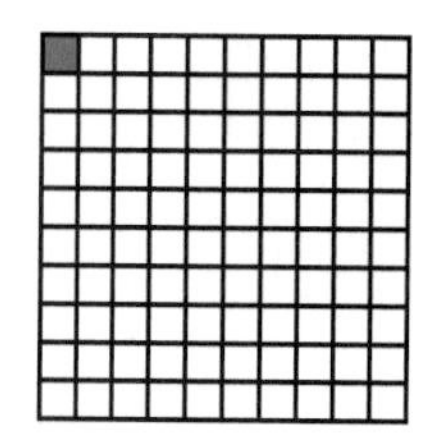

b) Quelle partie du carré unité correspond à $\frac{1}{1000}$?

Les fractions qui utilisent les puissances de 10 (1, 10, 100,...) comme dénominateurs sont appelées **fractions décimales.**

Ex. : $\frac{3}{1}, \frac{7}{10}, \frac{29}{100}, \ldots$

c) Donne deux autres exemples de fraction décimale.

d) Dans chaque cas, indique quelle fraction est représentée.

1) 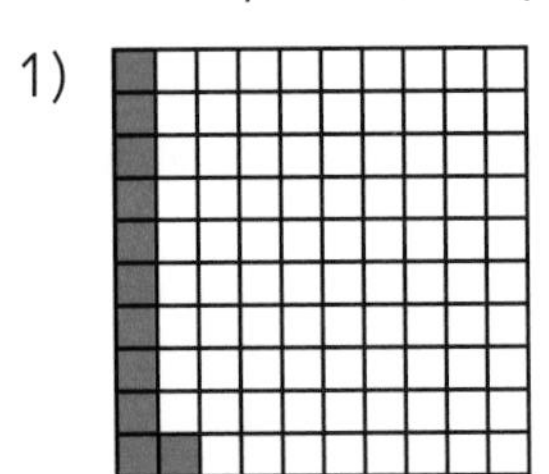

2)

e) En te reportant aux illustrations précédentes, complète la décomposition de chaque fraction.

1) $\frac{11}{100} = \frac{\blacksquare}{10} + \frac{\blacksquare}{100}$ 2) $\frac{67}{100} = \frac{\blacksquare}{10} + \frac{\blacksquare}{100}$

f) Décompose chaque fraction en une somme de fractions dont le dénominateur est une puissance de 10.

1) $\frac{23}{100}$ 2) $\frac{78}{100}$ 3) $\frac{14}{100}$ 4) $\frac{99}{100}$

g) Combien y a-t-il :

1) de dixièmes dans une unité? 2) de centièmes dans un dixième?

3) de centièmes dans une unité? 4) de millièmes dans un dixième?

h) Quels nombres fractionnaires te suggèrent les illustrations suivantes?

1) 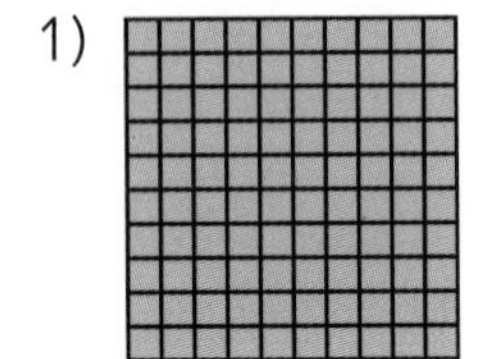 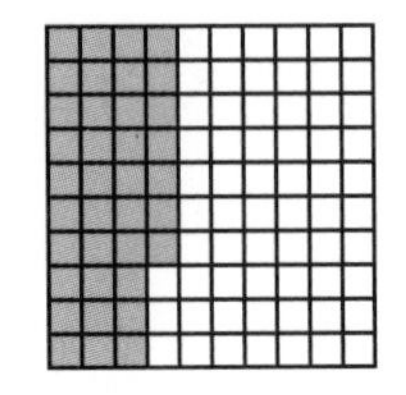

2) 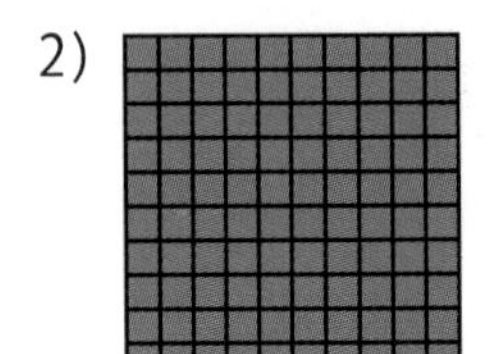 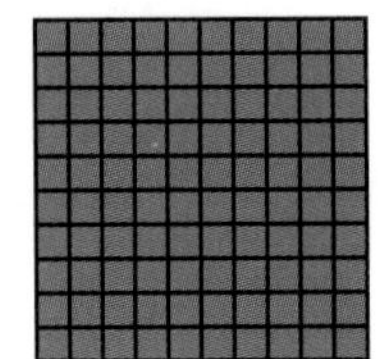 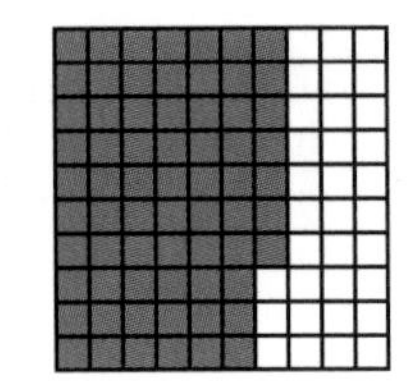

3) 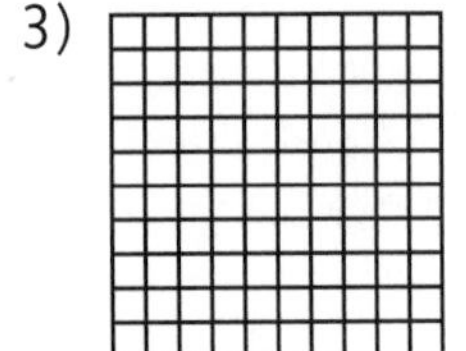 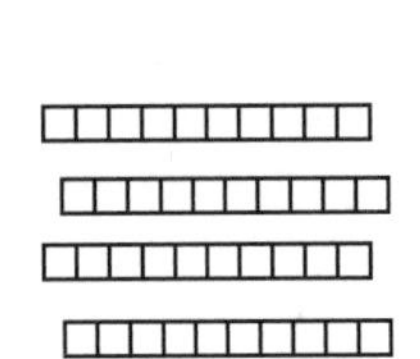

4) 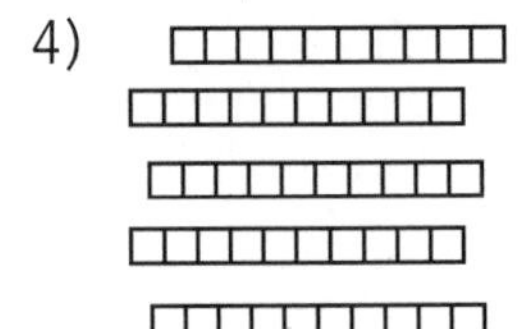 

Les fractions et les nombres fractionnaires qui utilisent les puissances de 10 comme dénominateurs se traduisent directement en **nombres décimaux** puisque notre système décimal utilise également les puissances de 10.

On commence à placer les chiffres à partir de la position qui correspond au dénominateur.

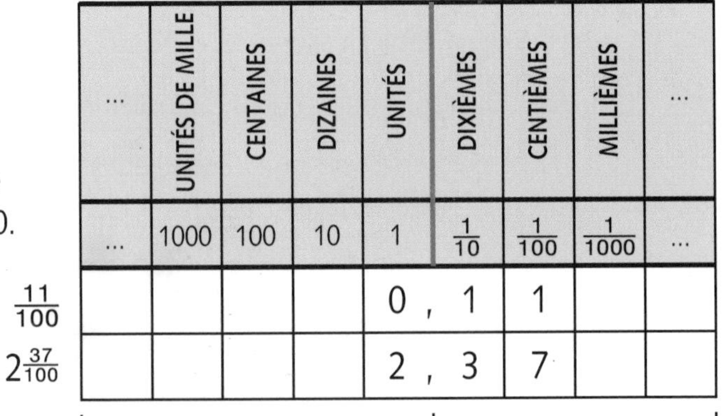

	...	UNITÉS DE MILLE	CENTAINES	DIZAINES	UNITÉS	DIXIÈMES	CENTIÈMES	MILLIÈMES	...
	...	1000	100	10	1	$\frac{1}{10}$	$\frac{1}{100}$	$\frac{1}{1000}$	...
$\frac{11}{100}$					0 ,	1	1		
$2\frac{37}{100}$					2 ,	3	7		

PARTIE ENTIÈRE — PARTIE DÉCIMALE

i) Traduis les fractions suivantes en nombres décimaux.

1) $\frac{4}{10}$ 2) $\frac{52}{100}$ 3) $\frac{238}{1000}$ 4) $\frac{6\,297}{10\,000}$

5) $\frac{4}{1}$ 6) $\frac{1}{100}$ 7) $\frac{1}{1000}$ 8) $\frac{45}{10}$

Voici la façon de lire un nombre décimal :

On lit d'abord la partie entière, puis «et» pour la virgule.
Finalement, on lit la partie décimale en mentionnant la position du dernier chiffre.
Ainsi, 24,3 se lit «vingt-quatre et trois dixièmes».

L'adjectif numéral ***mille*** *est toujours invariable. Les adjectifs numéraux* ***vingt*** *et* ***cent*** *prennent un «s» quand ils sont multipliés par un autre nombre et qu'ils terminent le nombre. Pour écrire un nombre composé, on emploie un trait d'union seulement s'il est inférieur à 100, sauf pour les nombres 21, 31, 41, 51, 61 et 71 qui s'écrivent avec un «et».*

j) Comment doit-on lire les nombres dans le tableau ci-contre?

Lorsque la partie entière d'un nombre à virgule est zéro, on ne la lit pas la plupart du temps. Toutefois, **on doit toujours écrire ce zéro.**

UNITÉS DE MILLE	CENTAINES	DIZAINES	UNITÉS	DIXIÈMES	CENTIÈMES	MILLIÈMES	DIX-MILLIÈMES	CENT-MILLIÈMES	MILLIONIÈMES
		2	4 ,	3					
			0 ,	0	2				
	3	4	5 ,	1	4	6			
2	0	8	9 ,	2	0	3	0	2	
	6	4	2 ,	9	0	0	0	8	
		6	7 ,	0	0	6	7	1	5

k) Comment lit-on les nombres suivants?

1) 0,3 2) 4,12 3) 32,895 4) 2345,0789

l) Écris en lettres chacun des nombres décimaux suivants :

1) 2 456,038 2) 0,2345 3) 12,003 67

Lorsqu'on écrit des nombres décimaux, on sépare chaque groupe de 3 chiffres par un espace. Les groupes de 3 chiffres se forment à partir de la virgule et ce, tant pour la partie décimale que pour la partie entière.

Ex. : 2 345,834 234 45 L'application de cette dernière règle est facultative lorsque la partie entière, ou la partie décimale, n'est formée que de 4 chiffres.

Pour **écrire un nombre décimal en chiffres,** on écrit d'abord la partie entière, puis la partie décimale en commençant par le chiffre occupant la position mentionnée dans la lecture de la partie décimale.

m) Écris en chiffres les nombres décimaux suivants :

1) Quatre dixièmes.
2) Douze et deux cent huit millièmes.
3) Quarante-trois et dix-huit millièmes.
4) Cinq cent quatre et deux mille un millionièmes.
5) Deux mille trois cent quatre cent-millionièmes.

Chaque position de notre système décimal a une valeur précise.
Voici le tableau des valeurs de chaque position.

...	UNITÉS DE MILLE	CENTAINES	DIZAINES	UNITÉS	DIXIÈMES	CENTIÈMES	MILLIÈMES	DIX-MILLIÈMES	CENT-MILLIÈMES	MILLIONIÈMES	...
...	1 000	100	10	1	$\frac{1}{10}$	$\frac{1}{100}$	$\frac{1}{1\,000}$	$\frac{1}{10\,000}$	$\frac{1}{100\,000}$	$\frac{1}{1\,000\,000}$	...

n) Quel lien existe-t-il entre les valeurs de deux positions consécutives?

Dans un nombre décimal, la valeur d'un chiffre dépend de sa **position.**

La **valeur de chaque chiffre** dans un nombre décimal est celle du chiffre multiplié par la valeur de la position qu'il occupe.

Ex. : Dans le nombre décimal 28,346 :

- le chiffre 2 vaut 2 x 10, soit 20;
- le chiffre 8 vaut 8 x 1, soit 8;
- le chiffre 3 vaut 3 x $\frac{1}{10}$, soit $\frac{3}{10}$;
- le chiffre 4 vaut 4 x $\frac{1}{100}$, soit $\frac{4}{100}$;
- le chiffre 6 vaut 6 x $\frac{1}{1000}$, soit $\frac{6}{1000}$.

On remarque également que tout nombre décimal est égal à la somme des valeurs de ses chiffres.

$$28{,}346 = 2 \times 10 + 8 \times 1 + 3 \times \frac{1}{10} + 4 \times \frac{1}{100} + 6 \times \frac{1}{1000}$$

$$20 + 8 + \frac{3}{10} + \frac{4}{100} + \frac{6}{1000}$$

$$28 + \frac{346}{1000}$$

$$28{,}346$$

Cette forme d'écriture d'un nombre décimal est appelée ***forme développée.***

o) Donne la forme développée de 415,0325.

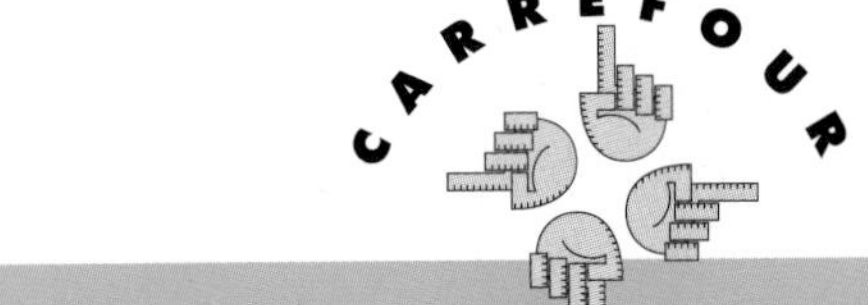

QU'EN PENSEZ-VOUS?

p) Dans notre système décimal, existe-t-il une limite quant au nombre de positions?

q) Quel est le rôle de la virgule dans un nombre décimal?

r) À quel nombre décimal chacune de ces fractions correspond-elle?

1) $\frac{465}{10}$

2) $\frac{78\,682}{100}$

s) Combien y a-t-il :

1) de dixièmes dans 48,72?

2) de centièmes dans 48,72?

3) de millièmes dans 48,72?

t) Comment écrit-on les entiers en notation décimale?

u) Quel est le seul chiffre qui a toujours la même valeur quelle que soit sa position dans un nombre décimal?

1 Décompose chaque fraction en une somme de fractions décimales.

a) $\frac{89}{100}$ ______ *b)* $\frac{237}{1000}$ ______

2 Écris les fractions décimales suivantes en notation décimale.

a) $\frac{23}{100}$ ______ *b)* $\frac{9}{1000}$ ______ *c)* $\frac{819}{100}$ ______ *d)* $\frac{2\,621}{100}$ ______

3 Dans chaque cas, quel nombre décimal est représenté si le grand carré correspond à l'unité?

a) *b)*

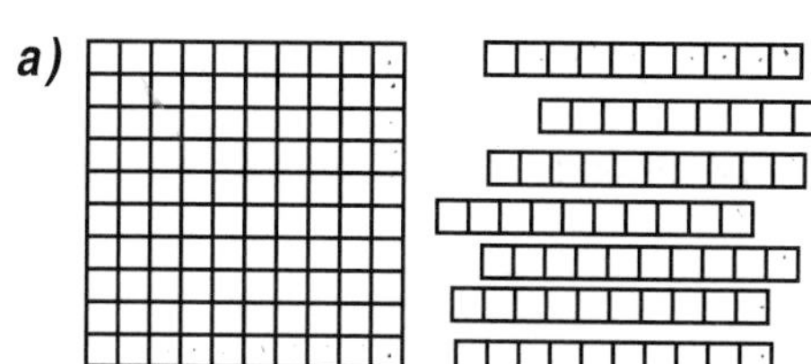

4 Écris en lettres tous les nombres décimaux de ce tableau.

	UNITÉS DE MILLE	CENTAINES	DIZAINES	UNITÉS	DIXIÈMES	CENTIÈMES	MILLIÈMES	DIX-MILLIÈMES	CENT-MILLIÈMES	MILLIONIÈMES
a)			2	4	, 3					
b)				0	, 0	2				
c)		3	4	5	, 1	4	6			
d)	2	0	8	9	, 2	0	3	0	2	
e)		6	4	2	, 9	0	0	0	8	
f)			6	7	, 0	0	6	7	1	5

5 Écris en chiffres les nombres décimaux suivants :

a) Un et six dixièmes.

b) Quatre centièmes.

c) Douze et quarante-huit millièmes.

d) Deux mille et mille deux cent-millièmes.

e) Deux cent et quatre-vingt-cinq dix-millionièmes.

6 Écris en lettres chaque nombre décimal.

a) 2,76
b) 56,201
c) 100,001
d) 1000,0001

7 Écris en chiffres chaque nombre décimal.

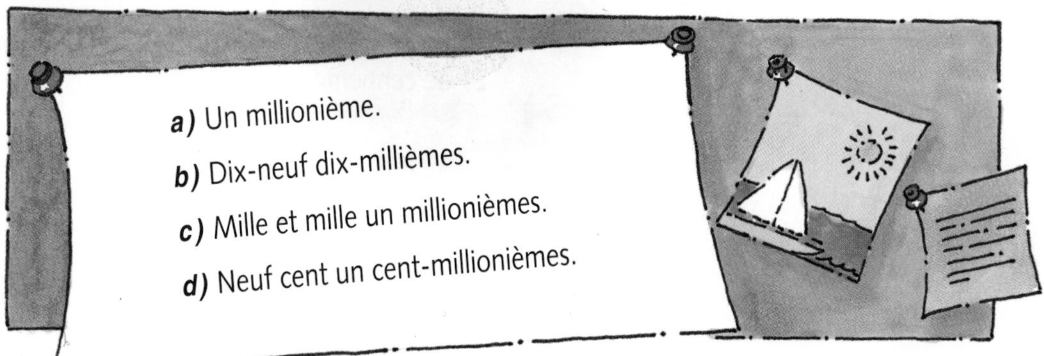

a) Un millionième.
b) Dix-neuf dix-millièmes.
c) Mille et mille un millionièmes.
d) Neuf cent un cent-millionièmes.

8 Écris en chiffres les nombres décimaux contenus dans les informations suivantes :

a) De nos jours, l'information contenue dans une puce d'ordinateur est accessible en deux millionièmes de seconde.

b) La vitesse moyenne d'un escargot est de six cent trois dix-millièmes de kilomètre par heure.

c) La vitesse moyenne de l'être humain à la nage est de six kilomètres et quatre-vingt-trois centièmes par heure.

9 Pour chaque nombre, place la virgule afin que le chiffre 8 occupe la position demandée.

a) Dixièmes : 2789 2329845 34990824

b) Millionièmes : 23445834 1203458

10 Dans chaque cas, donne la valeur du chiffre 8.

a) 2,48 *b)* 2 894,092 *c)* 0,990 08 *d)* 235,096 807

11 Dans quel nombre décimal le chiffre 5 a-t-il une plus grande valeur?

a) 0,5 ou 0,054? *b)* 0,005 ou 0,0058?

12

À quel billet ou à quelle pièce de monnaie chaque chiffre dans 457,87 $ correspond-il?

13

a) À quelle réduction Nickolaos a-t-il droit s'il obtient un 3 en lançant le dé?

b) Quelle est la plus importante réduction que Nickolaos pourrait obtenir?

c) Quelle est la plus petite réduction que Nickolaos pourrait obtenir?

14

Écris ces nombres sous la forme développée.

a) 23,678

b) 3 410,01

15

Écris ces nombres sous la forme développée.

a) Douze et onze millionièmes.

b) Deux et quatre cent quarante-six dix-millièmes.

16

À quel nombre décimal chacune des formes développées suivantes correspond-elle?

a) $5 \times 1 + 3 \times \frac{1}{10} + 2 \times \frac{1}{100}$

b) $3 \times 100 + 4 \times 1 + 5 \times \frac{1}{1000}$

c) $4 \times 1\,000 + 4 \times 10 + 3 \times \frac{1}{100} + 2 \times \frac{1}{10\,000}$

d) $7 \times 10\,000 + 3 \times 100 + 2 \times \frac{1}{1\,000\,000}$

17 Donne la liste de tous les nombres décimaux qu'il est possible d'écrire en utilisant une seule fois les symboles suivants :

0, 6, 7 et une virgule.

18 On se rappelle les égalités suivantes :

$10^{-1} = \frac{1}{10}$ | $10^{-2} = \frac{1}{100}$ | $10^{-3} = \frac{1}{1000}$ | ...

Récris chaque forme développée en utilisant la notation exponentielle en base 10.

a) $24,85 = 2 \times 10 + 4 \times 1 + 8 \times \frac{1}{10} + 5 \times \frac{1}{100}$

b) $0,278 = 0 \times 1 + 2 \times \frac{1}{10} + 7 \times \frac{1}{100} + 8 \times \frac{1}{1000}$

19 À quels nombres décimaux les formes développées suivantes correspondent-elles?

a) $3 \times 10^0 + 4 \times 10^{-1} + 8 \times 10^{-2}$

b) $3 \times 10^2 + 6 \times 10^0 + 4 \times 10^{-1} + 8 \times 10^{-3}$

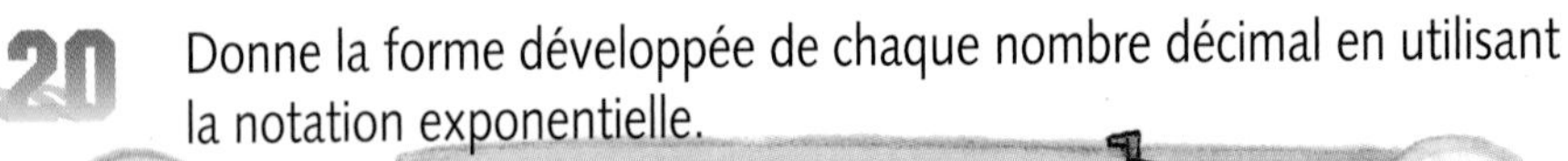

20 Donne la forme développée de chaque nombre décimal en utilisant la notation exponentielle.

PROBLÈME

Dans la résolution d'un problème, la réponse est le but à atteindre, mais elle n'apporte rien en ce qui a trait à l'apprentissage. Ce qui importe, c'est la démarche.

21 Voici deux problèmes.

On te donne la réponse de chaque problème. Dans chacun de ces cas, explique ce que tu apprends avec cette réponse.

a) Au jour de l'An, 8 amis se sont rencontrés dans un restaurant. Chaque ami a donné une poignée de main à chacun de ses amis en lui offrant ses meilleurs voeux pour le Nouvel An. Combien de poignées de main ces 8 amis ont-ils échangées ce matin-là?

Réponse : Ils ont échangé 28 poignées de main.

b) Au centre sportif de ta localité, on organise un tournoi de tennis. Voici les règles de ce tournoi :

1° Il y a un groupe **A** et un groupe **B** de 8 joueurs ou joueuses chacun.

2° Dans chaque groupe, les adversaires sont choisis au hasard.

3° Lorsqu'une personne perd un match, elle est éliminée du tournoi.

4° On poursuit le tournoi jusqu'à ce qu'il n'y ait qu'un seul gagnant ou qu'une seule gagnante dans chaque groupe.

5° Ces deux gagnants ou gagnantes se rencontrent en finale.

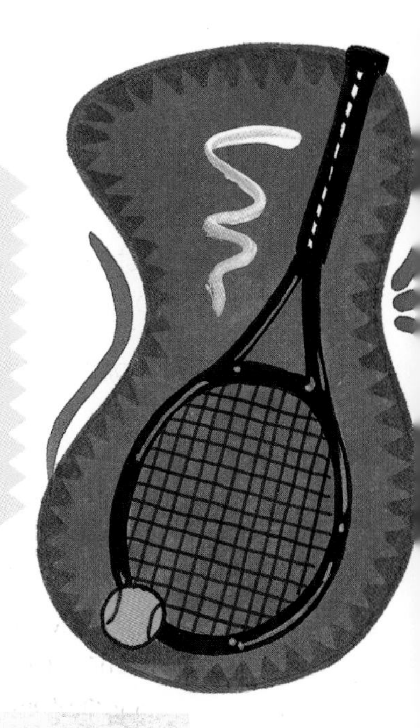

Combien de matchs y aura-t-il au cours de ce tournoi de tennis?

Réponse : Il y aura 15 matchs au cours de ce tournoi de tennis.

Des lettres pour généraliser!

■ Quelle est la valeur de chaque lettre?

$5 \times 10^a + 2 \times 10^b + 8 \times 10^c = 520,008$

■■ Quelle est la forme développée du nombre décimal $a,bcde$?

NOMBRES DÉCIMAUX ET DROITE NUMÉRIQUE

Forte poussée de fièvre!

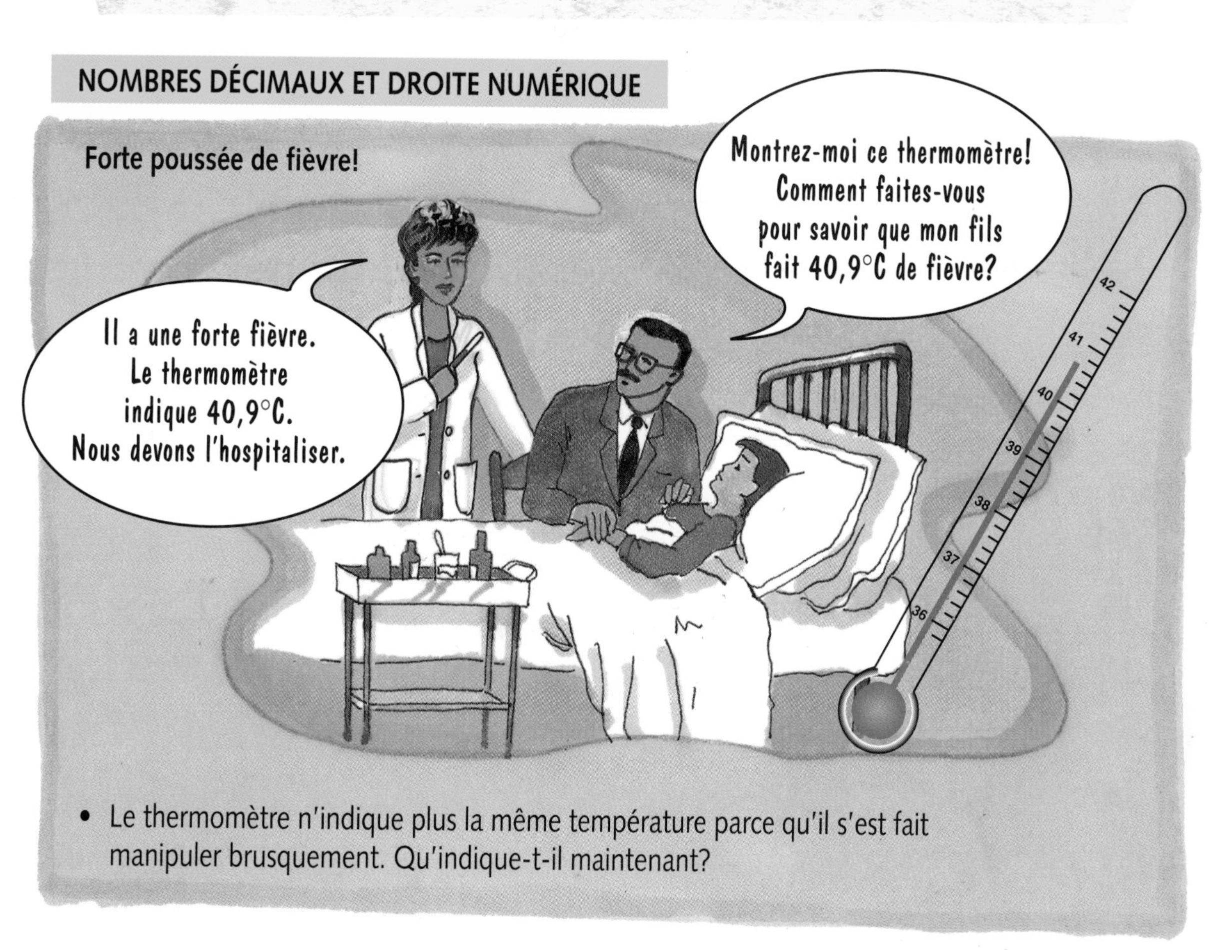

- Le thermomètre n'indique plus la même température parce qu'il s'est fait manipuler brusquement. Qu'indique-t-il maintenant?

Tout nombre décimal correspond à un point sur la droite numérique. Pour repérer ce point, il faut comprendre que tout nombre décimal a une infinité d'équivalents.

a) Donne deux façons d'écrire cinq dollars.

b) Est-ce que l'on modifie la valeur d'un nombre décimal si, dans sa partie décimale, on ajoute des zéros après son dernier chiffre?

c) Donne 3 nombres décimaux équivalents à chacun des nombres suivants :

1) 5 2) 0,8 3) 2,45 4) -1,275 5) 0,01

d) Prolonge les égalités suivantes à l'aide de 3 autres nombres décimaux.

1) 4 = 4,0 = ... 2) 3,1 = 3,10 = ... 3) -2,25 = -2,250 = ...

e) Pour placer les demis sur la droite numérique, on divise en deux l'intervalle entre les entiers. Pour placer les tiers, on divise ces intervalles en trois. Alors, que suggères-tu pour placer sur la droite numérique :

1) des dixièmes? 2) des centièmes?

f) Découvre le nombre décimal qui correspond à chaque trait entre les deux nombres donnés.

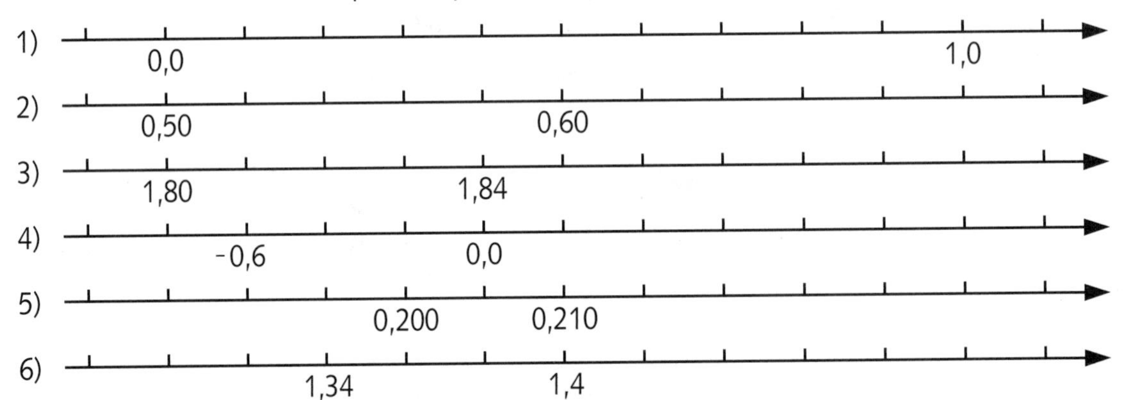

g) Si la seconde droite numérique représente chaque fois un agrandissement de la première, indique quel nombre décimal correspond à la flèche.

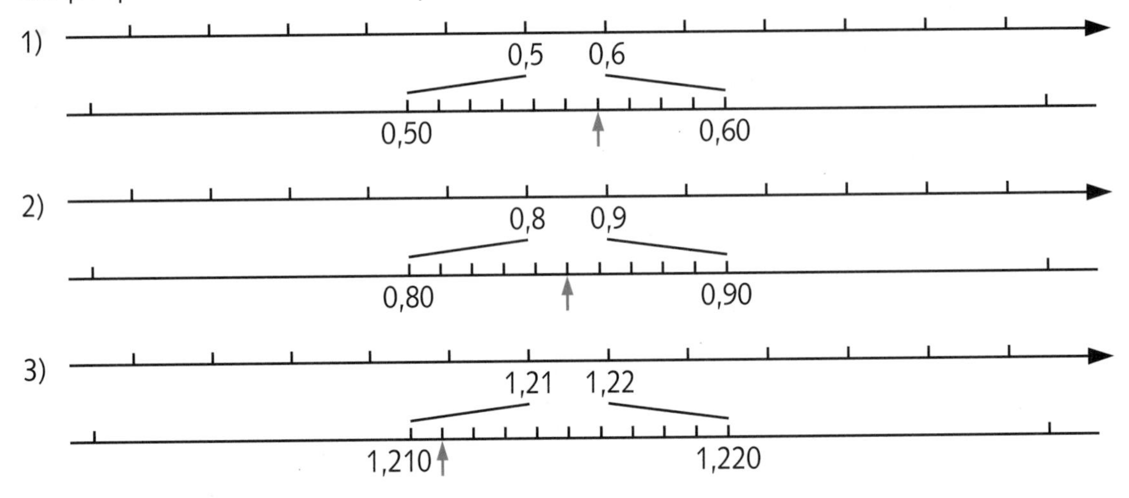

On **repère le point** qui correspond à un nombre décimal sur la droite numérique par encadrement entre deux entiers, deux dixièmes, deux centièmes, etc.

Ex. : On doit situer le nombre 2,36 sur la droite numérique.

1° On l'encadre entre :

- deux entiers;

2 ... 3

- deux dixièmes.

2 ... 2,3 2,4 ... 3

2° On le repère en comptant les centièmes.

2 ... 2,30 ↑ 2,40 ... 3

2,36

h) Les lettres *a* et *b* représentent deux nombres décimaux quelconques. Que peut-on affirmer à propos de *a* et *b* si :

1) *a* est situé avant *b*? 2) *a* est situé au même endroit que *b*? 3) *a* est situé après *b*?

Le plus grand de deux nombres décimaux est celui qui :

1° de gauche à droite;
2° position par position;
3° présente en premier le plus grand chiffre.

Ex. : 21,30**7**2
21,30**8**4
Alors, le deuxième est le plus grand des deux.

QU'EN PENSEZ-VOUS ?

i) Complétez par le nombre qui convient.

1) 0,5 < **0,54** < 0,__ 2) 1,34 < **1,342** < 1,3__
3) 4,04 < **4,047** < 4,0__ 4) 5,00__ < **5,0084** < 5,009

j) Si le segment situé entre les entiers 2 et 3 a une longueur de un décimètre, donnez les nombres décimaux qui correspondent :

1) aux centimètres; 2) aux millimètres du deuxième centimètre.

k) Donnez un nombre décimal plus petit que 1, mais plus grand que 0,999 999 999.

l) Donnez 3 nombres décimaux supérieurs à 0, mais inférieurs à 0,000 001.

m) L'affirmation suivante est-elle vraie?

Entre deux nombres décimaux donnés, il y a toujours au moins un autre nombre décimal.

Les nombres décimaux traduisent bien certaines réalités de la vie quotidienne. Cependant, une simple erreur dans le positionnement de la virgule et l'on peut faire face à une catastrophe. Il est donc important de déterminer si un nombre décimal convient à la situation donnée.

1. Dans chacune des situations suivantes, la virgule du nombre décimal n'est pas placée à l'endroit approprié. Corrige cette erreur.

   a) En 1992, la population du Québec s'élevait à 69,4 millions d'habitants.

   b) Guy a fait un saut en hauteur de 15,4 m.

   c) À sa naissance, Nancy mesurait 3,6 m.

   d) En 1990, la population mondiale atteignait 722,5 milliards d'habitants.

   e) Sur l'autoroute, Luc a roulé à une vitesse moyenne de 8,850 km par heure.

   f) Sylvie marche à une vitesse de 42,5 km par heure.

   g) La largeur du fleuve Saint-Laurent à la hauteur du pont de Québec est de 67,5 km.

   h) Le prix d'un billet pour le spectacle d'un groupe rock est de 344,50 $.

   i) Ce gardien de buts a une moyenne de 32,5 buts par match.

   j) À sa naissance, Donald pesait 262,5 kg.

2. La grandeur d'un nombre dépend bien souvent de la situation. Selon le contexte, indique s'il s'agit d'un grand nombre ou d'un petit nombre.

   a) Mon arrière-grand-père fêtera ses 94 ans le mois prochain.

   b) La grand-mère de Manuel lui a laissé 94 $ en héritage.

   c) Lorsque j'ai acheté un billet pour le spectacle de la troupe de théâtre de l'école, Diane a fait une erreur de 6,50 $ en me remettant la monnaie.

   d) À l'achat de notre nouvelle résidence, la notaire a fait une erreur de 6,50 $.

   e) Pier-Marc mesure 1,89 m.

   f) La hauteur de sa maison est de 1,89 m.

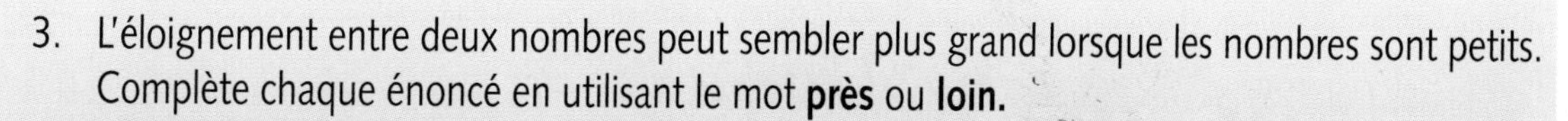

3. L'éloignement entre deux nombres peut sembler plus grand lorsque les nombres sont petits. Complète chaque énoncé en utilisant le mot **près** ou **loin.**

   a) 0,1 est ▬ de 0,9.
   b) 24 est ▬ de 97.
   c) 8 728 est ▬ de 8 804.
   d) 98 567 est ▬ de 99 433.

4. Souvent, plus le nombre est grand, plus la partie décimale perd de sa valeur ou de son importance. Pour chaque situation, indique laquelle des deux données fait sourire.

   a) Manon a payé son stylo 1,89 $, et son automobile 20 679,89 $.

   b) Simon a 14,5 ans, et sa mère a 57,5 ans.

1 Découvre le nombre décimal indiqué par la flèche.

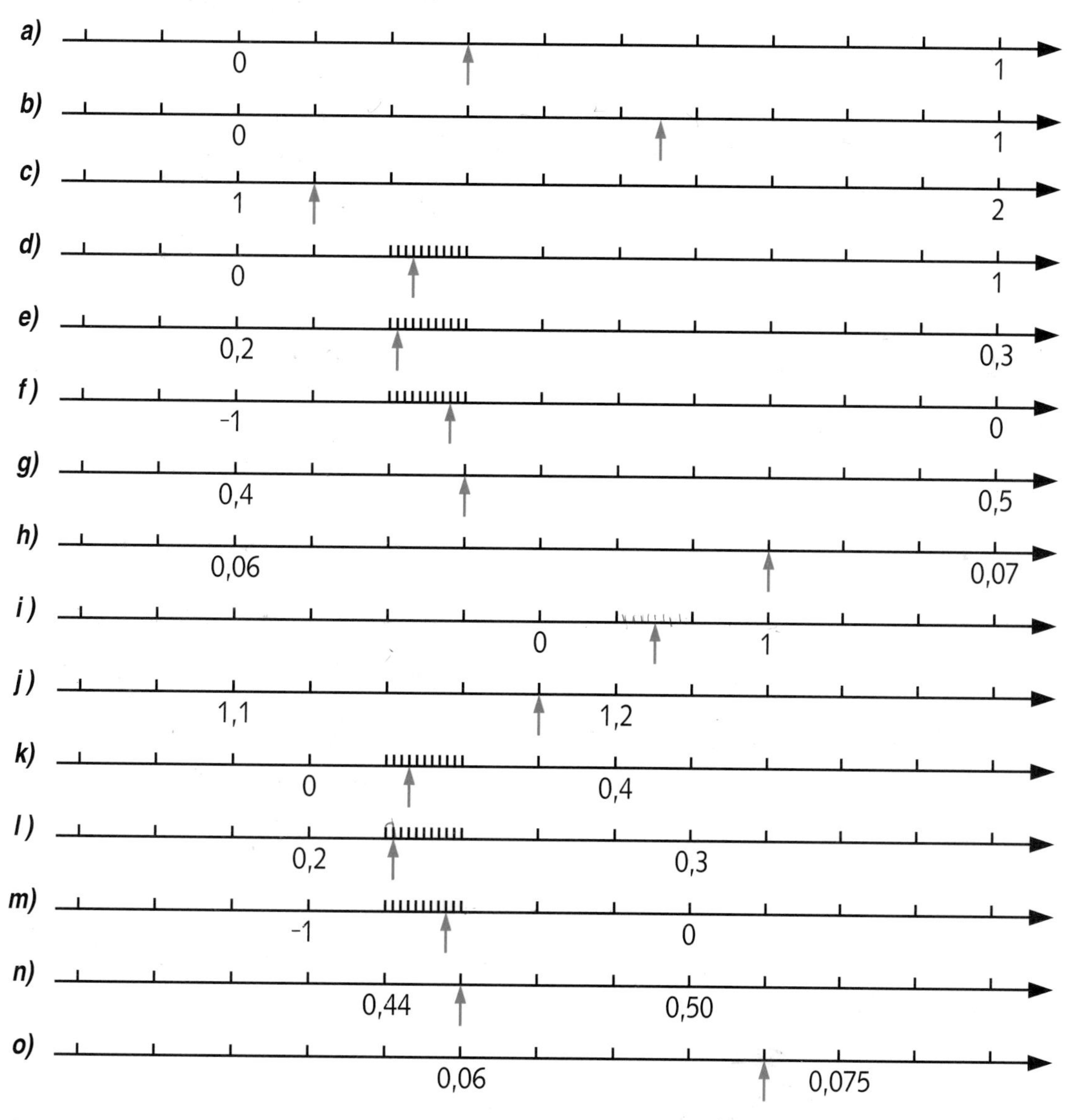

2 Situe les nombres suivants sur une droite numérique.

a) 0,2 ***b)*** 1,45 ***c)*** 2,0 ***d)*** 2,68
e) 12,09 ***f)*** 0,182 ***g)*** -1,8 ***h)*** -0,72

3 Dans chaque cas, donne le nombre indiqué.

a) ***b)***

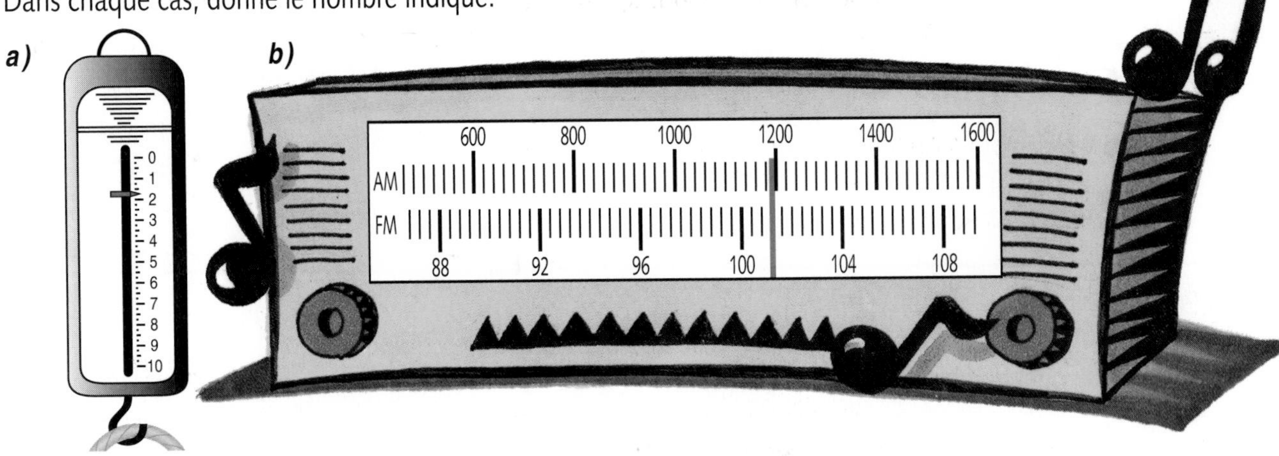

4 Écris le nombre décimal qui correspond à chacune des pièces de monnaie suivantes et place ces nombres en ordre croissant.

5 Parmi les nombres présentés dans l'encadré ci-contre, trouve les 3 nombres les plus près de :

a) 1 ***b)*** 0,5 ***c)*** 0

0,012	0,48
0,02	1,02
0,503	0,112
0,9	0,987
0,959	0,459

6 Place le symbole qui convient (<, > ou =).

a) 0,12 ■ 0,21 ***b)*** 1,1 ■ 1,11 ***c)*** 0,99 ■ 0,995 ***d)*** 1,003 ■ 1,023
e) 1,05 ■ 1,0505 ***f)*** 1,81 ■ 1,801 ***g)*** 1,905 ■ 1,95 ***h)*** 2,195 ■ 2,159

7 Place les nombres donnés en ordre croissant.

a) 0,02 0,002 0,0022 ***b)*** 1,1 1,11 1,011
c) 0,01 0,0101 0,001 ***d)*** -1,2 -1,3 -1,23

8 Place les nombres donnés en ordre décroissant.

a) 5,01 5,011 5,0101 5,101 ***b)*** 0,1 0,9 0,909 1
c) 9,9 9,09 9,099 9,909 ***d)*** -2,2 -2,02 -2,202 -2,3

9 Le graphique ci-contre illustre la variation des précipitations mensuelles à Toja l'an dernier. Estime, aux deux dixièmes de centimètre près, la quantité de pluie ou de neige tombée :

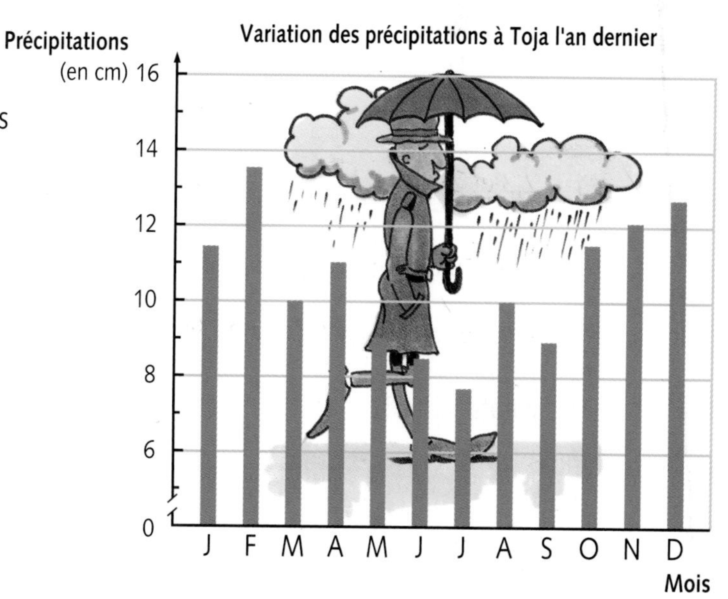

a) en mai;

b) en juillet;

c) en septembre;

d) en décembre.

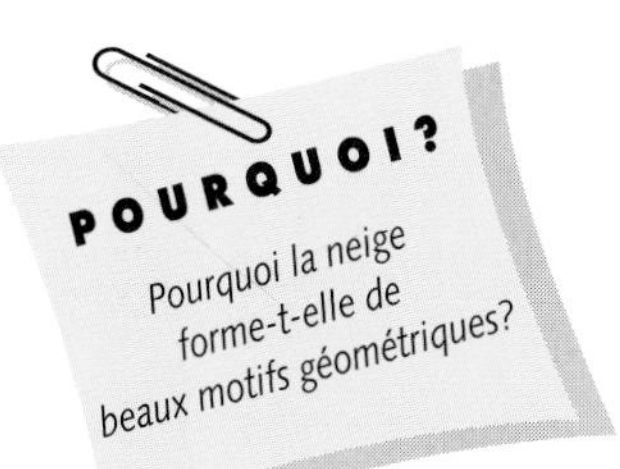

POURQUOI?
Pourquoi la neige forme-t-elle de beaux motifs géométriques?

10 Si un mètre représente la partie de la droite numérique comprise entre 0 et 1, quel nombre décimal correspond à :

a) 6 cm? *b)* 38 mm? *c)* 140 mm?

11 Lorsqu'il y a eu la débâcle au printemps dernier, ce cours d'eau a atteint le niveau indiqué par la flèche. Quel est ce niveau?

12 Un dynamomètre est un instrument servant à mesurer des forces en newtons. Quelle force de préhension le dynamomètre illustré ci-contre enregistre-t-il?

13 Le nombre qui correspond à un point sur la droite numérique est appelé **abscisse** de ce point. Quelle est l'abscisse des points donnés sur cette droite?

a) M *b)* P *c)* T *d)* S

14 *a)* Quel nombre décimal est le plus près de 2 : 1,999 ou 1,9999?

b) Le nombre 1,999 999 est près de 2. Donne un nombre qui est encore plus près de 2.

15 Dans chaque cas, donne un nombre qui se situe entre les deux nombres donnés.

a) 2,3 et 2,5 ***b)*** 2,3 et 2,4 ***c)*** 2,31 et 2,32 ***d)*** 2,312 et 2,313

16 Donne le nombre décimal qui correspond à la moyenne de 2,54 et 2,55.

17 Au cours d'une épreuve de gymnastique, les participantes ont obtenu les résultats suivants :

Linda :	97,89
Léona :	98,089
Kiny :	98,085
Pierrette :	98,905
Grace :	98,915
Jita :	98,09

Détermine qui a reçu les médailles d'or, d'argent et de bronze.

18 Le nombre 0,0374 est-il plus près de $\frac{37}{1000}$ ou de $\frac{38}{1000}$?

19 Voici l'indice moyen de gras du lait de vache et celui du lait de chèvre :

Quel est l'indice de gras le plus élevé?

20 À l'échelle de Richter, deux tremblements de terre ont atteint respectivement l'indice 6,02 et l'indice 6,025. Quel est l'indice le plus élevé?

21 Écris le plus grand et le plus petit nombre décimal possible avec ces symboles. La virgule doit être précédée et suivie d'au moins un chiffre.

a) 6, 8, 9 et une virgule. ***b)*** 0, 2, 8, 9 et une virgule.

22 Écris le plus grand et le plus petit nombre décimal possible avec ces symboles. Chaque nombre doit compter 3 chiffres dans sa partie décimale.

a) 1, 2, 6, 8, 9 et une virgule. ***b)*** 0, 2, 3, 6, 8 et une virgule.

23 La masse volumique d'un objet est le rapport masse-volume.
La masse volumique de l'eau pure est de 1.
Un corps qui a une masse volumique supérieure à celle de l'eau s'enfonce dans l'eau. Si sa masse volumique est inférieure à celle de l'eau, il flotte.
Lesquels de ces corps flottent sur l'eau?
Ces données sont exprimées en grammes par centimètre cube.

24 La seconde du SI (Système international d'unités) équivaut à 1,000 001 seconde solaire et à 1,002 74 seconde sidérale. Place en ordre croissant ces 3 types de seconde.

25 Pour vérifier le degré de précision de ta calculatrice, fais-lui subir le test suivant :

1 ÷ 19 x 19

a) Quel résultat ta calculatrice devrait-elle afficher?

b) Quel résultat ta calculatrice affiche-t-elle?

c) Une bonne calculatrice donne un résultat supérieur ou égal à 0,999 998 5.
D'après le résultat obtenu, peux-tu dire que tu as une bonne calculatrice?

26 Quel est le plus grand nombre que peut afficher ta calculatrice :

a) sans utiliser de virgule?

b) si elle doit afficher une virgule?

27

JEU
pour deux calculatrices

Deux élèves inscrivent un nombre décimal sur leur calculatrice. Puis, ils observent les deux nombres. L'élève qui a inscrit le plus grand nombre doit toujours soustraire un nombre décimal de son choix, mais sans obtenir un nombre égal ou inférieur à celui de son adversaire. L'autre élève doit toujours additionner un nombre décimal, mais sans obtenir un nombre égal ou supérieur à celui de son adversaire.

Après chaque opération, on compare les deux affichages. L'élève qui ne respecte pas sa règle du jeu perd la partie. Joue plusieurs parties avec un ou une camarade!

PROBLÈME

Dans la résolution d'un problème, il convient de laisser une trace de sa démarche, c'est-à-dire :
- *les conditions du problème;*
- *la question en abrégé;*
- *l'identification des opérations;*
- *la réponse complète.*

Laisser une trace de sa démarche, c'est prouver sa capacité à résoudre le problème. Plus cette trace est lisible, meilleure est la compréhension du lecteur ou de la lectrice.

Dans les problèmes suivants, laisse une trace complète de ta démarche.

a) Émilie a commencé la lecture d'un livre de 544 pages. Elle a déjà lu 128 pages. Elle lit en moyenne 26 pages par jour. Dans combien de temps Émilie aura-t-elle terminé la lecture de son livre?

b) Louka vit à la campagne. Il chauffe sa maison avec du bois d'érable. Chaque année, il coupe 120 m^3 de ce bois. Il en brûle généralement le tiers avant Noël et les $\frac{3}{5}$ le reste de l'hiver. Combien de mètres cubes de bois lui reste-t-il au début du printemps?

La densité des nombres!

■ Combien de nombres décimaux y a-t-il entre 1,9 et 2?

■■ Quels sont les deux nombres les plus près de 4 et qui comptent 4 chiffres dans leur partie décimale?

LES GRANDS ET LES PETITS NOMBRES

Échec et mat!

Il existe 170 000 000 000 000 000 000 000 000 façons différentes de jouer les 10 premiers coups au jeu d'échecs.

- Fais la lecture de ce grand nombre.

Notre système décimal offre la possibilité d'écrire les plus grands et les plus petits nombres imaginables.

En effet, il n'a pas de limite. Après le groupe des millions, il suffit d'ajouter d'autres groupes de 3 positions : **milliards, billions, billiards, trillions, trilliards, quadrillions, quadrilliards,** etc.

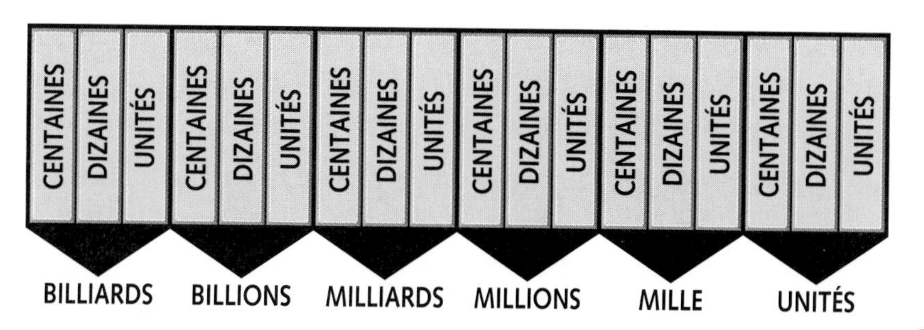

Avec le groupe des millions, on entre dans les grands nombres.

a) D'après toi, existe-t-il un nombre supérieur à tous les autres?

b) Comment lit-on le nombre 23 456 567 098 059 008 000?

c) Si tu compares le plus grand nombre que tu es capable de lire avec celui que tu es capable d'écrire, lequel est le plus grand?

d) Avez-vous vécu plus ou moins que un million de minutes?

e) Combien de temps faut-il pour compter jusqu'à un million?

f) Y a-t-il des villes dans le monde où la population excède un million d'habitants? Si oui, nommez-en quelques-unes.

g) Y a-t-il des pays dans le monde où la population excède un milliard d'habitants? Si oui, nommez-en au moins un.

h) Combien de 10 doit-on multiplier (10 x 10 x 10 x ...) pour obtenir un million? un milliard?

i) Jusqu'à quel nombre doit-on prolonger la multiplication 1 x 2 x 3 x 4 x 5 x ... pour obtenir un produit qui dépasse un million?

j) Combien de litres d'eau y a-t-il dans un million de gouttes d'eau? Il y a 16 gouttes dans un millilitre d'eau.

k) Si le gouvernement provincial dépense quarante milliards de dollars par année, combien de dollars dépense-t-il par minute?

Parfois, on peut lire dans les journaux des titres semblables à ceux-ci.

EN 15 ANS, PRÈS DE 1,1 Mt DE PÉTROLE A ÉTÉ RÉPANDU DANS LES MERS

LES DOMMAGES MATÉRIELS CAUSÉS PAR LE SÉISME S'ÉLÈVENT À 1,6 G$

1,1 Mt se lit «**un virgule un million de tonnes**» et correspond à 1 100 000 t.

1,6 G$ se lit «**un virgule six milliard de dollars**» et correspond à 1 600 000 000 $.

On utilise les symboles **k** pour millier, **M** pour million et **G** pour milliard. Ces symboles doivent être utilisés avec d'autres symboles représentant des unités de mesure.

Ainsi, 62,5 km correspond à 62,5 x 1 000 m, soit 62 500 m. De même, 83,56 M$ correspond à 83,56 x 1 000 000 $, soit 83 560 000 $.

Notre système décimal permet également d'écrire les nombres aussi petits que l'on veut.

l) Donne les 3 prochains termes de cette suite : 0,01 | 0,001 | 0,0001 | 0,000 01 | ...

On peut imaginer l'ordre de grandeur du centième terme de la suite précédente.

m) Décris un nombre encore plus petit que le centième terme de la suite précédente qui n'est ni zéro ni un nombre négatif.

n) Donne le nom de 3 autres positions dont la valeur est encore plus petite que la position des cent-millionièmes.

POURQUOI?
Pourquoi les astronautes portent-ils des combinaisons spatiales?

L'Univers est un immense trou vide! En effet, les savants estiment qu'il y a environ 0,000 000 000 000 000 000 000 000 1 gramme de matière par mètre cube d'espace dans l'Univers.

1

Dans chaque cas, écris en chiffres seulement le nombre donné.

a) 5 millions 385 mille 450

b) 67 millions 845 mille 10

c) 10 milliards 386 millions 234

d) 350 millions 425 mille 15

e) 300 millions 234

La baleine bleue est l'animal le plus grand ayant vécu sur la Terre. Elle est plus grande encore que les dinosaures avec ses 30 m de long.

2

Récris ces nombres en utilisant le symbole **M** ou **G,** selon le cas.

a) La masse d'une baleine bleue est d'environ 13 800 000 000 g.

b) La lumière se déplace à une vitesse de 300 000 000 m par seconde.

c) La vie sur la Terre est apparue il y a environ 3 500 000 000 a.

d) L'âge approximatif de la Terre est de 4 600 000 000 a.

e) Le coeur pompe environ 7 200 000 l de sang par année.

3

Écris le nombre donné en utilisant seulement des chiffres.

a) un million et demi
b) 1,8 million
c) 1,25 k$
d) 4,6 millions
e) 4,65 milliards
f) 12,65 M$

4

Écris en chiffres chaque nombre contenu dans les données suivantes :

a) En 1867, les Américains ont acheté l'Alaska pour la modique somme de 7,2 M$.

b) Le Soleil brûle 9 Mt de gaz par seconde. À ce rythme, il s'éteindra dans environ 10 Ga.

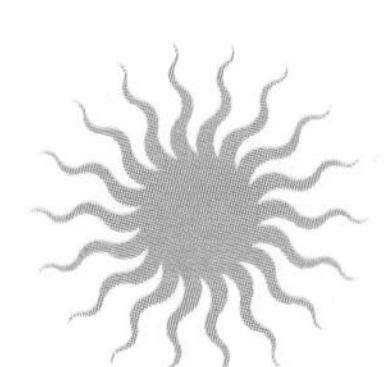

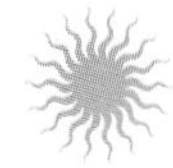
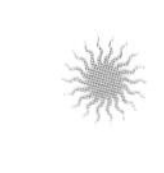

5 En 1950, à Las Vegas, un marin inconnu a gagné 27 fois d'affilée au lancer du dé. La chance qu'un tel évènement se produise est évaluée à 8 fois sur 100 millions, ou à 0,000 000 08. Écris en lettres ce nombre.

6 On a à peu près une chance sur 14 000 000 de gagner à la 6/49. Cette chance est-elle inférieure ou supérieure à 0,000 000 01?

Les insectes ont six pattes, un corps divisé en trois parties et ils passent par plusieurs formes durant leur vie : oeuf, larve, nymphe et adulte.

7 Écris chaque nombre en chiffres.

a) La masse de la Terre est de 5 trilliards 556 trillions de tonnes.

b) Le nombre d'insectes dans le monde est estimé à un trillion d'individus.

8 Parmi les unités suivantes, laquelle correspond à la longueur de 0,000 001 de kilomètre?

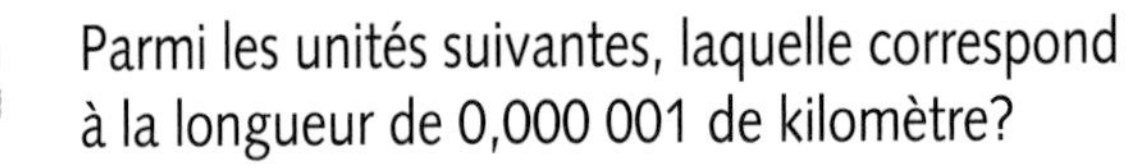

A) 1 m B) 1 cm C) 1 dm D) 1 mm

9 L'équivalent français du mot américain «billion» est **milliard.** Comment un Américain lit-il le nombre 20 000 000 000?

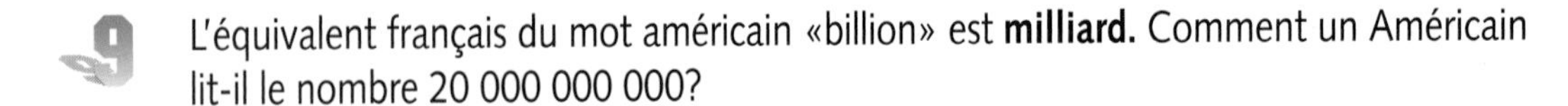

10 D'après toi, combien de personnes environ ont vécu sur la Terre jusqu'à maintenant? (Si tu n'en as aucune idée, indique quand même le nombre qui te semble le plus réaliste.)

11 Estime la hauteur et la valeur (en dollars) d'une pile de un milliard de cents. Un cent a une épaisseur d'à peu près 1 mm.

FLASH PROBLÈME

Dans la trace d'un problème, on identifie chaque opération.

12 Voici la trace du problème présenté au **Flash problème** précédent.

Termine dans combien de temps?

Livre : 544 pages
Déjà lu : 128 pages
Lit : 26 pages par jour

Nombre de pages à lire : 544 – 128 = 416
Nombre de jours nécessaires : 416 ÷ 26 = 16

Réponse : Émilie aura terminé la lecture de son livre dans 16 jours.

Résous le problème suivant en laissant une trace similaire.

À sa mort, une mère a laissé un héritage de 240 000 $. Sa fille en a reçu les 2/5. Celle-ci a placé le quart de cet argent en obligations et a utilisé le reste pour l'achat d'une résidence. Quelle somme d'argent sa fille a-t-elle utilisée pour l'achat d'une résidence?

Le googol et le googolplex!

- Le googol et le googolplex sont les deux plus grands nombres auxquels on attribue un nom. Le premier équivaut à 10^{100} et le second à 10^{1000}. Combien de zéros faut-il pour écrire un googol dans sa forme standard? un googolplex?

LES ARRONDIS

Le temps d'un instant!

La balle de ce lanceur atteint une vitesse approximative de 96,536 km par heure.

- Combien de temps faut-il à la balle pour franchir les 18,43 m qui séparent le lanceur du receveur?

Le **nombre décimal permet d'atteindre toute la précision** que l'on désire. Cependant, une telle précision n'est pas toujours nécessaire. On arrondit alors les nombres, ce qui a l'avantage de faciliter les calculs. La règle pour arrondir un nombre décimal est la même que celle utilisée pour arrondir les entiers.

Ainsi, **96,536** devient :

- 96,54 au centième près;
- 96,5 au dixième près;
- 97 à l'unité près;
- 100 à la dizaine près.

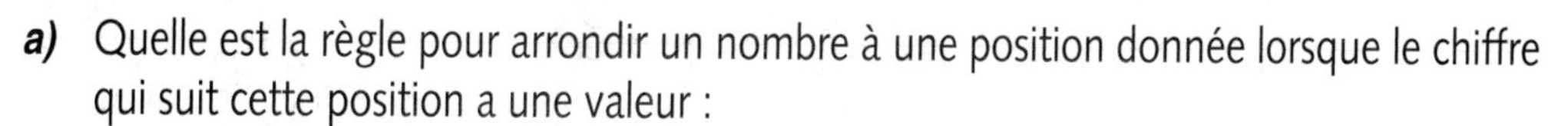

a) Quelle est la règle pour arrondir un nombre à une position donnée lorsque le chiffre qui suit cette position a une valeur :

1) inférieure à 5? 2) égale à 5? 3) supérieure à 5?

QU'EN PENSEZ-VOUS?

b) Quand on arrondit un nombre au dixième près, quelle est la plus grande valeur que l'on peut lui ajouter?

c) En arrondissant un nombre au millième près, est-il possible d'obtenir un entier? Si oui, trouvez un exemple d'un tel nombre.

d) Expliquez pourquoi ce sont surtout les petits nombres que l'on arrondit au dixième près, au centième près, au millième près, etc.

Dans certaines situations, l'utilisation d'un arrondi est préférable, tandis que dans d'autres situations on exige beaucoup plus de précision. Il est important de savoir reconnaître de telles situations.

1. Indique si le nombre donné est un arrondi ou un nombre exact.

   a) En 1991, le Canada comptait 25 310 000 habitants.

   b) L'angle de lancement de cette fusée est de 89,315°.

   c) Mon dîner au restaurant a coûté 5 $.

   d) Avec un litre d'essence, ma voiture peut parcourir une distance de 8 km.

   e) Ce timbre-poste se vend 0,49 $.

2. Toute mesure est en quelque sorte un arrondi, car la précision des instruments de mesure est souvent limitée. Quelle précision peut-on atteindre lorsqu'on mesure :

   a) un angle à l'aide d'un rapporteur?

   b) une route à l'aide d'un odomètre?

   c) un segment à l'aide d'une règle?

   d) la quantité de carburant à l'aide d'une pompe à essence?

   e) la masse d'un adulte à l'aide d'un pèse-personne?

3. Bien souvent, c'est le contexte (ou la situation) qui détermine le degré de précision ou le nombre de chiffres de la partie décimale. Dans chaque cas, combien de décimales (chiffres après la virgule) y aura-t-il dans la réponse donnée?

   a)

   b)

c)
Quelle température indique le thermomètre en degrés Celsius?
d)
Quelle température fait-il aujourd'hui (en degrés Celsius)?
e)
Quel est le prix de l'essence en cents?
f)
En combien de temps a-t-il terminé cette épreuve de natation?

Chaque jour, environ 5 Gl de pétrole sont utilisés à travers le monde pour produire l'énergie nécessaire aux voitures, aux avions, aux systèmes de chauffage, etc.

4. Pour résoudre chacun des problèmes suivants, on doit diviser 1 857 par 48. Selon le contexte, donne la réponse convenable.

   a) On veut transporter 1 857 personnes en autobus. Chaque autobus peut transporter 48 personnes. De combien d'autobus a-t-on besoin pour transporter toutes ces personnes?

   b) Pour acheter sa motocyclette, Fanny a dû emprunter 1 857 $. Elle doit remettre cette somme en 48 versements égaux. À combien s'élève chacun de ses versements?

   c) Une chaudière a consommé 1 857 litres de mazout en 48 heures. Combien de litres de mazout a-t-elle consommés en moyenne par heure?

   d) Léolo s'est procuré 48 g d'or pour la somme de 1 857 $. Quel est le prix de chaque gramme d'or?

   e) Quel est le quotient de 1 857 par 48?

JOGGING

1
Arrondis chaque nombre au millième près.
a) 0,0078
b) 0,0505
c) 2,4592
d) 5,9334
2
Arrondis chaque nombre au millionième près.
a) 0,003 452 63
c) 0,909 090 909
b) 1,999 999 999
d) 3, 454 554 555
3
Arrondis chaque nombre au dixième près.
a) 0,099 09
c) 3,333 33
b) 0,101 01
d) 0,001
4
Arrondis chaque nombre au cent-millième près.
a) 0,000 065 2
b) 2,222 666 53
c) 10,050 505 05
d) 34, 066 006 60

5 Effectue les multiplications suivantes avec ta calculatrice et arrondis les résultats au centième près.

a) 0,35 x 0,7 ***b)*** 2,5 x 0,47 ***c)*** 2,09 x 0,089 ***d)*** 0,34 x 9,09

6 Effectue les divisions suivantes avec ta calculatrice et arrondis les résultats au centième près.

a) 11 ÷ 7 ***b)*** 19 ÷ 37 ***c)*** 17 ÷ 19
d) 7 ÷ 22 ***e)*** 29 ÷ 11 ***f)*** 34 ÷ 13

7 Habituellement, à quelle position arrondit-on :

a) le prix d'une maison?

b) le prix d'une raquette de tennis?

c) la distance sur les cartes routières?

d) la masse d'un bébé naissant?

e) la durée d'une course de chevaux?

8 Trouve un nombre :

a) dont l'arrondi au dixième près est 0;

b) dont l'arrondi au dixième près est 10.

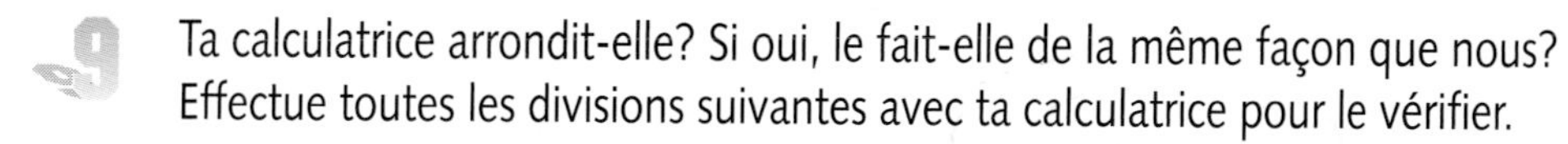

9 Ta calculatrice arrondit-elle? Si oui, le fait-elle de la même façon que nous? Effectue toutes les divisions suivantes avec ta calculatrice pour le vérifier.

a) 44 ÷ 99 ***b)*** 55 ÷ 99 ***c)*** 66 ÷ 99
d) (44 ÷ 99) x 10 ***e)*** (55 ÷ 99) x 10 ***f)*** (66 ÷ 99) x 10

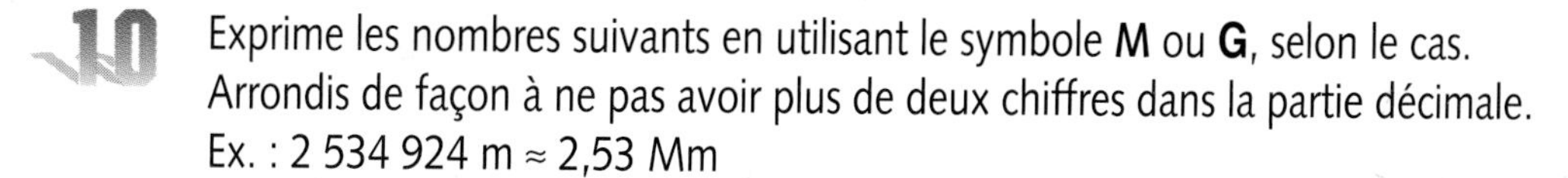

10 Exprime les nombres suivants en utilisant le symbole **M** ou **G**, selon le cas. Arrondis de façon à ne pas avoir plus de deux chiffres dans la partie décimale.
Ex. : 2 534 924 m ≈ 2,53 Mm

a) 9 834 678 l ***b)*** 8 456 780 $
c) 7 889 890 340 m ***d)*** 54 568 888 899 g

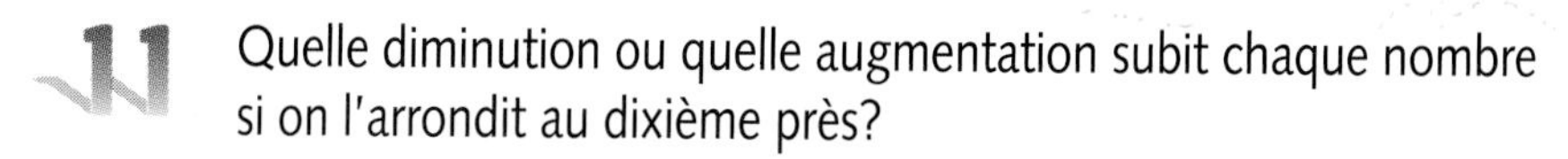

11 Quelle diminution ou quelle augmentation subit chaque nombre si on l'arrondit au dixième près?

a) 3,43 ***b)*** 0,75

12 Si l'on arrondit les deux nombres à l'unité près avant de faire l'opération, dans quel cas (+, –, x, ÷) provoque-t-on la plus grande erreur dans le résultat? Vérifie avec les cas suivants :

2,8 + 1,6	2,8 – 1,6	2,8 x 1,6	2,8 ÷ 1,6

13 Résous les problèmes suivants. Laisse une trace de ta démarche.

a) La tête constitue environ le septième de la taille d'une personne. Le tronc en représente le tiers et le reste est constitué des jambes. Quelle est la longueur des jambes d'une personne dont la taille est de 168 cm?

b) François-Marie est préposé aux achats dans une imprimerie et il doit acheter du papier. Il peut obtenir une caisse de 10 paquets de 500 feuilles pour 40 $ ou une caisse de 6 paquets de 800 feuilles pour 36 $. Quelle caisse François-Marie achètera-t-il si la qualité du papier est identique dans les deux cas?

Entre arrondis!

■ Trouve un nombre dont l'arrondi au millième près, au centième près ou au dixième près est toujours le même nombre.

■■ Trouve un nombre dont l'arrondi au dixième près est inférieur à l'arrondi au centième près.

Stratégie : diviser le problème en sous-problèmes

Des patates pour les frites!

À la campagne, Jean est propriétaire d'un terrain de 48 hectares. La moitié de ce terrain est boisée. L'autre moitié est divisée en deux champs de mêmes dimensions. Jean utilise les $\frac{3}{4}$ du premier champ et les $\frac{3}{5}$ du second champ pour cultiver des pommes de terre. Combien d'hectares Jean utilise-t-il pour cultiver des pommes de terre?

Vive les commissions!

Ta mère t'a demandé d'aller à l'épicerie après l'école pour faire quelques achats. Elle t'a remis 2 billets de 20 $ et 3 billets de 10 $. Tu dois acheter 3 kg de viande à 8 $ le kilogramme, deux boîtes de céréales à 5,85 $ chacune et 1 kg de fromage à 6,50 $. Elle t'a demandé également de payer ton cours de piano (12 $). Tu as la permission de dépenser la moitié de l'argent qu'il te restera. Quelle somme d'argent pourras-tu dépenser?

Je connais la signification des expressions suivantes :

Fraction décimale : fraction dont le dénominateur est une puissance de 10.
Ex. : $\frac{7}{1}, \frac{7}{10}, \frac{7}{100}, ...$

Nombre décimal : nombre pouvant être écrit sous la forme d'une partie entière et d'une partie décimale, et qui est l'expression d'une fraction décimale.

Décimale : chiffre après la virgule.

Forme développée : écriture d'un nombre sous la forme d'addition des valeurs de position de ses chiffres.
Ex. : $2{,}85 = 2 \times 1 + 8 \times \frac{1}{10} + 5 \times \frac{1}{100}$

Arrondi : nombre plus simple que l'on substitue à un autre, par augmentation ou diminution, et qui lui est voisin.

Je maîtrise les habiletés suivantes :

Exprimer une fraction décimale en un nombre décimal.

Représenter graphiquement un nombre décimal.

Lire un nombre décimal.

Écrire un nombre décimal.

Déterminer la valeur d'un chiffre dans un nombre décimal.

Écrire un nombre décimal sous sa forme développée.

Situer un nombre décimal sur la droite numérique.

Ordonner des nombres décimaux.

Lire et **écrire** les grands nombres.

Arrondir un nombre décimal à une position donnée.

8

Le nombre décimal !

1. **Transforme** chaque fraction décimale en notation décimale.

   a) $\frac{3}{10}$ *b)* $\frac{12}{100}$ *c)* $\frac{215}{100}$ *d)* $\frac{21}{1000}$ *e)* $\frac{4}{10\,000}$

2. **Écris en lettres** le nombre décimal donné ou représenté.

   a) 4,09 *b)* 0,000 18 *c)*

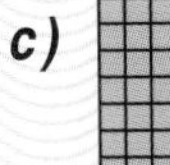

3. **Écris en chiffres** chacun des nombres décimaux suivants :

   a) Deux et quatre millièmes. *b)* Trois mille et quarante-cinq cent-millièmes.

4. **Écris en chiffres** les nombres décimaux présentés dans ces informations.

   a) L'espérance de vie chez la femme dépasse celle de l'homme de sept années et quatre-vingt-cinq centièmes.

   b) Le taux d'asthmatiques au sein de la population représente environ trente-huit dix-millièmes.

5. **Écris en chiffres** seulement les nombres contenus dans les informations suivantes :

   a) La tortue existe sur la Terre depuis plus de 200 Ma ; elle a survécu à la disparition des dinosaures.

   b) Le cube de Rubik a été vendu à 5,6 millions d'exemplaires dans le monde et il offre plus de 43 milliards de possibilités.

6. Dans chaque cas, **récris** les nombres en utilisant le symbole **k**, **M**. ou **G.**

   a) Un fumeur moyen brûle environ 10 900 g de tabac par année.

   b) L'hiver, le Soleil est 4 800 000 000 m plus près de la Terre que l'été, et pourtant il fait plus froid l'hiver.

7. **Détermine la valeur** du chiffre 2 dans chacun des nombres suivants :

   a) 80,02 *b)* 15,352 *c)* 426,87 *d)* 0,000 82 *e)* 0,2

8. **Écris** chacun des nombres suivants sous sa forme développée.

   a) 2,34 *b)* 0,0038 *c)* 41,09

9. **Indique quel nombre décimal** correspond à la forme développée donnée.

   a) $5 \times 1\,000 + 7 \times 1 + 4 \times \frac{1}{10} + 6 \times \frac{1}{100}$

   b) $8 \times \frac{1}{100} + 3 \times \frac{1}{1000} + 8 \times \frac{1}{10\,000}$

10. Pour chacun des nombres suivants, **trace** une droite numérique. **Situe** chaque nombre sur la droite en ayant soin d'identifier les limites du segment qui le contient.

a) 0,8 *b)* 2,45 *c)* 0,05

11. **Quel nombre décimal** occupe la position indiquée par la flèche?

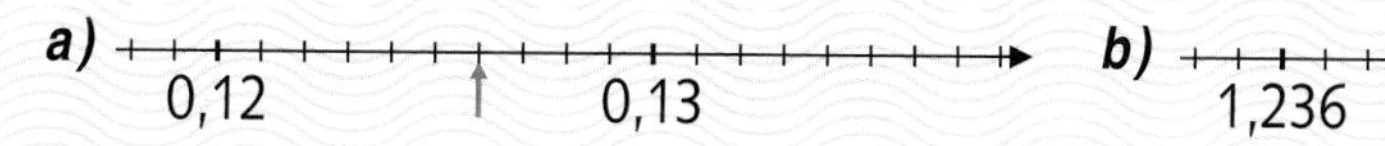

12. **Place** le symbole qui convient (<, > ou =).

a) 0,034 ■ 0,029 *b)* 1,002 ■ 1,02 *c)* 2,034 ■ 2,304

13. Le tableau ci-contre montre la variation du taux d'alcool contenu dans le sang selon la masse de l'individu et le nombre de verres de bière consommés. Pour avoir le droit de conduire une voiture, le taux d'alcool doit être inférieur à 0,08. **Un individu** dont la masse est :

Variation du taux d'alcool

Masse (en kg)	Nombre de verres de bière				
	1	2	3	4	5
40	0,042	0,084	0,127	0,170	0,212
60	0,029	0,059	0,090	0,121	0,152
80	0,023	0,046	0,069	0,093	0,118

a) de 40 kg **peut-il conduire une voiture** s'il a consommé 3 verres de bière?

b) de 80 kg **peut-il conduire une voiture** s'il a consommé 4 verres de bière?

14. **Arrondis** chacun des nombres donnés à la position des centièmes.

a) 82,094 *b)* 1,0056 *c)* 0,999

15. **Arrondis** 234,575 842 à la position :

a) des unités; *b)* des millièmes.

16. **Résous** ce problème en laissant une trace de ta démarche.

Une salle de spectacle compte 120 sièges. Vendredi soir dernier, une chanteuse y a présenté deux fois son nouveau spectacle. Durant le premier spectacle, les $\frac{5}{6}$ des sièges étaient occupés. Durant le second spectacle, les $\frac{3}{4}$ des sièges étaient occupés. Combien de personnes ont assisté à ces deux spectacles?

ITINÉRAIRE 9

LES NOMBRES DÉCIMAUX EN ACTION

Les grandes idées :

- le passage à la notation décimale;
- les opérations sur les décimaux:
  - calcul mental,
  - estimation,
  - algorithmes;
- chaînes de nombres décimaux.

Objectif terminal :

Résoudre des problèmes utilisant des nombres rationnels.

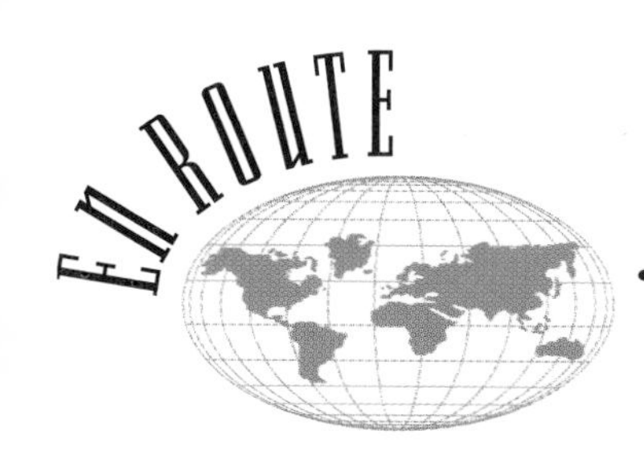

... VERS LES NOMBRES DÉCIMAUX EN ACTION

DES FORMES D'ÉCRITURE DIFFÉRENTES POUR LES MÊMES NOMBRES

C'est une question d'esthétique!

Daniela doit peindre deux meubles exactement de la même couleur. N'ayant pas de contenant suffisamment grand pour préparer sa peinture, elle doit utiliser deux contenants. Elle remplit le premier contenant d'une peinture de base aux $\frac{4}{5}$ de sa capacité, pendant que son amie verse exactement 0,8 litre de peinture de base dans l'autre contenant. Chacune verse les mêmes quantités de colorant dans chaque contenant.

- À quelle ou quelles conditions les deux peintures seront-elles de couleur identique?

Cette situation présente des nombres écrits en notation fractionnaire et en notation décimale.

a) Exprime en tes propres mots ce qu'est une notation fractionnaire et ce qu'est une notation décimale.

Un nombre décimal peut s'exprimer en **notation décimale** ou en **notation fractionnaire.**

Le passage de la notation décimale à la notation fractionnaire s'effectue à partir de la lecture du nombre en notation décimale.

Ex. : 0,3 se lit «trois dixièmes» et se traduit par la fraction $\frac{3}{10}$.

8,15 se lit «huit et quinze centièmes» et se traduit sous la forme du nombre fractionnaire $8\frac{15}{100}$ ou de la fraction $\frac{815}{100}$, et enfin par la fraction réduite $\frac{163}{20}$.

b) Lis mentalement les nombres décimaux suivants et traduis-les sous la forme d'une fraction. N'oublie pas de réduire la fraction si cela est possible.

1) 0,9	2) 0,56	3) 0,84	4) 1,2
5) 2,48	6) 2,85	7) 3,75	8) 20,25

Le passage de la notation fractionnaire à la notation décimale s'effectue grâce à la division.

Ex. 1 : $\frac{3}{4} \Leftrightarrow 3 \div 4 \Leftrightarrow$

```
 3   |4
-0    0,75
 30
-28
  20
 -20
   0
```

La division se termine avec le reste 0.

Ex. 2 : $\frac{5}{6} \Leftrightarrow 5 \div 6 \Leftrightarrow$

```
 5   |6
-0    0,833...
 50
-48
  20
 -18
   20
  -18
    2
```

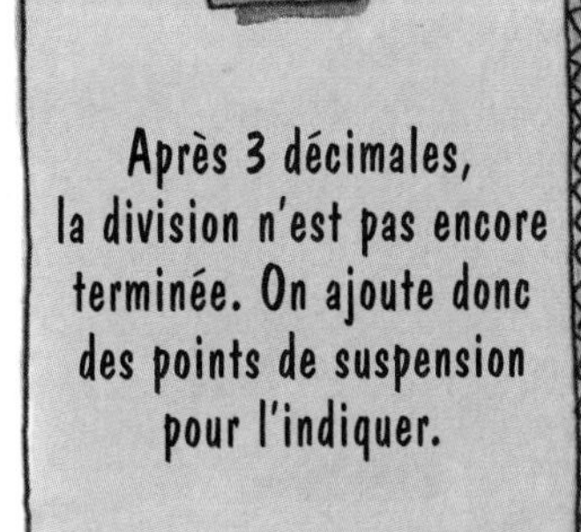

Après 3 décimales,
la division n'est pas encore
terminée. On ajoute donc
des points de suspension
pour l'indiquer.

Si l'on n'écrit pas les points de suspension, alors on utilise le symbole ≈ (à peu près égal) au lieu du symbole **=**.

Ainsi, $\frac{5}{6} = 0{,}833\ldots$ ou $\frac{5}{6} \approx 0{,}833$.

c) À l'aide de ta calculatrice, trouve la notation décimale des fractions suivantes.

1) $\frac{1}{8}$ 2) $\frac{7}{16}$ 3) $\frac{5}{32}$

4) $\frac{11}{625}$ 5) $\frac{3}{7}$ 6) $\frac{5}{11}$

En résumé...

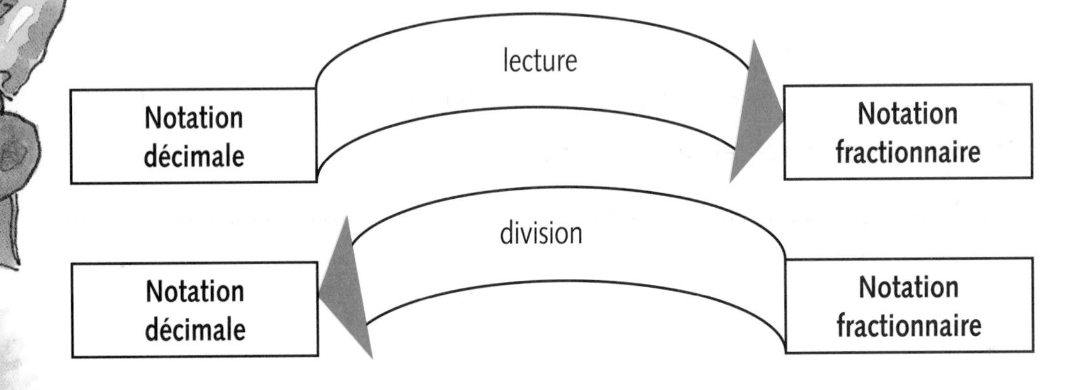

Pour certaines fractions, le passage à la notation décimale s'effectue mentalement.

I C'est le cas des fractions dont le dénominateur est 1, 10, 100, 1 000, ...

Ex. : $\frac{4}{10} = 0{,}4$ $\frac{23}{100} = 0{,}23$ $\frac{218}{1000} = 0{,}218$

Exprime les fractions ci-dessous en notation décimale.

a) $\frac{3}{10}$ *b)* $\frac{32}{100}$ *c)* $\frac{137}{1000}$ *d)* $\frac{8}{10}$ *e)* $\frac{12}{1000}$

II C'est aussi le cas des fractions équivalentes à une fraction dont le dénominateur est 1, 10, 100, 1 000, ...

Ex. : $\frac{1}{2} = \frac{5}{10} = 0{,}5$ $\frac{7}{20} = \frac{35}{100} = 0{,}35$

Exprime les fractions ci-dessous en notation décimale en trouvant mentalement la fraction équivalente appropriée.

a) $\frac{1}{4}$ *b)* $\frac{4}{5}$ *c)* $\frac{4}{25}$ *d)* $\frac{9}{50}$ *e)* $\frac{3}{200}$

III Pour certains nombres, il est nécessaire de connaître par coeur leurs équivalents dans l'une ou l'autre des notations. Il en est ainsi pour :

$\frac{1}{2} = 0{,}5$ $\frac{1}{5} = 0{,}2$ $\frac{3}{4} = 0{,}75$

$\frac{1}{3} = 0{,}333...$ $\frac{1}{8} = 0{,}125$

$\frac{1}{4} = 0{,}25$ $\frac{2}{3} = 0{,}666...$

En mémorisant ces équivalences, on se rend un fier service pour la vie.

Déduis la notation décimale des fractions suivantes à partir de celles que tu dois retenir.

a) $\frac{3}{2}$ *b)* $\frac{2}{5}$ *c)* $\frac{3}{8}$ *d)* $\frac{4}{3}$ *e)* $\frac{5}{2}$

IV Il est également important de connaître les équivalences suivantes :

$\frac{1}{10} = 0{,}1 = 10^{-1}$ $\frac{1}{100} = 0{,}01 = 10^{-2}$ $\frac{1}{1000} = 0{,}001 = 10^{-3}$

Quel nombre décimal correspond à chaque forme exponentielle donnée?

a) 10^{-4} *b)* 10^{-8} *c)* 10^{-6} *d)* 10^{-7}

CARREFOUR

QU'EN PENSEZ-VOUS?

d) Est-il possible que, pour certaines fractions, la division du numérateur par le dénominateur ne se termine jamais? Qu'en est-il pour $\frac{5}{6}$ et $\frac{15}{33}$?

e) Lorsqu'on effectue par écrit une division, comment peut-on se rendre compte que la notation décimale est illimitée?

f) En effectuant une division avec une calculatrice, comment peut-on se rendre compte que la notation décimale est illimitée?

g) Qu'est-ce que les notations décimales des fractions suivantes ont de particulier? (Trouvez-les et comparez-les.)

$\frac{1}{7}, \frac{2}{7}, \frac{3}{7}, \frac{4}{7}, \frac{5}{7}$ et $\frac{6}{7}$

h) Décrivez ce que l'on observe dans les notations décimales des fractions suivantes :

1) $\frac{1}{9}, \frac{2}{9}, \frac{3}{9}, \frac{4}{9}, \frac{5}{9}, \frac{6}{9}, \frac{7}{9}, \frac{8}{9}, \ldots$

2) $\frac{1}{11}, \frac{2}{11}, \frac{3}{11}, \frac{4}{11}, \frac{5}{11}, \frac{6}{11}, \frac{7}{11}, \frac{8}{11}, \frac{9}{11}, \frac{10}{11}, \ldots$

JOGGING

1 Donne la notation décimale ou la notation fractionnaire des nombres suivants, selon le cas.

a) $\frac{1}{3}$ *b)* 0,5 *c)* $\frac{1}{4}$ *d)* 1,5

e) $\frac{3}{4}$ *f)* 0,666... *g)* $\frac{1}{8}$ *h)* 0,4

2 Trouve par écrit la notation décimale des fractions suivantes.

a) $\frac{4}{15}$ *b)* $\frac{3}{20}$ *c)* $\frac{3}{5}$ *d)* $\frac{1}{5}$

e) $\frac{2}{9}$ *f)* $\frac{6}{25}$ *g)* $\frac{4}{5}$ *h)* $\frac{5}{8}$

i) $\frac{1}{12}$ *j)* $\frac{9}{16}$ *k)* $\frac{14}{5}$ *l)* $\frac{84}{22}$

3 Exprime les nombres décimaux suivants sous la forme d'une fraction réduite.

a) 0,8 *b)* 0,12 *c)* 0,45 *d)* 1,2

e) 2,35 *f)* 0,003 *g)* 1,542 *h)* 8,3405

4

Découvre les fractions qui ont une notation décimale illimitée.

a) $\frac{2}{5}$ ***b)*** $\frac{2}{9}$

c) $\frac{4}{7}$ ***d)*** $\frac{7}{8}$

5

Découvre les expressions fausses.

a) $\frac{2}{3} \approx 0{,}67$ ***b)*** $\frac{4}{5} = 0{,}8$

c) $\frac{4}{9} = 0{,}444$ ***d)*** $\frac{3}{11} = 0{,}272$

6

Si le développement décimal de $\frac{1}{3}$ est 0,333…, quel est celui de $\frac{3}{3}$?

7

Parmi les nombres donnés, repère les deux nombres les plus près de $\frac{1}{4}$.

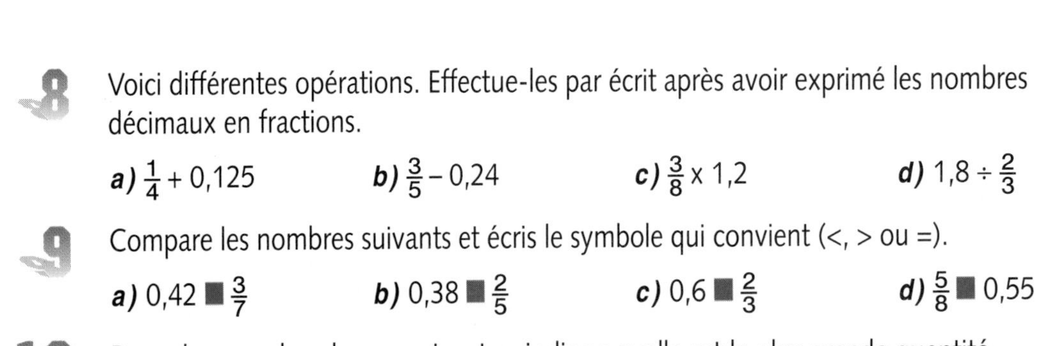

8 Voici différentes opérations. Effectue-les par écrit après avoir exprimé les nombres décimaux en fractions.

a) $\frac{1}{4} + 0{,}125$ ***b)*** $\frac{3}{5} - 0{,}24$ ***c)*** $\frac{3}{8} \times 1{,}2$ ***d)*** $1{,}8 \div \frac{2}{3}$

9 Compare les nombres suivants et écris le symbole qui convient (<, > ou =).

a) 0,42 ■ $\frac{3}{7}$ ***b)*** 0,38 ■ $\frac{2}{5}$ ***c)*** 0,6 ■ $\frac{2}{3}$ ***d)*** $\frac{5}{8}$ ■ 0,55

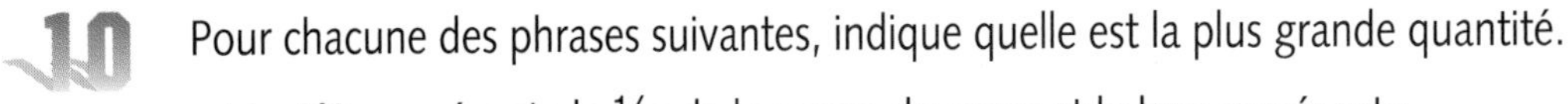

10 Pour chacune des phrases suivantes, indique quelle est la plus grande quantité.

a) La tête représente le $\frac{1}{12}$ de la masse du corps et le bras représente approximativement 0,04 de la masse du corps.

b) Le peuple chinois représente le quart de l'humanité et les catholiques représentent 0,15 de l'humanité.

11 Sur ta calculatrice, affiche 6.

a) Quelle est la valeur de ce 6?

b) Après avoir affiché 6, appuie sur 7 et sur 8. Qu'est-il advenu de la valeur du 6?

12 Sur ta calculatrice, affiche 0,6.

a) Quelle est la valeur de ce 6?

b) Après avoir affiché 0,6, appuie sur 7 et sur 8. Qu'advient-il de la valeur du 6?

13 Trouve les notations décimales des 4 premières fractions et déduis-les pour les autres.

a) $\frac{1}{33}$ ***b)*** $\frac{2}{33}$ ***c)*** $\frac{3}{33}$

d) $\frac{4}{33}$ ***e)*** $\frac{6}{33}$ ***f)*** $\frac{12}{33}$

14 Quelles sont les notations décimales des 3 fractions suivantes? Indique pourquoi il en est ainsi.

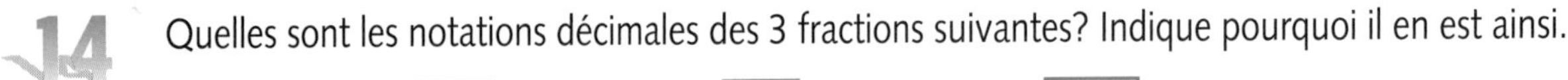

$\frac{1}{7}$ $\frac{11}{77}$ $\frac{111}{777}$

15 Dans le développement décimal de fractions dont le dénominateur est 7, la partie décimale est toujours formée des mêmes chiffres. Quels sont ces chiffres?

16 Pour les fractions qui ont le dénominateur 2, les parties décimales sont 0 ou 5.

$\frac{0}{2} = 0{,}0$ $\frac{1}{2} = 0{,}5$ $\frac{2}{2} = 1{,}0$

Quelles sont les parties décimales des fractions dont le dénominateur est 4?

17 Quel est le développement décimal des fractions suivantes?

a) $\frac{1}{9}$ *b)* $\frac{1}{99}$

c) $\frac{1}{999}$ *d)* $\frac{1}{9999}$

18 Quelle est la fraction réduite qui a la notation décimale suivante : 0,123 456 789?

19 Sur ta calculatrice, fais apparaître la notation décimale de $\frac{2}{3}$, puis soustrais le nombre affiché.

a) Quel résultat ta calculatrice te donne-t-elle?

b) Peux-tu expliquer ce dernier résultat?

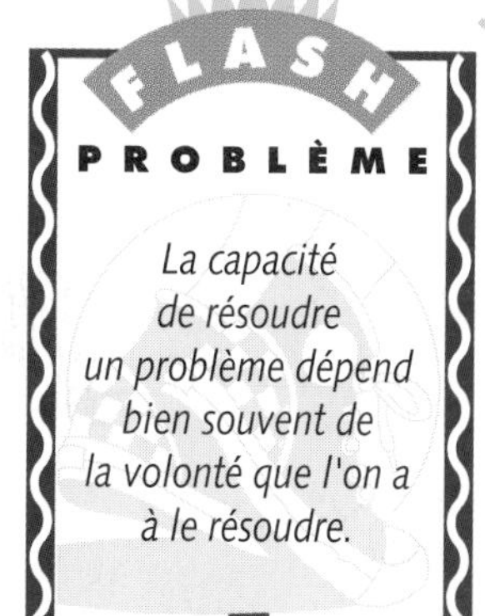

FLASH
PROBLÈME
La capacité de résoudre un problème dépend bien souvent de la volonté que l'on a à le résoudre.

20 Voici un problème :

Marc a 9 ans. C'est aujourd'hui l'anniversaire de sa soeur Cindy, qui a 2 fois son âge. Pour lui faire plaisir, il achète, pour elle et lui, des billets pour le spectacle des Ice Capades. De plus, Marc prévoit que Gerry, qui a le tiers de l'âge de Cindy, voudra certainement les accompagner. «Pourquoi ne pas faire un heureux de plus?» se dit-il. Combien lui a coûté l'achat des billets?

Voici le début de la démarche de Sylvie :

Marc : 9 ans
Cindy : 18 ans
Gerry : ...
Coût : ?

Billet pour les Ice Capades
Adulte : 8 $
Moins de 12 ans : 5 $

Prétextant que le problème était trop compliqué, elle s'est arrêtée. Poursuis le travail de Sylvie jusqu'à ce que tu obtiennes la réponse.

Des notations décimales remarquables!

■ Quelle est la caractéristique de la notation décimale de chacune des fractions suivantes?

a) $\frac{617}{2\,500}$ *b)* $\frac{41}{111}$

■■ Quelle est la notation décimale de π?

ADDITION ET SOUSTRACTION DE NOMBRES DÉCIMAUX

À toi le gros lot!

Voici un amas de billets de banque de différentes valeurs et de pièces de monnaie également de différentes valeurs.

- Que dois-tu faire en premier pour calculer la valeur de tout cet argent?

Pour additionner ou pour soustraire des nombres décimaux, il semble tout naturel d'**associer les dizaines avec les dizaines, les unités avec les unités, les dixièmes avec les dixièmes, les centièmes avec les centièmes,** etc.

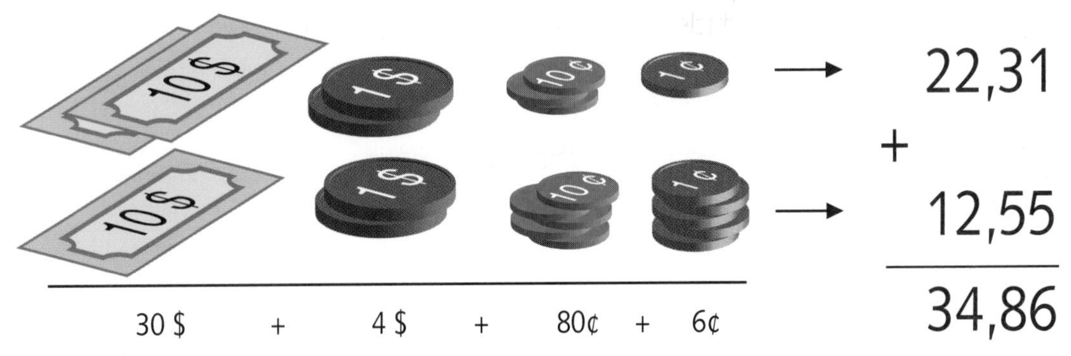

Le symbole du dollar ($) est un 8 stylisé qui vient d'une ancienne pièce de monnaie. Elle valait huit réaux.

Pour cela, il suffit d'aligner les virgules.

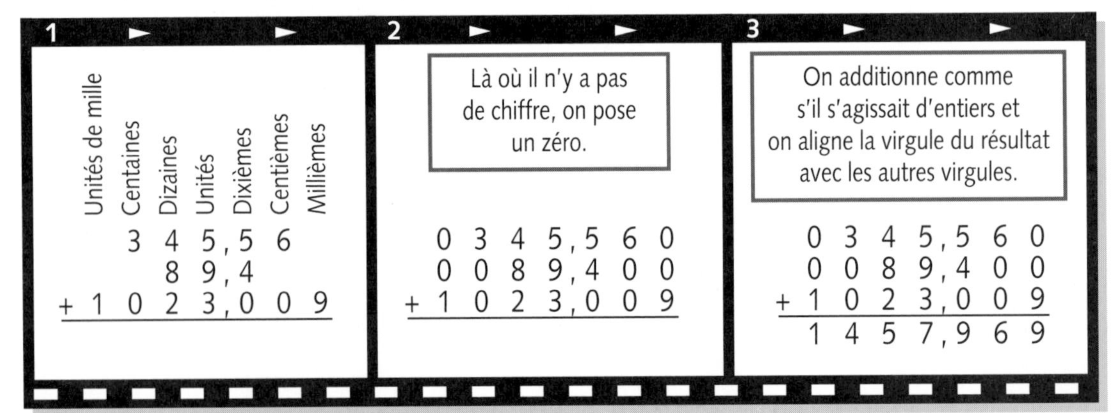

Algorithme d'addition ou de soustraction de nombres décimaux

Pour **additionner** ou **soustraire** des nombres décimaux, il suffit :

1° d'aligner les virgules les unes sous les autres;
2° d'additionner ou de soustraire comme s'il s'agissait d'entiers;
3° d'aligner la virgule du résultat avec les autres virgules.

Avant de faire l'addition ou la soustraction de nombres décimaux, il est essentiel d'en estimer le résultat.

Disons tout de suite que, dans les petits nombres, on tient compte de la partie décimale et que, dans les plus grands nombres, on la néglige tout simplement.

1. Pourquoi néglige-t-on la partie décimale dans l'estimation d'une somme ou d'une différence de grands nombres?

Il existe différentes techniques pour estimer la somme ou la différence de deux nombres décimaux. Ces techniques dépendent bien souvent des nombres eux-mêmes et du degré de précision désiré.

Technique 1

Arrondir les nombres à un ordre de grandeur convenant à nos capacités de calcul mental.

Ex. : On peut estimer la somme de 2,35 + 1,875 en arrondissant au dixième près.

2,4 + 1,9 = 4,3

Donc, 2,35 + 1,875 ≈ 4,3.

Quelqu'un de moins habile en calcul mental aurait pu dire 2 + 2 = 4.

Technique 2

Additionner les entiers, puis additionner ou estimer la somme des dixièmes et faire l'ajustement.

Ex. 1 : 2,35 + 1,875

2 + 1 = 3
0,3 + 0,8 = 1,1
→ 4,1

Ex. 2 : 8,47 – 6,85

8 – 6 = 2
0,4 – 0,8 = -0,4
→ 1,6

Tout cela se passe dans la tête!
On aurait pu prendre les arrondis!

2. Estime le résultat en arrondissant les nombres selon tes capacités de calcul mental.

a) 1,46 + 7,272 ***b)*** 4,67 – 2,09 ***c)*** 6,008 + 4,789 ***d)*** 9,87 – 5,78

e) 3,934 + 2,129 ***f)*** 8,678 – 5,004 ***g)*** 9,98 – 8,456 ***h)*** 8,23 + 3,459

i) 6,78 + 3,495 ***j)*** 6,23 – 4,79 ***k)*** 6,34 + 5,098 ***l)*** 4,4589 – 0,03

m) 10,9807 – 7,62 ***n)*** 8,009 + 2,1 ***o)*** 7,98 + 2,204 ***p)*** 15,6 – 14,640 89

3. Estime le résultat en utilisant d'abord les parties entières et en ajustant ensuite en tenant compte des dixièmes.

a) 3,46 + 8,56 ***b)*** 4,45 + 9,16 ***c)*** 0,987 + 10,45 ***d)*** 0,345 + 0,890

e) 0,334 – 0,23 ***f)*** 8,89 – 7,92 ***g)*** 9,009 – 4,501 ***h)*** 6,34 – 5,672

4. Estime le résultat des additions ou des soustractions suivantes :

a) 100,34 + 234,7 ***b)*** 68,03 + 434,09 ***c)*** 18 234,7 – 35,09 ***d)*** 120,008 – 120,0003

e) 456,34 + 89,2 ***f)*** 1 298,909 + 0,9 ***g)*** 34 567,08 + 234,01 ***h)*** 1 200,23 – 2,345

5. Explique pourquoi le résultat que l'on a fourni ici n'a aucun bon sens.

0,3 + 0,7 + 0,5 = 0,15

Une bonne technique d'estimation d'une somme ou d'une différence de nombres décimaux consiste à :

Technique 3

Imaginer que les nombres décimaux sont des sommes d'argent.

Additionner consiste alors à **compter de l'argent** et soustraire revient à **remettre la monnaie.**

Ex. 1 : L'estimation de 4,59 + 3,419 se traduit par 4,60 $ + 3,40 $, soit environ 8,00 $ ou 8.

Ex. 2 : L'estimation de 7,9654 – 4,491 se traduit par 8,00 $ – 4,50 $, soit 50¢ pour atteindre 5 $ et 3 $ pour atteindre 8 $, ce qui donne environ 3,50 $ ou 3,5.

Bref, on cherche à obtenir des sommes d'argent facilement manipulables.

6. Quelle est la monnaie à remettre si le premier montant est l'achat et le deuxième montant, la valeur du billet présenté en paiement?

a) 4,98 $ et 5 $ ***b)*** 8,92 $ et 15 $ ***c)*** 4,56 $ et 10 $ ***d)*** 12,59 $ et 20 $

e) 23,89 $ et 40 $ ***f)*** 39,12 $ et 40 $ ***g)*** 42,15 $ et 50 $ ***h)*** 82,37 $ et 60 $

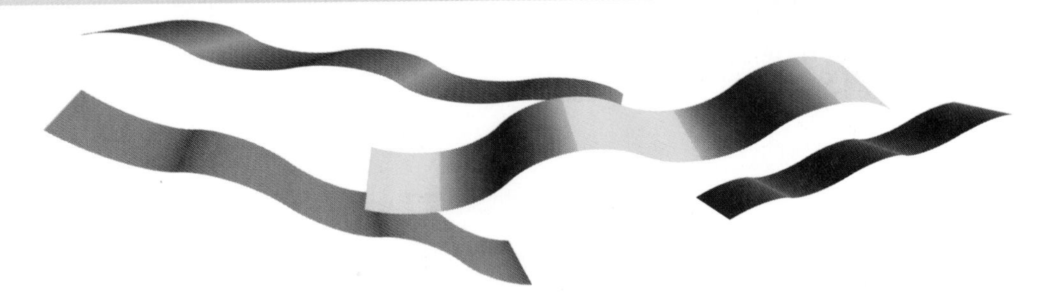

7. Estime le résultat en transformant les nombres en sommes d'argent facilement manipulables.

a) 4,981 – 2,73
b) 2,098 + 4,99
c) 3,789 – 1,521
d) 7,8901 + 2,456
e) 3,6709 + 9,459
f) 8,607 – 4,8021
g) 3,709 + 4,23
h) 12,348 – 10,008
i) 12,304 56 – 8,010
j) 15,03 + 6,689
k) 18,120 02 + 4,32
l) 14,09 – 2,039
m) 18,992 + 7,490
n) 14,5169 – 8,79
o) 20,018 + 12,346
p) 25,567 – 9,978
q) 20,049 – 8,9102
r) 32,8902 – 12,347
s) 45,781 + 19,679
t) 32,18 + 12,6709

8. Voici des estimations. Essaie d'obtenir mentalement une meilleure estimation que celle donnée.

a) 0,83 + 0,96 — Estimation : Moins que 1 + moins que 1 = moins que 2 ou 2^-.

b) 8,334 + 4,553 — Estimation : 12^+

c) 8 + 6,4 + 0,9 — Estimation : 15^+

d) 4,2 + 0,8 + 6,45 + 3,23 — Estimation : 4 + 0 + 6 + 3 = 13; 0,2 + 0,8 + 0,4 + 0,2 = entre 1 et 2; donc 14,5.

e) 12,34 + 8,56 + 34,8 + 5,924 — Estimation : ≈ 60

(12,34 + 8,56 ≈ 20 ; 34,8 + 5,924 ≈ 40)

1 Écris ton estimation et trouve ensuite le résultat exact.

a) 0,23 + 2,305
b) 2,045 + 0,49
c) 4,56 – 2,04
d) 4,983 – 3,019
e) 5,12 + 4,032
f) 0,234 + 0,91
g) 9,08 + 1,289
h) 0,0045 + 1,78
i) 4,679 – 1,267
j) 0,345 – 0,218
k) 10,09 – 3,51
l) 2,345 + 7,89

2 Écris ton estimation et trouve ensuite le résultat exact.

a) 12,04 + 16,506	***b)*** 20,34 + 5,003	***c)*** 4,56 + 12,04
d) 24,083 – 13,07	***e)*** 15,18 + 14,82	***f)*** 55,234 + 30,91
g) 19,58 + 21,285	***h)*** 10,0045 + 11,78	***i)*** 24,679 – 21,267
j) 30,895 – 20,918	***k)*** 120,009 + 0,008	***l)*** 234,98 – 23,45

3 Estime d'abord le résultat, puis calcule-le.

a) 5 – 4,2
b) 8 – 3,8
c) 6 – 5,9
d) 8 – 2,32
e) 8 – 3,45
f) 9 – 1,029
g) 10 – 9,002
h) 12 – 8,009 99
i) 12 – 8,909 09
j) 15 – 12,009 098

4 Estime d'abord le résultat, puis calcule-le.

a) 1,0909 – 0,908 09
b) 2,07 – 1,99
c) 4,098 + 5,9099
d) 4,56 + 9,999
e) 3,456 + 4,654
f) 12,909 – 7,09

5 Dans ces résultats, la virgule a été oubliée. Récris-les en plaçant la virgule au bon endroit.

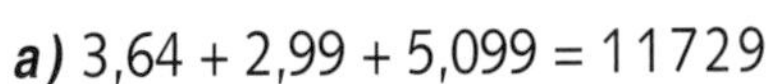

a) 3,64 + 2,99 + 5,099 = 11729
b) 8,064 + 2,09 + 6,999 = 17153
c) 53,54 + 102,89 + 0,009 = 156439
d) 0,094 + 22,65 + 505,911 = 528655
e) 0,000 64 + 2,099 + 12,0099 = 1410954
f) 1 003,24 + 82,909 + 5,0909 = 10912399

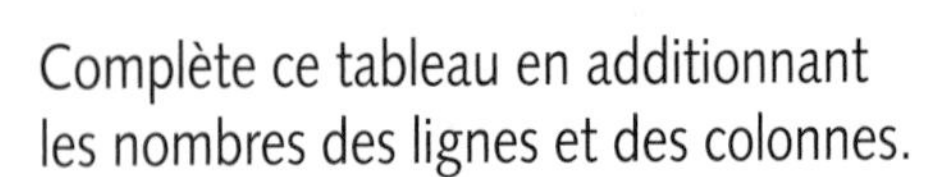

6 Complète ce tableau en additionnant les nombres des lignes et des colonnes.

1 023,34	908,012	
9,003 45	10,9013	
1,0023	0,999	
10,653 34	10 008,08	
43,34	2 908,8	

7 Effectue les opérations en tenant compte des règles des signes.

a) -2,3 + 4,5 *b)* 12,82 + -4,5 *c)* -8,45 – 2,34
d) -23,56 + -4,5 *e)* 34,56 – -32,45 *f)* -12,67 – 3,4006

8 Calcule.

a) 12,59 – (3,45 + 7,809) *b)* 309,09 + (124,45 – 12,75)
c) (25,307 – 5,34) – (46,009 – 24,7) *d)* 100,01 – (80,08 – 99,90)

9 Calcule.

a) $\frac{7}{8} + 2,45 - \frac{3}{4}$ *b)* $\frac{5}{8} - 0,34 + \frac{7}{5}$

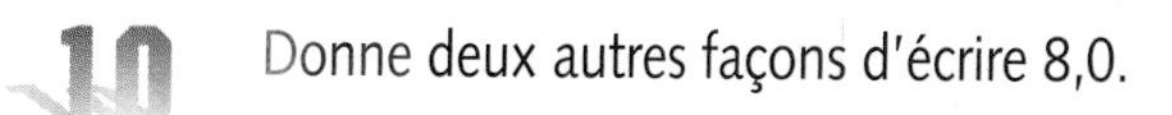

10 Donne deux autres façons d'écrire 8,0.

11 L'infirmier a relevé à midi la température de Julie. Elle faisait 39,8°C. Maintenant, elle fait 40,3°C. Quelle est l'augmentation de température?

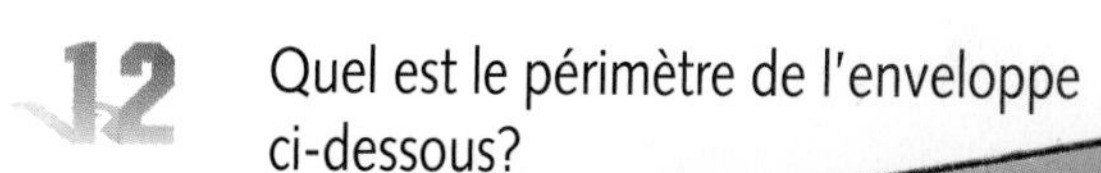

12 Quel est le périmètre de l'enveloppe ci-dessous?

10,82 cm

14,09 cm

13 Dans le 100 m à la nage, le record olympique chez les hommes est de 9,83 s.
Le meilleur temps de Quang est de 14,47 s.
Quelle est la différence entre ces deux temps?

14 On a observé que les enfants nés en mai pèsent environ 0,002 kg de plus que les enfants nés les autres mois. Si ces derniers pèsent en moyenne 3,18 kg, quelle est la masse moyenne des enfants nés en mai?

15 Transforme ces additions en soustractions et trouve la valeur de *n*.

a) 1,09 + *n* = 3,02 *b)* 4,05 + *n* = 8,908
c) *n* + 0,099 = 0,909 *d)* *n* + 12,090 98 = 15

16 Découvre deux nombres décimaux égaux dont la somme est 5,2.

17 Découvre deux nombres décimaux dont la différence est de 1,8.

18 Découvre deux nombres décimaux dont la somme est 8,24 et la différence est 1,2.

19 Trouve 3 nombres qui ont chacun 3 décimales et dont la somme est 5.

20 Dans cette addition, il manque deux nombres. Trouve-les, sachant que l'un d'eux a 2,245 de plus que l'autre.

23,48 + 12,008 + ■ + ■ = 49,975

21 Calcule avec la calculatrice.

a) 12,0045 – (0,45 + 4,006)

b) ⁻12,3 + (4,08 – ⁻3,26)

c) ⁻0,008 – 4,36 + ⁻4,7

d) 18,34 + ⁻4,5 – 3,9

22 Quel nombre faut-il ajouter à cette expression pour obtenir 0?

0,91 + 5,6 + ■ = 0

23

Pour acheter ces trois articles, j'ai remis au caissier un billet de 5 $. Les prix incluent les taxes. Quelle monnaie me revient-il?
0,55 $
1,59 $
1,29 $

Parmi les séquences suivantes, laquelle permet de résoudre ce problème avec une calculatrice?

A) 0,55 [+] 1,59 [+] 1,29 [–] 5 [=]

B) 55 [+] 159 [+] 129 [–] 500 [=]

C) 5 [–] 0,55 [+] 1,59 [+] 1,29 [=]

D) 5 [–] [(] 0,55 [+] 1,59 [+] 1,29 [)] [=]

24 Sur ta calculatrice, affiche le premier nombre donné et, en seulement deux additions, tente d'obtenir le second nombre. Donne les deux nombres que tu as utilisés.

a) 0,107 9,3

b) 8,308 12,07

c) 8,009 10,01

d) 6,34 0,07

La taille du cerveau d'une calculatrice peut être plus petite que l'ongle de ton petit doigt!

FLASH PROBLÈME

La capacité de résoudre un problème dépend bien souvent de notre persévérance à vouloir le résoudre.

25 Réal a commencé la résolution du problème suivant. Mais il n'a pas persévéré. Poursuis la résolution pour lui.

Ta mère s'envole avec toi pour un autre pays. Arrivée à destination, elle doit louer une voiture. L'agence lui a remis les dépliants de deux compagnies. La compagnie **A** demande 22 $ par jour de location et 20¢ le kilomètre parcouru. Le tarif de la compagnie **B** est de 24,50 $ par jour et de 15¢ le kilomètre parcouru. Ta mère projette une location de 6 jours pour un parcours de 675 km. Elle te charge de choisir la compagnie. Quelle compagnie dois-tu choisir?

Compagnie **A** : 22 $ par jour + 20¢ le kilomètre.
Compagnie **B** : 24,50 $ par jour + 15¢ le kilomètre.
Maman : 6 jours, 675 km.
Meilleure location : ?

POURQUOI?
Pourquoi utilise-t-on maintenant de l'essence sans plomb dans les voitures?

LE SPHINX

Une preuve!

- En utilisant les fractions, comment peut-on montrer que :

0,333... + 0,666... = 1

MULTIPLICATION DE NOMBRES DÉCIMAUX

Toute une débâcle!

Chaque printemps, la fonte des neiges et l'amoncellement des glaces sont la cause de bien des inondations dans tous les coins du Québec et particulièrement en Beauce.

Certaines régions sont parfois si touchées qu'elles sont déclarées zones sinistrées. Elles peuvent alors bénéficier de l'aide de l'État. Toutefois, il faut évaluer ces dégâts et faire une demande d'assistance. Cette aide est rarement complète. L'État établit généralement un facteur d'aide.

- Estime le montant que recevra une sinistrée dont la demande d'assistance s'élève à 8 240 $, sachant que le facteur d'aide est de 0,419.
- Quel sera le montant précis versé à cette sinistrée?

La multiplication apporte une réponse à ce problème.

a) Que sais-tu à propos de la multiplication de nombres décimaux?

L'algorithme de multiplication de nombres décimaux doit concorder avec celui de la multiplication de fractions.

b) Traduis les fractions en nombres décimaux pour trouver les résultats des multiplications des nombres décimaux donnés.

1) $\frac{1}{4} \longrightarrow 0,25$
$\times \frac{1}{2} \longrightarrow \times\ 0,5$
$\frac{1}{8} \longrightarrow$ ■

2) $\frac{3}{8} \longrightarrow$ ■
$\times \frac{5}{4} \longrightarrow \times$ ■
$\frac{15}{32} \longrightarrow$ ■

3) $\frac{6}{100} \times \frac{12}{10} = \frac{72}{1000}$
$0,06 \times 1,2 =$ ■

4) $\frac{7}{10} \times \frac{12}{1000} = \frac{84}{10\,000}$
■ x ■ = ■

c) Quelle règle peut-on dégager si l'on compare le nombre de décimales dans les facteurs avec celui dans le produit?

d) Suivant cette règle, quel serait le produit de 0,1 x 0,1?

e) Ta calculatrice applique-t-elle toujours cette règle?
Sinon, explique pourquoi.

1) 1,8 x 1,5 = ?

2) 42,25 x 8,36 = ?

Une estimation permet également de placer la virgule dans le produit.

4,85	près de 5 →	5
x 6,2	près de 6 →	x 6
■	Donc, le résultat doit être près de 30.	30

Et comme 485 x 62 = 30 070, on doit placer la virgule après les deux premiers chiffres, soit 30,070.

Algorithme de multiplication de nombres décimaux

Pour multiplier des nombres décimaux, il suffit :

1° de multiplier les nombres comme s'ils étaient des entiers;

2° de placer la virgule de façon à ce qu'il y ait autant de décimales dans le produit que dans les deux facteurs réunis.

CARNET DE VOYAGE

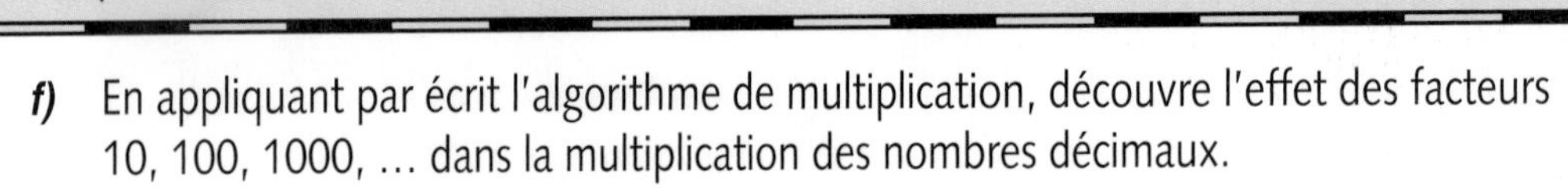

f) En appliquant par écrit l'algorithme de multiplication, découvre l'effet des facteurs 10, 100, 1000, ... dans la multiplication des nombres décimaux.

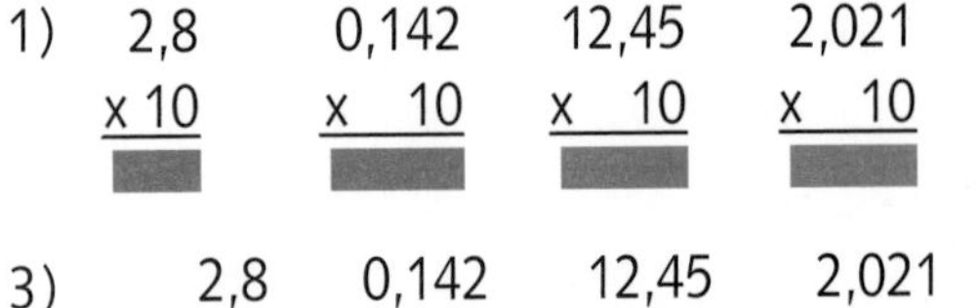

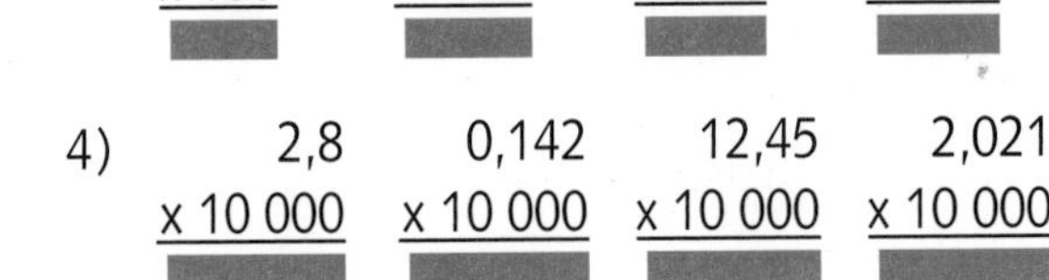

1) 2,8 x 10 = ■ ; 0,142 x 10 = ■ ; 12,45 x 10 = ■ ; 2,021 x 10 = ■

2) 2,8 x 100 = ■ ; 0,142 x 100 = ■ ; 12,45 x 100 = ■ ; 2,021 x 100 = ■

3) 2,8 x 1 000 = ■ ; 0,142 x 1 000 = ■ ; 12,45 x 1 000 = ■ ; 2,021 x 1 000 = ■

4) 2,8 x 10 000 = ■ ; 0,142 x 10 000 = ■ ; 12,45 x 10 000 = ■ ; 2,021 x 10 000 = ■

g) Comment écrit-on les nombres suivants sous la forme exponentielle?

1) 10 2) 100 3) 1 000 4) 10 000 5) 1 000 000

h) Lorsqu'on glisse la virgule vers la droite dans un nombre décimal, quel effet cela a-t-il sur ce nombre?

i) Complète cette conclusion.

La multiplication d'un nombre décimal par 10, 100, 1000, ... fait glisser respectivement la virgule de ■, ■, ■, ... positions vers la droite.

QU'EN PENSEZ-VOUS?

j) On veut multiplier 200 par un facteur qui fournira un produit inférieur à 200. Quelle caractéristique ce facteur doit-il avoir?

k) On veut multiplier 200 par un facteur qui fournira un produit supérieur à 200. Quelle caractéristique ce facteur doit-il avoir?

l) Trouvez deux nombres décimaux dont le produit est inférieur à chacun d'eux.

m) Les règles des signes pour la multiplication d'entiers sont-elles applicables à la multiplication de nombres décimaux? Si oui, quel serait le produit de :

1) -2,3 x 4,5? 2) -1,8 x -2,6?

n) Trouvez deux nombres décimaux qui ont chacun une décimale et dont le produit est 7,2.

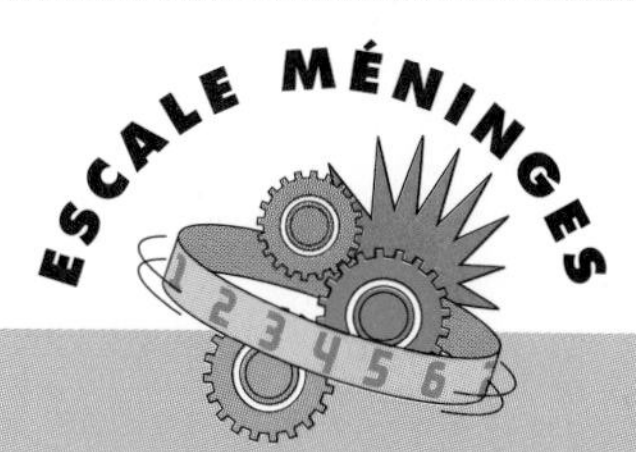

I Certaines multiplications peuvent être effectuées mentalement. Il suffit de faire attention à la position de la virgule en appliquant la règle.

Détermine le produit.

a) 0,2 x 0,3	**b)** 0,4 x 0,8	**c)** 0,4 x 0,6	**d)** 0,2 x 0,4
e) 0,4 x 0,9	**f)** 0,4 x 0,11	**g)** 0,8 x 0,8	**h)** 0,8 x 0,08
i) 0,1 x 0,1	**j)** 0,8 x 0,4	**k)** 0,04 x 0,06	**l)** 0,02 x 0,03
m) 0,4 x 1,1	**n)** 2,2 x 0,4	**o)** 0,5 x 0,5	**p)** 1,2 x 0,5

II Dans certains cas, on peut s'aider d'une fraction ordinaire équivalente.

Ex. : $0,25 \times 4 = \frac{1}{4} \times 4 = 1$

$0,5 \times 16 = \frac{1}{2} \times 16 = 8$

Calcule le produit.

a) 0,25 x 8 *b)* 0,5 x 2 *c)* 0,25 x 20 *d)* 50 x 0,5
e) 0,5 x 0,4 *f)* 16 x 0,25 *g)* 0,5 x 0,006 *h)* 0,25 x 40
i) 0,25 x 0,4 *j)* 0,25 x 1,2 *k)* 0,25 x 0,2 *l)* 200 x 0,25
m) 0,5 x 6 *n)* 0,25 x 12 *o)* 18 x 0,5 *p)* 0,25 x 0,8
q) 24 x 0,5 *r)* 20 x 0,25 *s)* 0,5 x 0,08 *t)* 0,5 x 2,4

III Multiplier par 0,1, 0,01, 0,001, ... ne modifie que la position de la virgule.

Calcule le produit en appliquant la règle et observe le déplacement de la virgule.

a) 2 x 0,1 *b)* 0,1 x 12 *c)* 20 x 0,1 *d)* 4 x 0,1
e) 0,1 x 18 *f)* 0,01 x 20 *g)* 0,01 x 36 *h)* 0,01 x 0,8
i) 0,1 x 0,04 *j)* 0,8 x 0,1 *k)* 0,01 x 0,1 *l)* 0,001 x 800
m) 0,01 x 20 *n)* 0,1 x 200 *o)* 0,4 x 0,1 *p)* 0,6 x 0,01
q) 0,001 x 0,8 *r)* 0,01 x 0,1 *s)* 0,01 x 800 *t)* 0,01 x 1 800

IV Calcule mentalement en utilisant la stratégie appropriée.

a) 0,25 x 24 *b)* 0,01 x 0,4 *c)* 0,5 x 4,8 *d)* 0,01 x 0,02

Avant de faire la multiplication de nombres décimaux, il est nécessaire d'en estimer le résultat.

Une technique efficace pour estimer des produits est la recherche du «nombre ami». On appelle **nombre ami** un nombre qui facilite les calculs.

Les nombres 1, 10, 100, 1000, ... sont souvent des nombres amis; on devine facilement pourquoi.

Ex. : Le produit de $23,46 \times 9,28 \approx 23,46 \times 10 = 234,6$

Le produit de $345,9 \times 0,982 \approx 345,9 \times 1 = 345,9$

On peut réajuster et dire 230 et 340.

1. Estime ces produits en utilisant la technique du nombre ami et réajuste selon que le nombre ami est inférieur ou supérieur au facteur qu'il remplace.

a) 23,9 x 98,4	***b)*** 9,72 x 5,32	***c)*** 0,34 x 0,975	***d)*** 234,7 x 11,3
e) 27,89 x 992,3	***f)*** 0,908 x 800,42	***g)*** 8,99 x 67,8	***h)*** 9 345,43 x 50,9
i) 1,04 x 87,9	***j)*** 10,95 x 1 200,67	***k)*** 102,45 x 212,6	***l)*** 98,12 x 9,79

2. Applique la technique du nombre ami et ajuste ton estimation.

a) 0,92 x 30,5	***b)*** 29,8 x 1,1	***c)*** 425 x 10,8	***d)*** 82 x 99,5
e) 210 x 99	***f)*** 2,45 x 9,56	***g)*** 300 x 998	***h)*** 4 567 x 10,9
i) 53,6 x 1 003,52	***j)*** 12,35 x 998	***k)*** 0,002 34 x 1,02	***l)*** 0,04 x 102,6

3. On peut pousser encore plus loin cette recherche du nombre ami lorsque l'un des facteurs se rapproche de 0,5, 5, 50, 500, ... Explique comment.

4. Estime les produits et ajuste ton estimation.

a) 4,78 x 80	***b)*** 49 x 84	***c)*** 5,04 x 68	***d)*** 52,9 x 8,74
e) 0,45 x 38	***f)*** 49,3 x 21,2	***g)*** 2,34 x 6,02	***h)*** 12,34 x 50,3
i) 580 x 802	***j)*** 48,9 x 680	***k)*** 0,48 x 0,008	***l)*** 0,56 x 0,75

Une autre technique pour estimer un produit de nombres décimaux est de les arrondir à leur plus grande position.

Ex. : Le produit de 45,9 x 62 est approximativement 50 x 60, soit 3 000.

5. Utilise cette dernière technique pour estimer les produits suivants.

a) 12 x 68	***b)*** 34,5 x 42,8	***c)*** 23 x 61,8	***d)*** 28,9 x 26,5
e) 84,5 x 42,8	***f)*** 21,4 x 52,8	***g)*** 34,8 x 98	***h)*** 204 x 30,2
i) 56,82 x 40,3	***j)*** 812 x 7,2	***k)*** 0,92 x 7	***l)*** 0,004 x 18

À toi d'utiliser la technique qui te donne l'estimation la plus précise. L'important, c'est d'être capable de faire les calculs mentalement.

S.V. Kovaleskaïa (1850-1891) fut la première femme à enseigner la mathématique dans une université.

Certaines calculatrices dites scientifiques écrivent parfois les grands nombres décimaux d'une façon bizarre.

o) Si tu as une calculatrice scientifique, effectue la multiplication suivante et observe son affichage.

267 890 x 349 000

Cet affichage correspond à une **notation** dite **scientifique,** c'est-à-dire une notation qui utilise la forme exponentielle des puissances de 10. En effet :

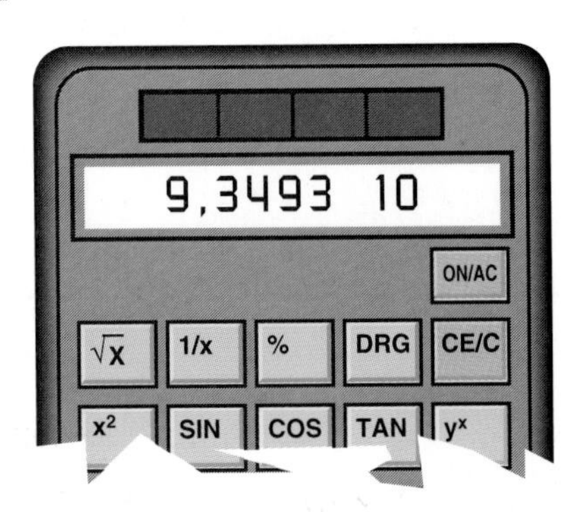

9,3493 10
correspond à
$9{,}3493 \times 10^{10}$
ou
9,3493 x 10 000 000 000
ou
93 493 000 000.

p) Calcule à la main le produit de la multiplication donnée en ***o*** et détermine si la notation scientifique obtenue correspond au produit exact.

q) Quel nombre correspond aux affichages suivants?

1) 2,3452 04
2) 1,4502 06
3) 5,34 05

Laisser un espace est le moyen qu'utilise la calculatrice pour dire que les chiffres qui suivent forment l'exposant de 10.

r) Effectue avec une calculatrice scientifique les multiplications suivantes :

1) 4 525 x 34 689
2) 8 500 x 10 926
3) 56 000 x 3 847
4) 345 684 x 34 645
5) 489 292 x 135 486
6) 180 024 x 387
7) 390 085 x 3 456
8) 348 789 x 2 345 685

CARNET DE VOYAGE

Dans une notation scientifique, la première partie est un nombre décimal compris entre 1 et 10, et la seconde partie est l'exposant de 10.

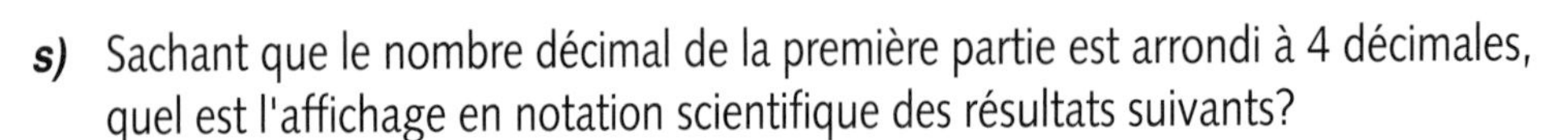

s) Sachant que le nombre décimal de la première partie est arrondi à 4 décimales, quel est l'affichage en notation scientifique des résultats suivants?

1) 234 652
2) 3 489
3) 839 456 724
4) 78 456 846 456

1 Dans ces produits, on a oublié de placer la virgule. Place-la afin de rendre le produit exact.

a) 12,4 x 0,95 = 1178
b) 1,04 x 2,3 = 2392
c) 0,9 x 0,8 = 72
d) 1,2 x 1,8 = 216
e) 0,08 x 0,1 = 8
f) 12,3 x 0,003 = 369
g) 12,45 x 10 = 1245
h) 0,01 x 1000 = 1000

2 L'ensemble **A** contient les nombres qui conviennent dans les situations ci-dessous. Place chacun de ces nombres au bon endroit.

A : • 202,50 • 4 875 • 0,15 • 4,95 • 81 • 4 • 29 • 33 • 2,50

a) Fabius vend des macarons à ■ $ pour financer l'achat d'un fauteuil roulant pour sa soeur. Le fauteuil vaut ■ $. Jusqu'ici, Fabius a vendu ■ macarons et il a amassé la somme de ■ $.

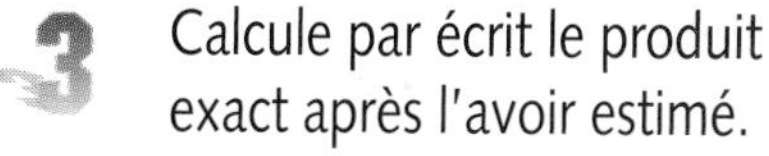

b) Nicole a acheté ■ pommes fraîches d'un pomiculteur pour les ■ élèves de sa classe et les ■ membres de sa famille. Au prix de ■ $ la pomme, Nicole a déboursé ■ $.

3 Calcule par écrit le produit exact après l'avoir estimé.

a) 2,4 x 3,2
b) 0,4 x 0,6
c) 3,4 x 9,8
d) 0,5 x 12,6
e) 0,004 x 120
f) 12,8 x 15,4
g) 40 x 4,2
h) 108 x 2,8

4 Calcule mentalement ces produits.

a) 0,2 x 0,3
b) 0,02 x 0,3
c) 0,02 x 0,03
d) 0,002 x 0,003

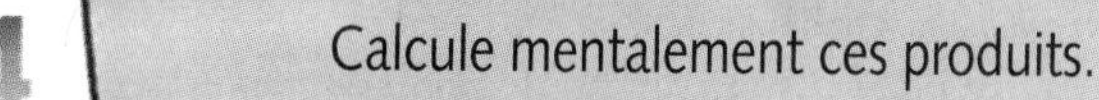

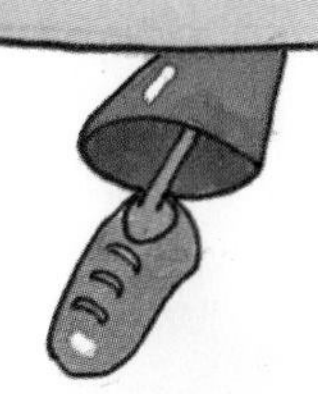

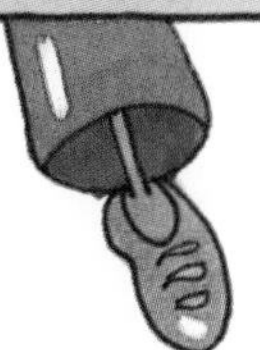

5 Calcule par écrit le produit exact après l'avoir estimé.

a) 24,3 x 8,1
b) 50 x 12,8
c) 20,03 x 40,5
d) 90,67 x 103,56

Si je comprends bien, on s'amuse à m'oublier!

6 Dans le premier facteur, on a oublié la virgule.
Récris ce facteur en plaçant la virgule au bon endroit.

a) 345 x 0,3 = 10,35

b) 202 x 4,45 = 8,989

c) 1294 x 0,42 = 54,348

d) 452 x 8,6 = 0,388 72

7 Combien de chiffres y a-t-il dans la partie décimale du nombre remplacé par *n*?

a) 0,12 x 2,36 = *n*

b) 80 x 2,5 = *n*

c) 20 000 x 0,006 = *n*

d) 150,01 x 100,01 = *n*

8 Voici 4 nombres décimaux :

0,03	60	0,25	16,24

Lesquels a-t-on utilisé pour former ces produits?

a) ■ x ■ = 15
b) ■ x ■ = 4,06
c) ■ x ■ = 0,4872
d) ■ x ■ = 1,8

9 Pourquoi une calculatrice ne donne-t-elle pas un produit avec une décimale dans la multiplication suivante? 2,5 x 6

10 Dans la multiplication suivante, on a oublié de mettre la virgule dans les facteurs.

42 x 78 = 32,76

Quels peuvent être les facteurs? (Donne au moins 3 possibilités.)

11 Est-il possible qu'en multipliant 8,25 par un second nombre décimal, le produit soit inférieur à 8,25? Si oui, donne un exemple.

12 Inscris au bout de chaque branche le produit des nombres apparaissant sur cette branche.

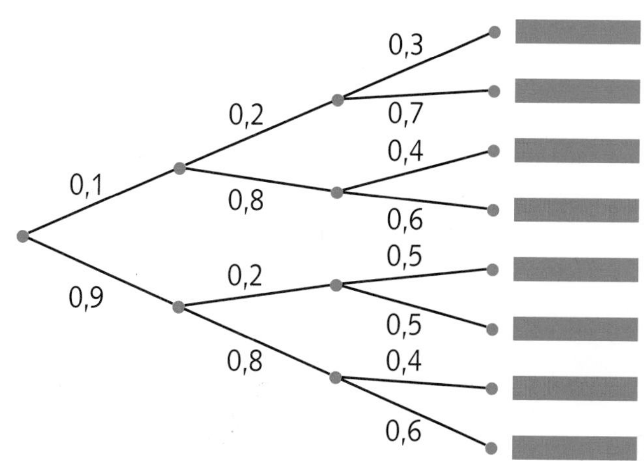

13 Calcule la puissance.

a) $0{,}1^2$ ***b)*** $1{,}1^2$ ***c)*** $5{,}6^2$ ***d)*** $10{,}1^3$

14 Quel nombre correspond à l'affichage d'une calculatrice qui montre ces chiffres?

a) 2,346 05 ***b)*** 1,2345 08

15 Écris les nombres suivants en notation scientifique.

a) 245 000
b) 3 456 500
c) 8 450 000 000
d) 189 235 000 000

16 La calculatrice de Manua affiche 524,6 comme résultat de 8,6 x 6,1. Pourtant, selon son estimation, le résultat devrait être près de 54. Quelle erreur a-t-il commise?

17 À la faveur d'une enquête auprès des 600 élèves d'une polyvalente, on a constaté que 0,38 des élèves étaient d'accord pour une discipline plus sévère. Combien d'élèves se sont prononcés en faveur d'une plus grande sévérité?

18 Quel est le plus grand produit?

a) 0,1 x 0,1 ou 0,01 x 100 ?

b) 0,5 x 0,5 ou 25 x 0,1 ?

19 Pour une personne de masse moyenne, la consommation d'une bière en deux heures fait augmenter le taux d'alcool dans le sang de 0,035. Le taux permis pour conduire est de 0,08. De combien supérieur à la limite est le taux d'une personne qui a consommé 6 bières en deux heures?

La bière est connue depuis des millénaires. Des archéologues ont déjà découvert les restes d'une brasserie de l'Égypte ancienne.

20

Quel est le prix d'achat de 235 timbres à 0,52 $ (ou 52¢) chacun?
COT??

21 Une poule pond en moyenne 0,726 oeuf par jour. Combien d'oeufs pond-elle en moyenne en un an?

22 Au Canada, la consommation de thé par habitant est de 1,1 kg par année. Quelle quantité de thé importe-t-on si la population est de 25 millions d'habitants et que le Canada ne produit pas de thé?

23 Un fumeur absorbe 1,06 mg de nicotine par cigarette. Quelle quantité de nicotine une personne absorbe-t-elle en un an si elle fume 2 paquets de 20 cigarettes par jour?

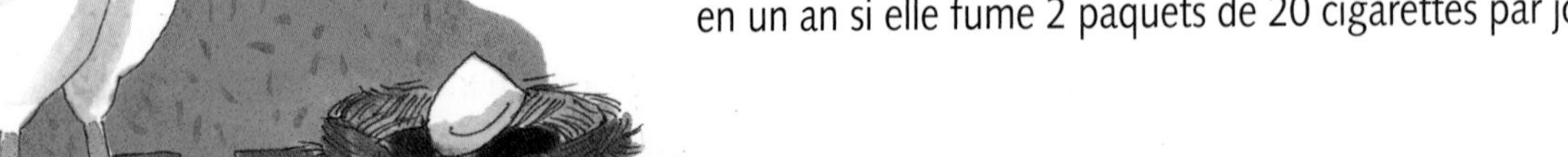

24 Les côtés d'un carré mesurent 2,5 cm. On diminue les côtés de 0,1 cm.

a) De combien le périmètre de ce carré a-t-il diminué?

b) De combien son aire a-t-elle diminué?

Affiche le nombre 17 sur ta calculatrice. En deux essais et par multiplication seulement, essaie d'obtenir un nombre le plus près possible du nombre donné. Tu donnes comme réponse tes deux facteurs et le nombre que tu as obtenu après tes deux essais.

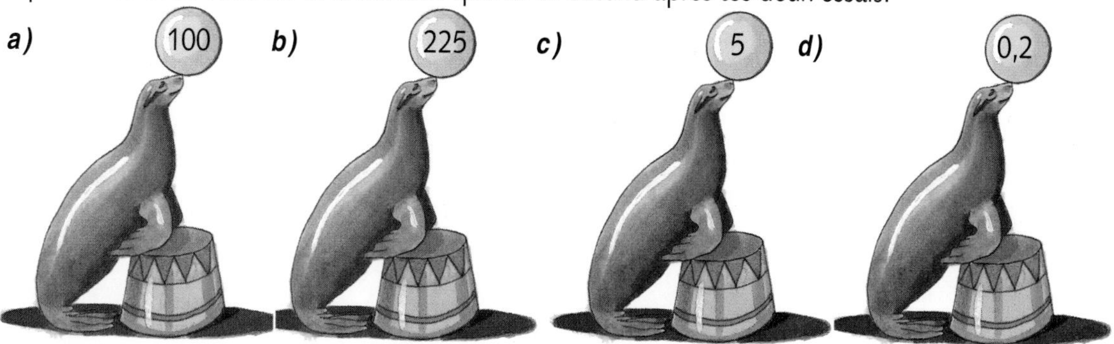

Complète l'énoncé dans chaque cas.

a) 2,5 x (2,4 + 1,25) = 2,5 x 2,4 + ■ x ■

b) 0,32 x (1,5 – 0,8) = 0,48 – ■

Aide-toi de ta calculatrice pour trouver le résultat de ces expressions.

a) 2,4 x ⁻4,2 + 5,4 ***b)*** ⁻4,2 + 2,1 x 3,4 ***c)*** 8,5 – 2,3 x 0,8 + 3,45
d) 4,5 x ⁻2,4 + 5,3 x ⁻1,8 ***e)*** 2,3 x (4,2 – 8,3 + 2 x (4,3 – 8,6))

Décris le travail qu'effectue cette machine et donne la dernière sortie.

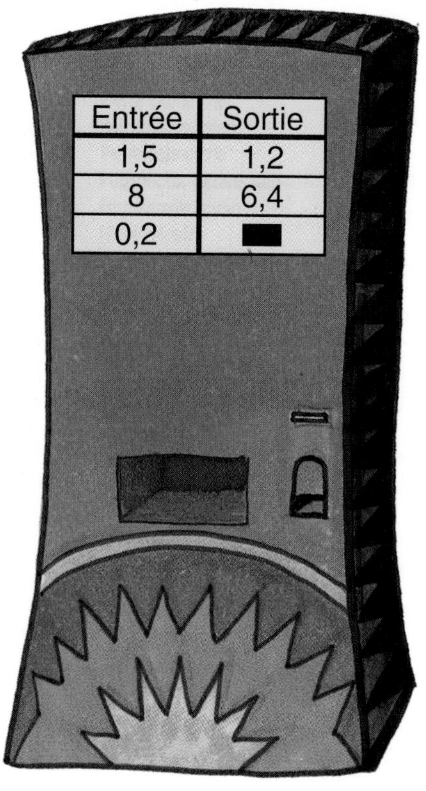

Entrée	Sortie
1,5	1,2
8	6,4
0,2	■

29 À l'aide de ta calculatrice, trouve la valeur de *n* dans chaque équation.

a) 2,02 x *n* = 25,856
b) *n* x (12,4 x 9,04) = 3,6288

30 Si *a*, *b* et *c* représentent des nombres décimaux, l'énoncé suivant est-il vrai?

$a \times (b + c) = a \times b + a \times c$

31 Affiche le nombre 23 sur ta calculatrice. À l'aide de 3 multiplications seulement, essaie de faire afficher le nombre 2,75 ou un nombre entre 2,5 et 3.
Donne les 3 facteurs que tu as trouvés.

FLASH
PROBLÈME
La capacité de résoudre un problème dépend bien souvent de la confiance que l'on a en soi.

32

Aie confiance en toi et attaque-toi à la résolution de ce problème!

Jimmy et Sonia se promènent dans la cour de l'école. Chacun a une petite somme d'argent. Jimmy dit à Sonia : «Donne-moi 25¢ et j'aurai le triple de ton avoir.» Sonia lui répond : «Donne-moi 25¢ et j'en aurai autant que toi!» Ensemble, peuvent-ils payer une pointe de pizza de 1,95 $?

LE SPHINX

Quelles caractéristiques!

■ Quel effet le facteur 1,01 a-t-il sur les entiers à deux chiffres?

■■ Quelle caractéristique les nombres décimaux suivants ont-ils?

5,5 34,43 156,651

■■■ Quelle caractéristique ce nombre décimal a-t-il?

19,61

DIVISION D'ENTIERS ET DE DÉCIMAUX

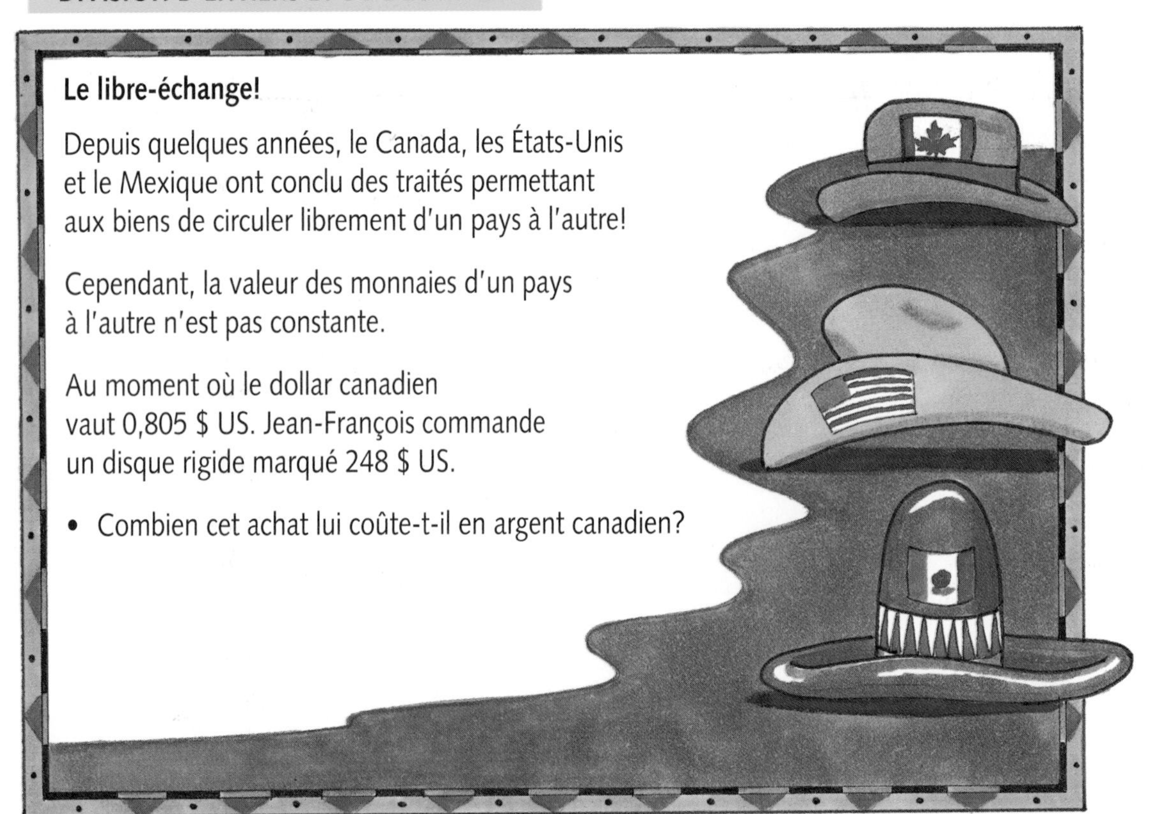

Le libre-échange!

Depuis quelques années, le Canada, les États-Unis et le Mexique ont conclu des traités permettant aux biens de circuler librement d'un pays à l'autre!

Cependant, la valeur des monnaies d'un pays à l'autre n'est pas constante.

Au moment où le dollar canadien vaut 0,805 $ US. Jean-François commande un disque rigide marqué 248 $ US.

- Combien cet achat lui coûte-t-il en argent canadien?

La division est l'opération qui consiste à déterminer combien de fois un nombre est contenu dans un autre. Ainsi, chercher le résultat de :

- 12 ÷ 2, c'est chercher combien de fois 2 est contenu dans 12;
- $\frac{3}{4} \div \frac{1}{2}$, c'est chercher combien de fois $\frac{1}{2}$ est contenu dans $\frac{3}{4}$;
- 25,8 ÷ 1,99, c'est chercher combien de fois 1,99 est contenu dans 25,8.

6 fois!

À peu près 1 fois et quelque chose!

À peu près 12 fois!

a) Complète ces modèles.

1)
4 ÷ 4 = ■
4 ÷ 2 = ■
4 ÷ 1 = ■
4 ÷ 1/2 = ■
4 ÷ 1/4 = ■

2)
4 ÷ 4 = ■
4 ÷ 2 = ■
4 ÷ 1 = ■
4 ÷ 0,5 = ■
4 ÷ 0,25 = ■

b) D'après les modèles précédents, est-il possible de diviser un nombre par un autre et d'obtenir un résultat :

1) inférieur à ce nombre? 2) égal à ce nombre? 3) supérieur à ce nombre?

c) Complète les modèles suivants en t'aidant de ta calculatrice.

1) 5 ÷ 2 = ■
10 ÷ 4 = ■
20 ÷ 8 = ■
■ ÷ ■ = ■

2) 1,05 ÷ 0,025 = ■
10,5 ÷ 0,25 = ■
105 ÷ 2,5 = ■
■ ÷ ■ = ■

3) 128 ÷ 16 = ■
64 ÷ 8 = ■
32 ÷ 4 = ■
■ ÷ ■ = ■

4) 10 800 ÷ 2 400 = ■
1 080 ÷ 240 = ■
108 ÷ 24 = ■
■ ÷ ■ = ■

d) Quelle propriété fondamentale de la division peut-on dégager des modèles précédents? Complète l'énoncé suivant :

On ne modifie pas le quotient d'une division si l'on ■ ou ■ les deux termes par le même ■.

e) Explique ce qui arrive à la virgule d'un nombre décimal si :

1) on le multiplie par 10, 100, 1000, ... 2) on le divise par 10, 100, 1000, ...

On dispose de tous les outils pour diviser deux nombres décimaux, mais l'estimation va nous faciliter la tâche.

En un clin d'oeil, on doit être capable d'estimer un quotient.

Devant une division, on cherche d'abord à savoir si son résultat est inférieur ou supérieur à 1.

1. Quelle condition faut-il pour que le résultat d'une division soit :

   a) inférieur à 1? *b)* égal à 1? *c)* supérieur à 1?

2. Pour chaque division, détermine mentalement si le quotient est inférieur, égal ou supérieur à 1.

   a) 10 ÷ 5 *b)* 8 ÷ 9 *c)* 20 ÷ 17 *d)* 32 ÷ 45
   e) 45 ÷ 65 *f)* 28 ÷ 89 *g)* 120 ÷ 217 *h)* 3,2 ÷ 4,5
   i) 1,0 ÷ 5,8 *j)* 34,8 ÷ 99 *k)* 2,68 ÷ 1,7 *l)* 345,5 ÷ 5,45
   m) 0,003 ÷ 5,45 *n)* 8,09 ÷ 0,089 *o)* 2,23 ÷ 17,78 *p)* 3,42 ÷ 0,045

Si le quotient est inférieur ou égal à 1, on a dans les deux cas d'excellentes estimations, soit ≈ 0,... ou ≈ 1.

Si le quotient est supérieur à 1, on ramène le diviseur à un nombre compris entre 1 et 10 en appliquant la propriété fondamentale de la division.

Ex. : 283,5 ÷ 68,2 correspond à 28,35 ÷ 6,82 qui est à peu près 28 ÷ 7, soit 4.
0,8125 ÷ 0,021 correspond à 81,25 ÷ 2,1 qui est à peu près 80 ÷ 2, soit 40.

3. Estime les quotients et juge si ton estimation est acceptable ou non en effectuant la division à l'aide ta calculatrice.

   a) 20,6 ÷ 10,2 *b)* 124,2 ÷ 41 *c)* 48 ÷ 0,108 *d)* 89,6 ÷ 30,1
   e) 210,34 ÷ 33,2 *f)* 812,4 ÷ 19,5 *g)* 124,45 ÷ 61,2 *h)* 3 125,6 ÷ 613,1
   i) 0,2446 ÷ 0,0612 *j)* 182,4 ÷ 9,9 *k)* 234,8 ÷ 24,8 *l)* 3,456 ÷ 0,301
   m) 345,02 ÷ 63,12 *n)* 4 728,35 ÷ 412,5 *o)* 6,5421 ÷ 0,102 45 *p)* 45,6 ÷ 30,1
   q) 24,04 ÷ 6,12 *r)* 342,4 ÷ 19,5 *s)* 124,8 ÷ 0,8 *t)* 486,6 ÷ 90,9
   u) 85,02 ÷ 12,31 *v)* 82,35 ÷ 24,63 *w)* 84,21 ÷ 82,78 *x)* 30,1 ÷ 0,6

Si **le diviseur est plus grand que le dividende,** on tente de former une fraction en appliquant la propriété fondamentale de la division et on évalue mentalement cette fraction.

Ex. : 0,92 ÷ 4,12 s'approche de 1 ÷ 4, soit de 0,25.
0,215 ÷ 1,203 équivaut à 2,15 ÷ 12,03 qui s'approche de 2 ÷ 12, soit $\frac{1}{6}$ ou ≈ 0,17.

4. Estime le résultat de chaque division.

a) 0,96 ÷ 2,08	***b)*** 1,98 ÷ 4,26	***c)*** 2,04 ÷ 6,12	***d)*** 4,16 ÷ 8,503
e) 2,23 ÷ 8,09	***f)*** 4,12 ÷ 12,203	***g)*** 10,905 ÷ 30,723	***h)*** 5,30 ÷ 20,525
i) 15,009 ÷ 20,2301	***j)*** 20,3 ÷ 100,8	***k)*** 24,009 ÷ 100,01	***l)*** 6,3 ÷ 50,092
m) 5,009 ÷ 50,503	***n)*** 60,3 ÷ 300,008	***o)*** 84,009 ÷ 1 600,012	***p)*** 36,3 ÷ 168,092

Parfois, on peut faciliter les calculs en traitant les nombres comme s'il s'agissait de sommes d'argent.

Ex. : On peut obtenir l'estimation de 5,63 ÷ 0,12 en cherchant combien il y a de 10¢ dans 5 $.

5. Estime le résultat de chaque division comme s'il s'agissait d'argent. (Combien y a-t-il de 1¢, de 10¢, de 25¢, de 50¢, ... dans...?)

a) 2,34 ÷ 0,23	***b)*** 1,78 ÷ 0,26	***c)*** 2,34 ÷ 0,52	***d)*** 4,56 ÷ 0,503
e) 5,23 ÷ 0,09	***f)*** 8,12 ÷ 0,203	***g)*** 10,905 ÷ 0,723	***h)*** 15,30 ÷ 0,525
i) 15,009 ÷ 0,2301	***j)*** 20,3 ÷ 0,8	***k)*** 24,009 ÷ 0,01	***l)*** 36,3 ÷ 0,092
m) 45,009 ÷ 0,503	***n)*** 60,3 ÷ 0,008	***o)*** 84,009 ÷ 0,012	***p)*** 36,3 ÷ 0,97

6. Estime le résultat de chaque division. Dans chaque cas, utilise la technique qui convient le mieux.

a) 23,4 ÷ 5,01	***b)*** 2,56 ÷ 0,11	***c)*** 23,456 ÷ 45,2	***d)*** 5,69 ÷ 0,241
e) 16,40 ÷ 64	***f)*** 0,9 ÷ 8,24	***g)*** 12,9 ÷ 3,99	***h)*** 8,89 ÷ 0,492

Maintenant que nous savons estimer le quotient d'une division, il est raisonnable de tenter de trouver le quotient exact. On dispose de deux moyens : la calculatrice et l'algorithme écrit.

Dans les deux cas, l'estimation est importante.

L'algorithme écrit est basé sur l'estimation et la propriété fondamentale de la division.

Algorithme de division de nombres décimaux

CARNET DE
VOYAGE

Pour calculer par écrit le quotient d'une division, il faut :

1° Estimer ce quotient pour savoir combien il y a de chiffres dans la partie entière (ou encore pour savoir où se situe la virgule).

2° Appliquer la propriété fondamentale afin d'obtenir un diviseur entier.

3° Diviser le dividende par le diviseur.

Ex. : Soit à effectuer par écrit 25,1604 ÷ 0,8.

Cette division correspond à 251,604 ÷ 8, donc le quotient est à peu près 30.

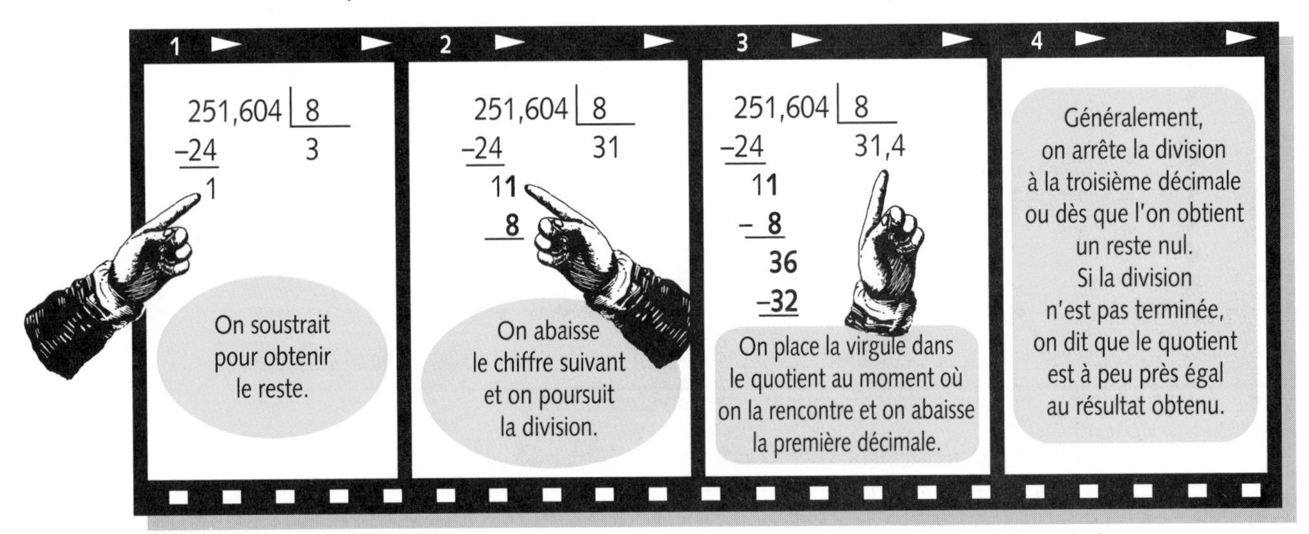
1
251,604 | 8
–24 3
1
On soustrait pour obtenir le reste.
2
251,604 | 8
–24 31
11
8
On abaisse le chiffre suivant et on poursuit la division.
3
251,604 | 8
–24 31,4
11
– 8
36
–32
On place la virgule dans le quotient au moment où on la rencontre et on abaisse la première décimale.
4
Généralement, on arrête la division à la troisième décimale ou dès que l'on obtient un reste nul. Si la division n'est pas terminée, on dit que le quotient est à peu près égal au résultat obtenu.

f) Effectue les divisions suivantes pour avoir une bonne compréhension de l'algorithme.

1) 3,83 ÷ 0,8 2) 0,4 ÷ 1,2 3) 2 ÷ 0,8 4) 1,4 ÷ 0,02
5) 4,3 ÷ 12,54 6) 6,03 ÷ 1,2 7) 24,1 ÷ 1,234 8) 0,0008 ÷ 0,04

À toi d'aller chercher le niveau de compétence que tu désires posséder!

Carte de niveau apprenti

8

g) Tu peux te mériter le titre d'**apprenti** ou d'**apprentie** de la division si tu réussis 8 divisions sur 12. Précision exigée : 3 décimales. Ensuite, vérifie tes résultats à la calculatrice.

1) 8,4 ÷ 1,8 2) 9,4 ÷ 3,2 3) 22 ÷ 0,8 4) 23,4 ÷ 0,02
5) 4,36 ÷ 12,54 6) 0,003 ÷ 1,2 7) 44,1 ÷ 8,2 8) 0,008 ÷ 0,04
9) 88,4 ÷ 1,8 10) 59,4 ÷ 3,2 11) 262 ÷ 10,8 12) 523,4 ÷ 0,02

Carte de niveau professionnel

10

h) Tu peux te mériter le titre de **professionnel** ou de **professionnelle** de la division si tu réussis 10 divisions sur 12. Précision exigée : 3 décimales. Ensuite, vérifie tes résultats à la calculatrice.

1) 0,68 ÷ 3,2 2) 40,15 ÷ 8,3 3) 0,82 ÷ 0,002 4) 12,89 ÷ 90,3
5) 4,95 ÷ 44,55 6) 8 ÷ 9,99 7) 9,48 ÷ 80,8 8) 0,0308 ÷ 0,024
9) 425,25 ÷ 1,025 10) 1 ÷ 8,34 11) 3,9 ÷ 0,99 12) 0,456 ÷ 1,05

Carte de niveau expert

i) Tu peux te mériter le titre d'**expert** ou d'**experte** de la division si tu réussis 12 divisions sur 12. Précision exigée : 4 décimales. Ensuite, vérifie tes résultats à la calculatrice.

1) 89,8 ÷ 28	2) 3,402 ÷ 8,05	3) 868 ÷ 60,02	4) 808,9 ÷ 90,6
5) 24,095 ÷ 5,5	6) 86,502 ÷ 2,18	7) 7,589 ÷ 0,88	8) 8 231,8 ÷ 9,73
9) 4 325,25 ÷ 608,4	10) 87,53 ÷ 0,085	11) 73,9 ÷ 12,62	12) 0,0961 ÷ 43,18

Nous avons vu que les calculatrices dites scientifiques écrivent parfois les grands nombres en notation scientifique. Il en est ainsi avec les petits nombres.

Voici ce qu'affiche une calculatrice scientifique pour la division suivante :

0,007 ÷ 26 289 675

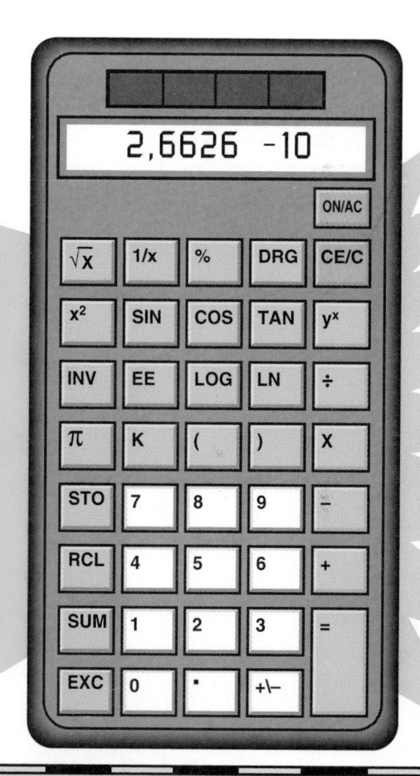

Cet affichage est aussi une **notation scientifique**, c'est-à-dire une notation qui utilise la forme exponentielle des puissances de 10. En effet :

2,6626 -10
correspond à
$2,6626 \times 10^{-10}$
ou
2,6626 x 0,000 000 000 1
ou
0,000 000 000 266 26.

Comme pour les grands nombres, la notation scientifique des petits nombres est un nombre décimal compris entre 1 et 10, et la seconde partie est l'exposant de 10.

Le nombre décimal de la première partie comprend généralement 4 décimales.

j) Quel nombre décimal correspond à la notation scientifique suivante?

1) 2,458 -04 2) 3,8653 -06 3) 8,924 -09 4) 6,328 -12

k) Écris ces nombres en notation scientifique.

1) 0,000 000 56 2) 0,003 456 3) 0,000 086 5 4) 0,000 128 68

1 Estime le quotient, puis calcule-le par écrit.

a) 18 ÷ 12 **b)** 0,4 ÷ 9 **c)** 2,8 ÷ 0,9 **d)** 30,8 ÷ 0,25
e) 45,8 ÷ 5 **f)** 0,089 ÷ 0,2 **g)** 0,38 ÷ 5,3 **h)** 62,8 ÷ 3,05

2 Par estimation, place la virgule dans le quotient donné.

a) 12,4 ÷ 3 = 41333... **b)** 0,034 ÷ 0,02 = 17000
c) 40,46 ÷ 0,012 = 3371666... **d)** 208,4 ÷ 198,1 = 10519939...
e) 500 ÷ 120,5 = 41493775... **f)** 1 525,6 ÷ 2 008,2 = 7596...

3 On a omis de mettre la virgule dans le diviseur. Récris ce diviseur en y plaçant la virgule. Aide-toi du dividende et du quotient.

a) 12,4 ÷ 21 = 59,047... **b)** 0,4 ÷ 82 = 0,487... **c)** 34,8 ÷ 202 = 1,7227...
d) 808,1 ÷ 405 = 19,953... **e)** 46,82 ÷ 412 = 113,640... **f)** 400 ÷ 125 = 3,2

4 On a omis de mettre la virgule dans le dividende. Récris ce dividende en y mettant la virgule.

a) 32 ÷ 0,04 = 8 **b)** 630 ÷ 70 = 0,09 **c)** 804 ÷ 602 ≈ 0,013
d) 348 ÷ 2,4 = 14,5 **e)** 3012 ÷ 50,8 ≈ 0,0059 **f)** 1048 ÷ 0,04 ≈ 2620

5 Quel est le prix à l'unité des marchandises suivantes?

6 Effectue les divisions suivantes par écrit.

a) 24 ÷ 2,8
b) 0,006 ÷ 0,4
c) 0,12 ÷ 12
d) 20,34 ÷ 1,4
e) 0,4 ÷ 40
f) 2,2 ÷ 0,22
g) 0,44 ÷ 0,5
h) 334 ÷ 0,24
i) 0,456 ÷ 4,24
j) 1 000 ÷ 0,24
k) 2,45 ÷ 245
l) 0,45 ÷ 9
m) 2,34 ÷ 0,68
n) 334,2 ÷ 0,008

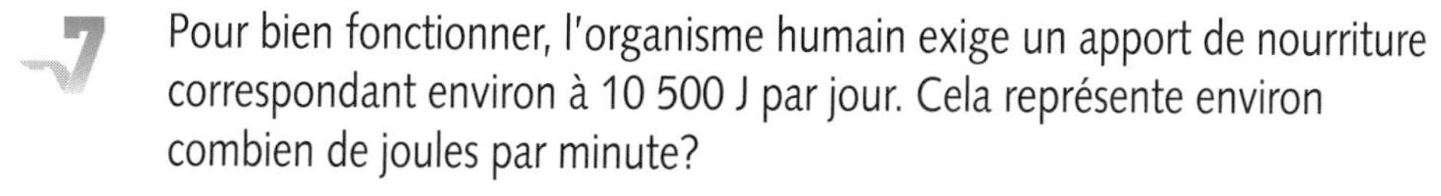

7 Pour bien fonctionner, l'organisme humain exige un apport de nourriture correspondant environ à 10 500 J par jour. Cela représente environ combien de joules par minute?

POURQUOI?
Pourquoi les vitamines sont-elles essentielles pour être en bonne santé?

8 Depuis la naissance de Jésus-Christ, il y a eu 266 papes.
Quelle est la durée moyenne du règne d'un pape?

9 Indique le nombre de chiffres dans la partie entière du quotient.

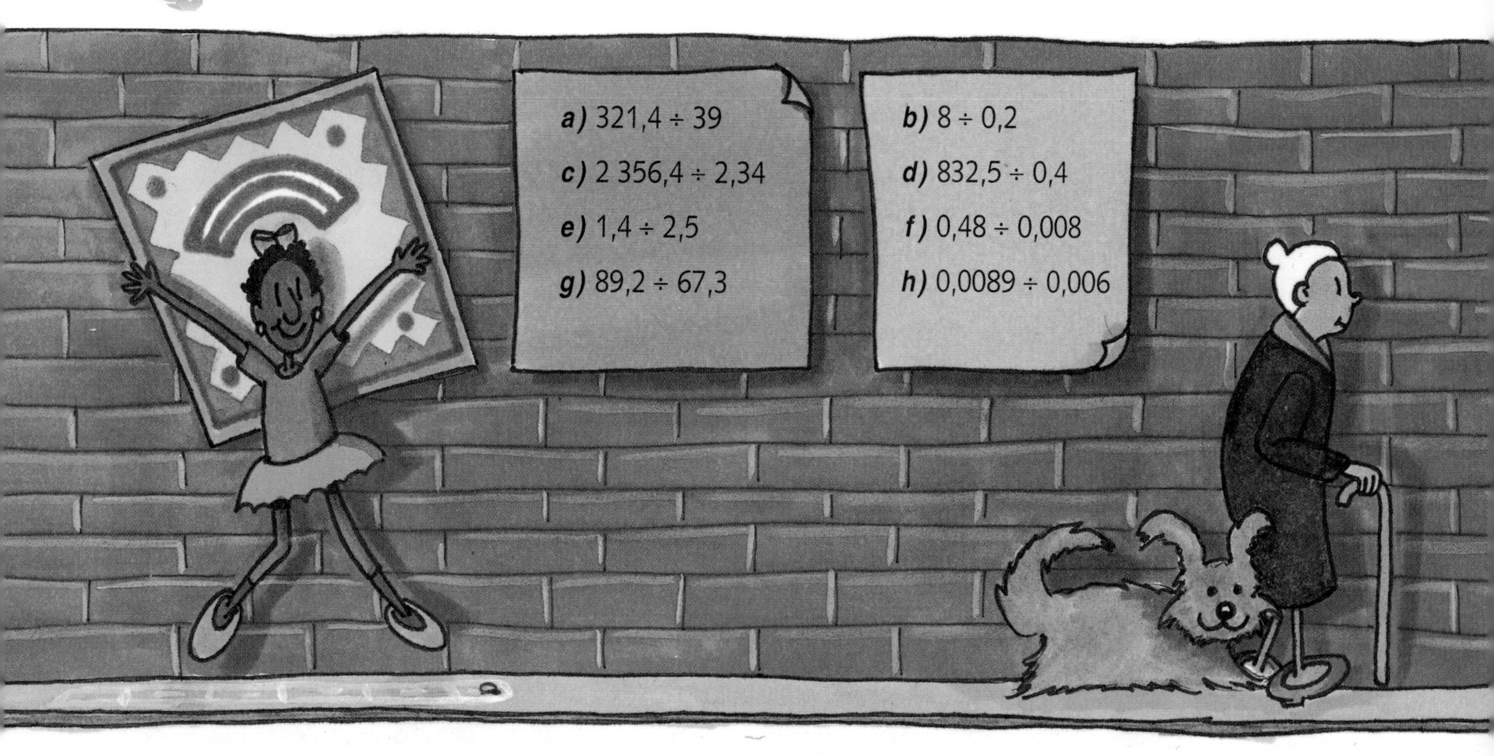

10 Calcule ces expressions par écrit en respectant la priorité des opérations.

a) 2,1 x 0,4 ÷ 0,2
b) 4,8 ÷ (0,1 + 0,5)
c) 4,2 x 0,5 + 3,4 ÷ 1,7
d) 2,2 x (0,8 – 0,6) ÷ 0,01
e) $4{,}1^2 - 0{,}5^2 \times 0{,}01 + 0{,}4$

11 Indique simplement si le diviseur est inférieur ou supérieur au dividende.

a) 50 ÷ ? = 3,1
b) 15 ÷ ? = 0,9
c) ? ÷ 2,5 = 8,4
d) ? ÷ 12 = 1,2

12

13

On peut exprimer un quotient sous différentes formes :
entier, entier avec reste, nombre fractionnaire, nombre décimal.
Dans les situations suivantes, trouve le quotient et exprime-le sous la forme qui convient le mieux.

a) Pendant quelques heures, Jacques a travaillé à un taux de 8 $ l'heure. Il a gagné 28 $. Pendant combien de temps a-t-il travaillé?

b) Un fleuriste fait des bouquets de roses. Combien de bouquets contenant chacun une douzaine de roses peut-il faire avec 500 roses?

c) Justine se rend à la résidence pour personnes âgées de son quartier pour vendre des figurines du Bonhomme Carnaval. Après sa visite, elle constate qu'elle a recueilli 38,25 $. Si le prix de chaque figurine est de 2,50 $, combien de figurines a-t-elle vendues?

d) Une skieuse a dévalé une piste de 1,8 km en 2 min 15 s.

1) Quelle distance a-t-elle parcourue en une minute?

2) Quelle est sa vitesse moyenne en kilomètres par heure?

14

Calcule la valeur de ces expressions.

a) $12,8 \div \frac{3}{4}$

b) $\frac{3}{8} \div 0,15$

c) $44,24 \div \frac{3}{2}$

d) $(3,4 \times 4,2) \div \frac{1}{4}$

15 Calcule la valeur de ces expressions en tenant compte de la priorité des opérations.

a) $2{,}3 + 3{,}2 \times 4 - 2{,}82$
b) $4{,}2 \div 2{,}1 - 0{,}2 \times 2{,}2$
c) $12{,}3 \div 4{,}1 + 2{,}4 \times 0{,}2 - 0{,}24$
d) $2{,}5 \times (2{,}04 - 1{,}8) \div 0{,}2$
e) $0{,}4 \times 1{,}4 + 20{,}4 \div 5$
f) $(2{,}08 - 1{,}95) \times (2{,}8 + 0{,}88)$
g) $0{,}8^2 - 2{,}4 \times 0{,}1$
h) $8{,}56 - 2{,}4 \times 1{,}8 \div 1{,}2$
i) $0{,}002 \times 4{,}1 - 2{,}48 \div 124$
j) $200 \div 0{,}5 \times 0{,}4 + 1{,}2^2$

16 Annuellement, un être humain mange en moyenne une tonne (1 000 kg) de nourriture. Quelle quantité de nourriture mange-t-il en moyenne par repas?

17 L'hippopotame est un proche parent du cochon. Il peut peser jusqu'à 4 000 kg alors que le cochon peut atteindre 150 kg. La masse d'un hippopotame est combien de fois plus grande que celle d'un cochon?

18 Un escargot parcourt environ 6,5 m en 12 heures. Quelle est sa vitesse en kilomètres par heure?

POURQUOI?

Pourquoi les escargots se déplacent-ils surtout la nuit?

19 Une bonne vache à lait donne environ 6 000 litres de lait par année. Combien de litres de lait donne-t-elle à chaque traite si on la trait 2 fois par jour pendant 8 mois?

20 En 24 heures, un homme moyen élimine environ 3,2 litres de sueur. Combien de litres de sueur élimine-t-il en une heure?

21 La bouche produit un litre de salive en 24 heures. Combien de salive produit-elle en moyenne par heure?

22 Il faut 60 000 toiles d'araignée pour constituer 1 kg ou 1 000 g de fil d'araignée. Combien pèse une toile d'araignée?

23 On a effectué ces divisions avec une calculatrice et on a obtenu des nombres décimaux. Quel reste obtiendrait-on si on les effectuait par écrit?

a) $422 \div 5 = 84{,}4$ ***b)*** $244 \div 8 = 30{,}5$ ***c)*** $684 \div 15 = 45{,}6$
d) $855 \div 25 = 34{,}2$ ***e)*** $1\,248 \div 12 = 104$

24 As-tu trouvé une règle qui te permet de trouver le reste sans avoir à faire la division par écrit? Si oui, quelle est cette règle?

25 À l'aide d'un exemple, montre que dans une division on peut multiplier ou diviser les deux termes par un même nombre sans changer le quotient.

26 Quel résultat en notation scientifique une calculatrice fournit-elle pour ces divisions?

a) $0{,}0008 \div 45\,000$ ***b)*** $0{,}000\,15 \div 65\,820$
c) $0{,}0005 \div 1\,000\,000$ ***d)*** $0{,}072 \div 824\,200$

27 Écris ces nombres en notation scientifique.

a) 0,000 28 ***b)*** 0,000 005 68
c) 0,002 456 8 ***d)*** 0,000 458 282

28 En transformant les fractions en nombres décimaux, détermine laquelle des fractions est supérieure à l'autre.

a) $\frac{7}{9}$ et $\frac{23}{31}$ ***b)*** $\frac{101}{37}$ et $\frac{119}{49}$

29 Deux fractions sont équivalentes si elles correspondent au même nombre décimal. Vérifie si les fractions données sont équivalentes.

a) $\frac{83}{97}$ et $\frac{249}{291}$ ***b)*** $\frac{57}{67}$ et $\frac{67}{77}$

30 Quel est le meilleur achat de cartes de Noël?

Catégorie	Quantité	Prix
A	20	6,50 $
B	15	5,00 $
C	10	3,50 $

31 Montre à l'aide de deux nombres décimaux que :

$a \div b \neq b \div a$

32 Quel est le signe du quotient dans ces divisions?

a) -8,24 ÷ -4,8 *b)* 0,003 ÷ -0,24 *c)* -12,5 ÷ 0,4 *d)* -0,75 ÷ -2,1

33 Quel est le quotient d'un nombre décimal strictement positif divisé par 0?

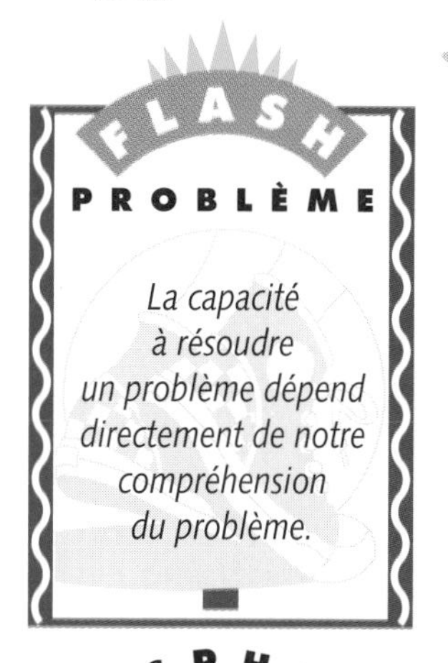

La capacité à résoudre un problème dépend directement de notre compréhension du problème.

34 Une façon de vérifier sa compréhension du problème est de le reformuler en pensée ou de vive voix à quelqu'un.

Voici deux problèmes. Tu t'associes à un ou une camarade. Un seul des deux lit le problème. Il reformule le problème dans ses mots afin que l'autre puisse le résoudre. Ensuite, on intervertit les rôles pour le deuxième problème.

a) Un club de mathématique veut acheter un ensemble de 30 calculatrices d'une valeur de 598,50 $. Il peut les payer en 6 versements de 109,75 $. Combien d'argent économise-t-il en les payant comptant?

b) À ses deux examens sommatifs, Paulo a obtenu respectivement 72 et 54. Comme le premier examen a été jugé difficile et que le second était trop long, l'enseignante a normalisé les résultats en les multipliant respectivement par 1,02 et par 1,1. Quelle est la moyenne de Paulo à cette étape?

LE SPHINX

Y a-t-il une limite?

■ Voici une suite : $\frac{1}{10}$, $\frac{1}{100}$, $\frac{1}{1000}$, $\frac{1}{10\,000}$,...

Cette suite s'exprime aussi en notation décimale.

0,1, 0,01, 0,001, 0,0001, 0,000 01,...

Si l'on prolonge cette suite indéfiniment, elle tend vers un nombre. Quel est-il?

■■ Cette suite est-elle croissante ou décroissante?

$\frac{1}{0,1}$, $\frac{1}{0,01}$, $\frac{1}{0,001}$, $\frac{1}{0,0001}$, $\frac{1}{0,000\,01}$,...

Gretzky!

Stratégie : faire une simulation

Pour la somme de 10 $, tu t'es procuré une carte de hockey de Wayne Gretzky quand il jouait dans une équipe pee-wee. Tu as vendu ta carte pour 15 $. Regrettant ton geste, tu l'as rachetée pour 20 $. Finalement, tu l'as revendue 30 $. Combien d'argent as-tu fait?

Debout les pairs!

Dans une classe de 32 élèves, l'enseignant demande de compter par 1 les nombres de 1 à 56. À tour de rôle, chaque élève dit un nombre. Lorsqu'un élève dit un nombre pair, il doit se lever et ne peut plus compter. Combien d'élèves seront encore assis à la fin du jeu?

Mêli-mêlo

1. Utilise les nombres sur ces cartes pour compléter ces opérations.

0,28 — 2,5 — 40,2 — 0,6 — 505

a) ■ + ■ = 40,48
b) ■ – ■ = 1,9
c) ■ x ■ = 1,5
d) ■ ÷ ■ = 67
e) ■ ÷ ■ = 202
f) ■ x ■ = 100,5

2. Effectue ces opérations.

a) 3,04 + 0,098 – 2,14
b) 23,5 – 15,94 + 8,209
c) 2,35 x 8 + 14,349
d) 12,4 ÷ 0,31 + 8,08
e) 22,618 ÷ 5,26 + 0,89
f) 4,5 x 3,02 – 10,56
g) (2,45 + 0,325) ÷ 0,25
h) 2,4 x 0,9 – 0,8 x 0,25
i) 2,3 x (12,83 – 10,34)
j) 24,48 ÷ (2,04 + 1,8)

3. Calcule le terme manquant.

a) 12,095 – ■ = 9,034
b) ■ – 18,348 = 2,034
c) 12,05 x ■ = 101,22
d) 24,81 ÷ ■ = 1,9848
e) ■ + 34,78 = 45,002
f) 46,8 x ■ = 265,824

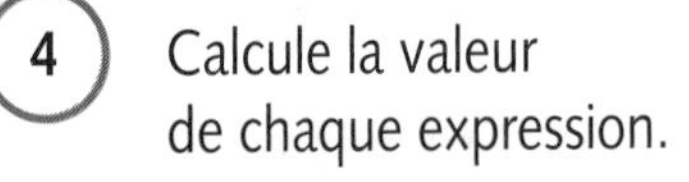

4. Calcule la valeur de chaque expression.

a) $\dfrac{2{,}082 + 0{,}94}{10{,}8 - 9{,}04}$

b) $\dfrac{2{,}082 \times 0{,}94}{10{,}8 - 9{,}04}$

c) $\dfrac{2{,}082 \times 0{,}94}{10{,}26 \div 9{,}5}$

d) $\dfrac{6{,}082 - 4{,}09}{10{,}26 + 9{,}5}$

5. Aux États-Unis, l'essence se vend environ 1,17 $ le gallon américain. On sait qu'un gallon américain vaut 3,785 litres. Quel est le prix d'un litre d'essence aux États-Unis?

6. La longueur du pneu d'une bicyclette dépend du rayon de la roue. Cette longueur est égale à 2 x 3,1416 x rayon de la roue. Quelle est la longueur du pneu d'une bicyclette de 26 cm de rayon?

POURQUOI?
Pourquoi les roues de bicyclettes ont-elles des rayons au lieu d'être pleines?

Je connais la signification des expressions suivantes :

Notation fractionnaire : écriture des nombres sous la forme d'une fraction.

Notation décimale : forme d'écriture des nombres qui utilise la virgule.

Notation scientifique : notation d'un nombre sous la forme d'une multiplication d'un nombre décimal compris entre 1 et 10 par une puissance de 10.

Nombre ami : nombre qui facilite les calculs et qui est généralement un multiple de 10 ou une puissance de 10.

Je maîtrise les habiletés suivantes :

Transformer une fraction en un nombre décimal et vice-versa.

Estimer la somme ou la différence de nombres décimaux.

Additionner ou soustraire des nombres décimaux selon l'algorithme suivant :

1° aligner les virgules les unes sous les autres;
2° additionner ou soustraire comme s'il s'agissait d'entiers;
3° aligner la virgule du résultat avec les autres virgules.

Estimer le produit de nombres décimaux.

Multiplier ou **diviser** mentalement un nombre décimal par 10, 100, 1000, ...

Multiplier des nombres décimaux selon l'algorithme suivant :

1° multiplier les nombres comme s'il s'agissait d'entiers;
2° placer la virgule dans le résultat de telle sorte que le nombre de décimales égale la somme des nombres de décimales des facteurs.

Estimer le quotient de nombres décimaux.

Diviser des nombres décimaux selon l'algorithme suivant :

1° estimer le quotient;
2° appliquer la propriété fondamentale afin d'obtenir un diviseur entier;
3° diviser le dividende par le diviseur.

Calculer une chaîne d'opérations sur les nombres décimaux.

Exprimer une notation scientifique en un nombre décimal et vice-versa.

Une question de décimales!

1. **Combien** y a-t-il de chiffres dans la partie entière de chaque résultat?

   a) 60,84 + 17,004 ***b)*** 2,05 x 0,8 ***c)*** 20,8 ÷ 30,8

2. **Place la virgule** au bon endroit dans le résultat de chaque opération.

   a) 12,05 – 2,008 = 10042 ***b)*** 15,352 x 0,4 = 61408
   c) 462,8 + 12,5 = 4753 ***d)*** 0,000 82 ÷ 0,002 = 41

3. **Donne le produit ou le quotient,** selon le cas.

   a) 2,8 x 10 ***b)*** 34,65 ÷ 10 ***c)*** 0,023 x 100 ***d)*** 0,3 ÷ 100 ***e)*** 12,85 x 100

4. **Exprime** la fraction donnée en un nombre décimal.
   Poursuis la division jusqu'à ce qu'elle se termine.

   a) $\frac{3}{4}$ ***b)*** $\frac{3}{16}$ ***c)*** $\frac{5}{8}$

5. **Exprime** le nombre décimal donné en une fraction ordinaire réduite.

   a) 0,4 ***b)*** 1,2 ***c)*** 0,012

6. **Effectue** par écrit ces opérations.

   a) 0,02 + 2 ***b)*** 99,99 + 0,019
   c) 8 – 0,89 ***d)*** 9,909 – 9,099

7. **Effectue** par écrit les multiplications suivantes :

   a) 2,3 x 0,4 ***b)*** 8,1 x 1,2 ***c)*** 10,08 x 0,4

8. **Effectue** par écrit les divisions suivantes :

   a) 8,2 ÷ 0,4 ***b)*** 0,0144 ÷ 1,2 ***c)*** 63 ÷ 0,007

9. **Effectue** les opérations suivantes en tenant compte de la priorité des opérations.

   a) 0,2 + 0,5 x 1,2 ***b)*** 2,5 + 4,1 ÷ 0,5 ***c)*** 10 x (3 + 0,3) – 5 x 0,81

10. La meilleure performance de l'être humain à la nage est de 6,56 km par heure, alors qu'à la course elle est de 38,4 km par heure.
    De combien sa vitesse sur terre dépasse-t-elle sa vitesse dans l'eau?

11. **Exprime** ces nombres en notation scientifique.

    a) 23 450 000 ***b)*** 0,000 008 25

12. **Quel nombre décimal** correspond à ces notations scientifiques?

    a) 2,456 06 ***b)*** 4,58 -05

13. En 1988, le coureur canadien Ben Johnson a couru le 100 m en 9,83 s et le 60 m en 6,41 s.
Détermine dans quelle course il a maintenu la plus grande vitesse en comparant le quotient de 100 ÷ 9,83 avec celui de 60 ÷ 6,41.

14. Chloé et Lucia gardent les buts pour la même équipe de ringuette.
Chloé a accordé 44 buts en 12 matchs et Lucia a accordé 38 buts en 10 matchs.
Quelle est la différence des moyennes de ces deux gardiennes?
(On obtient la moyenne d'une gardienne en divisant le nombre de buts par le nombre de matchs.) Laisse la trace de ta démarche.

ITINÉRAIRE 10

LES POURCENTAGES

Les grandes idées :

- le sens du pourcentage;
- le pourcentage et les autres formes;
- le calcul du pourcentage d'un nombre :
  - calcul mental,
  - calcul par écrit,
  - calcul avec la calculatrice.

Objectifs terminaux :

Comparer des nombres rationnels exprimés sous diverses formes.
Résoudre des problèmes utilisant des nombres rationnels.

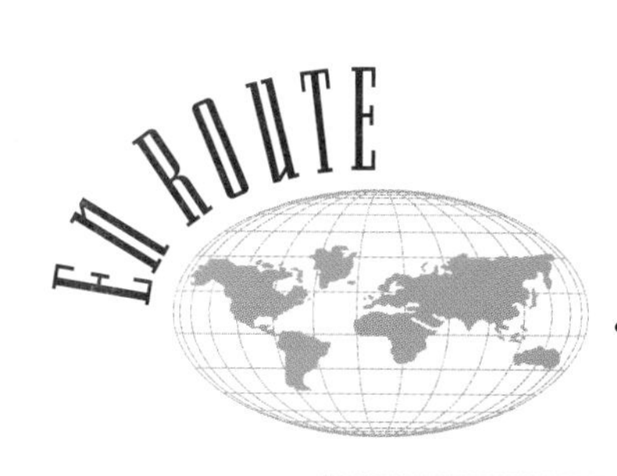

... VERS LES POURCENTAGES

POURCENTAGE

Des pluies acides!

À cause des pluies acides, environ 8 % des arbres mourront cette année.

- Combien d'arbres environ périront dans un jardin comptant une centaine d'arbres?
- Cela représente-t-il un fort ou un faible pourcentage?
- Combien d'arbres environ périront dans une plantation de 2 500 arbres?

Un **pourcentage** exprime une comparaison. Cette comparaison utilise le nombre **100** comme base.

a) Donne au moins une raison qui explique le choix de 100 comme base de comparaison.

CARNET DE VOYAGE

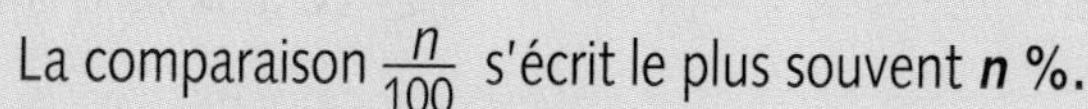

La comparaison $\frac{n}{100}$ s'écrit le plus souvent ***n* %.**

b) Quel avantage la forme *n* % représente-t-elle par rapport à $\frac{n}{100}$ dans un texte?

c) Reformule ces phrases en utilisant le symbole %.

1) Le daltonisme frappe environ 7 hommes sur 100.
2) L'alcool est la cause de 25 accidents de la route sur 100.
3) Environ 75 personnes sur 100 marchent moins d'une heure par semaine.
4) Dans les aéroports du Québec, environ 77 envolées sur 100 s'effectuent vers un autre pays.
5) Au Québec, 75 procès sur 100 se terminent en faveur du demandeur ou de la demanderesse.
6) Au Québec, 32 mortalités sur 100 sont dues à des maladies cardiaques.
7) Au Québec, 53 couples sur 100 sont propriétaires de leur lieu d'habitation.
8) Au Québec, 98 lieux d'habitation sur 100 sont pourvus du téléphone.
9) Au Canada, 47 personnes sur 100 sont catholiques.
10) Au Canada, 72 personnes sur 100 croient qu'il y a quelque chose après la mort.

d) Exprime le rapport donné à l'aide du symbole %.

1) $\frac{3}{100}$ 2) $\frac{25}{100}$ 3) $\frac{80}{100}$ 4) $\frac{100}{100}$

5) $\frac{1}{100}$ 6) $\frac{0{,}5}{100}$ 7) $\frac{\frac{1}{2}}{100}$ 8) $\frac{1\,000}{100}$

e) Exprime les pourcentages suivants sous la forme d'un rapport dont le dénominateur est 100.

1) 12 % 2) 34 % 3) 78 % 4) 0,5 %

f) Dresse une liste de 5 situations où, dans la vie, on utilise des pourcentages.

g) Que veut dire l'expression «obtenir 100 % dans un examen»?

h) Que signifie chaque expression?

1) «Un taux de chômage de 10 %.»
2) «Ce sirop est pur à 100 %.»
3) «Une probabilité de pluie de 40 %.»
4) «Une descente abrupte de 11 %.»
5) «Une réduction de 25 %.»
6) «Un taux d'intérêt de 10 %.»

i) Au restaurant, quel pourcentage de l'addition laisse-t-on généralement en pourboire?

Outre les rapports de base 100, on utilise aussi très souvent des rapports de base 1 000 ou de base 1 000 000.

j) Que signifient les phrases suivantes?

1) Le taux de mortalité est de 14 ‰. 2) Le taux de divorce est de 230 ‰.

3) Le taux de pollution de l'eau est de 500 parties par million.

QU'EN PENSEZ-VOUS ?

k) Un pourcentage est-il un nombre? Justifiez votre réponse.

l) Un pourcentage correspond-il à une fraction?

m) Peut-on trouver des pourcentages qui correspondent à des entiers?

n) Y a-t-il une différence entre les nombres 12 et 12 %?

o) Les rapports unitaires, comme le salaire horaire, sont très utiles. Donnez d'autres rapports unitaires souvent utilisés.

p) Y a-t-il une différence entre 5 % et 5 centièmes?

q) Que peut vouloir dire $5\ \%_{00\ 000\ 000}$?

r) On dit que le symbole % a été inventé pour permettre aux dactylographes de gagner du temps. Est-ce possible? Expliquez votre réponse.

s) Si vous aviez à proposer un autre symbole pour remplacer le symbole %, quelle serait votre suggestion et pourquoi?

1 Indique approximativement, en te fiant à ton oeil, quel pourcentage de ces rectangles a été colorié.

a) 

b) 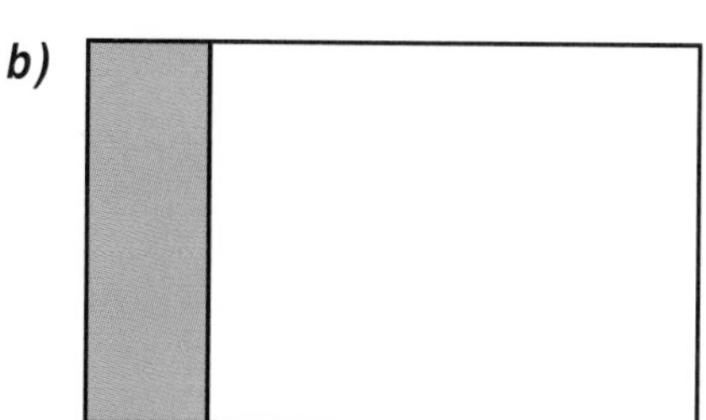

c) 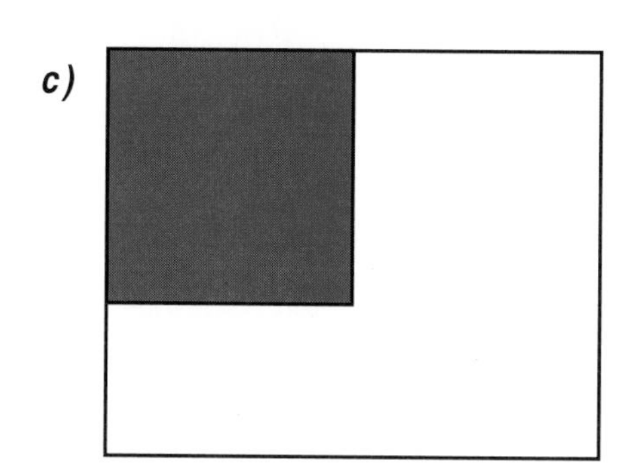

d) 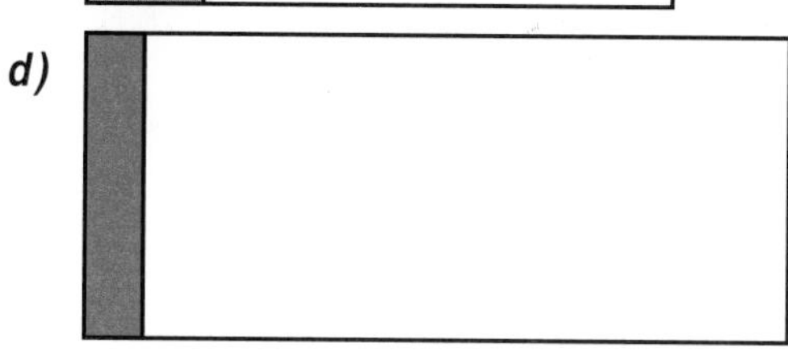

2 Trouve au moins 3 autres mots très souvent associés dans la vie aux pourcentages.

Pourboires, intérêts, ...

3 Trace une droite numérique, puis places-y les entiers 0, 1 et 2. Indique sur cette droite le point correspondant à chacun des pourcentages donnés.

a) 30 % *b)* 5 % *c)* 150 % *d)* 70 %

4 Quel nombre est supérieur à l'autre?

a) 50 % ou 0,6 *b)* 20 % ou $\frac{1}{4}$ *c)* 1 ou 200 % *d)* 0,5 % ou $\frac{1}{2}$

5 Donne le pourcentage correspondant à la moitié de 1 %.

6 Dans chaque cas, trace un rectangle de 1 cm sur 2 cm. Sur ce rectangle, colorie une région correspondant au pourcentage donné.

a) 80 % *b)* 20 % *c)* 100 % *d)* 1 %

7 Quel pourcentage correspond au point identifié par chaque lettre sur cette droite numérique?

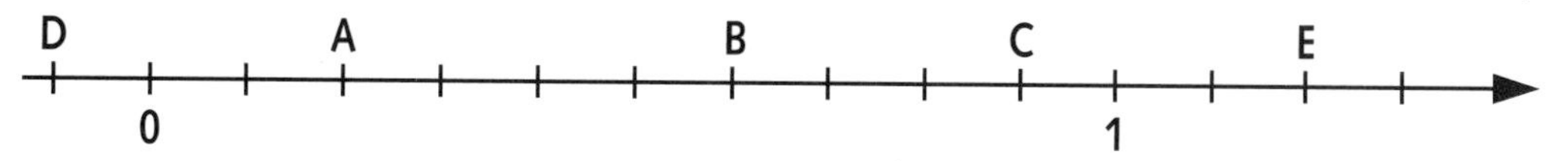

8 Trace un segment de 6 cm et places-y un point à 60 % de sa longueur.

9 Parmi les trois nombres 0, 1 et 5, lequel est le plus près de 5 %?

10

Indique si l'information donnée est théoriquement possible et si elle a du sens ou non.

a) Les prix ont été réduits de 100 %.

b) Lucie a laissé un pourboire équivalant à 17 % du total de son addition.

c) Ghislain dépense 100 % de son allocation en bonbons.

d) Les 200 % de la classe étaient présents à la soirée.

e) Les 100 % de la classe sont attendus au bal de fin d'année.

f) Suzanne a mal répondu à 10 questions de son examen et elle a obtenu un A.

g) Suzanne a mal répondu à 10 questions de son examen et elle a obtenu 100 %.

h) Les salaires de mes parents ont augmenté de 3 % cette année.

i) L'an passé, la taille d'Armand a augmenté de 25 %.

j) L'an passé, la masse de Yan a diminué de 100 %.

k) L'ordinateur annoncé est réduit de 25 %.

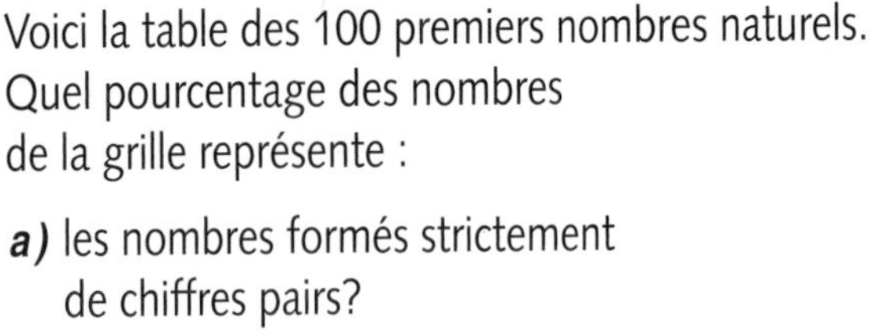

11

Voici la table des 100 premiers nombres naturels. Quel pourcentage des nombres de la grille représente :

a) les nombres formés strictement de chiffres pairs?

b) les nombres formés strictement de chiffres impairs?

c) les multiples de 5?

d) les nombres carrés?

0	1	2	3	4	5	6	7	8	9
10	11	12	13	14	15	16	17	18	19
20	21	22	23	24	25	26	27	28	29
30	31	32	33	34	35	36	37	38	39
40	41	42	43	44	45	46	47	48	49
50	51	52	53	54	55	56	57	58	59
60	61	62	63	64	65	66	67	68	69
70	71	72	73	74	75	76	77	78	79
80	81	82	83	84	85	86	87	88	89
90	91	92	93	94	95	96	97	98	99

12

Si $a < b$, a-t-on $a\ \% < b\ \%$?

13

Deux amis sont chargés de mettre au point l'horaire d'un tournoi de tennis. Les joueurs et joueuses ont été divisés en deux poules. Chaque poule compte 8 joueurs et joueuses. On les groupe par paires aléatoirement.

a) Combien de matchs doivent être disputés pour couronner le champion ou la championne en simple?

b) Combien de matchs doivent être disputés pour couronner l'équipe championne en double?

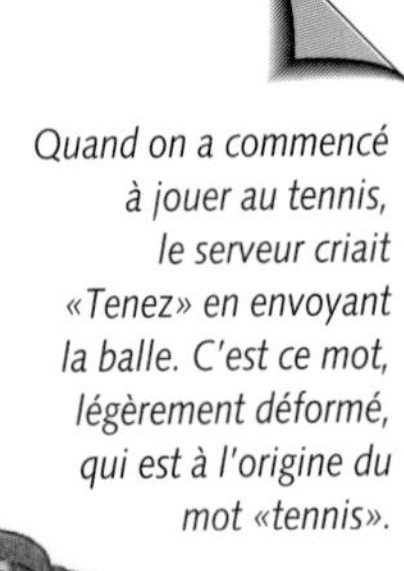

Quand on a commencé à jouer au tennis, le serveur criait «Tenez» en envoyant la balle. C'est ce mot, légèrement déformé, qui est à l'origine du mot «tennis».

14

Combien y a-t-il de picomètres dans un millimètre?

Quelle différence?

- Y a-t-il une différence entre 0 et 0 %?

NOMBRE DÉCIMAL ET POURCENTAGE

Apparences trompeuses!

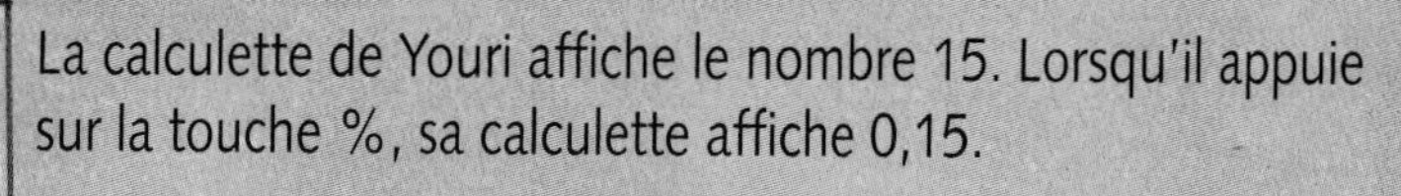

La calculette de Youri affiche le nombre 15. Lorsqu'il appuie sur la touche %, sa calculette affiche 0,15.

Youri prétend que sa calculette est défectueuse.

Elle divise par 100!

Je n'ai pas la touche %!

- Es-tu d'accord avec lui? Sinon, explique pourquoi.
- Hélène est toute désolée de constater que sa calculette n'a pas la touche %. Que pourrais-tu lui dire pour la consoler?

Un pourcentage s'exprime très facilement par un nombre décimal.

a) Que dois-tu faire pour transformer 32 % en un nombre décimal?

Un nombre décimal s'exprime très facilement en centièmes et, par la suite, en pourcentage.

b) Par quelle fraction unité doit-on multiplier un nombre décimal pour le transformer en centièmes?

Une fois que le nombre est exprimé en centièmes, la traduction en pourcentage est immédiate.

Ex. : $0{,}03 = 0{,}03 \times \frac{100}{100} = \frac{3}{100} = 3\ \%$ $\quad 1{,}5 = 1{,}5 \times \frac{100}{100} = \frac{150}{100} = 150\ \%$

$0{,}32 = 0{,}32 \times \frac{100}{100} = \frac{32}{100} = 32\ \%$ $\quad 8{,}5 = 8{,}5 \times \frac{100}{100} = \frac{850}{100} = 850\ \%$

En résumé :

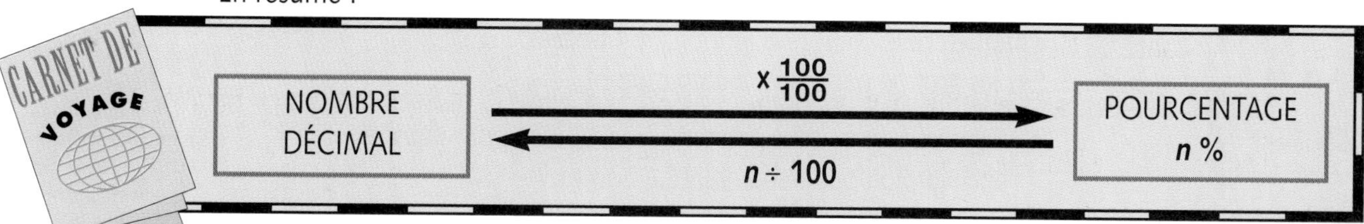

QU'EN PENSEZ-VOUS?

c) Exprimez 0,008 en un pourcentage.

d) Exprimez 0,015 % par un nombre décimal.

e) Quel nombre décimal et quel pourcentage correspondent à l'expression $\frac{0{,}12}{0{,}08}$ %?

1 Découvre le terme manquant.

a)

0,01 = ■
■ = 10 %
0,5 = ■
■ = 80 %

b)

0,25 = ■
■ = 75 %
1 = ■
■ = 150 %

c)

0,6 = ■
■ = 48 %
0,562 = ■
■ = 160 %

2 Exprime le pourcentage donné par un nombre décimal.

a) 12 % *b)* 45 % *c)* 125 %
d) 0,4 % *e)* 1 % *f)* 10,5 %

3 Lequel des 3 nombres donnés n'est pas équivalent aux deux autres?

a) 0,2 20 % 20
b) 1,4 1,4 % 0,014
c) 5 5 % 0,05
d) 0,1 1 % 10 %

4 Écris sous la forme d'un nombre décimal le pourcentage donné dans chaque renseignement.

a) Les glaciers couvrent 10 % de la surface de la Terre.

b) Une liqueur peut avoir une concentration maximale en alcool de 97 %.

c) Les produits laitiers représentent 29 % de toute la nourriture consommée.

d) Le chou contient 91 % d'eau.

e) On peut prévoir la température avec une fiabilité de 80 % d'après le coassement des grenouilles.

f) Environ 97 % de l'eau de la Terre se trouve dans les mers.

g) Moins de 30 % des courses de chevaux sont gagnées par le favori.

h) Le cerveau humain contient 80 % d'eau, soit plus que le sang.

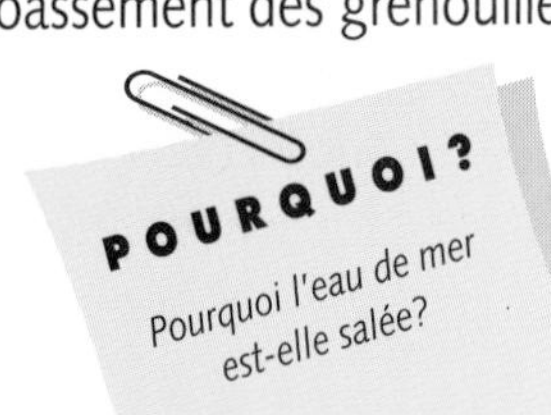

POURQUOI?
Pourquoi l'eau de mer est-elle salée?

5 L'argent employé en orfèvrerie n'est pas de l'argent pur. Comme ce métal est trop mou, on le mélange avec du cuivre. On utilise 92,5 % d'argent, le reste étant du cuivre. Quel est le pourcentage de cuivre présent dans ce mélange?

6 Un objet se vendait 4 $.

a) Son nouveau prix s'élève maintenant à 200 % de son ancien prix. Quel est ce nouveau prix?

b) Son prix a augmenté de 200 %. Quel est son nouveau prix?

7 Quel pourcentage correspond à un rabais de :

a) 5¢ par dollar? *b)* 10¢ par dollar? *c)* 25¢ par dollar? *d)* 50¢ par dollar?

8 Quels énoncés sont faux? Transforme-les en nombres décimaux pour te faciliter la tâche.

a) 5 % + 12 % = 17 %
b) 5 % x 12 % = 60 %
c) 20 % – 8 % = 12 %
d) 50 % ÷ 10 % = 5 %

9 Calcule la valeur des expressions suivantes :

a) 0,3 + 3 %
b) 1,2 – 20 %
c) 12 % – 2 % + 0,75
d) 35 % – 0,25 + 2 x 10 %
e) 50 % – 0,5 x 2 % + 4 % x 8
f) 38 % – 0,38 + 4 x 40 % ÷ 10 %
g) 4 x 40 % + 2 x 40 % – 6 x 40 %
h) 3 x 0,30 – 2 x 30 % + 100 % x 6
i) 100 % x 40 – 200 % x 10 + 0 % x 40

10 Pourquoi une calculatrice qui n'a pas la touche % n'est-elle pas une mauvaise calculatrice?

11 À l'aide de ta calculatrice, détermine quelle expression est la plus grande quantité.

$\frac{1}{2}$ %

0,5 %

50 %

12 Mireille affirme qu'écrire ou pas un symbole de pourcentage à la suite d'un nombre ne change absolument rien. Es-tu d'accord avec cette affirmation?

FLASH
PROBLÈME
On augmente la compréhension d'un problème en le lisant plusieurs fois.

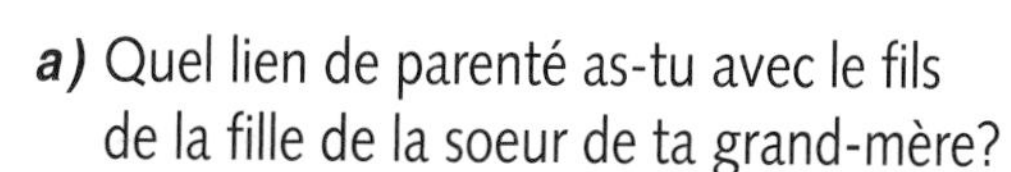

13 Résous ces problèmes après les avoir lus plusieurs fois.

a) Quel lien de parenté as-tu avec le fils de la fille de la soeur de ta grand-mère?

b) Quatre camarades de classe habitent la même paroisse. Ils demeurent tous à 6 km les uns des autres. Chacun rencontre sur son chemin un feu de circulation lorsqu'il veut rendre visite à l'un de ses camarades. À combien de kilomètres Gaston, l'un d'entre eux, demeure-t-il du feu de circulation?

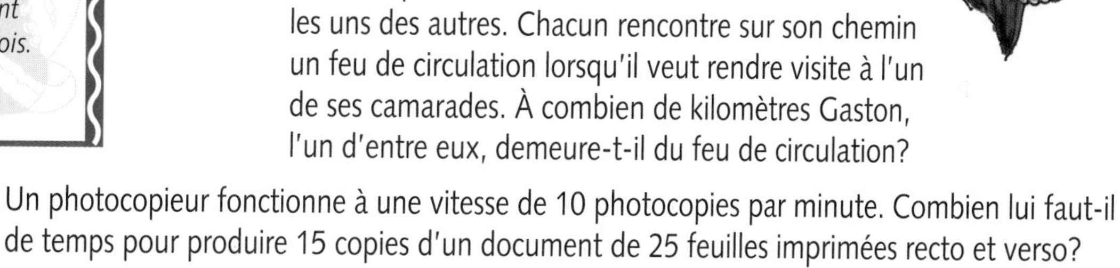

14 Un photocopieur fonctionne à une vitesse de 10 photocopies par minute. Combien lui faut-il de temps pour produire 15 copies d'un document de 25 feuilles imprimées recto et verso?

Une question de signification!

■ Quelle expression a la plus grande valeur?

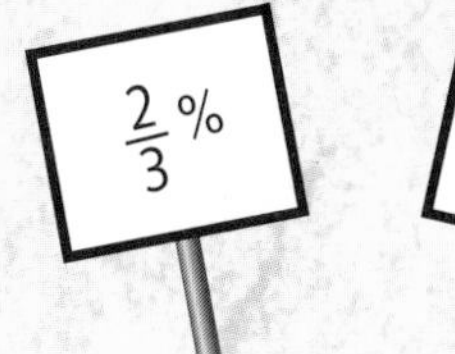

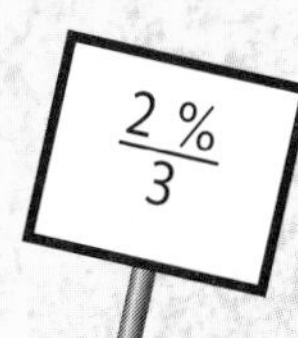

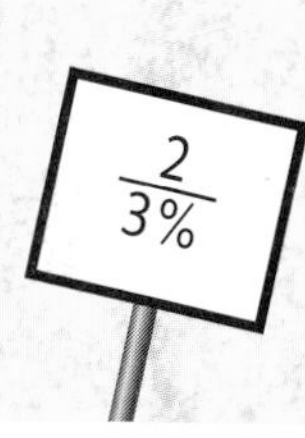

FRACTION ET POURCENTAGE

L'être humain est-il «placoteux» et rêveur?

On estime qu'à la retraite un être humain a passé le $\frac{1}{30}$ de sa vie au téléphone et environ 3,5 % de sa vie «dans la lune».

- A-t-il passé plus de temps au téléphone que «dans la lune»?
- Combien de temps a-t-il passé au téléphone?

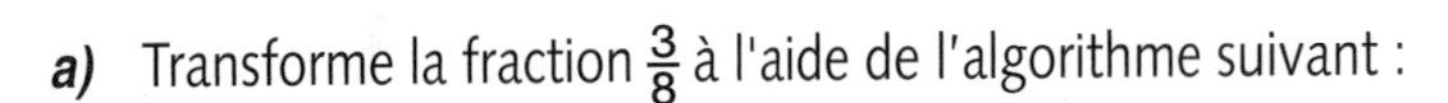

a) Transforme la fraction $\frac{3}{8}$ à l'aide de l'algorithme suivant :

1° on transforme la fraction en un nombre décimal;	$\frac{2}{5} \rightarrow 2 \div 5 = 0{,}4$
2° on multiplie ce nombre décimal par $\frac{100}{100}$;	$0{,}4 \times \frac{100}{100} = \frac{40}{100}$
3° on traduit le résultat en pourcentage.	$= 40$ %

b) Transforme le pourcentage 32 % à l'aide de l'algorithme suivant :

1° on traduit le pourcentage en une fraction sur 100;	$35\ \% = \frac{35}{100}$
2° on réduit la fraction, s'il y a lieu.	$= \frac{7}{20}$

Voici en résumé les algorithmes pour passer d'une forme à l'autre.

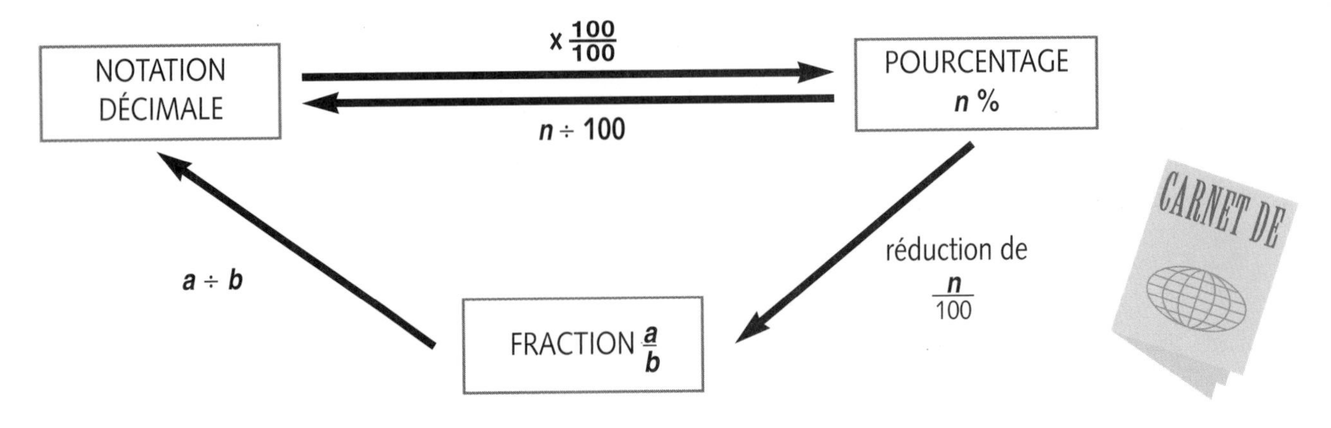

Le passage d'une forme à l'autre est une habileté essentielle en calcul mental et en estimation. Aussi faut-il acquérir une maîtrise parfaite de cette habileté.

La connaissance de certaines équivalences est importante en calcul mental. Souvent, on substitue une forme à une autre forme afin de faciliter les calculs.
En voici de très importantes.

$\frac{1}{1} = 1 = 100\ \%$	$\frac{1}{4} = 0{,}25 = 25\ \%$	$\frac{1}{20} = 0{,}05 = 5\ \%$
$\frac{1}{2} = 0{,}5 = 50\ \%$	$\frac{1}{5} = 0{,}2 = 20\ \%$	$\frac{1}{100} = 0{,}01 = 1\ \%$
$\frac{1}{3} = 0{,}333... = 33\frac{1}{3}\ \%$	$\frac{1}{10} = 0{,}1 = 10\ \%$	

Ces fractions, ces nombres décimaux et ces pourcentages sont des nombres clés.

I Donne les 3 formes d'écriture des nombres représentés ci-dessous.

a) 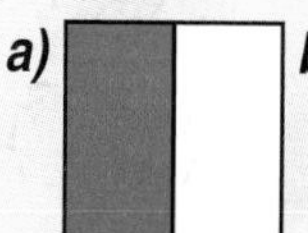 ***b)*** 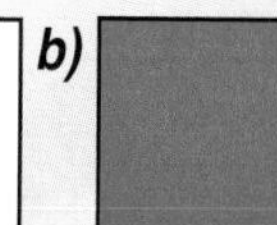 ***c)*** 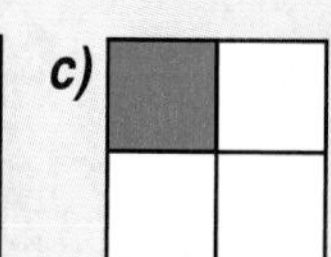 ***d)*** 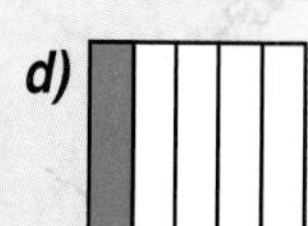 ***e)*** 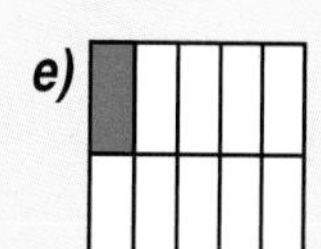 ***f)*** 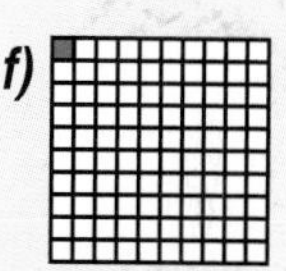

II Donne deux autres formes d'écriture du nombre donné.

a) 50 % ***b)*** $\frac{1}{3}$ ***c)*** 0,25 ***d)*** 75 % ***e)*** 1 ***f)*** 0,2

III Tout pourcentage est décomposable en pourcentages clés.

Ex. : 30 % = 3 x 10 % 27 % = 25 % + 2 x 1 %

Exprime les pourcentages suivants à l'aide de pourcentages clés.

a) 32 % ***b)*** 52 % ***c)*** 13 % ***d)*** 15 % ***e)*** 99 % ***f)*** 126 % ***g)*** 215 % ***h)*** 152 %

IV Certaines fractions s'expriment facilement en pourcentages, car il est facile de trouver la fraction équivalente qui a 100 comme dénominateur.

Ex. : $\frac{4}{5} = \frac{4 \times 20}{5 \times 20} = \frac{80}{100} = 80\ \%$

Exprime en pourcentage la fraction donnée.

a) $\frac{3}{25}$ ***b)*** $\frac{17}{50}$ ***c)*** $\frac{3}{5}$ ***d)*** $\frac{7}{10}$ ***e)*** $\frac{11}{20}$ ***f)*** $\frac{3}{2}$ ***g)*** $\frac{49}{50}$ ***h)*** $\frac{6}{5}$

V Il est souvent possible d'utiliser un pourcentage clé pour transformer une fraction en un pourcentage.

Ex. : $\frac{3}{5} = 3 \times \frac{1}{5} = 3 \times 20\ \% = 60\ \%$

Exprime en pourcentage la fraction donnée.

a) $\frac{3}{4}$ ***b)*** $\frac{7}{10}$ ***c)*** $\frac{5}{2}$ ***d)*** $\frac{6}{5}$

e) $\frac{5}{4}$ ***f)*** $\frac{9}{10}$ ***g)*** $\frac{2}{3}$ ***h)*** $\frac{11}{10}$

On peut utiliser les équivalences précédentes pour estimer le pourcentage correspondant à certaines fractions.

Ex. : Dans $\frac{6}{7}$, le numérateur et le dénominateur sont près l'un de l'autre, de sorte que la fraction est près de 1, donc de 100 %.

Dans la fraction $\frac{4}{7}$, le numérateur est presque la moitié du dénominateur. Ainsi, la fraction est près de $\frac{1}{2}$, donc de 50 %.

La fraction $\frac{2}{9}$ est près de $\frac{2}{8}$ ou $\frac{1}{4}$, donc de 25 %.

1. Estime le pourcentage correspondant à chaque fraction.

a) $\frac{1}{11}$ *b)* $\frac{7}{15}$ *c)* $\frac{1}{9}$ *d)* $\frac{6}{23}$ *e)* $\frac{22}{23}$
f) $\frac{1}{104}$ *g)* $\frac{3}{13}$ *h)* $\frac{9}{17}$ *i)* $\frac{41}{88}$ *j)* $\frac{9}{20}$
k) $\frac{4}{19}$ *l)* $\frac{3}{7}$ *m)* $\frac{2}{21}$ *n)* $\frac{2}{7}$ *o)* $\frac{14}{15}$

2. Pour estimer le pourcentage correspondant à une fraction, une autre technique consiste à rechercher une fraction équivalente dont le dénominateur est 100 ou près de 100.

Ex. : $\frac{5}{9} = \frac{5 \times 11}{9 \times 11} = \frac{55}{99} \approx \frac{55}{100}$ ou 55 %

À l'aide de cette dernière technique, exprime la fraction donnée en un pourcentage approximatif.

a) $\frac{7}{8}$ *b)* $\frac{7}{9}$ *c)* $\frac{4}{15}$ *d)* $\frac{5}{49}$ *e)* $\frac{4}{21}$
f) $\frac{3}{17}$ *g)* $\frac{1}{12}$ *h)* $\frac{4}{35}$ *i)* $\frac{1}{8}$ *j)* $\frac{11}{12}$
k) $\frac{7}{200}$ *l)* $\frac{9}{16}$ *m)* $\frac{83}{300}$ *n)* $\frac{3}{11}$ *o)* $\frac{9}{800}$

3. De quelle fraction clé le pourcentage donné se rapproche-t-il?

a) 49 % *b)* 27 % *c)* 32 %
d) 72 % *e)* 19 % *f)* 26 %

4. De quelle fraction clé et de quel pourcentage clé le nombre décimal donné se rapproche-t-il?

a) 0,24 *b)* 0,53 *c)* 0,09
d) 0,34 *e)* 0,77 *f)* 0,009

CARREFOUR

QU'EN PENSEZ-VOUS?

c) Exprimez $16\frac{2}{3}$ % en une fraction ordinaire.

d) Exprimez $1\frac{3}{200}$ en un pourcentage.

e) Quelle fraction correspond à $\frac{2}{5}$ %?

N'insiste pas!
Je ne ferai pas
tes devoirs
de mathématique!

JOGGING

1 Estime d'abord, puis détermine le pourcentage exact correspondant à la fraction donnée.

a) $\frac{1}{2}$	***b)*** $\frac{1}{4}$	***c)*** $\frac{2}{5}$	***d)*** $\frac{5}{16}$
e) $\frac{7}{20}$	***f)*** $\frac{3}{4}$	***g)*** $\frac{4}{15}$	***h)*** $\frac{3}{10}$
i) $\frac{5}{8}$	***j)*** $\frac{5}{12}$	***k)*** $\frac{3}{20}$	***l)*** $\frac{7}{40}$

2 Exprime ces pourcentages en fractions ordinaires.

a) 1 %	***b)*** 80 %	***c)*** 12 %	***d)*** 100 %
e) 36 %	***f)*** 2 %	***g)*** 200 %	***h)*** 250 %
i) 18 %	***j)*** 25 %	***k)*** 48 %	***l)*** 112 %

3 Exprime chaque nombre en un pourcentage ou en une fraction ordinaire, selon le cas.

a) 15 %	***b)*** $\frac{4}{25}$	***c)*** $\frac{4}{5}$	***d)*** 12 %
e) 45 %	***f)*** 84 %	***g)*** 68 %	***h)*** $12\frac{1}{2}$ %
i) $\frac{5}{16}$	***j)*** $\frac{1}{30}$	***k)*** 72 %	***l)*** $\frac{7}{8}$ %

4 Voici les résultats de 10 élèves à un examen d'anglais. Exprime ces résultats en pourcentages.

$\frac{4}{40}$	$\frac{26}{40}$	$\frac{25}{40}$	$\frac{18}{40}$	$\frac{32}{40}$	$\frac{12}{40}$	$\frac{35}{40}$	$\frac{40}{40}$	$\frac{36}{40}$	$\frac{0}{40}$

5 Exprime en pourcentages les rapports donnés dans ces renseignements.

a) Deux adultes sur trois en viennent, tôt ou tard, à porter des lunettes ou des lentilles cornéennes.
b) L'eau constitue les 4/5 de la masse du corps humain.
POURQUOI?
Pourquoi la peau brunit-elle au soleil?
c) La peau d'un être humain de 40 kg pèse environ 3 kg.
d) Plus des 2/3 de la surface des continents sont dans l'hémisphère Nord.
e) Près de 1/20 du lait est de la crème.
f) Moins des 2/5 de la population du tiers monde ont accès à de l'eau saine pour boire.
g) Près de 8 maladies sur 10 peuvent être associées à l'eau.

6 
Quel pourcentage des lettres de l'alphabet sont des voyelles?

7 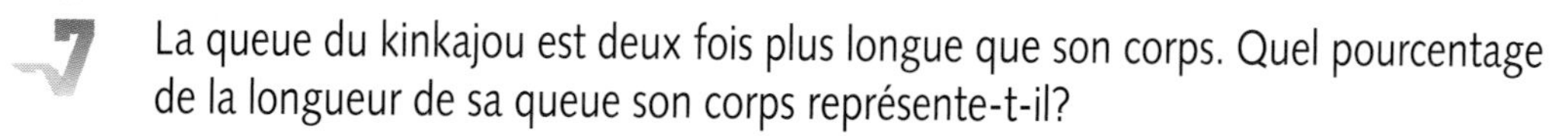
La queue du kinkajou est deux fois plus longue que son corps. Quel pourcentage de la longueur de sa queue son corps représente-t-il?

8 Dans un petit village côtier, on a constaté que, sur 100 personnes, 17 fument la cigarette, 4 fument la pipe, 3 personnes chiquent et 1 personne prise; les autres n'ont pas ces mauvaises habitudes.

a) Quel pourcentage des personnes font usage du tabac?

b) Que pourcentage des personnes ne touchent pas à la cigarette?

9 Quatre dentistes sur cinq recommandent d'utiliser une gomme à mâcher nettoyante. Quel pourcentage des dentistes ne le recommande pas?

10 Lequel est le plus près de 50 %?

$\frac{1}{2}$ %	5 %

11 Voici différents graphiques circulaires. Évalue le pourcentage qui correspond à chaque secteur.

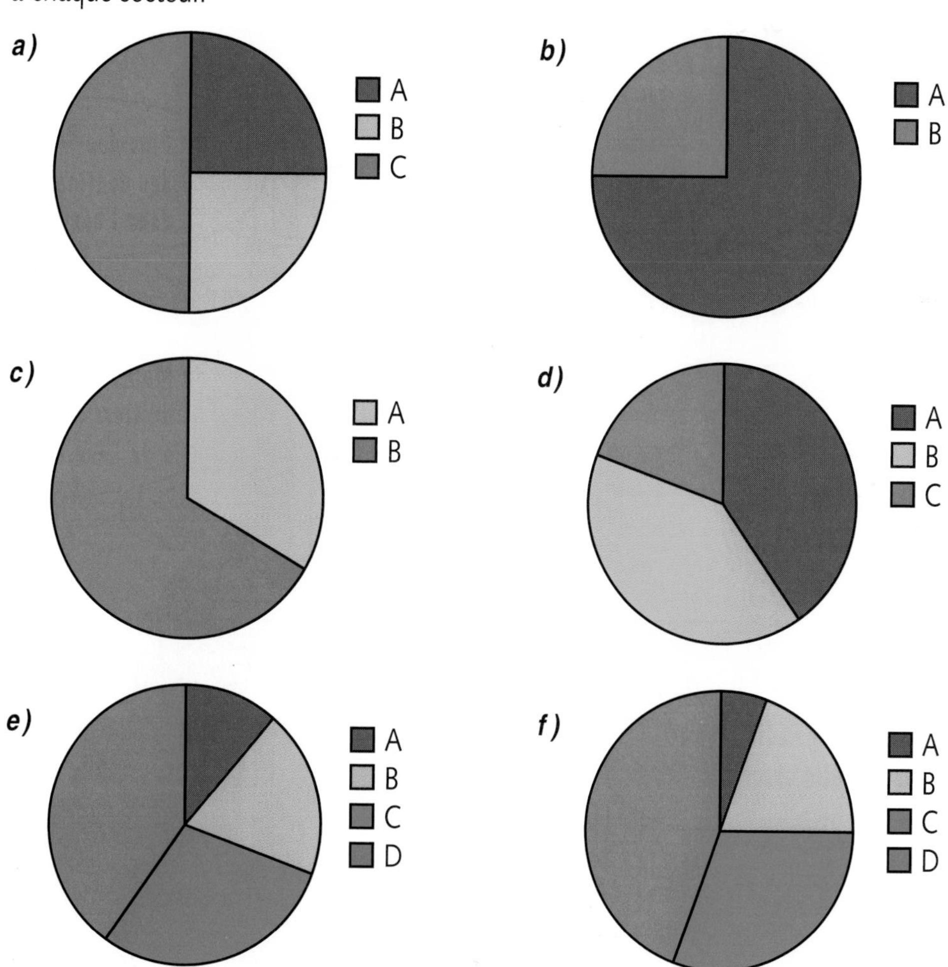

12 Quel pourcentage de chaque drapeau est en rouge?

a) 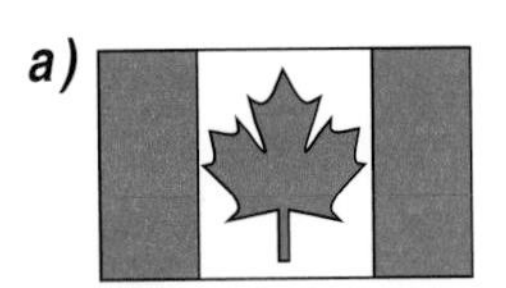

Canada

b) 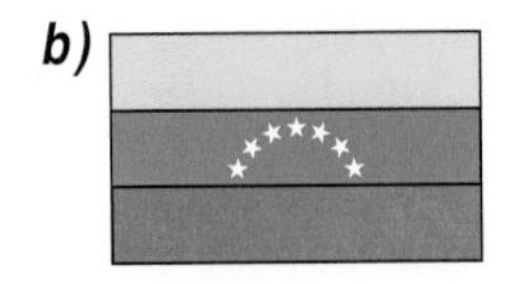

Venezuela

c) 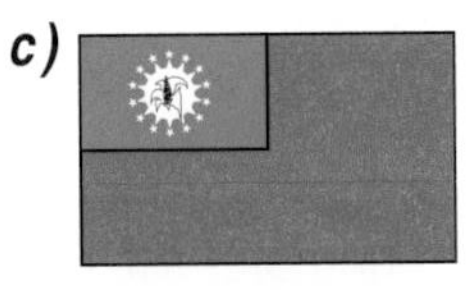

Birmanie

d) 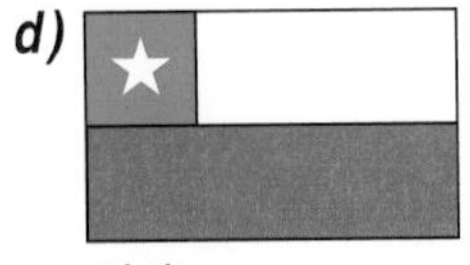

Chili

e) 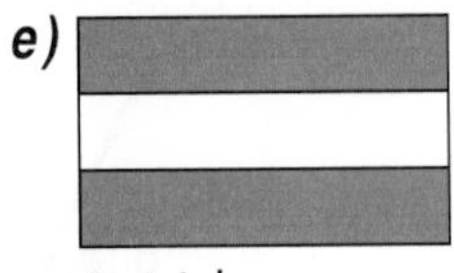

Autriche

f) 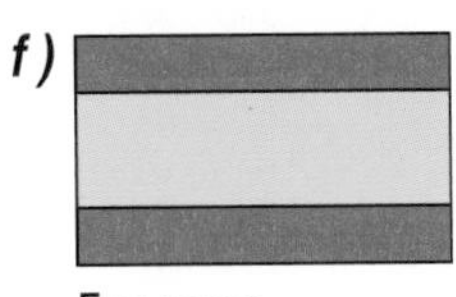

Espagne

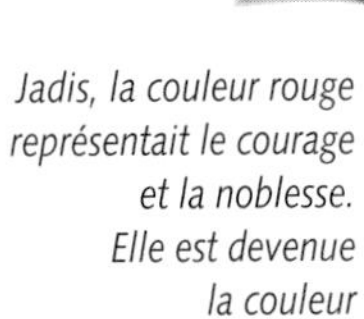

Jadis, la couleur rouge représentait le courage et la noblesse. Elle est devenue la couleur du pouvoir populaire.

13 Estime le pourcentage de réduction dans chaque cas.

14 Poursuis le travail commencé par ces machines à calculer.

a) 

Entrée	Sortie
30 %	$\frac{3}{10}$
64 %	$\frac{16}{25}$
88 %	...

b) 

Entrée	Sortie
$\frac{1}{2}$	0,5
$\frac{3}{8}$	0,375
$\frac{5}{12}$	...

c) 

Entrée	Sortie
$\frac{5}{6}$	83,3... %
$\frac{1}{4}$	25 %
$\frac{1}{200}$	...

d) 

Entrée	Sortie
0,16	16 %
0,002	0,2 %
0,0012	...

15 Quelle opération a un résultat qui s'approche de 100 %?

A) $\frac{1}{2} - \frac{3}{7}$ B) $\frac{2}{5} + \frac{7}{11}$ C) $\frac{1}{2} \times \frac{1}{2}$ D) $\frac{1}{4} \div \frac{1}{2}$

16 Lequel de ces 3 nombres est supérieur aux deux autres?

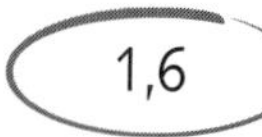

1,6

17 Que penses-tu de l'affirmation suivante?

0,15, 15 %, $\frac{15}{100}$ et $\frac{3}{20}$ sont toutes des formes d'écriture différentes du même nombre.

18 La forme d'écriture d'un nombre à utiliser dépend souvent de la situation. Indique quelle forme d'écriture (nombre décimal, pourcentage, fraction décimale, fraction ordinaire) on utilise le plus souvent dans la situation décrite.

a) L'écriture des cents après l'écriture en lettres du montant d'un chèque.

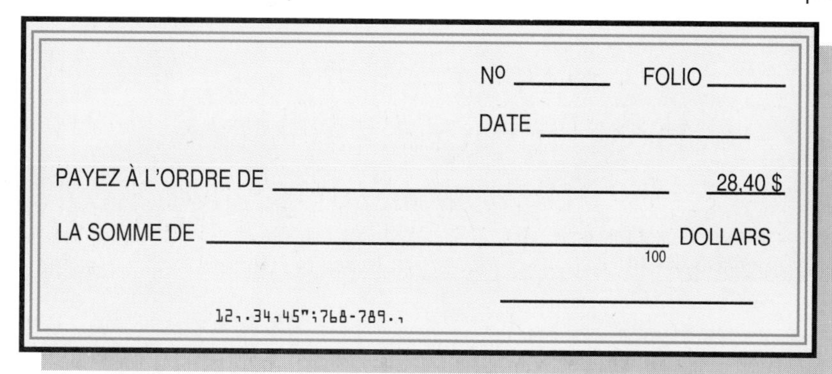
N^O ________ FOLIO ________
DATE ________________
PAYEZ À L'ORDRE DE ______________________ 28.40 $
LA SOMME DE ______________________ /100 DOLLARS
12,.34,45";768-789.,

b) Le taux de réduction du prix d'un article dans un magasin.

c) Le taux de la taxe à payer sur un achat.

d) La probabilité de gagner dans un tirage.

e) La note de passage d'un examen.

f) Le rang cinquième dans un bulletin scolaire.

g) Le taux d'alcool dans le sang indiqué par l'alcootest.

h) Le taux de chômage au sein d'une population.

19 Chantal a eu 14 sur 20 pour son examen d'écologie. Quel résultat aurait-elle pour ce même examen si la correction avait été faite sur 50?

20 On observe qu'environ 8 % des bébés sont prématurés. Combien d'enfants sur 50 sont prématurés?

21 Le guépard réussit à attraper une gazelle dans environ 48 % de ses poursuites. Sur 25 poursuites, combien de gazelles approximativement réussissent à échapper aux griffes du guépard?

22 Dans la population, on rencontre environ 3,8 asthmatiques par 1 000 personnes. Quel pourcentage approximatif de la population souffre de cette maladie?

23 Un lion passe environ les $\frac{4}{5}$ de sa journée à se reposer et 15 % de sa journée à marcher. Quel pourcentage de son temps lui reste-t-il pour d'autres activités?

24 Quelle fraction correspond à chaque pourcentage?

a) $\frac{1}{2}$ % ***b)*** 0,25 %

25 Calcule les expressions suivantes :

a) $2\ \% + \frac{1}{4}$

b) $\frac{3}{4} \times 12\ \% \times 2$

c) $100\ \% - 4 \times 12\ \% + 120\ \% \times \frac{5}{6}$

d) $\frac{1}{2} - \frac{1}{2}\ \% + 200 \times 0{,}2\ \%$

26 Calcule la valeur de ces expressions.

a) $2\ \% \times 0{,}5 + 0{,}3$ ***b)*** $50\ \% + 20\ \% \times \frac{1}{4}$

c) $10\ \% \times \left(\frac{3}{4} + 25\ \%\right) - \left(\frac{2}{5} \times 0{,}8 - 0{,}03\right)$ ***d)*** $(40\ \%)^2 - 0{,}2 \times \left(0{,}5 - \frac{1}{8}\right)^2$

27 Par rapport à 80, à quel pourcentage les nombres donnés correspondent-ils approximativement?

a) 9 ***b)*** 20 ***c)*** 60 ***d)*** 80
e) 120 ***f)*** 160 ***g)*** 1 ***h)*** 240

28 Traduis en pourcentages les 3 comparaisons données dans ce texte.

Trente-six des 40 vaches d'un troupeau ont mis bas cette année.
De ces veaux, 4 sont morts. Le propriétaire a vendu 16 des veaux restants.

29 Découvre la valeur de *n* dans ces expressions.

a) $n\ \% = \frac{1}{50}$ ***b)*** $\frac{n}{25} = 12\ \%$

c) $\frac{n}{10} = 0{,}4$ ***d)*** $\frac{3}{4} = \frac{75}{n}$

30 Effectue ces opérations à l'aide de ta calculatrice et exprime le résultat en pourcentage.

a) $(10\ \%)^4$ ***b)*** $20\ \% \times 40\ \%$
c) $25\ \% \div 50\ \%$ ***d)*** $2 \div 200\ \% + 2^0$

31 **(10 + 20) % = 10 % + 20 %**

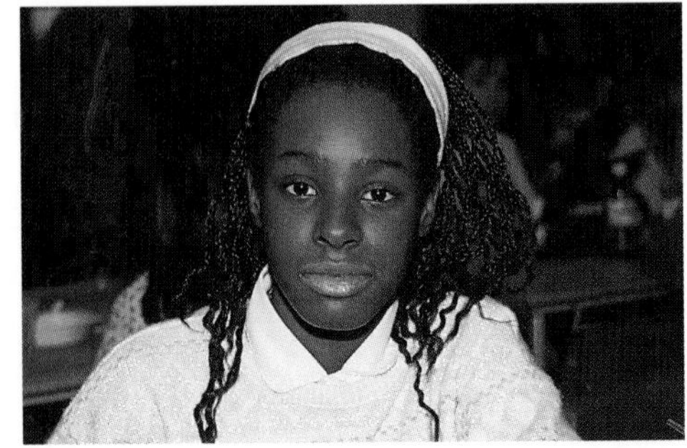

Anna a-t-elle raison?
Justifie ta réponse.

FLASH PROBLÈME

On augmente la compréhension d'un problème en le représentant par un dessin.

32 Résous chaque partie de ce problème à l'aide d'un dessin.

a) Une automobiliste circule sur une route secondaire (361) perpendiculairement à une route principale (138). Arrivée à la route principale, elle voit les indications suivantes :

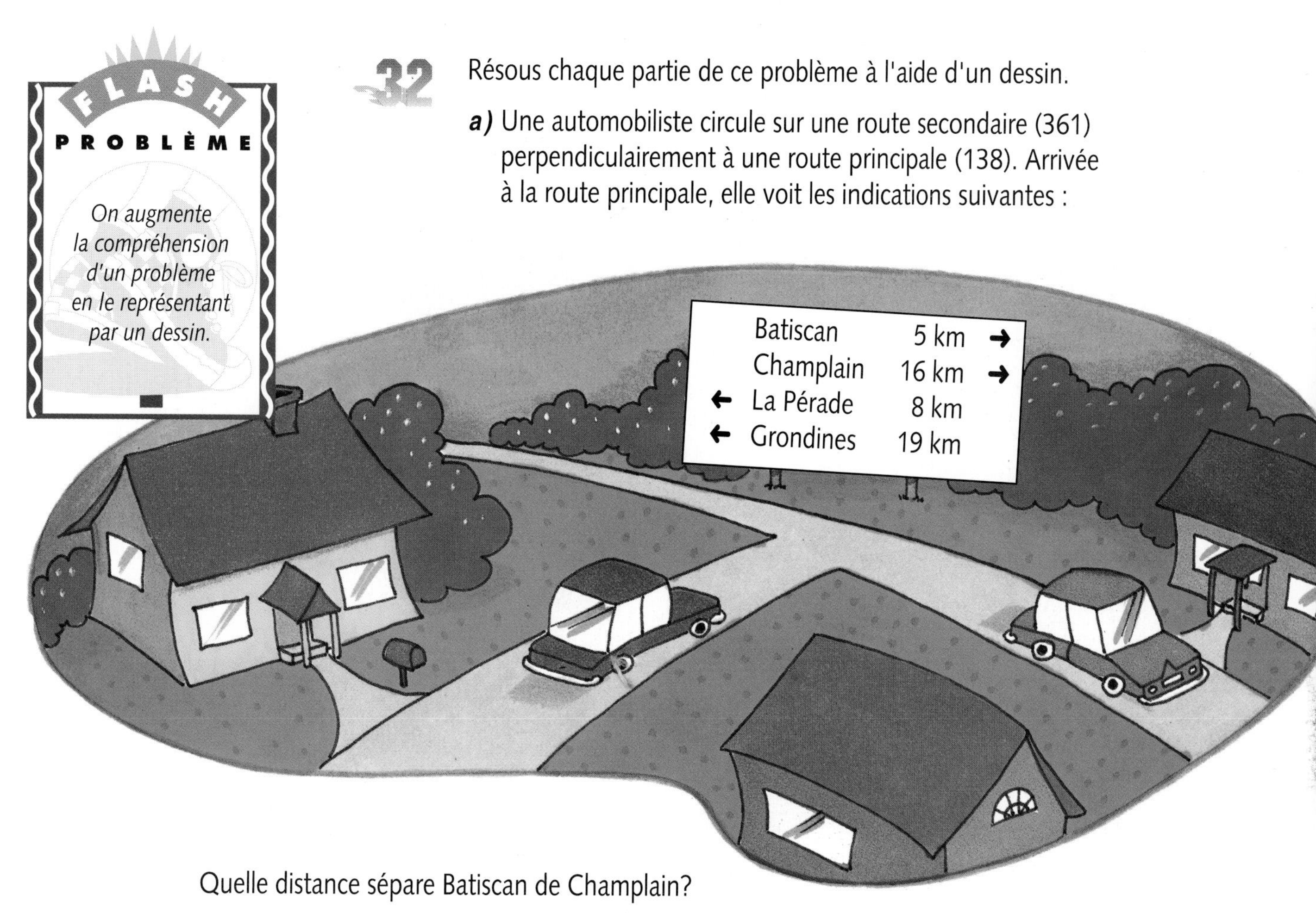

Quelle distance sépare Batiscan de Champlain?

b) Quelle distance sépare Champlain de La Pérade si ces deux municipalités sont situées sur la même route?

c) Notre promeneuse s'est engagée sur la 138. Plus loin, à 5 km dans le sens de La Pérade, une autre route principale (159) débouche sur la 138. Dessine le panneau routier indiquant les villages qu'une voyageuse provenant de la 159 peut apercevoir à son arrivée à la 138. N'oublie pas d'indiquer les distances.

33 Tatiana a invité toute sa famille au restaurant. Ils veulent tous manger à la même table. Dans ce but, on a formé une longue table en réunissant des tables carrées pour 4 personnes. Combien de tables a-t-on alignées si la famille compte 20 personnes?

De quoi réfléchir!

■ Quel nombre décimal correspond à (50 %) %?

■■ Quelle fraction correspond à $\frac{1}{200\ \%}$?

POURCENTAGE D'UN NOMBRE

En grève!
Nous luttons pour une augmentation de 4 %.
Un salaire de 400 $ par semaine est insuffisant!
EN GRÈVE!
EN GRÈVE

- Combien d'argent ce 4 % représente-t-il ?
- Pourquoi une augmentation de 4 % représente-t-elle plus d'argent pour un haut salarié que pour un bas salarié?

La notion de pourcentage est intimement liée à l'idée de **partie d'un tout.** Cela est dû au fait qu'à tout pourcentage correspond une fraction.

Comme il est normal de parler de **fraction** d'une quantité ou d'un nombre, il convient de parler de **pourcentage** d'une quantité ou d'un nombre.

a) Que veut dire chacune des expressions suivantes?

1) Jean-Sébastien a mangé 25 % des bonbons.

2) Marie a raté 50 % des questions de l'examen.

b) Que doit-on connaître pour être capable de dire le nombre de bonbons que Jean-Sébastien a mangés et le nombre de questions que Marie a ratées?

c) Quelle opération doit-on faire pour calculer une fraction d'un tout?

CARNET DE VOYAGE

> On calcule le pourcentage d'un nombre en effectuant une multiplication.
> ***a* % de *b* = *a* % x *b***

Dans la vie, le calcul du pourcentage d'un nombre se fait très souvent mentalement et par estimation. Il est donc très important d'acquérir ici des techniques de calcul mental et d'estimation.

Pour certains pourcentages, les calculs se font toujours mentalement.
C'est le cas de **1 %**, de **10 %** et de **100 %.**

$1\ \% = \frac{1}{100}$

$10\ \% = \frac{10}{100}$ ou $\frac{1}{10}$

$100\ \% = \frac{100}{100}$ ou 1

En effet, tout le monde est capable de calculer mentalement :

- **100 % d'un nombre,** car c'est le nombre.
  Ex. : 100 % de 12 = 12
- **10 % d'un nombre,** car pour calculer la dixième partie d'un nombre, il suffit de le diviser par 10.
  Ex. : 10 % de 30 = 30 ÷ 10 = 3
- **1 % d'un nombre,** car pour calculer la centième partie d'un nombre, il suffit de le diviser par 100.
  Ex. : 1 % de 40 = 40 ÷ 100 = 0,4

I Dans chaque cas, calcule mentalement.

a) 10 % de 50 ***b)*** 1 % de 450 ***c)*** 100 % de 80 ***d)*** 10 % de 0,02

II Dans certains cas, il est préférable de substituer une fraction au pourcentage.
Tel est le cas pour 25 %, $33\frac{1}{3}$ % et 50 %.

Ex. : 25 % de 80 = $\frac{1}{4}$ x 80 = 20 $33\frac{1}{3}$ % de 210 = $\frac{1}{3}$ x 210 = 70

50 % de 300 = $\frac{1}{2}$ x 300 = 150

Calcule la valeur de chaque expression.

a) 50 % de 120 ***b)*** 25 % de 20 ***c)*** 50 % de 1,2 ***d)*** $33\frac{1}{3}$ % de 60

III Dans le cas d'un pourcentage qui est multiple de 10 %, on décompose le pourcentage.

Ex. : 30 % de 90 = 3 x 10 % de 90 = 3 x 9 = 27

Calcule la valeur de chaque expression.

a) 20 % de 50 ***b)*** 40 % de 60 ***c)*** 60 % de 10 ***d)*** 30 % de 0,2

IV On peut parfois recourir à plus d'un pourcentage.

Ex. : 90 % de 400 = 100 % de 400 – 10 % de 400 = 400 – 40 = 360
11 % de 30 = 10 % de 30 + 1 % de 30 = 3 + 0,3 = 3,3

Calcule la valeur de chaque expression.

a) 26 % de 40
b) 110 % de 60
c) 51 % de 800
d) 49 % de 200

V Dans les cas de 5 % et de 15 %, on calcule le 10 % de la quantité et on soustrait ou ajoute la moitié de la valeur trouvée.

Ex. : 5 % de 120 = 10 % de 120 – la moitié de 10 % de 120 = 12 – 6 = 6
15 % de 140 = 10 % de 140 + la moitié de 10 % de 140 = 14 + 7 = 21

Calcule la valeur de chaque expression.

a) 15 % de 60
b) 5 % de 160
c) 35 % de 120
d) 15 % de 42
e) 95 % de 800
f) 15 % de 8
g) 45 % de 300
h) 15 % de 72

VI On peut également combiner plusieurs des stratégies précédentes.

Ex. : 27 % de 800 = $\frac{1}{4}$ de 800 + 2 x 1 % de 800 = 200 + 2 x 8 = 200 + 16 = 216

Calcule la valeur de chaque expression.

a) 17 % de 400
b) 56 % de 200
c) 16 % de 80
d) $\frac{1}{2}$ % de 40

VII Le pourcentage d'un nombre possède la propriété suivante :

a* % de *b* = *b* % de *a

Ex. : 48 % de 200 = 200 % de 48 = 2 x 48 = 96

Calcule la valeur de chaque expression.

a) 32 % de 25
b) 68 % de 50
c) 55 % de 20
d) 45 % de 100
e) 36 % de 1 000
f) 88 % de 25
g) 64 % de 10
h) 160 % de 1

Voici 3 façons courantes d'estimer le pourcentage d'un nombre :

- utiliser un pourcentage approché;
- utiliser un arrondi;
- rechercher des nombres compatibles.

Ex. : $35\ \%$ de $120 \approx \frac{1}{3} \times 120 = 40$

$30\ \% \times 196 \approx 30\ \% \times 200 = 3 \times 10\ \% \times 200 = 3 \times 20 = 60$

$26\ \%$ de $118 \approx 25\ \%$ de $120 = \frac{1}{4} \times 120 = 30$

1. Estime la valeur de chaque expression.

a) 12 % de 38
b) 26 % de 80
c) 0,9 % de 20
d) 102 % de 56
e) 34 % de 9
f) 41 % de 20
g) 6 % de 120
h) 53 % de 48

2. Estime en recherchant des nombres compatibles.

a) 9 % de 29
b) 19 % de 117
c) 0,98 % de 6,1
d) 34 % de 0,8
e) 24 % de 37
f) 89 % de 26
g) 1,1 % de 69
h) 45,6 % de 49

3. Écris le raisonnement qui te permet de trouver rapidement l'estimation demandée.
Ex. : $9\ \%$ de $38 \approx 10\ \%$ de $40 = 4$

a) 19 % de 30
b) 24 % de 24
c) 51 % de 50
d) 32 % de 90
e) 31 % de 60
f) 3 % de 90
g) 71 % de 80
h) 101 % de 8
i) 12 % de 80
j) 18 % de 24
k) 16 % de 80
l) 21 % de 25
m) 199 % de 12
n) 26 % de 32
o) 61 % de 90
p) 34 % de 180
q) 24 % de 38
r) 19 % de 25
s) 6 % de 120
t) 47 % de 700
u) 33 % de 240
v) 11 % de 220
w) 24 % de 402
x) 3 % de 220
y) 149 % de 30
z) 81 % de 2 000

1 Reproduis et remplis les grilles suivantes :

a)

de	850	68	2,5
100 %			
10 %			
1 %			

b)

de	24	1245	110
100 %			
10 %			
1 %			

2 Quel est le prix approximatif de ces articles après une réduction de 10 %?

a) 199 $

b) 114,95 $

c) 69,99 $

d) 249,99 $

e) 144 $

f) 299 $

3 Estime le montant correspondant au pourcentage donné dans chaque situation.

a) L'intérêt produit par un placement de 500 $ au taux annuel de 9,8 %.

b) Les recettes de fin de semaine d'un restaurant s'élèvent à 8 892 $.
Le propriétaire offre 1,2 % des recettes à une oeuvre de charité.

c) La valeur du dollar canadien, qui était de 0,89 $ US,
a diminué de 0,9 % au cours de la dernière année.

d) Une réduction de 14 % sur le prix d'une maison de 120 000 $.

4 Estime le nombre correspondant à :

a) 1,8 % de 200 ***b)*** 19 % de 40 ***c)*** 205 % de 80 ***d)*** 21,3 % de 80

5 Calcule le nombre correspondant à :

a) 5 % de 60 ***b)*** 50 % de 80 ***c)*** 5 % de 120 ***d)*** 50 % de 24
e) 5 % de 500 ***f)*** 50 % de 240 ***g)*** 5 % de 400 ***h)*** 50 % de 3 600

6 Estime le nombre correspondant à :

a) 26 % de 12	***b)*** 34 % de 18	***c)*** 52 % de 30	***d)*** 23 % de 20
e) 66 % de 36	***f)*** 75 % de 40	***g)*** 21 % de 5	***h)*** 12 % de 88

7 Estime le nombre correspondant à :

a) 11 % de 19	***b)*** 24 % de 39	***c)*** 53 % de 119	***d)*** 49 % de 0,99
e) 11 % de 9	***f)*** 26 % de 43	***g)*** 35 % de 37	***h)*** 19 % de 41
i) 24 % de 4	***j)*** 35 % de 240	***k)*** 12 % de 38	***l)*** 9 % de 420
m) 18 % de 329	***n)*** 30 % de 92	***o)*** 26 % de 480	***p)*** 27 % de 15

8 Estime la réduction offerte dans ces situations.

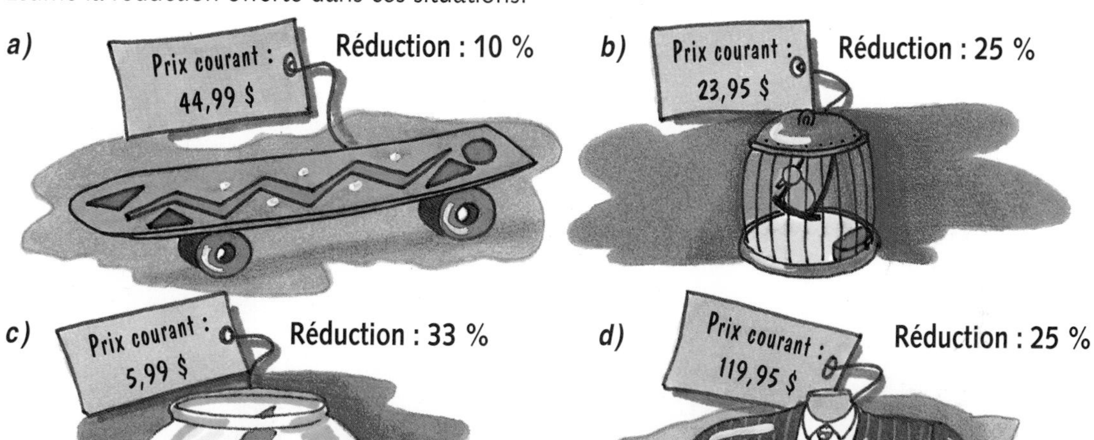

9 Il est très utile de savoir estimer un pourboire. Généralement, le pourboire représente 15 % du montant de l'addition dans les services (bars, restaurants, etc.).

> Une bonne façon de procéder pour calculer facilement un pourboire est :
> - d'arrondir le montant; — 15 % de 23,45 $ ou 15 % de 23 $
> - de diviser l'arrondi par 10 (pour le 10 %); — 23 ÷ 10 = 2,30
> - d'ajouter la moitié du montant obtenu (pour le 5 %). — 2,30 + 1,15 = 3,45

Estime le pourboire pour les services suivants :

a) Un repas au restaurant dont l'addition s'élève à 28,50 $.

b) Un service à l'hôtel d'une valeur de 8,50 $.

c) Un cirage de souliers à 2,50 $.

d) Une consommation de 3,25 $.

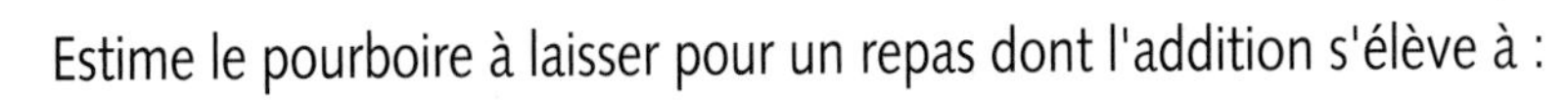

10 Estime le pourboire à laisser pour un repas dont l'addition s'élève à :

a) 11,95 $ ***b)*** 24,89 $
c) 36,40 $ ***d)*** 64,04 $

11 Complète ces déductions.

a) Si 6 est 15 % de 40, alors 12 est ▬ de 40 et 18 est ▬ de 40.

b) Si 8 est 20 % de 40, alors ▬ est 40 % de 40 et ▬ est 80 % de 40.

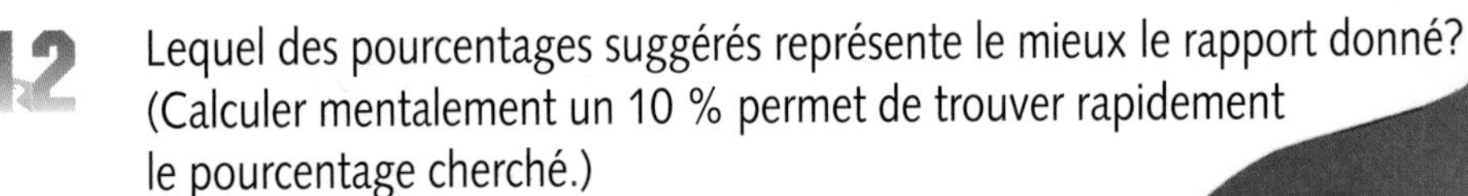

12 Lequel des pourcentages suggérés représente le mieux le rapport donné? (Calculer mentalement un 10 % permet de trouver rapidement le pourcentage cherché.)

a) 12 sur 30 : 2 % 12 % 40 %
b) 4 sur 20 : 10 % 20 % 40 %
c) 2 sur 200 : 1 % 2 % 10 %
d) 0,8 sur 1 : 8 % 20 % 80 %
e) 1 sur 20 : 2 % 5 % 20 %
f) 12 sur 10 : 12 % 20 % 120 %
g) 30 sur 10 : 3 % 30 % 300 %
h) 1 sur 2 : 1 % 20 % 50 %
i) 5 sur 25 : 10 % 20 % 80 %
j) 0,5 sur 2 : 25 % 50 % 80 %

Le pourboire équivaut approximativement aux taxes.

13 Samedi, les chances de précipitations sont de 20 %. Dimanche, elles sont de 40 %. Ken affirme que les chances qu'il fasse beau toute la fin de semaine sont de 80 % + 60 %, soit 140 %. Indique pourquoi on peut être certain que ce raisonnement n'a aucun sens.

14 Démontre que 10 % de 10 % est égal à 1 %.

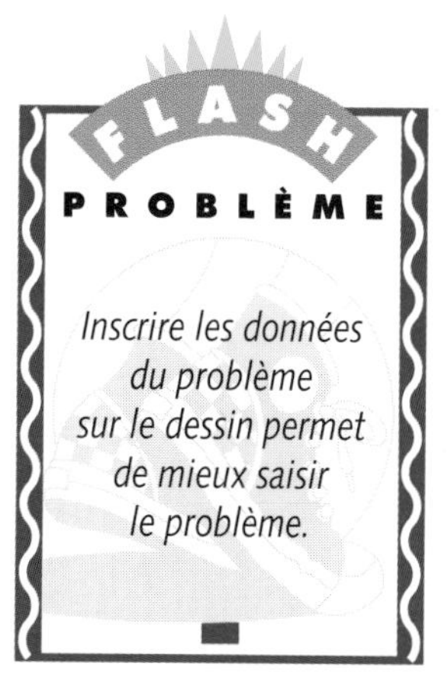

15 Une compagnie fabrique de la clôture de plastique pour les parterres. Cette clôture se vend en pièces de 1 m, 2 m et 3 m. Patrick a utilisé 8 pièces pour clôturer un parterre de 3 m sur 8 m. Combien de pièces de chaque sorte a-t-il utilisées?

16 Michel a fait des tests avec sa voiture. Il a constaté qu'à 60 km par heure il lui faut 20 m pour s'arrêter. Par la suite, chaque fois qu'il augmente sa vitesse de 10 km par heure, la distance qu'il lui faut pour s'arrêter augmente de 50 %. Quelle est sa distance de freinage à 80 km par heure?

Fin d'une suite!

- Après combien de termes atteint-on 0 % dans cette suite?

100 %, 50 %, 25 %, ...

CALCUL DU POURCENTAGE D'UN NOMBRE

Dans plusieurs situations, l'estimation d'un pourcentage est suffisante; mais dans d'autres, il faut savoir calculer précisément le pourcentage donné d'un nombre. On peut le calculer avec une calculatrice ou à la main.

Avec la calculatrice ou par écrit?

Kateri a calculé la réduction (15 % de 64 $) avec sa calculatrice et elle a obtenu 9,60 $.

- Écris la séquence qu'elle a utilisée étant donné que sa calculatrice n'a pas la touche %.
- Comment Kateri aurait-elle pu obtenir directement le prix réduit?

Parfois, nous ne disposons pas d'une calculatrice. Il nous faut alors faire les calculs par écrit.

- Explique comment Kateri a calculé par écrit la taxe à payer sur un achat de 240 $.

La meilleure façon de calculer un pourcentage d'un nombre à la calculatrice est de transformer le pourcentage en un nombre décimal et d'effectuer la multiplication.

Et :

La meilleure façon de calculer un pourcentage d'un nombre par écrit est de transformer le pourcentage en une fraction sur 100, puis de simplifier et de compléter la multiplication.

a) Calcule les pourcentages suivants avec ta calculatrice et sans utiliser la touche %.

1) 12 % de 25 2) 34 % de 56 3) 85 % de 124 4) 120 % de 250
5) 1 % de 36 6) 0,5 % de 72 7) 12,5 % de 400 8) 33,33 % de 48

b) Calcule par écrit chaque expression.

1) 18 % de 28 2) 23 % de 80 3) 0,34 % de 4,28 4) 32 % de 800
5) 0,8 % de 120 6) 86 % de 420 7) 215 % de 40 8) 39 % de 44

1 Estime mentalement les taxes à payer sur ces achats si le taux des taxes est de 15,56 %. Calcule ensuite avec ta calculatrice.

a) 24 $ ***b)*** 56 $ ***c)*** 1,84 $ ***d)*** 896,48 $

2 Que rapportent sur un an les sommes d'argent suivantes si le taux d'intérêt est de 11,25 %? Estime la réponse et calcule ensuite par écrit.

a) 200 $ ***b)*** 960 $ ***c)*** 15 200 $ ***d)*** 125 000 $

3 Une vendeuse prend une commission de 18 % sur le prix de vente des objets suivants. Calcule par écrit sa commission si elle vend :

a) un aspirateur au prix de 380 $; ***b)*** une machine à coudre au prix de 496 $.

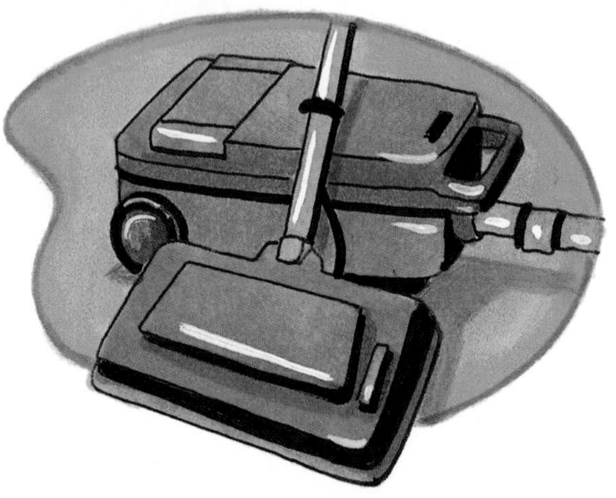

4 Selon des chercheurs et chercheuses de Boston, le risque d'une crise cardiaque est de 70 % plus grand chez les hommes petits (168 cm et moins) que chez les grands (183 cm et plus).

a) Si ce risque est de 18 % chez les hommes de 183 cm et plus, quel est-il chez les hommes de 168 cm et moins?

b) De combien ce risque diminue-t-il à chaque centimètre?

5 À l'aide de ta calculatrice, détermine le montant des taxes à payer sur une voiture neuve de 18 750 $ si le taux des taxes est de 15,56 %.

6 Détermine mentalement combien se vend maintenant une bicyclette si son prix vient de subir une augmentation de 10 % et qu'elle se vendait 180 $.

7 Une femme d'affaires a placé 40 000 $ dans un fonds mutuel. Elle dit avoir un rendement annuel de 12 %. Calcule par écrit ce profit.

8 Après un an d'utilisation, combien vaut un véhicule payé 20 000 $ si sa dévaluation au cours de la première année est de 30 %? Effectue ces calculs mentalement.

9 La mère de Jean-Simon affirme que ce dernier passe 20 % de son temps devant le téléviseur. Combien d'heures par semaine passe-t-il environ devant le téléviseur? Effectue les calculs par écrit.

10 Pour chacun des problèmes suivants, décide du moyen de calcul.

a) Après 2 ans, combien coûte un cahier qui se vendait 1 $ si ce prix a augmenté de 10 % par année?

b) La langue d'un caméléon peut atteindre des moucherons situés à une distance équivalant à 250 % de la longueur de son corps, qui est environ de 18 cm. Quelle est cette distance?

POURQUOI?

Pourquoi le caméléon change-t-il de couleur?

c) Sept pour cent des hommes souffrent de daltonisme. Combien de personnes mâles cette proportion représente-t-elle dans une ville de 30 000 habitants?

d) Le cerveau humain ne représente que 2 % de la masse du corps humain. Quelle est la masse du cerveau d'une personne qui pèse 62 kg?

11 Dans son bulletin de la première étape, Andrès a eu 60 % de moyenne générale. À la deuxième étape, il a eu 69 %. Sa soeur pense que l'augmentation est de 9 %, tandis que son frère prétend que l'augmentation est de 15 %. Qui a raison?

12 Écris une phrase pour me convaincre que 50 % de 50 % est égal à 25 %.

13 Déduis la valeur de *n* dans les expressions suivantes :

a) n % x 400 = 100 ***b)*** n % x 120 = 84

14 Essaie de résoudre ces problèmes sans demander d'aide.

a) Un laitier vend son lait dans des contenants de un litre au prix de 1,09 $ le litre. Chaque jour, il produit 2 000 litres de lait. Voulant augmenter ses revenus, il met les $\frac{3}{8}$ de sa production dans des contenants de 750 ml. Il offre ces nouveaux contenants au prix de 0,95 $ le contenant. De combien a-t-il augmenté ses revenus s'il vend toujours tout son lait?

b) Par temps de sécheresse, Joëlle a constaté que la surface de son lac artificiel se recouvrait d'algues vertes. Elle a observé que l'étendue d'algues doublait tous les 2 jours. Après 12 jours, la surface était complètement couverte. Quel pourcentage du lac était recouvert après 3 jours?

LE SPHINX

Explosion d'eau!

■ La molécule d'eau est formée de deux atomes d'hydrogène (H) et d'un atome d'oxygène (O). L'atome d'oxygène est 16 fois plus lourd que celui de l'hydrogène. Quel pourcentage de la masse d'une molécule d'eau est de l'oxygène?

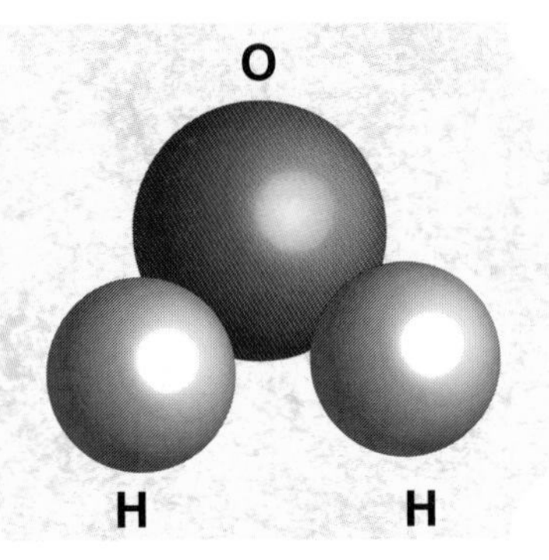

La montre numérique!

Stratégie : faire une simulation

Pendant combien de temps les chiffres indiquant l'heure sur une montre numérique ont-ils une somme de 10 entre 00:00 et 6:00?

Y a-t-il anguille sous roche?

Pour renflouer une entreprise, la responsable des relations de travail propose aux salariés et salariées de diminuer tout de suite leur salaire de 15 %. Elle leur promet de rétablir leur salaire actuel par des augmentations de 5 % dans les 3 prochains mois. Une travailleuse prétend que cette proposition est malhonnête. A-t-elle raison?

Construction d'un horaire!

Dans une école, les cours commencent à 8:30 et se terminent à 14:30. L'horaire compte 4 cours. Les élèves ont 10 min de battement avant chaque cours et 60 min pour dîner. Quelle est la durée d'un cours?

Je connais la signification de l'expression suivante :

Pourcentage : comparaison dont la base est 100 ou rapport dont le dénominateur est 100 ou nombre suivi du symbole %.

Je maîtrise les habiletés suivantes :

Exprimer une fraction et un nombre décimal en un pourcentage, et vice-versa.

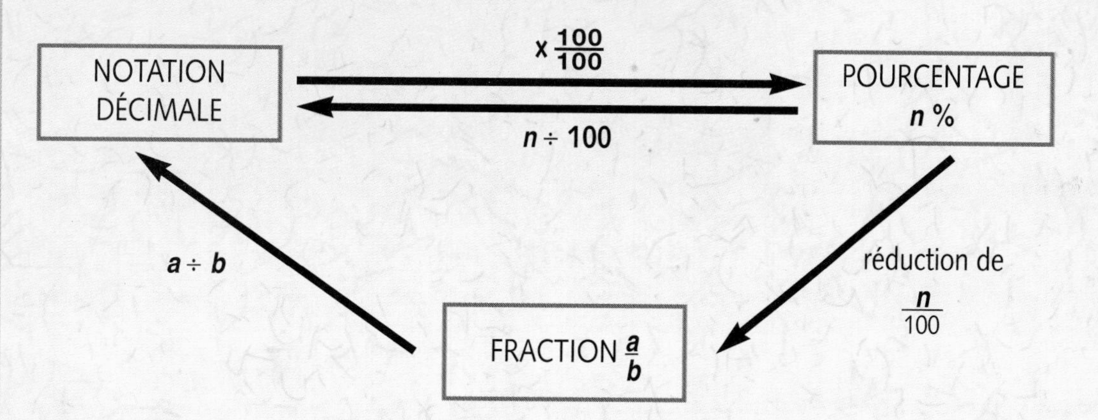

Calculer mentalement 1 %, 5 %, 10 %, 20 %, 25 %, 33 $\frac{1}{3}$ %, 50 %, 100 % et 200 % d'un nombre qui s'y prête bien.

Estimer le pourcentage d'un nombre donné. Les deux principales stratégies sont :

1° Recourir à une fraction.
Ex. : 24 % de 40 $\approx \frac{1}{4}$ de 40 = 40 ÷ 4 = 10

2° Utiliser un multiple de 10 %.
Ex. : 29 % de 70 ≈ 3 x 10 % de 70 = 3 x 7 = 21

Calculer à l'aide d'une calculatrice le pourcentage d'un nombre donné.
La meilleure façon de faire est d'écrire directement le pourcentage en un nombre décimal.
Ex. : 32 % de 120 = 0,32 x 120 = 38,4

Calculer par écrit le pourcentage d'un nombre donné. Le meilleur procédé est d'exprimer le pourcentage en une fraction dont le dénominateur est 100, puis de simplifier et d'effectuer la multiplication.
Ex. : 30 % de 120 = $\frac{30}{100}$ x 120 = 3 x 12 = 36

Par centaines!

1. Que **veut dire** un vendeur qui affirme que : «Ce gilet est composé de 60 % de coton et de 40 % de laine»?

2. **Est-il sensé** de dire que la longueur des jambes d'une personne représente presque 200 % de sa taille? Explique ta réponse.

3. **Donne** une autre façon d'écrire *n* %.

4. **Exprime** par un pourcentage, une fraction ordinaire et un nombre décimal le nombre représenté dans chaque cas.

a) 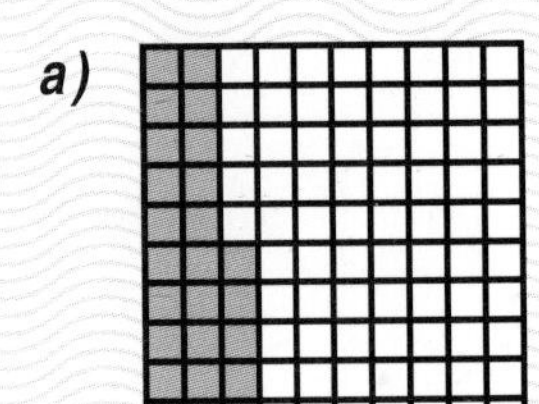

b) 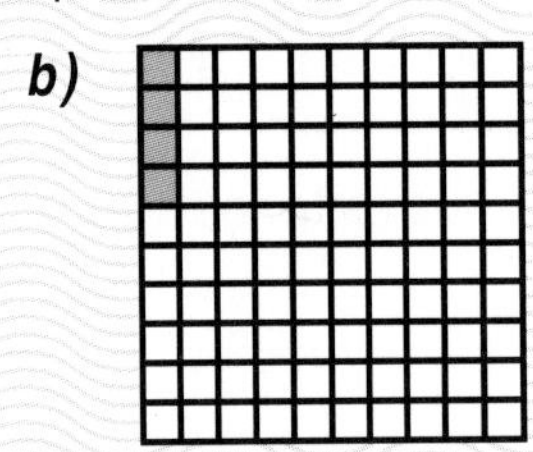

c) 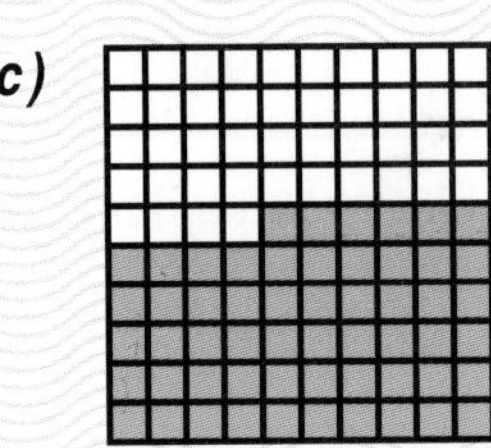

5. **Exprime les pourcentages** de ce texte en fractions ordinaires.

   Le Canada est le pays le mieux nanti au monde en réserves d'eau douce. Avec moins de 1 % de la population mondiale, notre pays possède environ 25 % de l'eau douce sur la Terre. À eux seuls, les Grands Lacs renferment 12 % de l'eau douce de la planète.

6. **Exprime les fractions** de ce texte en pourcentages.

   Environ trois vingtièmes des femmes ont des problèmes importants durant la ménopause; treize vingtièmes ont des problèmes légers et un cinquième n'ont aucun problème.

7. **Exprime chaque pourcentage** en un nombre décimal.

   a) 9 % ***b)*** 300 % ***c)*** 12,5 %

8. **Exprime les fractions** suivantes en pourcentages.

   a) $\frac{1}{8}$ ***b)*** $\frac{1}{200}$

9. **Écris le raisonnement** que tu fais pour **estimer :**

   a) le pourboire à laisser pour un repas de 32 $;

   b) la taxe de vente sur l'achat d'une culotte de hockey de 150 $ si le taux est de 15,56 %;

   c) la réduction sur un manteau de 79 $ si elle est de 25 % du prix du manteau;

   d) l'intérêt à payer sur un emprunt de 780 $ si le taux annuel est de 10,8 %.

10. **Écris la séquence** de nombres qui te permet de calculer mentalement ces expressions.

    a) 25 % de 20 ***b)*** 15 % de 40 ***c)*** 10 % de 25 ***d)*** 200 % de 15

11. **Écris la séquence** qui te permet de calculer mentalement le pourboire à laisser à un serveur pour un repas de 40 $.

12. **Calcule par écrit** la valeur des expressions suivantes :

a) 35 % de 420

b) 0,5 % de 36

13. **Donne la séquence** qui te permet de calculer avec une calculatrice la valeur de l'expression suivante : 12 % de 243.

14. **Résous** ces problèmes en effectuant les calculs par écrit.

a) Le coeur humain bat en moyenne à un rythme de 72 battements par minute. Le coeur d'une baleine bat à 12,5 % du rythme du coeur humain. À quel rythme le coeur d'une baleine bat-il?

b) Dans une classe, il y a autant de garçons que de filles. Ce soir, les $\frac{3}{10}$ des garçons et le $\frac{1}{4}$ des filles vont à la soirée dansante. Quel pourcentage de la classe va à cette soirée?

15. **Décris** 3 moyens qui peuvent t'aider à comprendre un problème.

ITINÉRAIRE 11

LA STATISTIQUE

Les grandes idées :

- la statistique, un outil;
- dépouillement et organisation des données à l'aide de tableaux;
- lecture et construction de diagrammes ou graphiques;
- graphiques et comparaisons;
- graphiques et conclusions.

Objectifs terminaux :

Déduire des éléments d'information à partir d'un tableau ou d'un diagramme.

Présenter des éléments d'information sur une situation à l'aide d'un tableau ou d'un diagramme.

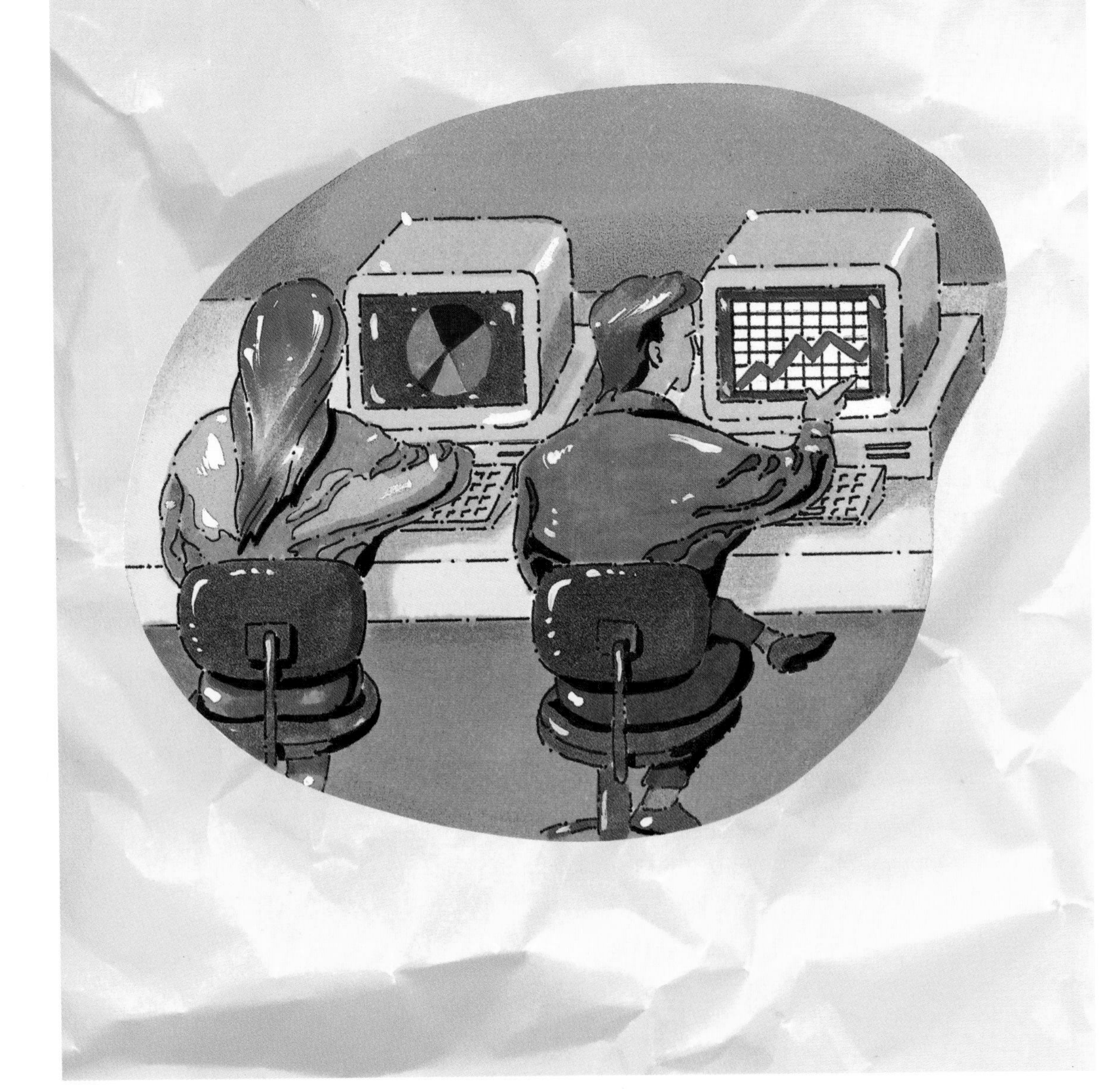

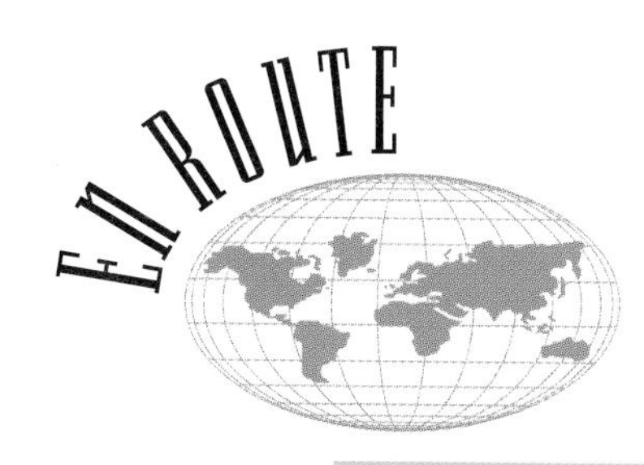

... VERS LA STATISTIQUE

DES STATISTIQUES

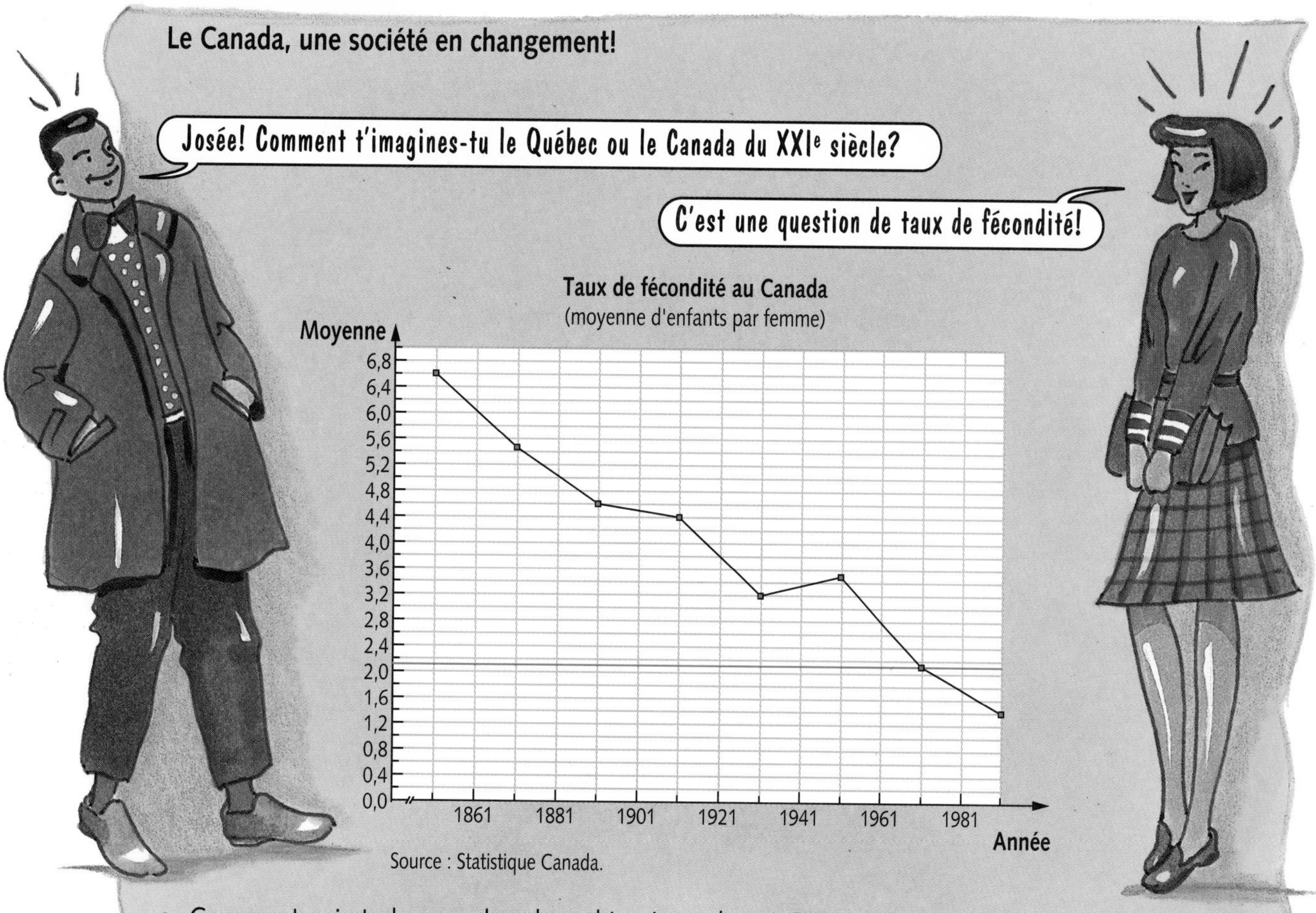

- Comment vois-tu le pays dans lequel tu vivras demain? Donnes-en quelques caractéristiques.

Les **statistiques** peuvent nous permettre de trouver des éléments de réponses.
Et, comme le dit Josée, le taux de fécondité joue un rôle des plus importants.
Que nous disent les statistiques sur le sujet?

a) Que peut-on affirmer à propos de l'évolution du taux de fécondité au Canada?

b) À quel moment, après 1930, peut-on parler de «baby boom»?

c) On dit que le taux de fécondité est critique à partir du moment où une population ne se renouvelle plus. Ce taux se situe aux alentours de 2,1 enfants par femme. Ce taux est-il actuellement critique au Canada? Si oui, depuis quand?

d) Pourquoi ce taux est-il actuellement si bas?

Un premier facteur du faible taux de fécondité est l'**augmentation spectaculaire des familles monoparentales.**

e) À l'aide des graphiques suivants, explique pourquoi les familles monoparentales ont tant augmenté.

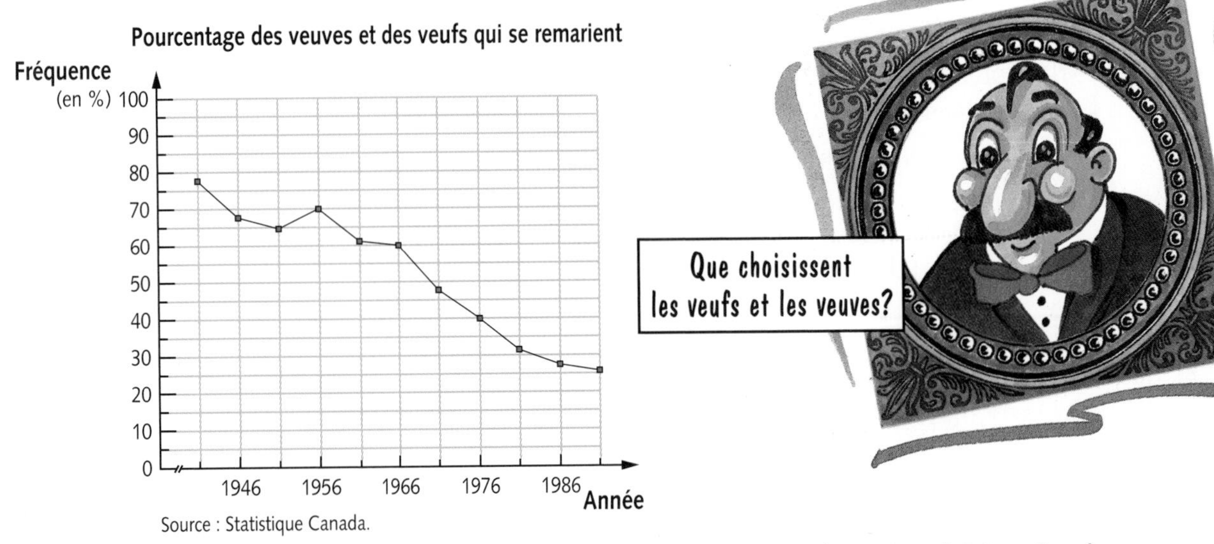

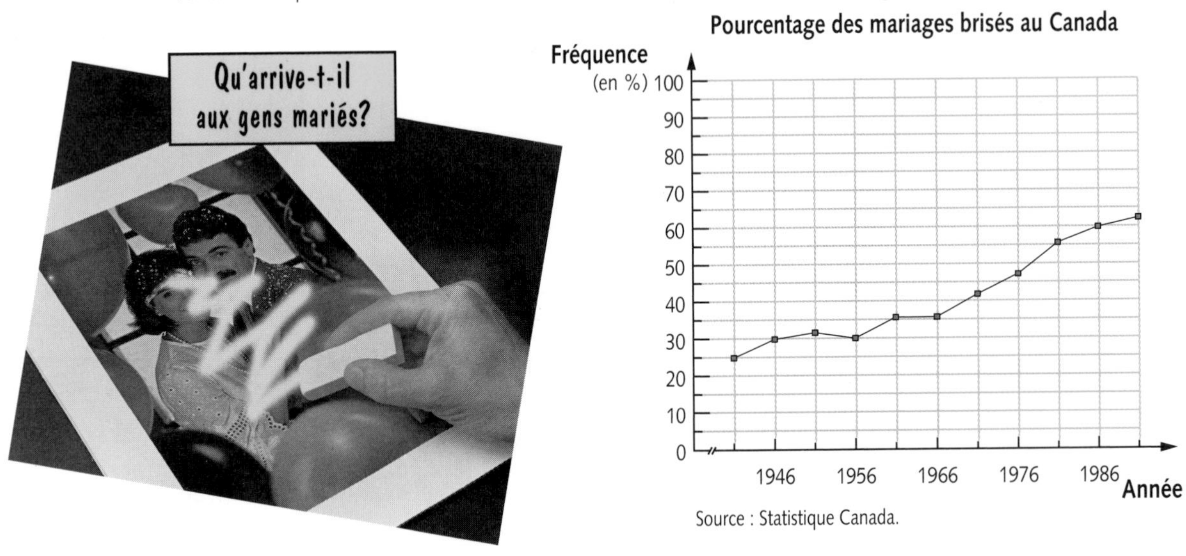

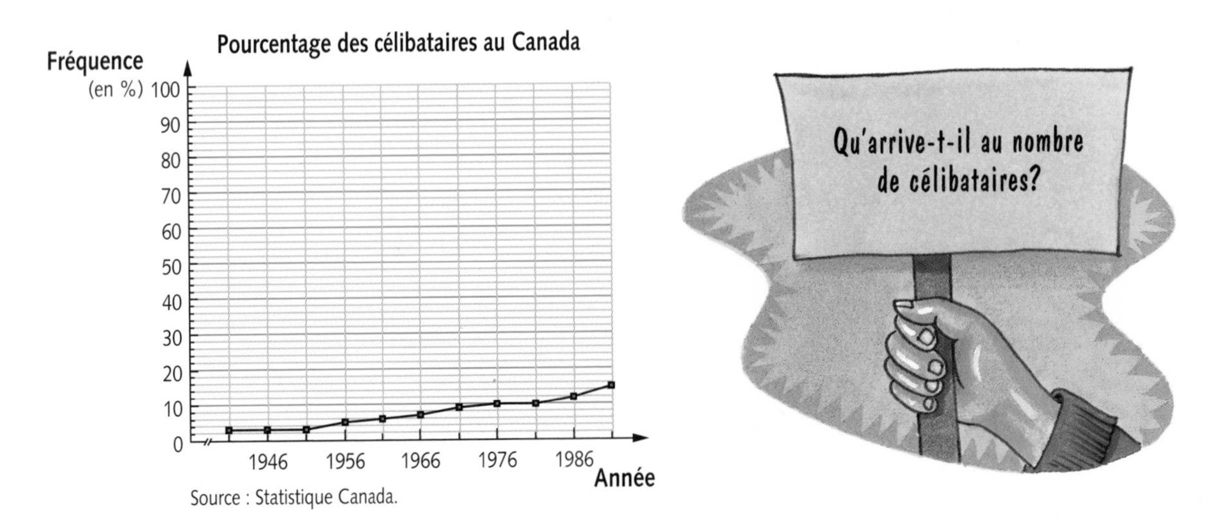

On peut ajouter d'autres causes à la diminution du nombre d'enfants. Entre autres, signalons la **régulation des naissances.** Les gens décident du nombre d'enfants qu'ils désirent et du moment où ils les auront.

On note aussi des **facteurs d'ordre économique :** moins de revenus, plus de chômage, augmentation des prix à la consommation, etc.

f) Combien en coûtait-il approximativement en 1991 pour élever un garçon jusqu'à l'âge de 18 ans? Combien en coûtait-il pour élever une fille?

g) Quels sont les éléments pour lesquels il en coûte plus cher d'élever une fille que d'élever un garçon?

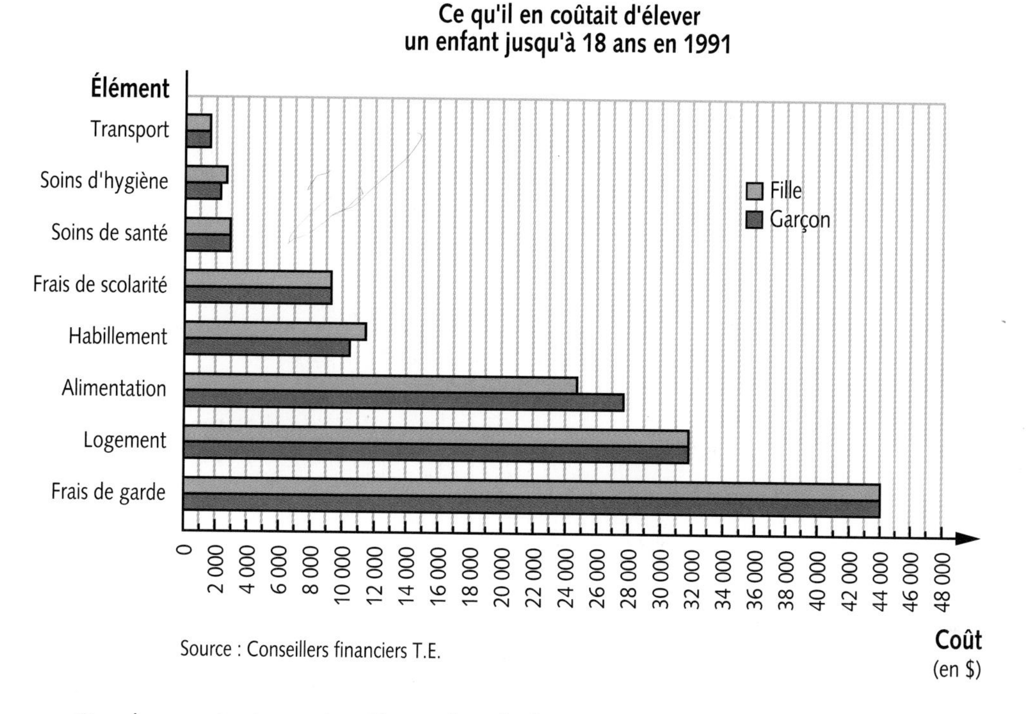

Source : Conseillers financiers T.E.

On observe également qu'il y a **plus de femmes qui travaillent** et qu'elles subissent souvent des préjudices sur le plan professionnel si elles quittent leur emploi pour avoir un enfant.

h) Quelle était la différence entre le nombre d'hommes et le nombre de femmes au travail :

1) en 1949?

2) en 1989?

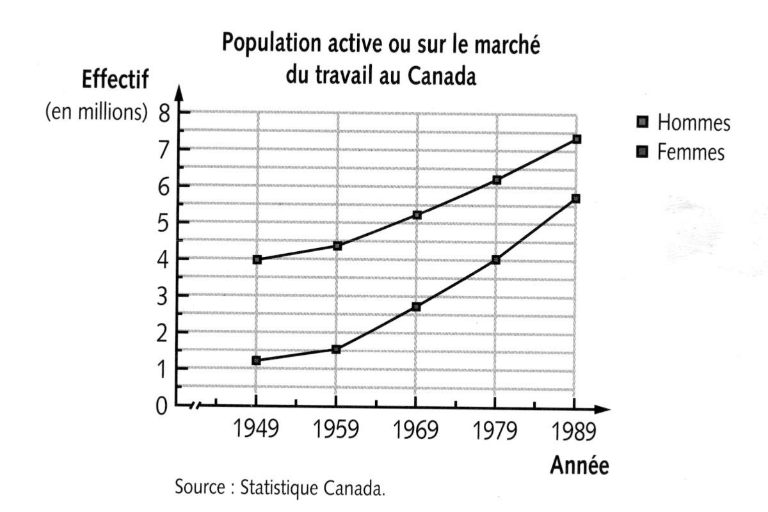

Source : Statistique Canada.

Cette diminution du taux de fécondité a des conséquences importantes sur le Québec et le Canada de l'an 2000. Les principales conséquences sont au nombre de 4.

1° **La population du Québec est vieillissante, comme le montrent ces deux histogrammes.**

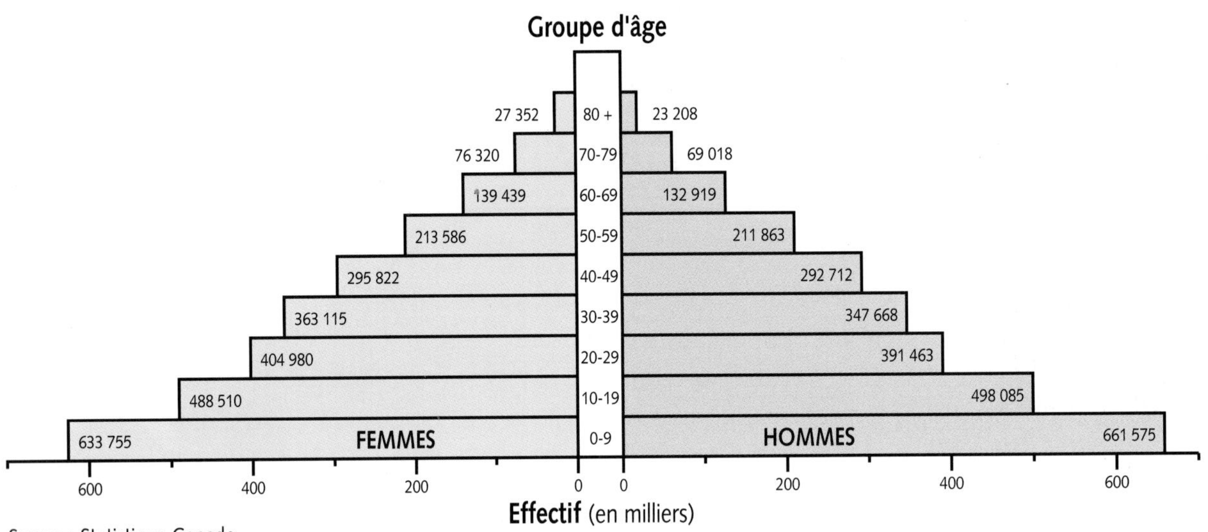

Source : Statistique Canada.

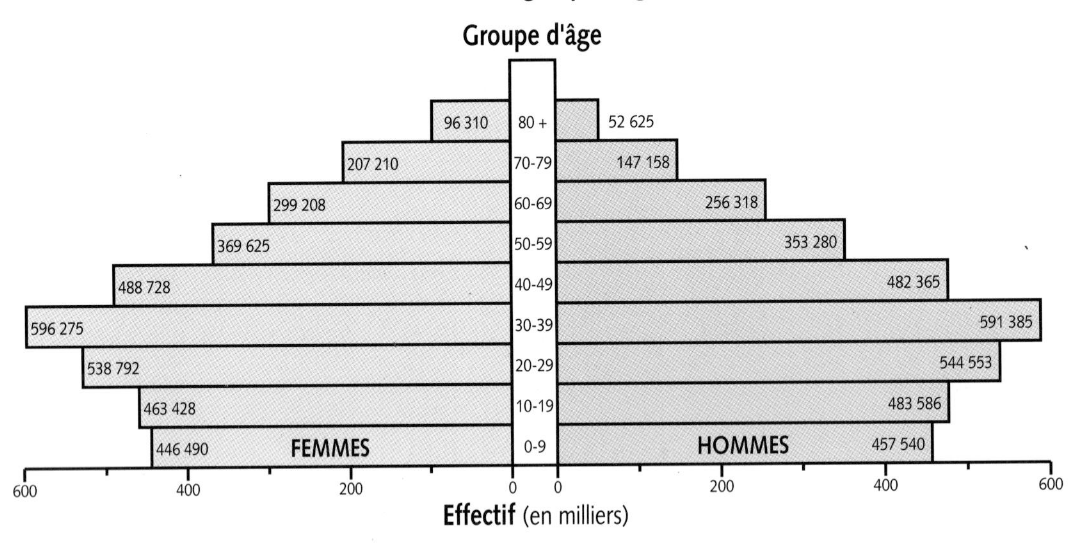

Source : Statistique Canada.

i) Quelles grandes constatations sautent aux yeux si l'on compare les deux histogrammes?

Le vieillissement d'une population a un impact important sur le coût des services médicaux et sur le versement des allocations aux personnes âgées. Aura-t-on toujours la gratuité des soins médicaux? Les jeunes d'aujourd'hui peuvent-ils espérer bénéficier d'une allocation lorsqu'ils auront 65 ans?

2° **Les populations du Québec et du Canada se pluralisent par l'immigration.**

Le Canada doit accueillir au moins 275 000 immigrants et immigrantes par année pour maintenir une croissance de population de 1 %. Sinon, les populations du Québec et du Canada seraient en voie d'extinction. Le graphique suivant nous informe sur le pourcentage d'immigrants et immigrantes dans la population de chaque province du Canada.

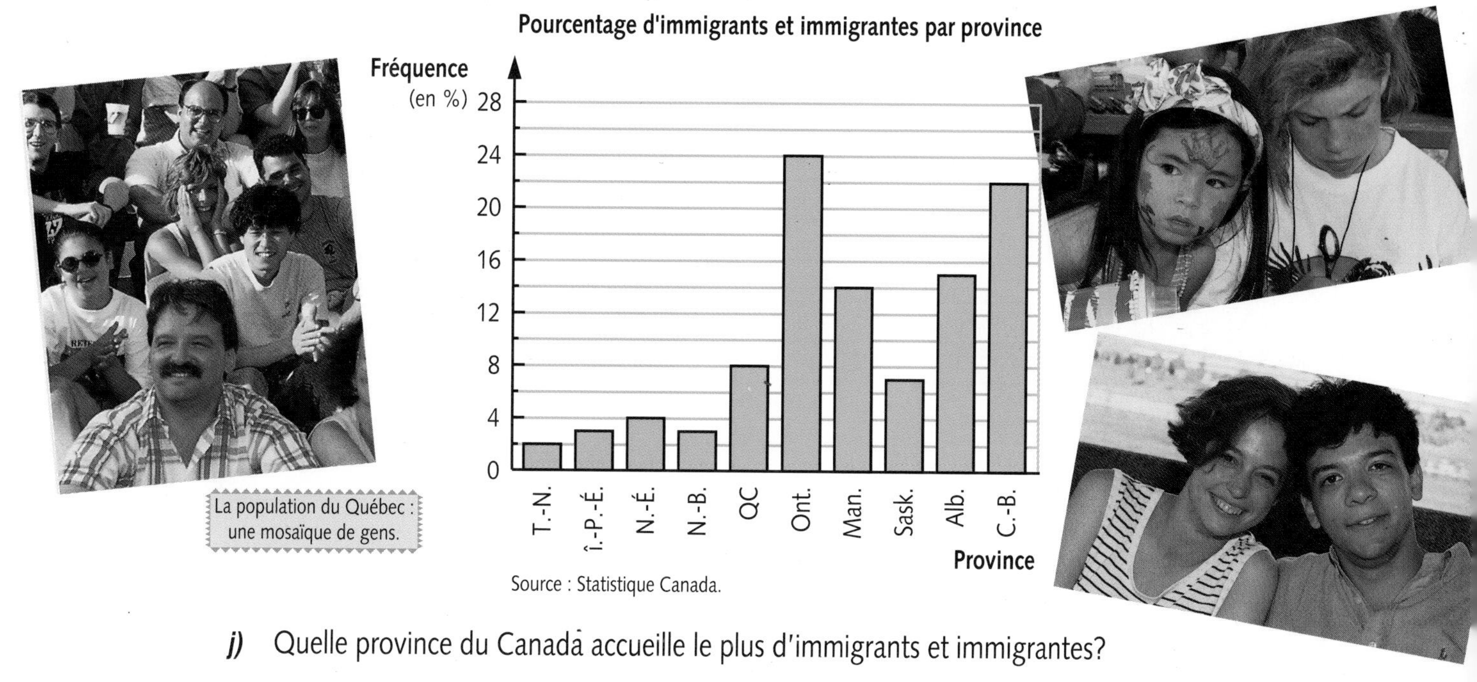

La population du Québec : une mosaïque de gens.

j) Quelle province du Canada accueille le plus d'immigrants et immigrantes?

k) Dans quel pourcentage la population du Québec est-elle formée d'immigrants et immigrantes?

Les immigrants et immigrantes proviennent de différentes parties du monde.

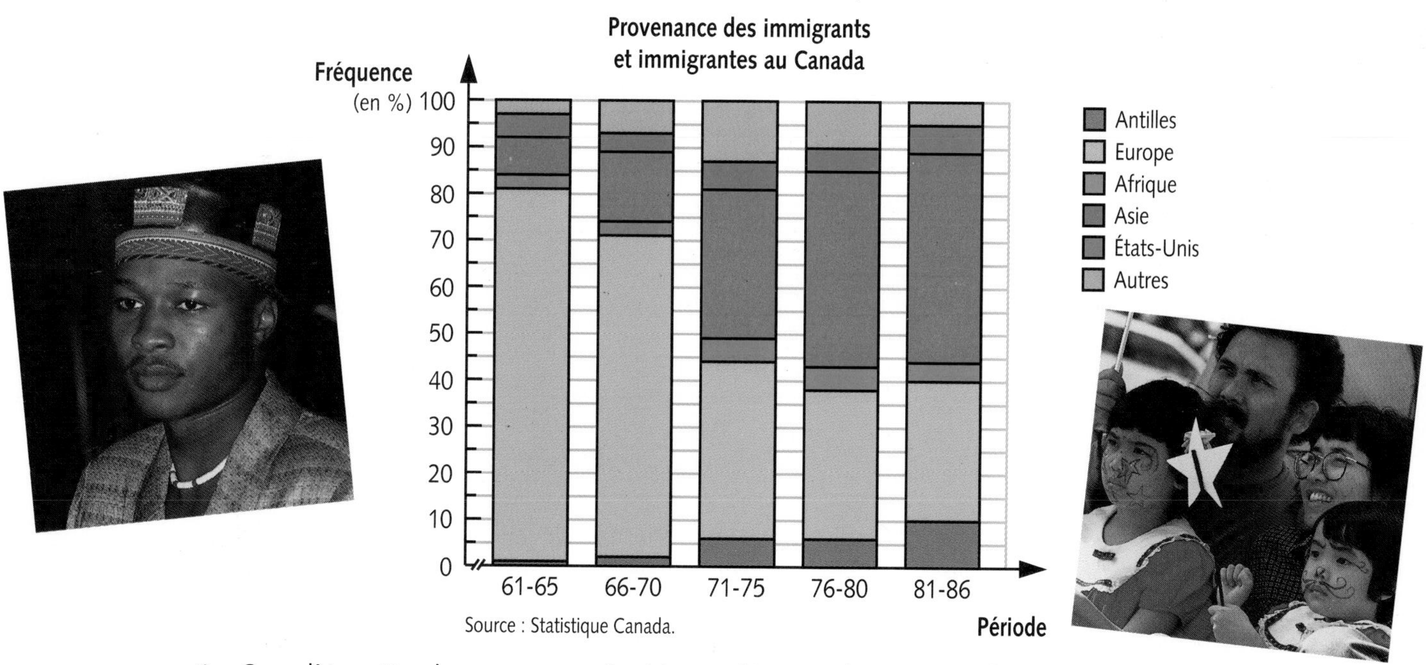

l) Complète cette phrase en consultant le graphique ci-dessus. Autrefois, les immigrants et immigrantes provenaient davantage d' ▬▬▬, tandis que maintenant ils proviennent principalement d' ▬▬▬

3° **Les gens changent leur mode de vie.**

m) D'après ces diagrammes circulaires, qu'est-ce qui a changé de 1961 à 1986 dans le mode de vie des gens?

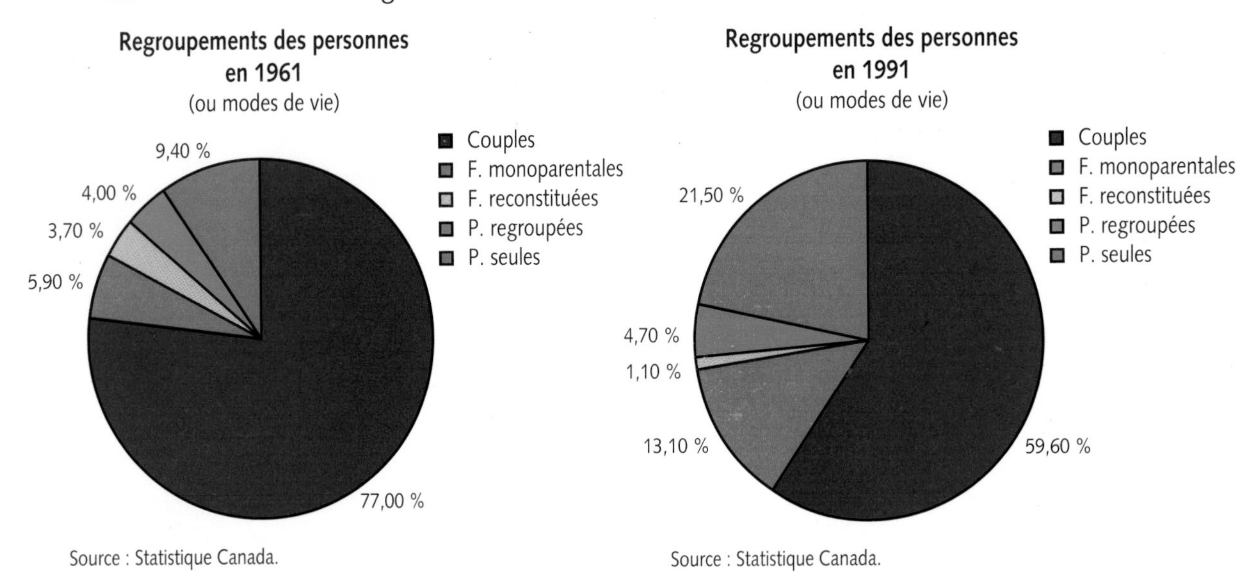

4° **La population dans le monde scolaire prend un aspect différent.**

n) D'après le diagramme à bandes suivant, comment la population scolaire évolue-t-elle au Canada?

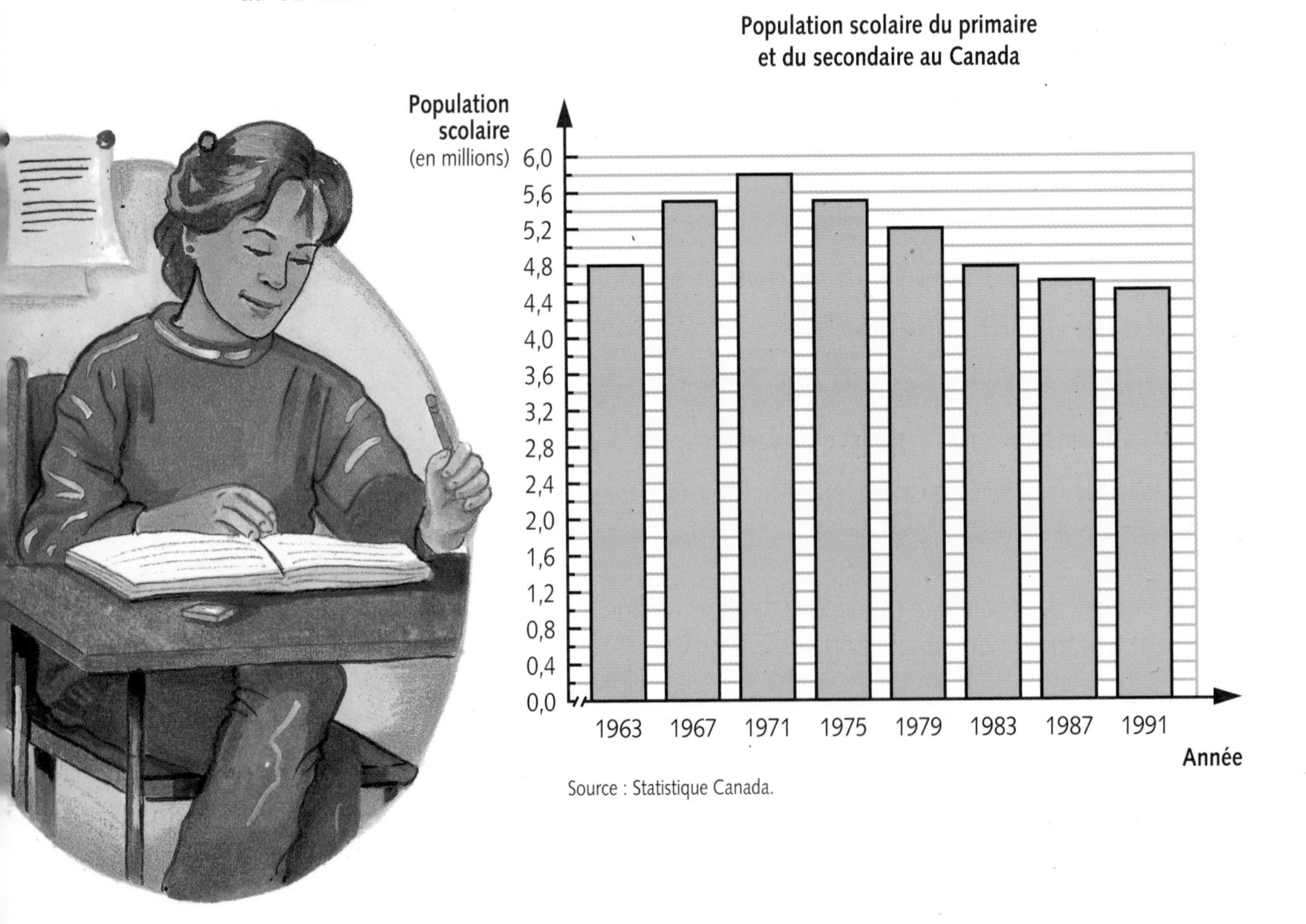

QU'EN PENSEZ-VOUS ?

o) Pourquoi fait-on des sondages et des recensements?

p) Quelle est la différence entre un sondage et un recensement?

q) Qui fait des sondages et des recensements, et qui commande ces sondages ou ces recensements?

r) À quoi servent les graphiques?

s) Quels sont les avantages du graphique si on le compare avec un texte écrit?

t) Faut-il croire aux sondages?

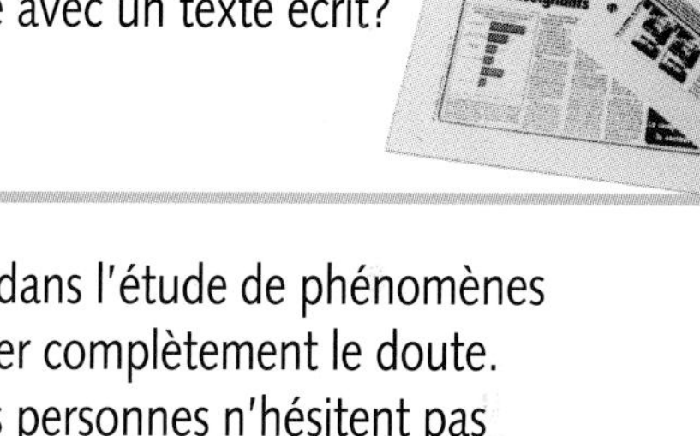
Léger & Léger et le Journal de Montréal avaient vu juste
LE NON DOMINE
LÉGER & LÉGER
LES RÉSULTATS RÉFÉRENDAIRES
SYSTÈME D'ÉDUCATION:
Satisfaction des Québécois par une faible majorité
Les enseignants

La statistique est **la science de l'incertitude.** Elle est utilisée dans l'étude de phénomènes incertains et nous aide à voir plus clair, sans toutefois éliminer complètement le doute. La statistique peut même être un outil dangereux. Certaines personnes n'hésitent pas à s'en servir pour manipuler l'opinion des gens. D'où l'importance de connaître cette science.

Le principal outil de la statistique est l'enquête. Il existe deux sortes d'enquêtes : le sondage et le recensement. Dans un sondage, on ne s'adresse qu'à un échantillon, tandis que dans un recensement, on s'adresse à toute la population à étudier. Le sondage est plus utilisé pour des raisons de temps et d'argent.

Pour réaliser un sondage, il faut :

- ☑ **définir** le ou les caractères à étudier;
- ☑ **préciser** la population à étudier et **former** un échantillon représentatif;
- ☑ **élaborer** un questionnaire approprié;
- ☑ **recueillir** les données auprès de l'échantillon;
- ☑ **saisir, rassembler** et **organiser** les données en tableaux et en graphiques;
- ☑ **analyser** les données et **tirer** les conclusions du sondage.

Le but premier d'un sondage est de tirer des conclusions. C'est pour cette raison que, généralement, on produit un rapport sur le sondage.

La statistique effectue ce travail selon des méthodes et des règles précises. Il importe donc de se familiariser avec ces méthodes et ces règles en faisant quelques sondages.

SONDAGE 1 Le polygone préféré

On désire connaître le polygone préféré des élèves de première secondaire de l'école. La classe constitue un échantillon.

a) Crois-tu que la classe constitue un bon échantillon des élèves de première secondaire de l'école?

En guise de questionnaire, nous demanderons à chaque élève de la classe de dessiner son polygone préféré, en nous assurant d'abord que tous savent ce qu'est un polygone.

b) Chacun dessine son polygone préféré sur une feuille.

On peut se contenter du nom d'après le nombre de côtés!

Nous allons maintenant **recueillir** la donnée de chacun.

c) Quelles sont les données possibles?

Pour rassembler les données de toute la classe, il nous faut construire un **tableau de dépouillement.**

Découvrons ce que nous dit la statistique pour dépouiller des données.

Un **tableau de dépouillement** comporte toujours :

1) un titre;
2) une colonne dans laquelle on inscrit les différentes valeurs possibles pour les données;
3) une colonne pour effectuer le dénombrement;
4) une dernière colonne dans laquelle on inscrit le nombre de fois que chaque valeur est apparue.

Titre : ....

Valeur	Dénombrement	Total des effectifs

CARNET DE VOYAGE

Le dénombrement se fait à l'aide de petites barres. La cinquième barre est placée en travers des quatre premières. Ex. : ~~||||~~

d) Chacun construit son tableau de dépouillement en précisant :

1) le titre; 2) les valeurs possibles.

e) Chacun, à tour de rôle, communique sa donnée à la classe. Combien de côtés le polygone que tu as dessiné a-t-il?

f) Lorsque tous les élèves ont communiqué leur donnée, on remplit la colonne des effectifs.

L'**effectif** d'une valeur est le nombre de fois que cette valeur apparaît.

g) Quelle valeur a le plus grand effectif?

h) Quelle valeur a le plus petit effectif?

Souvent, le tableau qui a servi au dépouillement n'est plus très propre. On le reproduit alors sous la forme d'un **tableau de distribution.** Voici ce qu'enseigne la statistique sur les tableaux de distribution.

CARNET DE
VOYAGE

Le tableau de distribution est une version modifiée du tableau de dépouillement, auquel on a enlevé la colonne du dénombrement. On profite de cette transformation pour mettre de l'ordre dans les valeurs ou les effectifs. Parfois, on ajoute une colonne indiquant le rapport de l'effectif au total des effectifs, sous la forme d'une fraction, d'un pourcentage ou d'un nombre décimal. Un tel rapport est appelé **fréquence relative.**

Titre : ....

Valeur	Effectif	Rapport	%
Total		1	100 %

i) Construis le tableau de distribution du présent sondage.

On observe que, dans ce dernier sondage, les données sont des mots tels que **triangle, quadrilatère, pentagone,** etc. On dit que ce sont des **données alphanumériques.**

SONDAGE 2 Le chiffre préféré

Nous pourrions réunir nos données avec celles d'autres groupes!

a) Y a-t-il une différence entre un chiffre et un nombre?

b) Chacun inscrit sur un morceau de papier son chiffre préféré.

c) On construit un tableau de dépouillement pour ce sondage.

d) Chacun communique à la classe son chiffre préféré et on dépouille les données.

e) On construit un tableau de distribution des données de ce sondage.

Lorsque les données sont des chiffres ou des nombres, on dit que ce sont des **données numériques.**

SONDAGE 3 Comment le coeur des adolescents et adolescentes de première secondaire réagit-il à l'exercice physique?

Le pouls est le nombre de battements du coeur par minute.

Une petite expérience nous le montrera.

a) Chacun prend son pouls et note soigneusement le résultat.

b) On saute sur place pendant une minute au rythme fixé par l'enseignant ou l'enseignante.

c) On reprend à nouveau son pouls et on note le résultat.

d) Dépouillons maintenant les données avant l'exercice et les données après l'exercice. Comment va-t-on organiser ces résultats pour les dépouiller?

Peut-être est-il préférable de grouper les données en **classes,** c'est-à-dire en groupes de données.

Ex. : On pourrait partager des données comprises entre 50 et 100 en 5 groupes :

- les données de 50 à 60;
- les données de 60 à 70;
- les données de 70 à 80;
- les données de 80 à 90;
- les données de 90 à 100.

On pourrait choisir des classes plus grandes ou plus petites.

On forme une classe en plaçant le premier et le dernier nombre de la classe entre des crochets et en les séparant par une virgule.

Ex. : La classe commençant à *a* et se terminant à *b* en excluant *b* se note **[*a*, *b* [.**

Généralement, dans un dépouillement de données en classes, on forme de 5 à 8 classes.

e) Comment doit-on interpréter les notations :

1) [*a*, *b*]?   2)]*a*, *b*[?

f) C'est parti! Chacun fait connaître ses données et on les dépouille en classes dans deux tableaux.

g) Construis les deux tableaux de distribution qui correspondent aux deux tableaux de dépouillement.

Titre : ....

Pouls	Dénombrement	Total des effectifs
[50, 55[		
[55,		

h) Que peut-on observer si l'on compare les deux tableaux?

Lorsque, dans une enquête ou un sondage, les données numériques sont nombreuses et diverses, il est à conseiller de les grouper dans des **classes.**

SONDAGE OU EXPÉRIENCE 4 Le rebondissement du bouton

Les tableaux de dépouillement et de distribution sont également très utiles pour l'étude des résultats de diverses expériences.

Sur un carton de un mètre carré, chacune des équipes trace des cercles dont les rayons mesurent respectivement 5, 15, 25, 35 et 45 cm.

Le bras tendu, chacun laisse tomber 5 fois un bouton parallèlement au sol en visant le centre du petit cercle.

Si le bouton s'arrête sur le cercle 3, on note 3 comme donnée. Et ainsi de suite pour chaque membre de l'équipe.

On veut savoir sur quel cercle le bouton s'arrêtera le plus souvent.

a) Qu'en penses-tu?

b) L'expérience est en cours... Chaque équipe construit son tableau de dépouillement.

c) Chacun a maintenant ses données. Nous allons les réunir dans un unique tableau de distribution.

d) Quelle est la valeur qui a le plus grand effectif?

Vive les tableaux! Ils valent mille mots!

Les tableaux sont des outils importants non seulement en statistique mais dans plusieurs disciplines. Généralement, ils sont **porteurs de messages,** de faits, d'observations et de conclusions.

Enquêteurs et enquêteuses demandés

Une maison de sondages est à la recherche de personnes pour enquêter sur une série de sujets pour l'émission de télévision *La guerre des clans.*

S.V.P. s'adresser à votre responsable pour plus de détails.

P.S. : Tout travail fait avec un logiciel de statistique sur un ordinateur personnel sera hautement pris en considération.

1 Un nombre est premier s'il n'a que deux facteurs. On a groupé les 100 premiers nombres naturels selon qu'ils se terminent par 0, 1, 2, 3, 4, 5, 6, 7, 8 ou 9. En observant chacun des nombres, on trace une barre s'il est premier. Le travail est déjà commencé et on vient de placer les nombres qui se terminent par 3. Poursuis le travail avec ceux qui se terminent par 4 et les autres. Par la suite, construis un tableau de la distribution obtenue et donne la conclusion que tu peux en tirer.

NOMBRES PREMIERS

Nombre	Dénombrement	Effectif
0		
1	~~||||~~	
2	|	
3	~~||||~~ ||	
4		
5		
6		
7		
8		
9		

2 Construis un tableau de distribution des élèves de la classe indiquant les filles ou les garçons portant ou ne portant pas de lunettes. Quel fait peux-tu dégager de ce tableau?

3 Prends un annuaire téléphonique et construis un tableau de distribution montrant le nombre de lettres qu'ont les noms de famille commençant par la même lettre que le tien. (S'il y a plus de 50 noms, considères-en 50 au maximum.) Quelle conclusion peux-tu en tirer?

4 Ta soeur travaille au Service de pédiatrie d'un hôpital. Tu lui as demandé de relever la taille des bébés qui sont nés au cours du dernier mois. Voici les données en centimètres qu'elle t'a fournies :

48, 58, 52, 50, 49, 45, 60, 54, 48, 56, 55, 50, 48, 54, 54, 57, 55, 51, 49, 51, 53,
50, 54, 55, 53, 50, 56, 58, 56, 48, 47, 52, 52, 54, 56, 47, 54, 56, 45, 49, 52, 58.

Construis un tableau de distribution et donne la principale conclusion que révèlent ces données.

5 En traçant toutes les diagonales d'un octogone régulier, on divise sa surface en 80 régions, dont 56 triangles. Classe les triangles obtenus en triangles scalènes, isocèles ou équilatéraux. Construis le tableau de distribution et tire une conclusion.

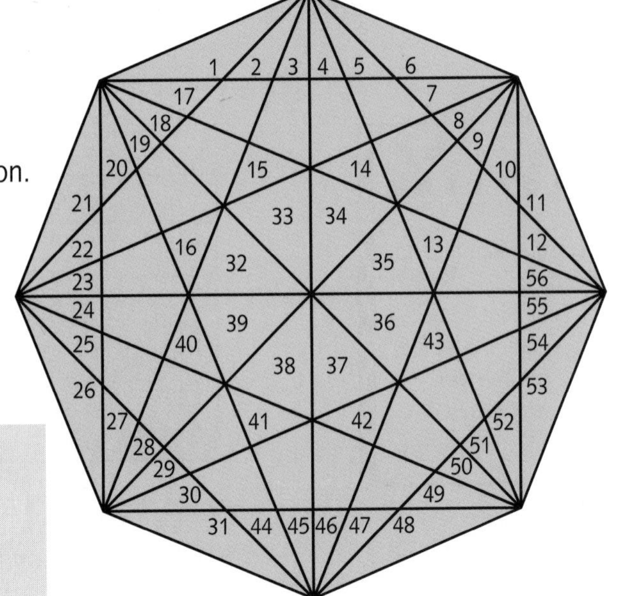

6 Tu as demandé à ton ami qui travaille dans une station-service de relever pour toi le montant de chaque achat d'essence. Voici ce qu'il t'a remis sur un bout de papier (les montants ont été arrondis à l'unité près) :

20, 32, 28, 24, 28, 22, 19, 12, 35, 40, 45, 30, 29,
25, 33, 28, 12, 18, 14, 23, 29, 30, 21, 27, 30, 25,
18, 17, 39, 27, 34, 16, 29, 25, 24, 22, 17, 12, 10,
24, 23, 29, 39, 21, 20, 20, 18, 24, 38, 23.

Construis un tableau de distribution et tire quelques conclusions.

Dans un centre commercial, un restaurateur a fait un petit sondage pour connaître les goûts des consommateurs et consommatrices relativement à 3 types de pizzas. Voici le tableau de distribution obtenu. Remplis les deux dernières colonnes. Quel en est le principal message?

Pizzas préférées

Pizza	Effectif	Rapport	%
Fromage	40		
Toute garnie	22		
Fruits de mer	28		

8 On a demandé à des personnes dans une petite rue d'indiquer le dernier chiffre de leur date de naissance. Le tableau ci-contre montre la distribution obtenue. On a dissimulé la colonne des effectifs. Essaie de les trouver, sachant que l'on a obtenu 200 réponses.

Dernier chiffre de la date de naissance

Chiffre	Effectif	%
0		16
1		20
2		7
3		6
4		8
5		9
6		5
7		10
8		11
9		8

9 Voici les vitesses sur terre de certains animaux en kilomètres par heure :

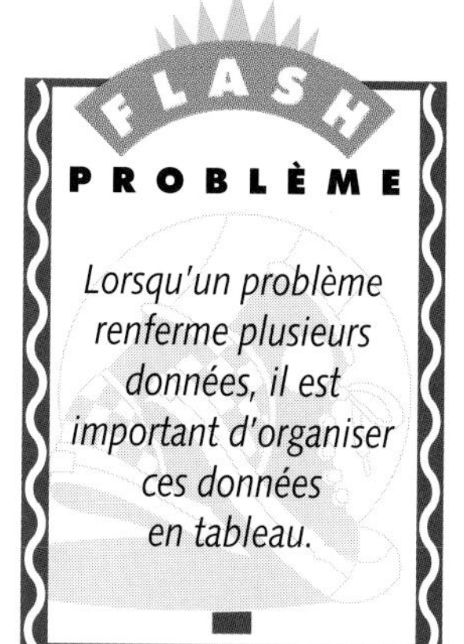

FLASH
PROBLÈME
Lorsqu'un problème renferme plusieurs données, il est important d'organiser ces données en tableau.

Vitesses sur terre (en km/h)

Animal	Vitesse	Animal	Vitesse	Animal	Vitesse
Guépard	112	Renard	67	Ours	46
Antilope	95	Zèbre	64	Éléphant	45
Lion	80	Lièvre	62	Mouton	35
Cheval	77	Rhinocéros	54	Dinde	24
Élan	72	Girafe	51	Porc	18
Coyote	69	Chat	48	Poulet	14

a) Les animaux lourds sont-ils plus lents?

b) Qu'ont en commun les animaux les plus lents?

c) Quelle vitesse représente le mieux la vitesse des animaux?

POURQUOI?
Pourquoi le zèbre a-t-il des raies noires et blanches?

10

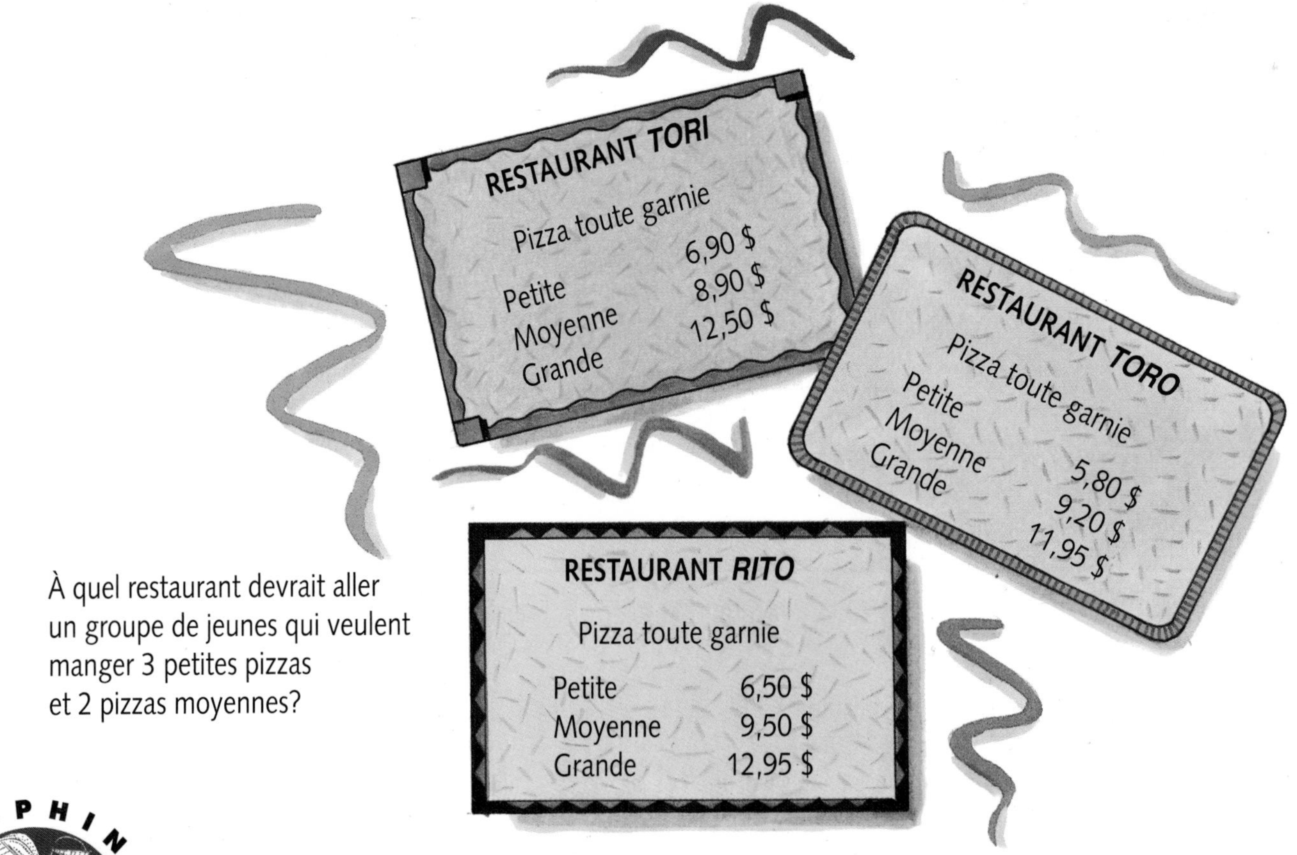

RESTAURANT TORI
Pizza toute garnie
Petite 6,90 $
Moyenne 8,90 $
Grande 12,50 $
RESTAURANT TORO
Pizza toute garnie
Petite 5,80 $
Moyenne 9,20 $
Grande 11,95 $
RESTAURANT RITO
Pizza toute garnie
Petite 6,50 $
Moyenne 9,50 $
Grande 12,95 $

À quel restaurant devrait aller un groupe de jeunes qui veulent manger 3 petites pizzas et 2 pizzas moyennes?

LE SPHINX

Qui est la meilleure nageuse?

- Marceline a construit un diagramme à bandes illustrant le nombre de médailles gagnées par un club de nageuses. Malheureusement, elle a oublié d'indiquer les prénoms sur l'un des axes. Retrouve la position de chaque prénom à partir des indications suivantes :
  - Hélène a plus de médailles que Kristina.
  - Manon a été blessée et c'est elle qui a le moins de médailles.
  - Lina a moins de médailles que Kristina.
  - Hélène a moins de médailles que Simiane.

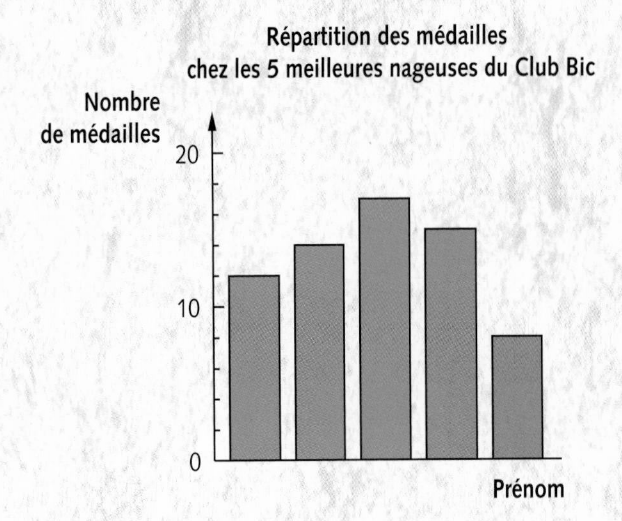

LES DIAGRAMMES À BANDES

Tout est dans la façon de faire!

Denise St-Onge dirige une importante compagnie de construction. Aujourd'hui, elle rencontre avec son équipe d'importants investisseurs et investisseuses qui veulent faire construire un immeuble. Afin de les impressionner et de prouver que sa compagnie fonctionne bien toute l'année, Denise St-Onge a demandé à son service de publicité de préparer des diagrammes à bandes illustrant les données du tableau ci-contre. Voici les graphiques qu'on lui a présentés.

Nombre de contrats par saison l'an dernier

Saison	Effectif
Hiver	38
Printemps	72
Été	82
Automne	48

- Indique comment on a modifié le premier graphique pour obtenir les autres.

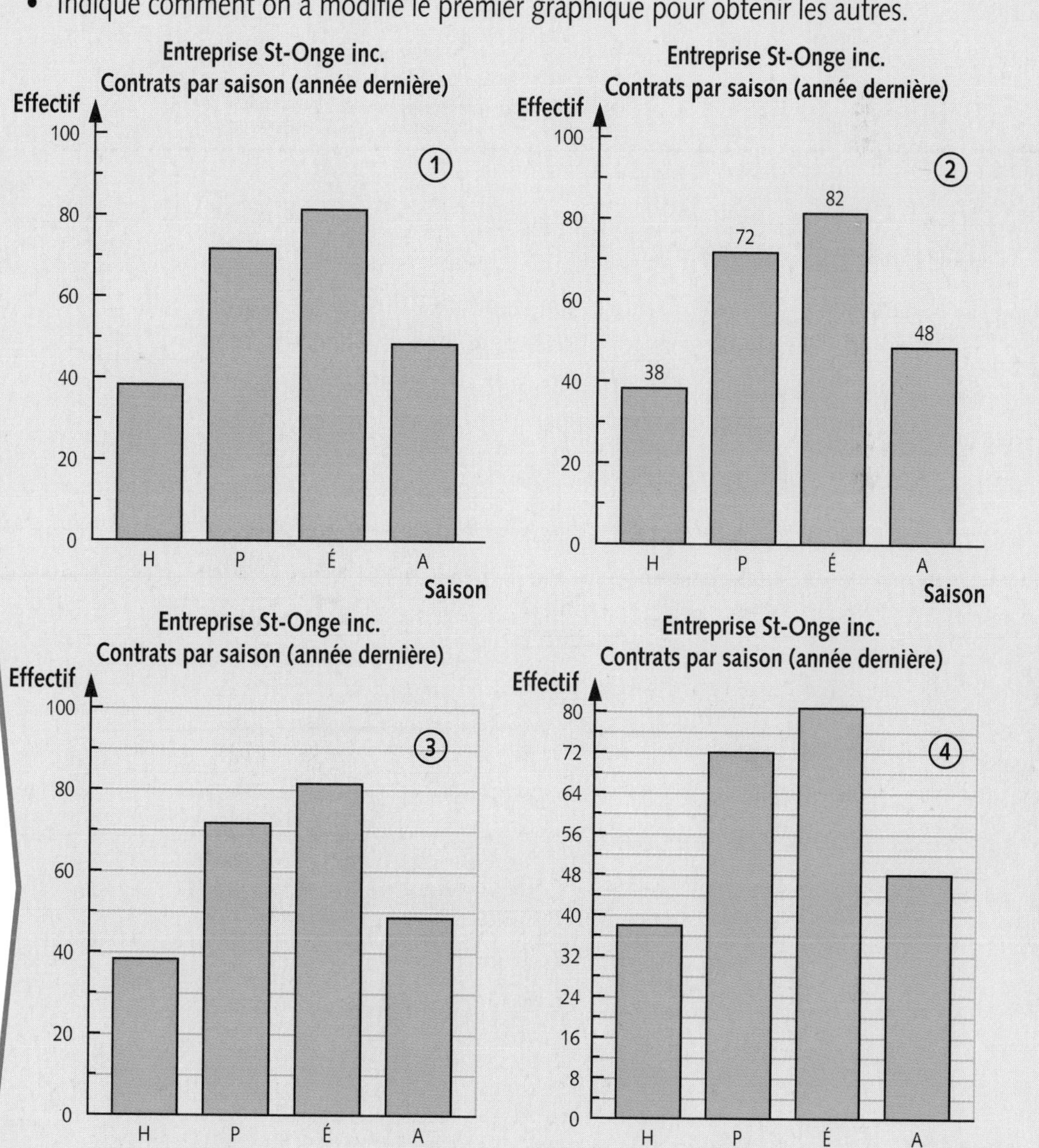

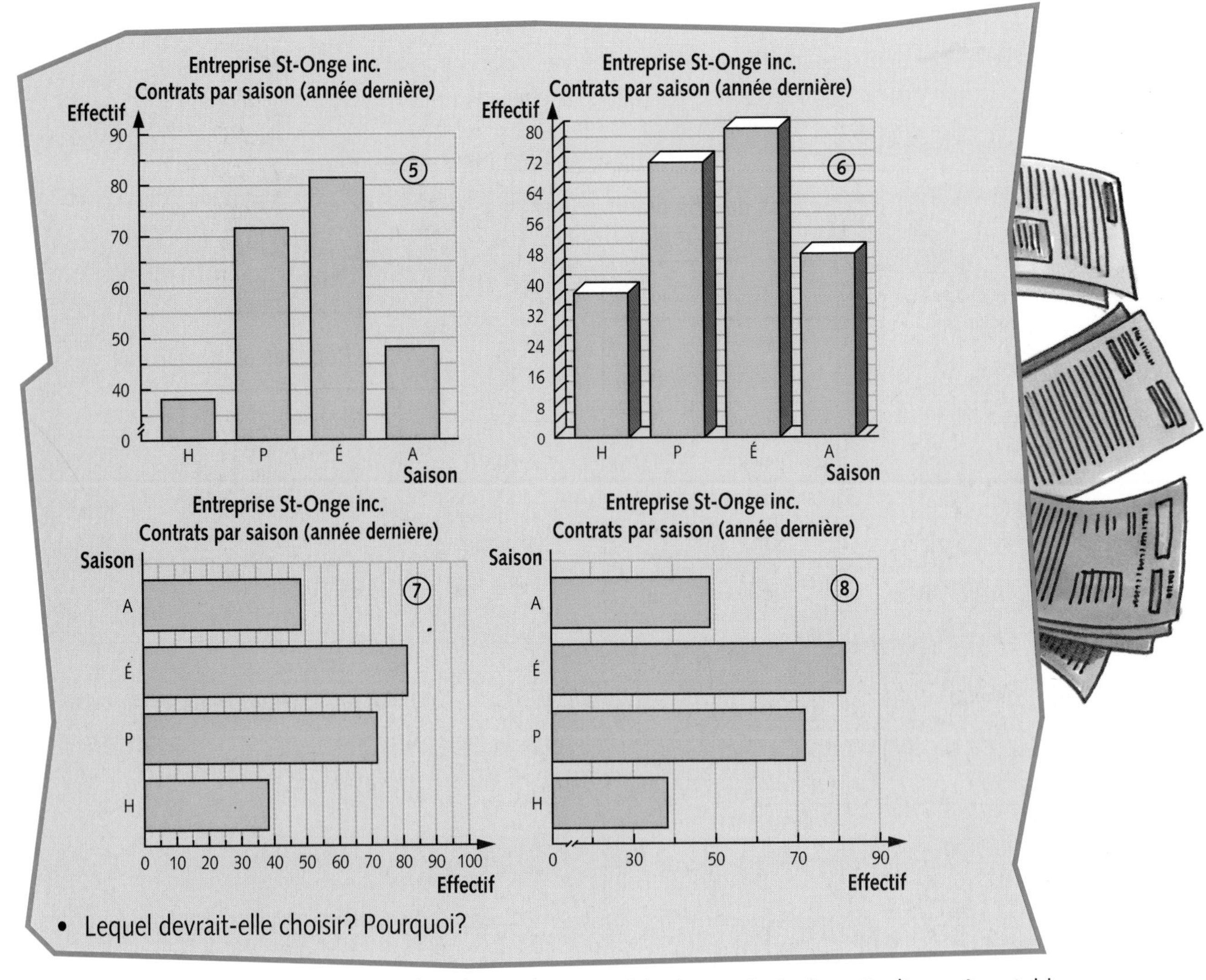

- Lequel devrait-elle choisir? Pourquoi?

Parmi les nombreux diagrammes à bandes qu'il est possible de construire à partir d'un même tableau de distribution, il importe d'en choisir un qui soit particulièrement facile à lire et plaisant à regarder.

Voici ce qu'enseigne la statistique sur les diagrammes à bandes :

Un **diagramme à bandes** comprend :

- un titre;
- des axes identifiés aux valeurs et aux effectifs;
- des bandes dont la longueur correspond à l'effectif de chaque valeur.

L'axe des effectifs est gradué et la graduation dépend du nombre de graduations que l'on veut obtenir. Généralement, on obtient le pas de graduation en prenant l'arrondi du calcul suivant :

(effectif maximal – effectif minimal) ÷ nombre de graduations désirées

Le nombre de graduations acceptable est entre 5 et 10.

Il est à conseiller de former des graduations secondaires, ou sous-graduations, afin d'augmenter la précision de lecture du graphique.

Parfois, les bandes sont réduites à de simples lignes et l'on parle de diagramme à bâtons.

Le diagramme à bandes se prête bien à la représentation d'un caractère dont les valeurs sont alphanumériques, c'est-à-dire dont les valeurs sont des mots.

CARNET DE VOYAGE

a) Voici quelques tableaux de distribution de données que l'on veut représenter par des diagrammes à bandes. Détermine les graduations convenables pour l'axe des effectifs.

1 **Nombre de cas de sida diagnostiqués chaque année (région 03)**

Année	Effectif
1984	8
1985	11
1986	9
1987	20
1988	20
1989	28
1990	21
1991	14

2 **Régimes alimentaires**

Façon de maigrir	Effectif
Régime personnel	320
Produits amaigrissants	160
Régime médical	340
Thérapie de groupe	80
Autres	100

Source : Le Groupe Léger et Léger.

3 **Infarctus selon la journée**

Journée	Fréquence (en %)
Lundi	18
Mardi	14,2
Mercredi	13,3
Jeudi	15
Vendredi	12,7
Samedi	14,8
Dimanche	12

4 **Personnalités les plus riches du monde**

Nom	Avoir (en G$ US)
Famille Walton (É.-U.)	23,8
Taikichiro Mori (Japon)	13
Yoshiaki Tsutsumi (Japon)	10
Famille Dupont (É.-U.)	8,6
Famille Mars (É.-U.)	8
Hans et Gad Rausing (Suède)	7
Erivan Haub (All.)	6,9

b) Dans chaque cas, quel peut être le pas de la graduation de l'axe des effectifs si l'on veut de 5 à 8 graduations?

1) 12, 34, 42, 88, 124, 162
2) 238, 300, 412, 500, 621, 820
3) 1,2; 4,6; 4,5; 6,1; 6,8
4) 823, 1 240, 1 560, 2 489, 3 120
5) 1 220, 2 563, 2 800, 3 240, 8 400
6) 12 030, 14 280, 18 456, 20 348
7) 2 300 000, 24 000 000, 32 000 000, 48 600 000, 64 800 000

QU'EN PENSEZ-VOUS?

c) Décidez du pas de graduation de l'axe selon les effectifs suivants :

1) 4, 5, 8, 12, 24, 32
2) 20, 34, 45, 90, 120
3) 209, 320, 450, 800, 1 000, 1 400
4) 800, 1 420, 1 800, 2 800, 4 200
5) 20 000, 34 400, 62 560, 89 024, 120 100

d) Quelle échelle ou quel pas de graduation peut convenir pour ces fréquences relatives?

1) 20 % 28 % 34 % 50 % 80 %
2) 0,02 0,08 0,095 0,12 0,146

e) On écrit généralement sur l'axe les nombres correspondant aux graduations. Mais que peut-on faire pour réduire l'écriture dans le cas de grands nombres tels que :

1) 120 000, 132 000, 140 000, 170 000?
2) 23 000 000, 32 000 000, 43 000 000?

f) Voici des effectifs à illustrer. Dans quel cas est-il préférable d'effectuer une coupure d'axe? Pourquoi?

1) 12, 24, 28, 32, 49, 17
2) 812, 840, 879, 624, 580

g) Quel effet une coupure d'axe a-t-elle sur les bandes?

h) Combien de téléphones les élèves de la classe ont-ils à la maison ou quel est l'appareil ménager préféré de chacun?

JOGGING
Exercices 1 à 10, p. 136.

Un petit sondage rapide et l'on représente ces données par un diagramme à bandes.

POURQUOI?
Pourquoi peut-on envoyer une télécopie par téléphone?

LES HISTOGRAMMES

Lire, ça donne des idées!

Pendant que les filles lisent, les garçons jouent!

Une enquête auprès d'élèves du secondaire révèle des faits troublants qui pourraient expliquer en partie le décrochage scolaire chez les garçons. Laissons parler ces histogrammes.

Nombre de livres lus annuellement à la polyvalente X par les garçons

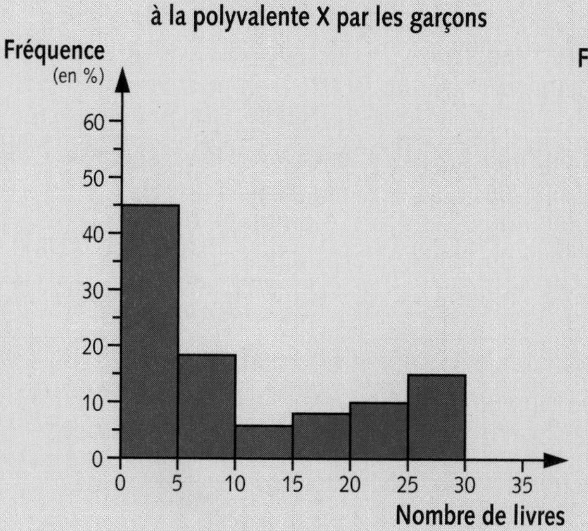

Nombre de livres lus annuellement à la polyvalente X par les filles

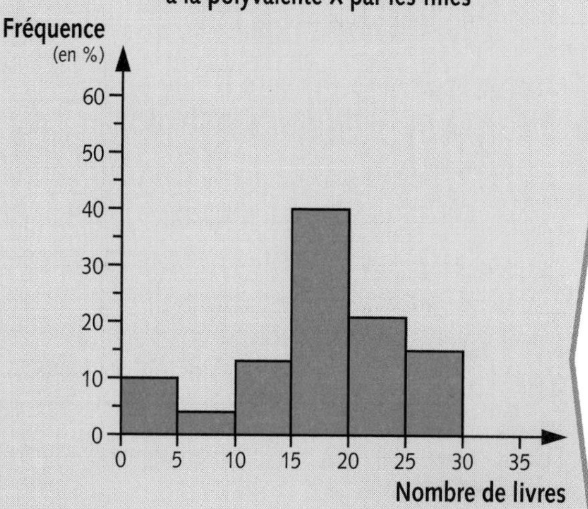

- Pourquoi les garçons lisent-ils moins que les filles?
- Quels avantages y a-t-il à lire?
- Pourquoi y a-t-il tant de décrochage scolaire chez les garçons?

En 1992, près de 36 % des garçons ne finissaient pas leur secondaire!

a) Quelle différence importante y a-t-il entre un diagramme à bandes et un histogramme?

L'histogramme est aux données groupées en classes ce que le diagramme à bandes verticales est aux données non groupées en classes.

Voici ce qu'enseigne la statistique sur les histogrammes :

CARNET DE VOYAGE

> L'**histogramme** est le graphique utilisé pour illustrer des **données groupées en classes.** Il nécessite un titre et des axes identifiés et gradués.
>
> L'axe vertical présente les effectifs ou les fréquences relatives et l'axe horizontal présente les classes. On inscrit sur cet axe les limites des classes. On ajoute toujours une classe de plus au début (à moins que la première ne commence à 0) et une classe de plus à la fin.

b) L'alcool est un grave problème chez les jeunes de 15 ans. Près de 50 % des jeunes consomment de l'alcool. On boit principalement de la bière. Cet histogramme donne le nombre de bouteilles consommées les fins de semaine par 100 jeunes qui avouent consommer de la bière. À partir de cet histogramme, construis le tableau de distribution de ces données.

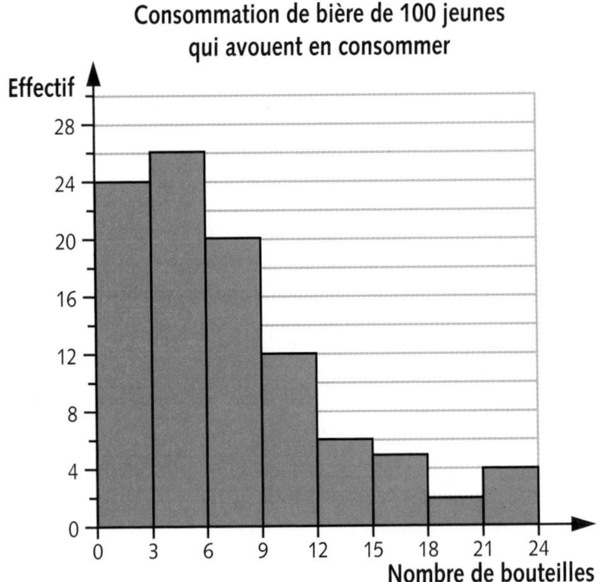

c) Construis l'histogramme de la taille des élèves de la classe.

JOGGING
Exercices 11 à 19, p. 140.

LES DIAGRAMMES À LIGNE BRISÉE

L'alcool au volant, c'est criminel!

L'alcool est l'une des principales causes des accidents de la route! Voici un diagramme à ligne brisée qui montre l'évolution de la situation au Québec sur une période de quelques années.

Nombre de personnes qui ont péri sur les routes du Québec

Nombre de personnes

1 400
1 300
1 200
1 100
1 000
0

1985 1987 1989 1991

Année

Source : Société de l'assurance automobile du Québec.

- À ton avis, quelles sont les autres causes des accidents de voiture?
- Une campagne de sensibilisation des gens sur les risques d'accidents en état d'ébriété a porté ses fruits. D'après le graphique, à quel moment cette campagne a-t-elle eu lieu?
- Pourquoi peut-on affirmer que la situation s'améliore au Québec?
- À ton avis, l'augmentation de la population est-elle un facteur qui intervient dans l'évolution de la situation?

a) Pourquoi donne-t-on le nom de diagramme à ligne brisée à un tel graphique?

b) Décris les éléments qui composent un graphique à ligne brisée.

c) Quelle est l'utilité des lignes pointillées dans un graphique à ligne brisée?

d) Quand est-on obligé de faire des coupures d'axe?

La statistique enseigne que :

CARNET DE VOYAGE

Les **diagrammes à ligne brisée** nous renseignent sur l'évolution d'une situation, d'une expérience ou d'un phénomène.

Le lien entre une valeur de l'axe horizontal et un effectif de l'axe vertical est marqué par un point.

On forme la ligne brisée en reliant les points consécutivement sur le graphique.

On utilise très souvent le graphique à ligne brisée pour comparer l'évolution de deux phénomènes.

JOGGING Exercices 20 à 28, p. 143.

e) Comment l'effectif scolaire de notre école a-t-il évolué au cours des 6 dernières années? Notre école risque-t-elle d'être fermée à cause d'un effectif insuffisant? Chacun représente par un graphique à ligne brisée le tableau de données que l'on vous remet sur le sujet et qui provient des archives de l'école.

LES DIAGRAMMES CIRCULAIRES

Une dette menaçante!

La dette gouvernementale rogne de plus en plus le budget fédéral!

Répartition des dépenses du gouvernement fédéral (1992)

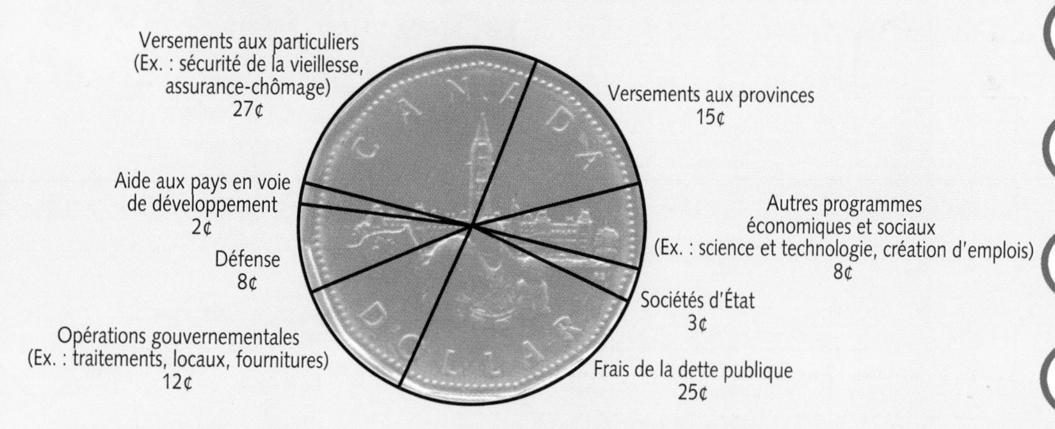

Source : Budget de février 1992 (prévisions pour 1992-1993), gouvernement du Canada.

- Que reste-t-il aux gouvernants et gouvernantes sur chaque dollar une fois les frais de la dette publique enlevés?
- Que va-t-il se produire si les frais de la dette publique augmentent encore?
- Quelle fraction la défense représente-t-elle par rapport aux versements aux particuliers?
- Quelle partie du budget les frais de la dette publique et les versements aux particuliers représentent-ils?

a) Pourquoi donne-t-on le nom de diagramme circulaire à un tel graphique?

b) Décris les éléments qui composent un diagramme circulaire.

c) En te référant au diagramme circulaire précédent, donne le pourcentage correspondant à chaque secteur.

d) À quel pourcentage tout le disque correspond-il?

e) Dans le diagramme circulaire précédent, on a désigné chaque secteur en inscrivant son nom à proximité. Aurait-on pu faire autrement?

La statistique enseigne que :

Le **diagramme circulaire** permet de représenter un tout partagé en différentes parties, de donner une idée de la grandeur de ces parties et de comparer ces parties.

Chaque partie est appelée **secteur.** Chaque secteur représente un pourcentage du tout.

Les secteurs se partagent un angle au centre de 360°.

Pour construire un diagramme circulaire, on a besoin de remplir un tableau semblable au suivant.

Titre : ....

Valeur	Effectif	r	%	Mesure des secteurs (en degrés)
...	...	...	...	...
Total	...	1	100 %	360°

f) Construis le tableau de la distribution illustrée par le diagramme circulaire ci-dessous, sachant que l'échantillon du sondage est de 1 000 personnes.

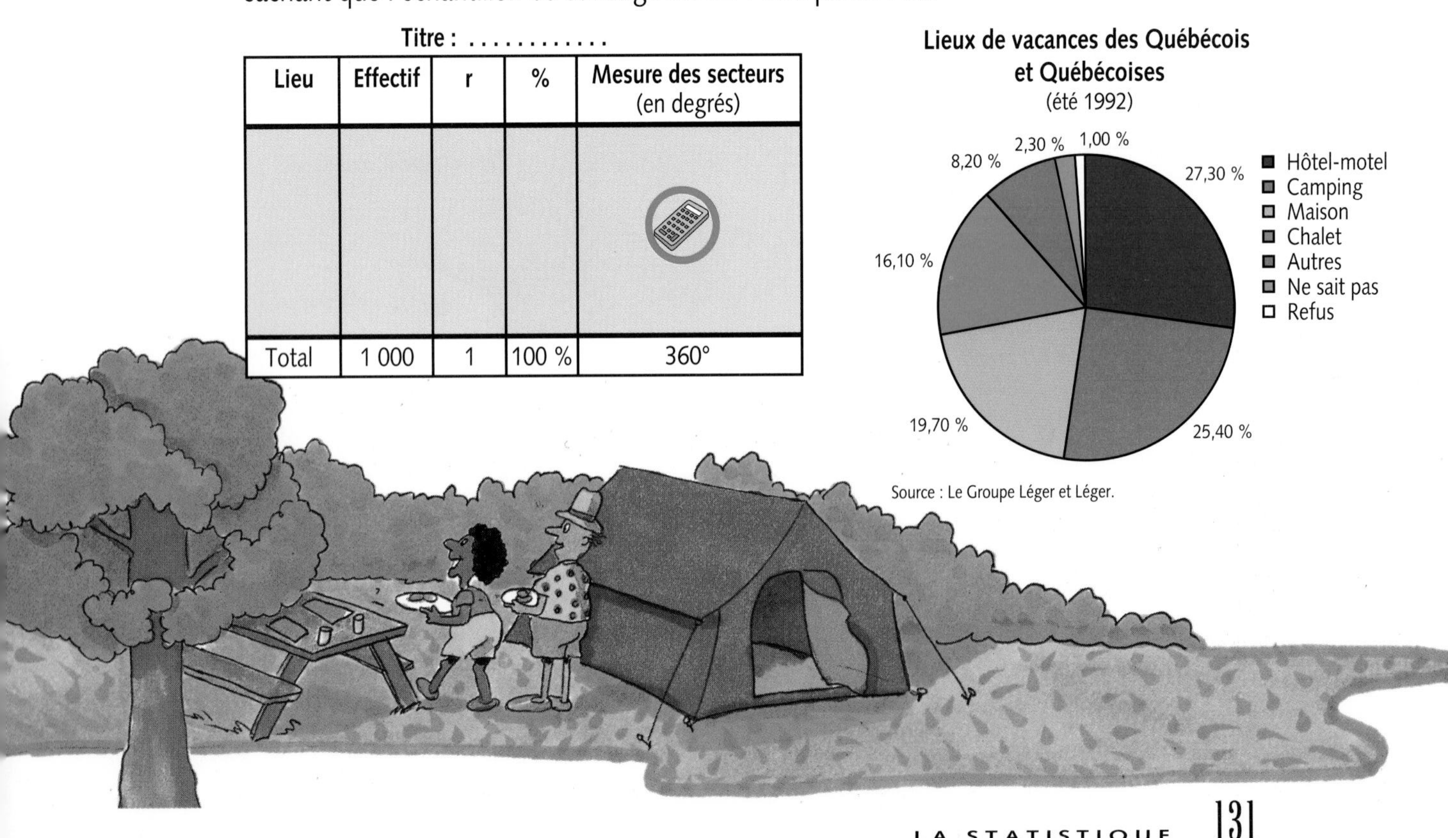

Titre : ....

Lieu	Effectif	r	%	Mesure des secteurs (en degrés)
Total	1 000	1	100 %	360°

g) Construis un diagramme circulaire illustrant cette distribution.

Personnes décédées sur les routes canadiennes (1991)

Catégorie	Effectif	r	%	Mesure des secteurs (en degrés)
Conducteurs	1 762			
Passagers	957			
Piétons	527			
Motocyclistes	231			
Cyclistes	101			
Autres	76			
Total	3 654	1	100 %	360°

Source : Ministère fédéral des Transports, 1992.

JOGGING Exercices 29 à 34, p. 146.

h) Dans quel type de résidence principale les élèves de la classe vivent-ils?

MAISON EN RANGÉE

UNIFAMILIALE

DUPLEX

MULTIFAMILIALE

ITINÉRANT!

COPROPRIÉTÉ

Un petit sondage traduit en diagramme circulaire permettrait de répondre à cette question.

LES PICTOGRAMMES

Comment se fait-il que nos mains ne se percent pas à l'usure comme nos gants?

Des milliers de cellules de notre corps meurent chaque jour et sont remplacées par d'autres. Laissons parler ce pictogramme.

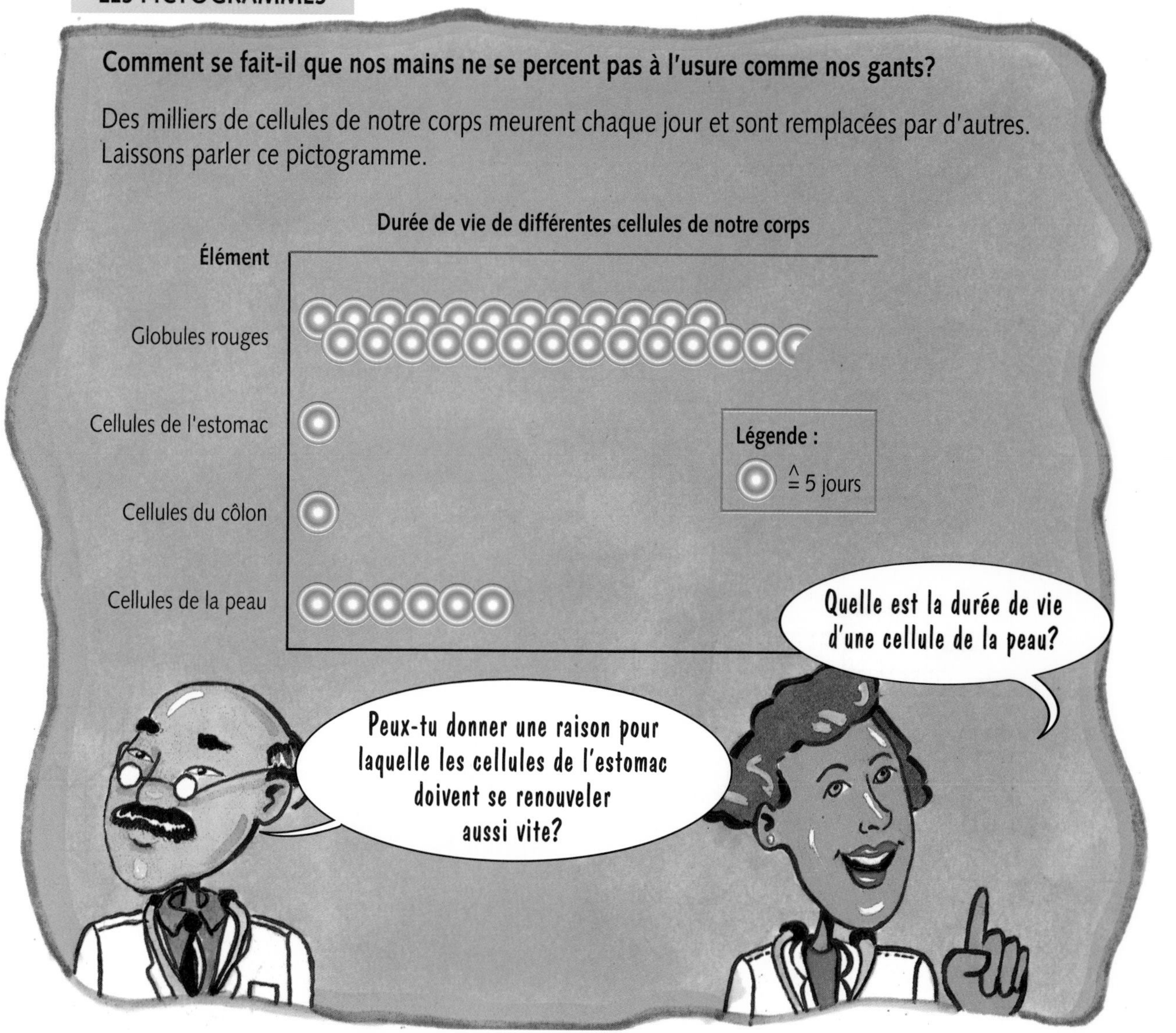
Durée de vie de différentes cellules de notre corps
Élément
Globules rouges
Cellules de l'estomac
Cellules du côlon
Cellules de la peau
Légende :
≙ 5 jours
Quelle est la durée de vie d'une cellule de la peau?
Peux-tu donner une raison pour laquelle les cellules de l'estomac doivent se renouveler aussi vite?

a) Qu'est-ce qui distingue un pictogramme des autres graphiques?

b) Le pictogramme est-il un graphique où les données sont représentées avec précision?

c) À quoi sert la légende dans un pictogramme?

d) À quoi correspond une fraction de motif?

Voici ce que dit la statistique à propos des pictogrammes :

CARNET DE VOYAGE

Dans le **pictogramme,** c'est le motif qui renseigne sur les effectifs. C'est pour cette raison qu'il faut une légende pour fixer la valeur d'un motif. Le plus souvent, on utilise un même motif dans un même pictogramme.

Une fraction de motif correspond à la même fraction de la valeur attribuée au motif dans la légende.

JOGGING Exercices 35 à 40, p. 148.

e) Quel est l'animal domestique préféré des élèves de la classe?

Un petit sondage, et l'on traduit l'information par un pictogramme.

Puisque je te dis que tu n'es pas un animal domestique!

Les autres graphiques

Il existe bien d'autres types de graphiques. Certains sont apparentés à des types connus. En voici quelques-uns.

- Le **diagramme à tige et à feuille,** dans lequel la tige est formée par les premiers chiffres du nombre et la feuille, par le dernier chiffre du nombre.

  Ainsi, le diagramme ci-contre représente les données 29, 32, 35, 38, etc.

Masse (en kg) des joueuses d'une équipe de ringuette

Tige	Feuille
2	9
3	2 5 8
4	8 9 4 1 2
5	2 9 6
6	2 3

f) Quelles sont les données qui commencent par 6?

- Le **diagramme à colonnes subdivisées.**

g) Qu'observe-t-on en ce qui concerne les frais de vente au cours des années?

h) Quels sont les frais qui tendent à augmenter d'année en année?

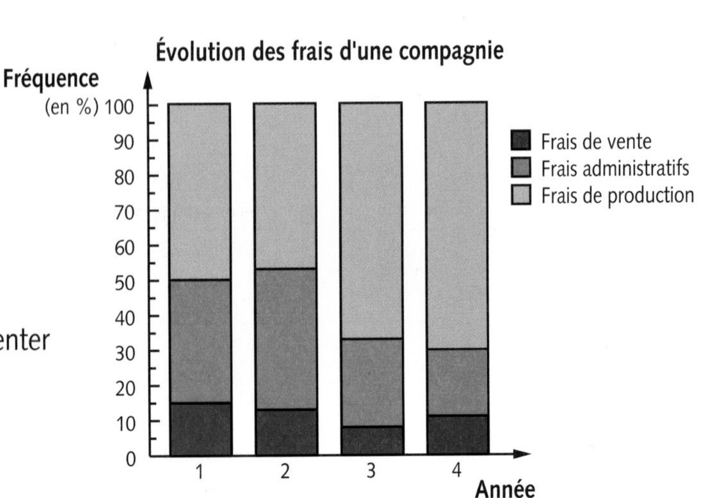

Dans une étude statistique, on utilise des graphiques principalement pour 3 raisons :

1° présenter rapidement des données;

2° comparer des données;

3° transmettre un message ou des conclusions.

DES GRAPHIQUES POUR COMPARER

Est-il vrai que les femmes conduisent mal?

Faisons la comparaison à l'aide d'un graphique.

- Qui sont les moins habiles ou les plus dangereux au volant?
- Que peut-on dire à la défense des hommes?

Oui, mais!...

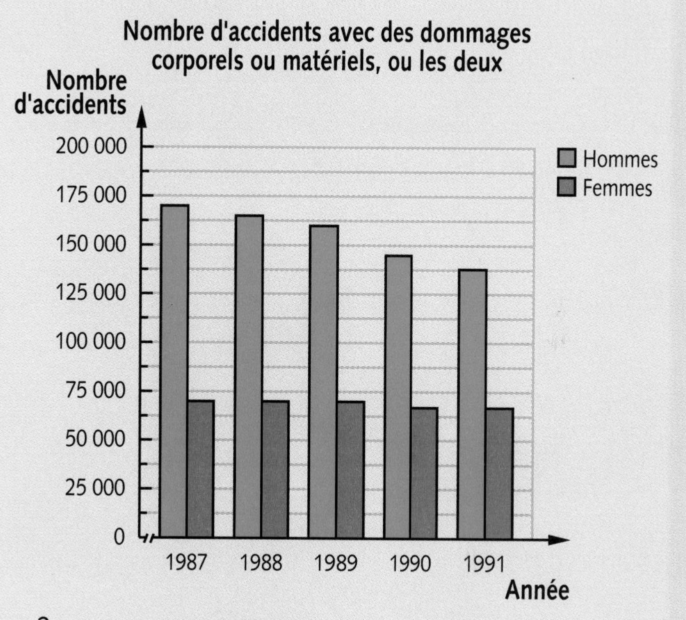

- Peut-on dire que l'homme s'améliore?

Les graphiques sont des outils précieux de comparaison.

a) Qui de la femme ou de l'homme a la meilleure santé en vieillissant?

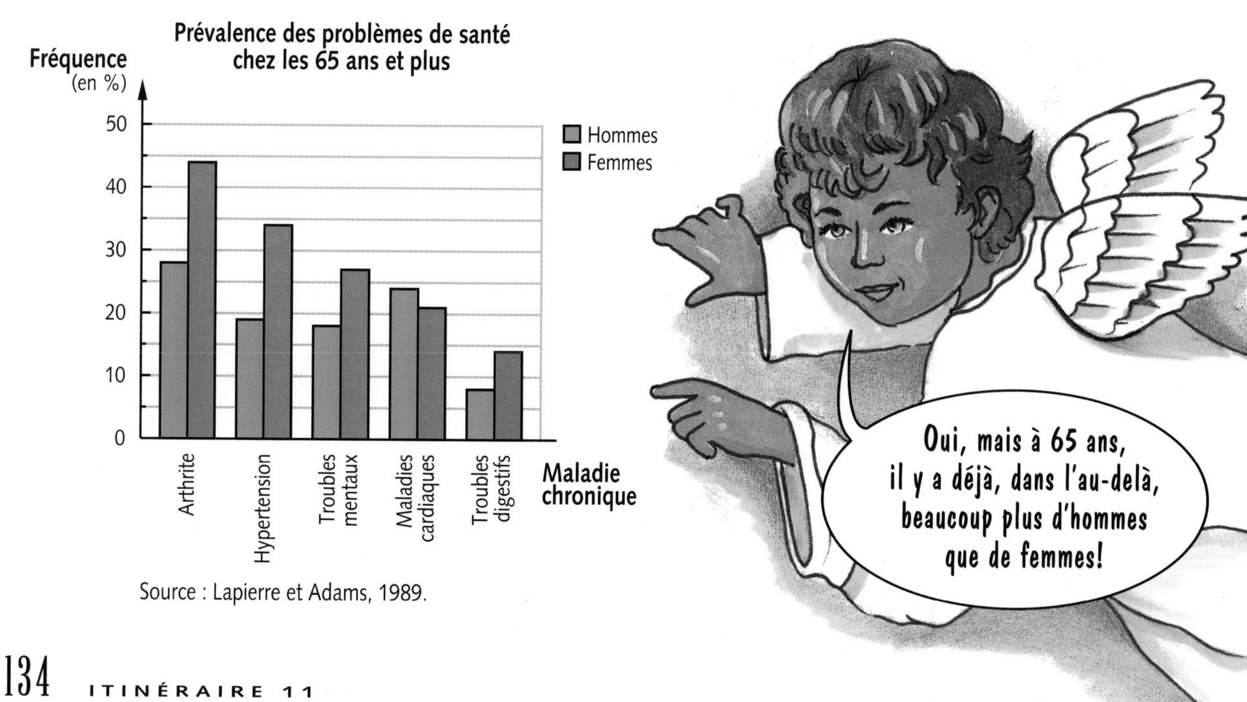

Source : Lapierre et Adams, 1989.

b) Quel groupe d'âge aura le plus augmenté en l'an 2030?

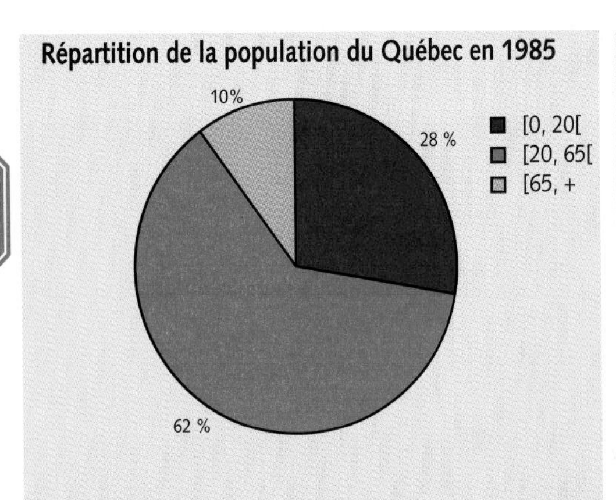

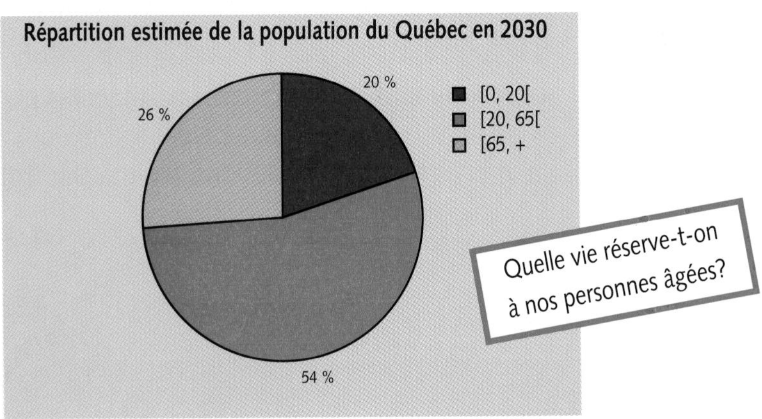

DES GRAPHIQUES ET DES CONCLUSIONS

Problèmes à la cafétéria!

Depuis un certain temps, la clientèle de la cafétéria a passablement diminué. Trouvant cette situation anormale, les responsables de l'école ont fait réaliser une étude statistique de la situation. Voici les graphiques qui présentent les résultats de cette étude.

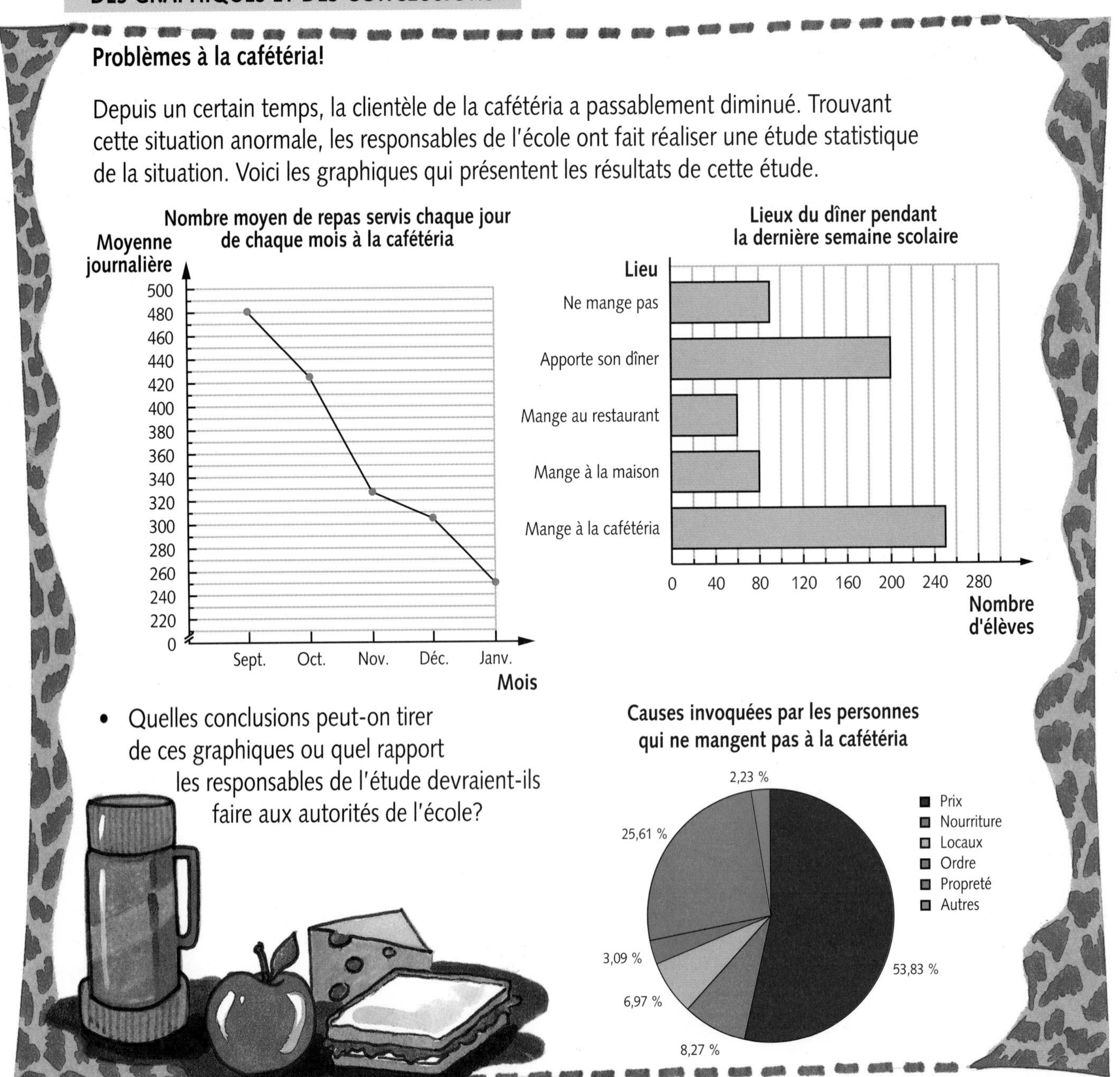

- Quelles conclusions peut-on tirer de ces graphiques ou quel rapport les responsables de l'étude devraient-ils faire aux autorités de l'école?

JOGGING
Exercices
44 à 54,
p. 152.

La statistique est l'étude de l'incertitude et, même si elle ne réussit pas à éliminer totalement cette incertitude, elle constitue le meilleur moyen pour connaître les grandes lignes d'une situation et ainsi nous aider à prendre des décisions.

Les conclusions, ou le rapport, constituent la partie la plus importante d'une étude statistique. Aussi faut-il prendre l'habitude de regarder un tableau ou un graphique pour y découvrir un message ou des conclusions, pas uniquement pour y lire des données.

1 Construis un tableau de distribution à partir du diagramme à bandes suivant :

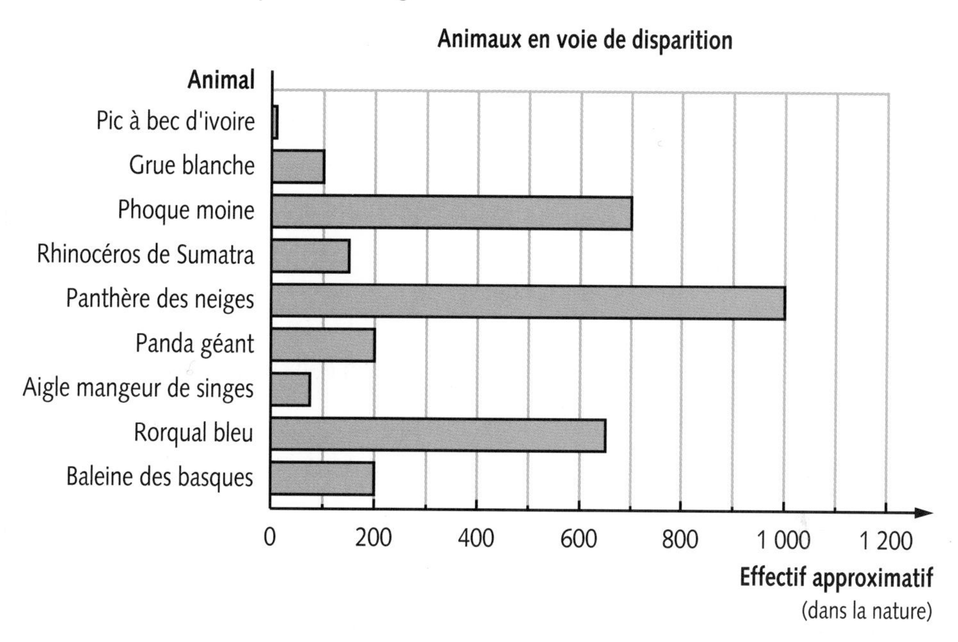

2 Voici un graphique sur les causes des incendies au Québec.

a) Quel est le rôle principal d'un titre dans un graphique?

b) Donne deux imprudences souvent commises qui peuvent être la cause d'un incendie.

c) Dans quel but a-t-on indiqué la valeur correspondant à chaque bande?

Causes d'incendies au Québec

Cause
Défaillance électrique 35,6
Imprudence 33,4
Incendie volontaire 12
Autres 19
0 10 20 30 40
Taux
(en %)

POURQUOI?
Pourquoi les allumettes s'enflamment-elles quand on les frotte?

3 L'Europe est une destination appréciée des touristes.

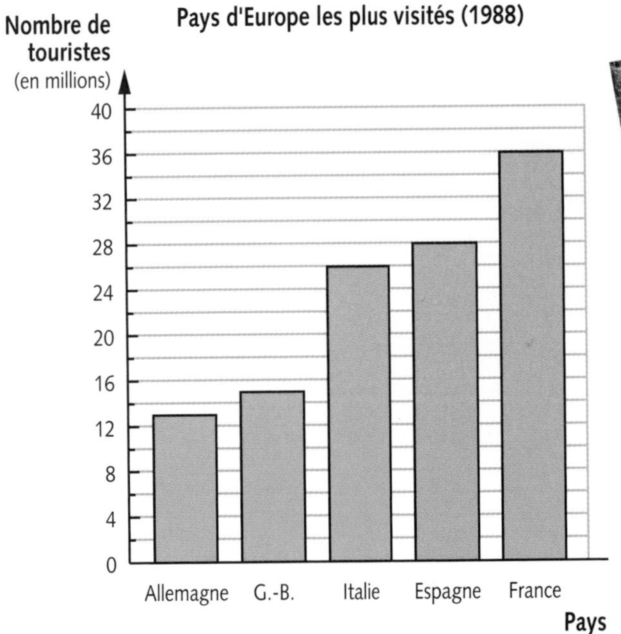

Strasbourg, France.

a) Ce graphique permet une lecture assez précise des informations qu'il renferme. Donne deux raisons.

b) Quel pays est le plus visité? Donne deux raisons qui, à ton avis, y attirent les touristes.

c) Pourquoi ne peut-on pas affirmer qu'environ cent treize millions de personnes ont visité ces 5 pays en 1988?

d) La personne qui a construit ce graphique a placé les valeurs dans l'ordre. Décris cet ordre.

4 La Première Guerre mondiale a eu lieu de 1914 à 1918 et la seconde, de 1939 à 1945. Ces deux guerres ont fait un grand nombre de victimes.

a) Selon le graphique ci-contre, quel pays a été le plus éprouvé par les pertes de vie durant la Seconde Guerre mondiale?

b) Pourquoi a-t-on fait une coupure dans la bande de l'URSS et dans l'échelle horizontale?

c) Quelle valeur de l'axe vertical n'est pas un pays? Pourquoi a-t-on jugé bon d'inscrire cette valeur dans ce graphique?

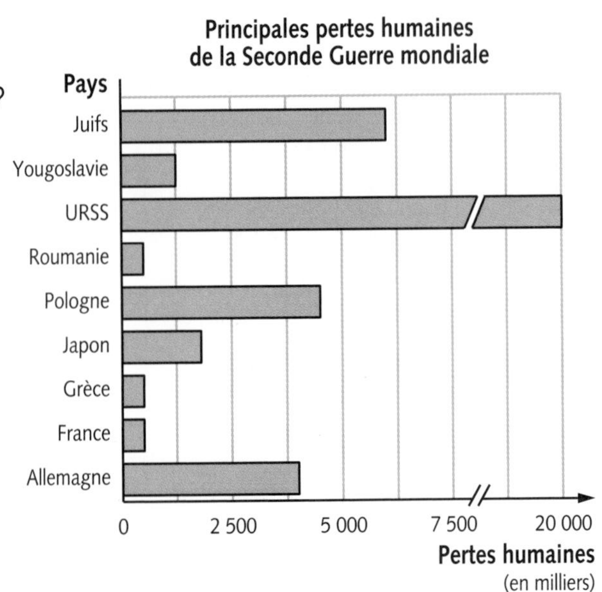

5 Observe le graphique suivant :

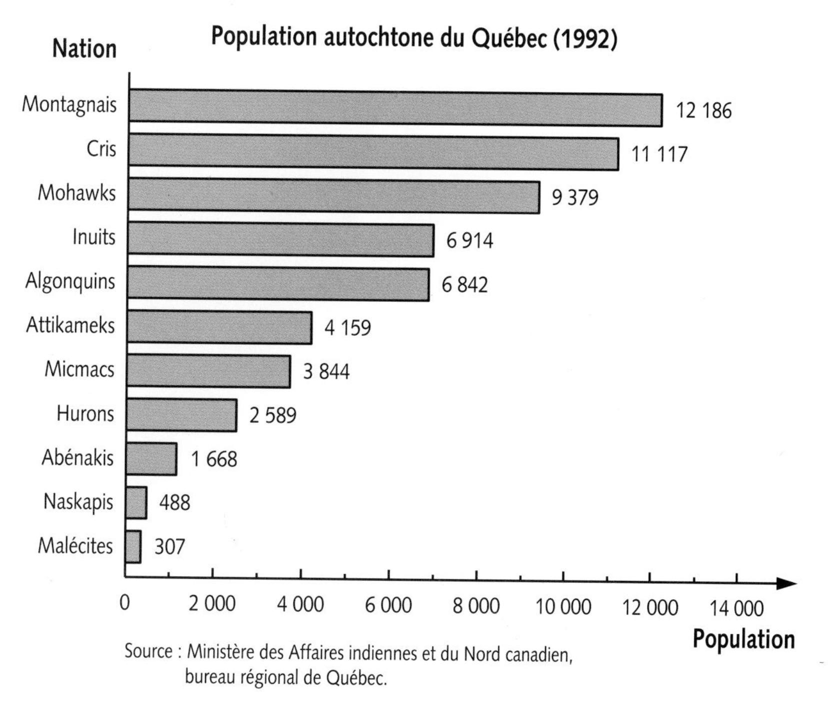

a) D'après ce graphique, est-il vrai qu'il y a au Québec au moins deux fois plus de Micmacs que d'Abénakis?

b) Quelle était la population autochtone du Québec en 1992?

c) Est-il vrai qu'au moins 1 autochtone sur 5 au Québec est un Montagnais ou une Montagnaise?

d) Quel pourcentage de la population autochtone, à la dizaine la plus près, les Cris représentent-ils?

6 Dans la construction de chaque graphique, un élément important a été oublié ou une erreur a été commise. Découvre cet élément ou cette erreur.

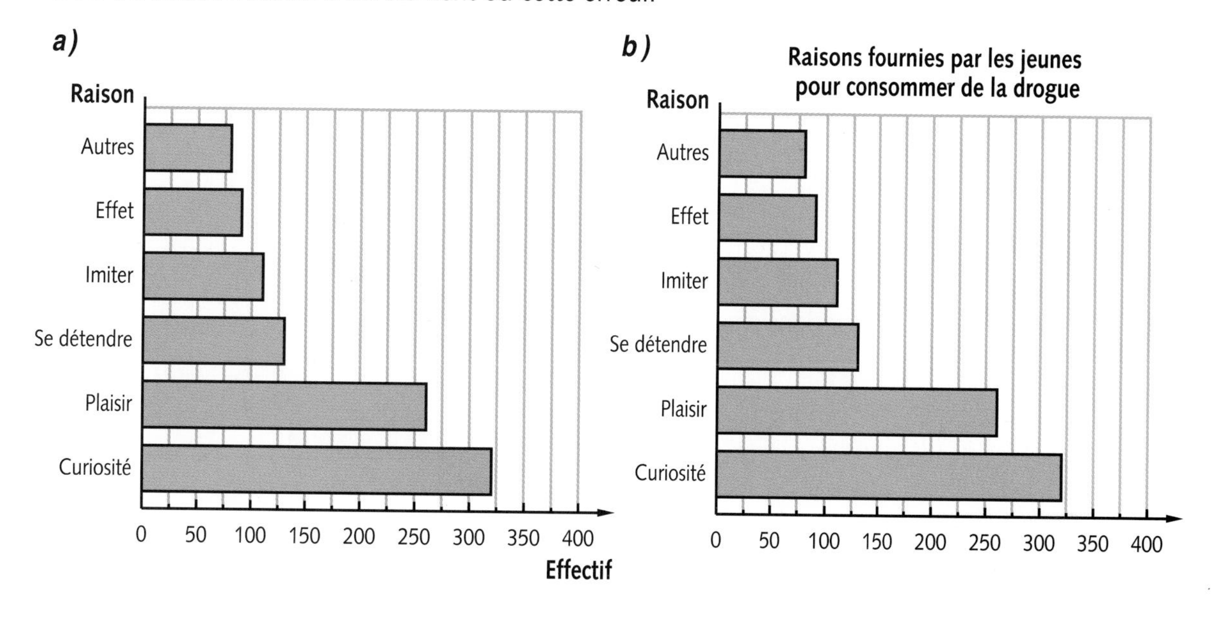

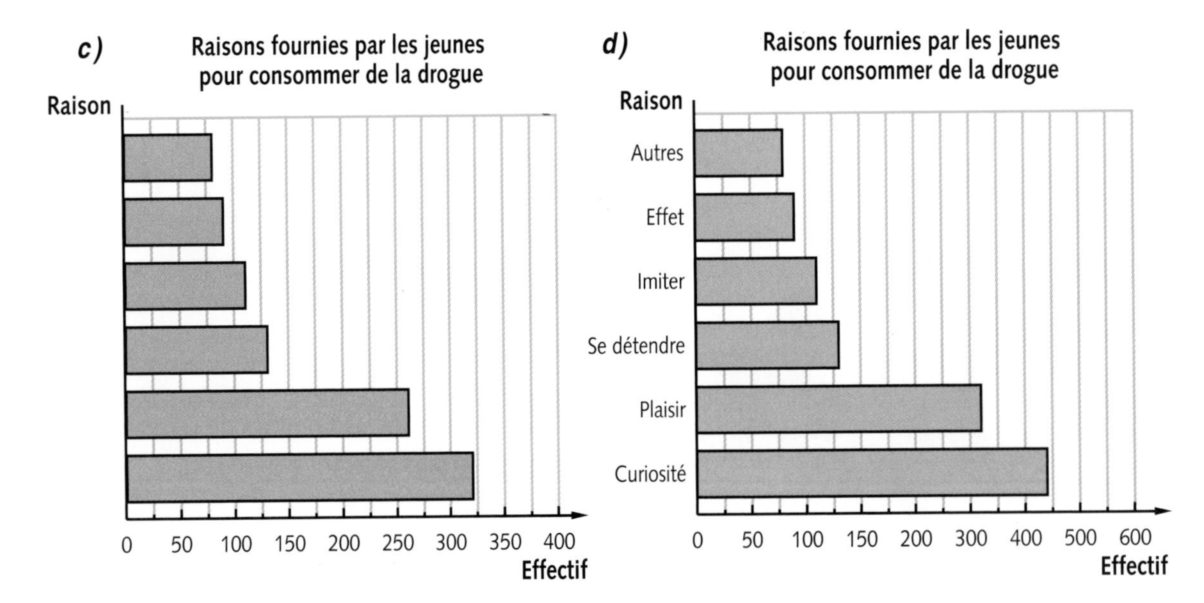

7 Au baseball, Hank Aaron est le meilleur frappeur de circuits de tous les temps. Traduis ce tableau en un diagramme à bandes horizontales.

Meilleurs frappeurs de circuits

Frappeur	Nombre de circuits
Hank Aaron	755
Babe Ruth	714
Willie Mays	660
Frank Robinson	586

8 Construis un diagramme à bandes représentant les données contenues dans ces tableaux.

a) **Causes d'accidents de vélo**

Cause	Fréquence (en %)
Automobile	40
Autre vélo	34
Obstacle (trou)	18
Autres	8

b) **Nombre de cancers chez les moins de 14 ans au Canada (1983)**

Cause	Effectif
Leucémie	94
Cerveau	68
Système nerveux	56
Autres	59

Source : Statistique Canada.

9 On a demandé à 800 Québécois et Québécoises s'ils croyaient au coup de foudre. Le tableau ci-contre présente les résultats recueillis.

Construis un diagramme à bandes pour illustrer cette distribution.

Croyance au coup de foudre

Réponse	Effectif
Oui	494
Non	260
Ne sait pas	36
Refus	10

10 Invente des données et construis un diagramme à bandes afin de démontrer que, parmi 5 légumes différents, ce sont les carottes et les pommes de terre que l'on sert le plus souvent aux repas.

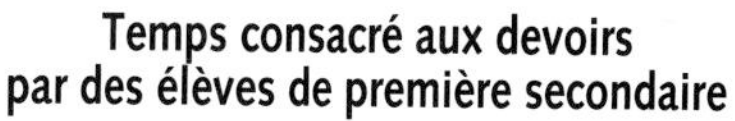

Temps consacré aux devoirs
par des élèves de première secondaire

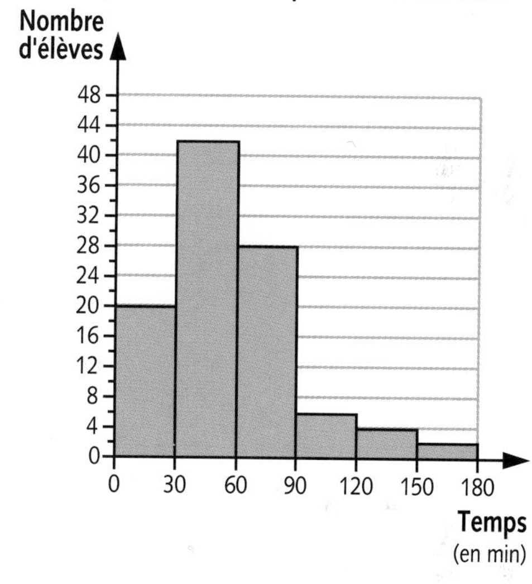

11 Lis attentivement cet histogramme.

a) Construis un tableau de distribution à partir de ce graphique.

b) Comment qualifierais-tu la quantité de travail consacrée aux devoirs par ces élèves?

c) À quelle classe de cette distribution appartiens-tu?

12 Certaines familles n'ont pas les vacances qu'elles méritent. Laissons parler cet histogramme.

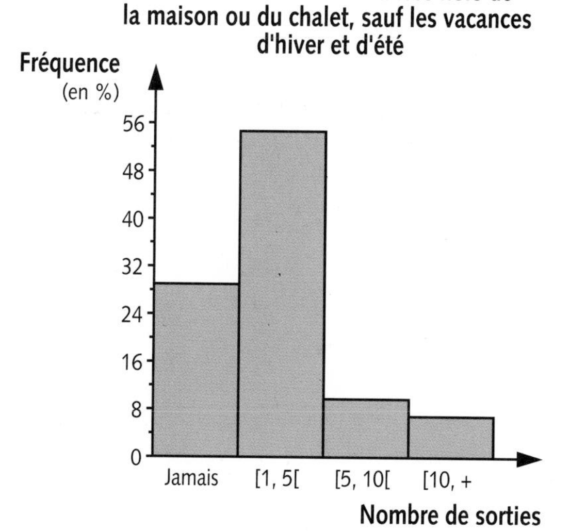

Source : Le Groupe Léger et Léger.

a) Pourquoi, dans cet histogramme, a-t-on fait une classe à part pour les «jamais» au lieu de les inclure dans la classe [0, 5[?

b) Quelle interprétation peut-on donner à la classe [10, +?

c) Peut-on dire que les Québécois et Québécoises exagèrent quant au nombre de fins de semaine passées hors de la maison?

13

Plusieurs adultes souffrent de problèmes d'obésité.

D'après cet histogramme, est-il vrai que plus de 50 % des obèses ont plus de 9 kg à perdre?

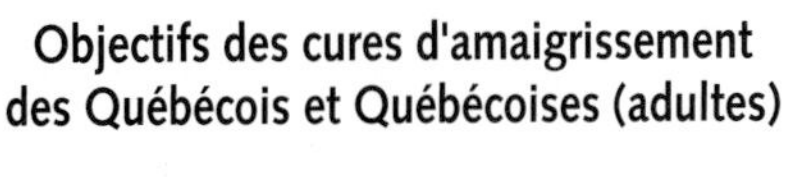

Objectifs des cures d'amaigrissement
des Québécois et Québécoises (adultes)

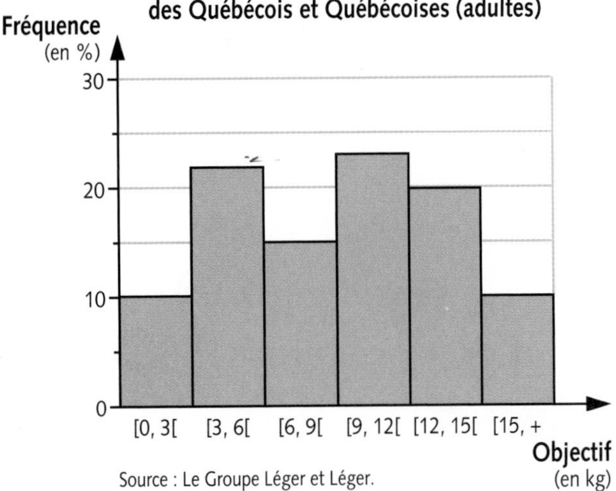

14

Nahim est astucieux. Il enseigne le français en première année du secondaire. Après avoir corrigé les examens, il a aligné les chiffres des dizaines en colonnes. Par la suite, il a transcrit les notes en n'écrivant que le chiffre des unités sur la ligne correspondant au chiffre des dizaines.

Du même coup, Nahim obtient un graphique (appelé tige et feuille) qui lui donne une bonne idée de la distribution des notes de ses élèves.

Résultats à un examen de français

D.	Unité
0	
1	
2	
3	2
4	8 9 7
5	2 8 6 6 2
6	2 7 8 2 6 2 8 1
7	1 0 1 2 9 2 7
8	0 2 8 8 2 3
9	2 8 3

a) Construis un tableau de distribution à partir de ce graphique.

b) Détermine approximativement la moyenne des résultats à cet examen en te fiant simplement à l'aspect du graphique.

c) On a construit un histogramme à partir de cette distribution. Malheureusement, une erreur a été commise. Découvre cette erreur.

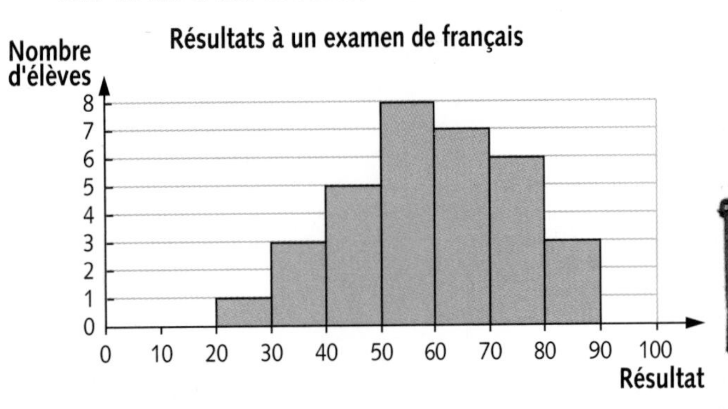

15

Voici deux histogrammes disposés de façon à avoir un axe en commun.

a) À quel moment pendant la journée y a-t-il le plus de blessures et de pertes de vie?

b) À quel moment y a-t-il le moins de blessures et de pertes de vie?

c) Combien y a-t-il de blessures et de pertes de vie vers «00:00»?

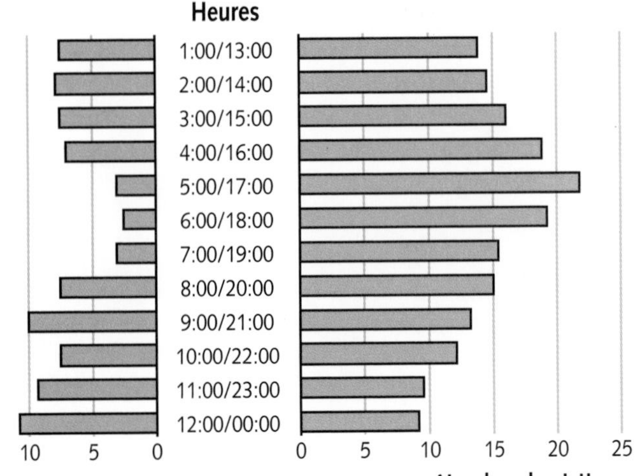

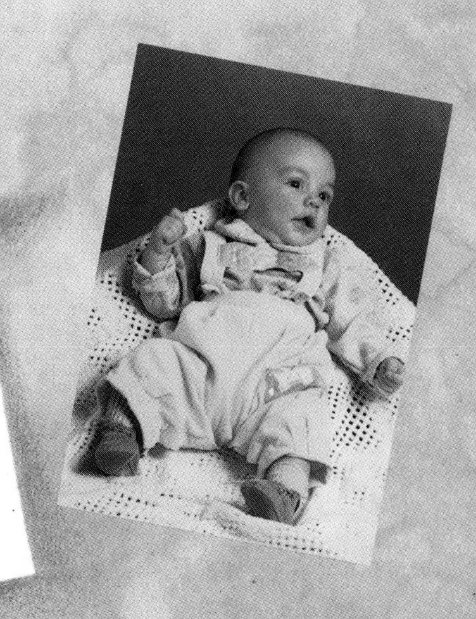

16

Illustre cette distribution par un histogramme.

Temps de gardiennage pendant le dernier mois par des élèves de première secondaire de la polyvalente A

Temps (en h)	Effectif	Temps (en h)	Effectif
[0, 5[	40	[20, 25[	5
[5, 10[	28	[25, 30[	3
[10, 15[	21	[30, +	2
[15, 20[	11		

17

Illustre cette distribution par un histogramme.

Locations de films vidéo sur une période d'un an pour des élèves de première secondaire de l'école B

Quantité	Effectif	Quantité	Effectif
[0, 5[	50	[15, 20[	16
[5, 10[	86	[20, 25[	12
[10, 15[	31	[25, +	5

18

Illustre cette distribution par un histogramme.

Temps passé au téléphone en une semaine par des élèves de première secondaire de l'école C

Temps (en h)	Effectif	Temps (en h)	Effectif
[0, 3[	32	[12, 15[	15
[3, 6[	65	[15, 18[	8
[6, 9[	46	[18, 21[	3
[9, 12[	18	[21, +	1

19

Invente des données montrant la distribution des dépenses hebdomadaires de 200 jeunes de 12 et 13 ans, et illustre-les par un histogramme.

20 **a)** Si une pile de 1,5 V n'est plus utilisable dès que sa tension atteint 0,9 V, quelle est la durée d'utilisation d'une pile alcaline?

b) L'axe vertical du graphique ci-dessous a été coupé. À cause de cette coupure, quelles graduations n'ont pas été écrites?

Efficacité des piles alcalines

Tension (en volts) — 1,6; 1,4; 1,2; 1,0; 0,8; 0,6; 0

Durée d'utilisation (en heures) — 0; 2; 4; 6; 8; 10; 12; 14; 16

Source : *Protégez-vous*, janvier 1992.

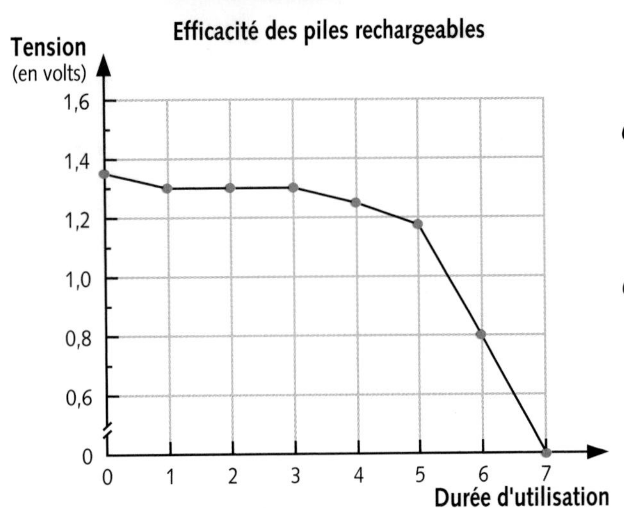

Source : *Protégez-vous*, janvier 1992.

c) Après combien de temps d'utilisation la tension des piles rechargeables descend-elle le plus?

d) Que peut-on dire de l'efficacité des piles rechargeables entre la première et la quatrième heure?

21 L'efficacité des piles dépend de la température à laquelle elles sont exposées.

a) À quelle température sont-elles le plus efficaces?

b) Quel est l'écart d'efficacité entre ⁻20°C et 20°C?

c) Complète cette phrase : «Lorsque la température monte, l'efficacité…»

d) À partir du graphique ci-contre, construis un tableau de distribution qui montre l'efficacité des piles alcalines.

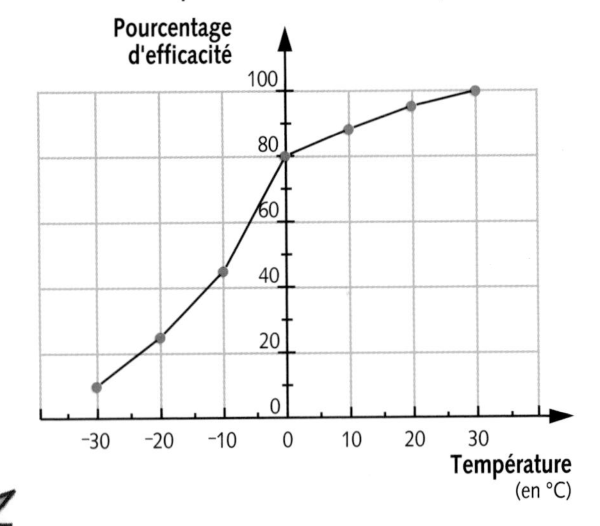

22 Voici le diagramme à ligne brisée du rendement de Léo.

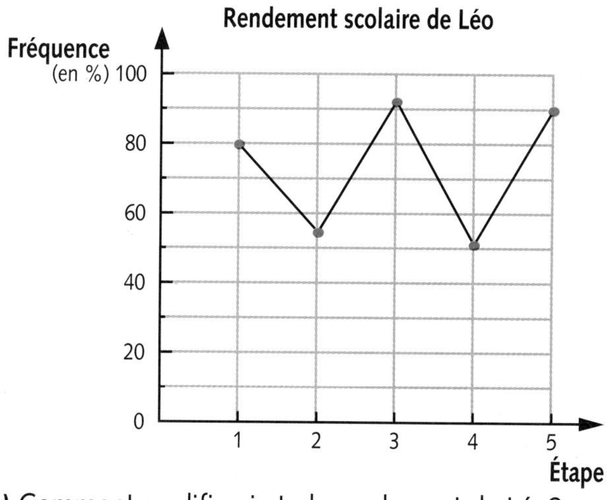

a) Comment qualifierais-tu le rendement de Léo?

b) Dans ce cas-ci, aurait-on pu faire une coupure de la partie d'axe comprise entre 0 et 30 sans perdre d'informations?

c) Quel serait l'effet sur la ligne brisée d'une coupure de l'axe des effectifs ou des fréquences?

23 On a fait un oubli ou on a commis une erreur dans la construction de chaque diagramme. Découvre cet oubli ou cette erreur.

a)

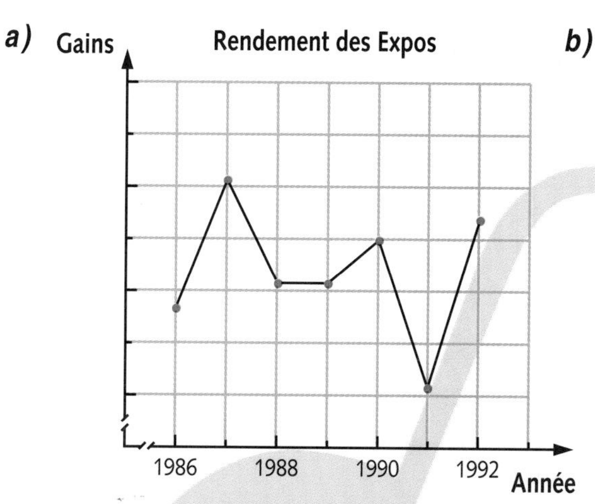

b)

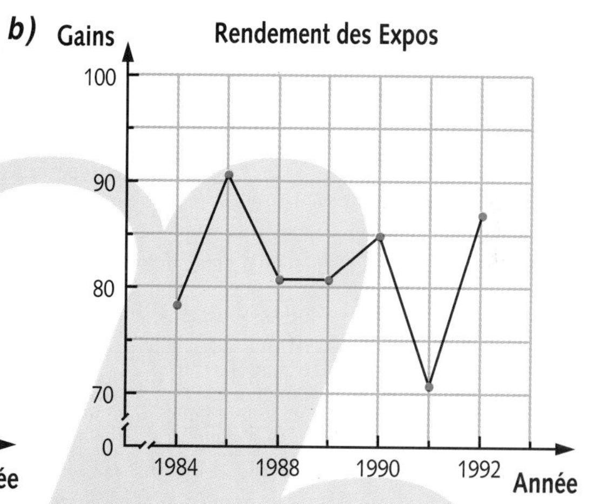

c)

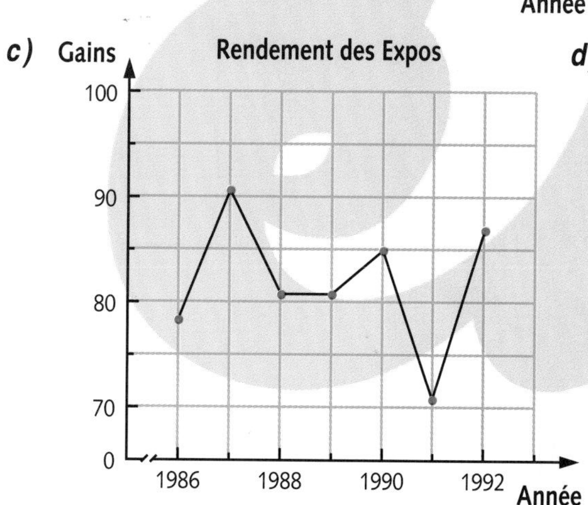

Source : Expos de Montréal, département des médias.

d)

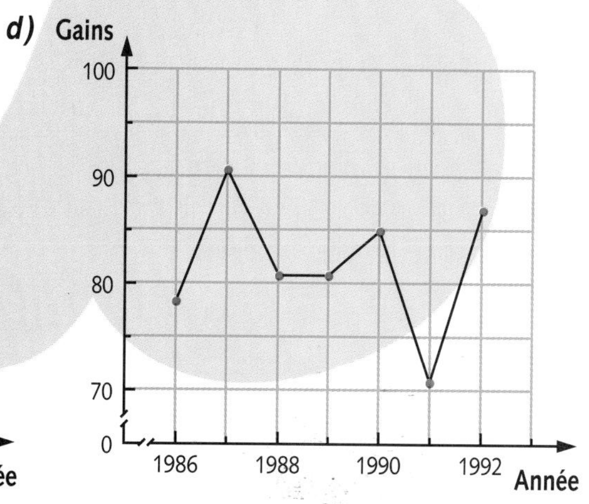

24 Voici un diagramme à ligne brisée représentant l'efficacité de lecture selon le moment de la journée.

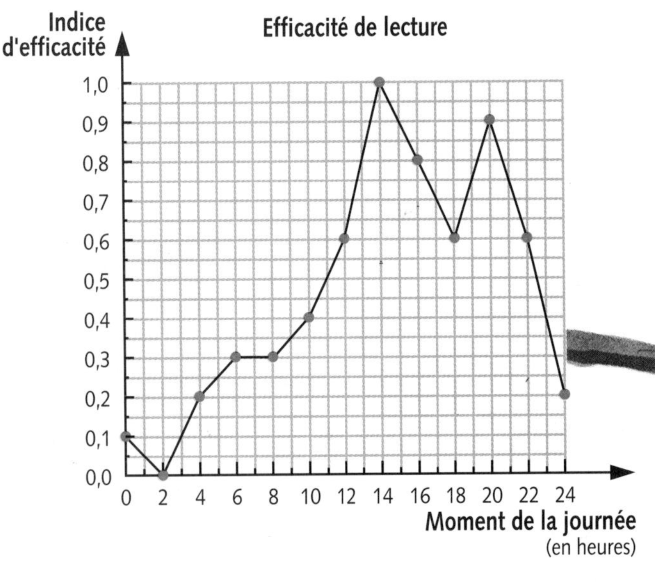

a) À quel moment de la journée est-il le plus profitable de lire?

b) Est-il profitable de lire la nuit?

c) Si l'efficacité de lecture est considérée comme bonne lorsque son indice est supérieur à 0,3, à quels moments devrait-on lire?

d) On dit souvent que lire le matin est plus profitable que le soir. Qu'en est-il d'après ce graphique?

a) En consultant le graphique ci-dessous, évalue la population mondiale au début de chaque siècle.

b) Quelle sera la population mondiale à l'aube du XXIe siècle?

c) Si l'augmentation de la population de ta ville suit celle de la population mondiale, quelle sera la population de ta ville en l'an 2025?

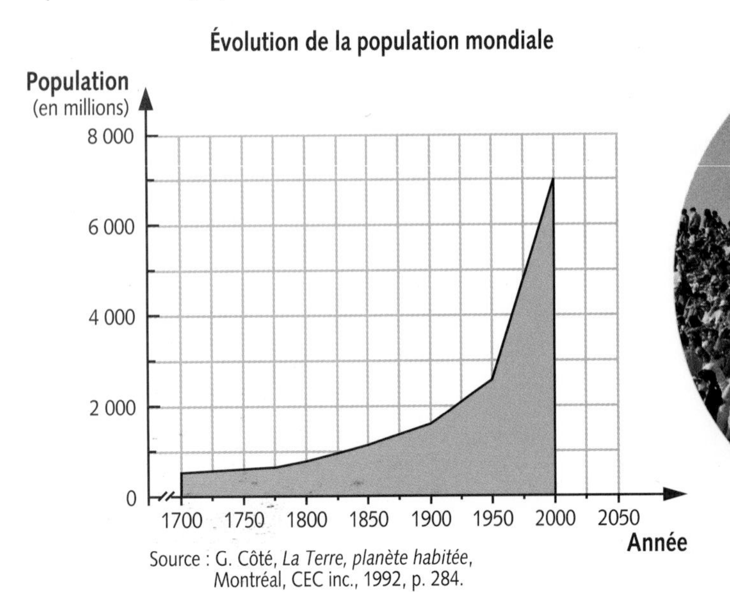

Source : G. Côté, *La Terre, planète habitée*, Montréal, CEC inc., 1992, p. 284.

26 Chaque heure, un infirmier note la température d'une patiente qui vient de subir une opération chirurgicale. Aide-le à construire un diagramme à ligne brisée.

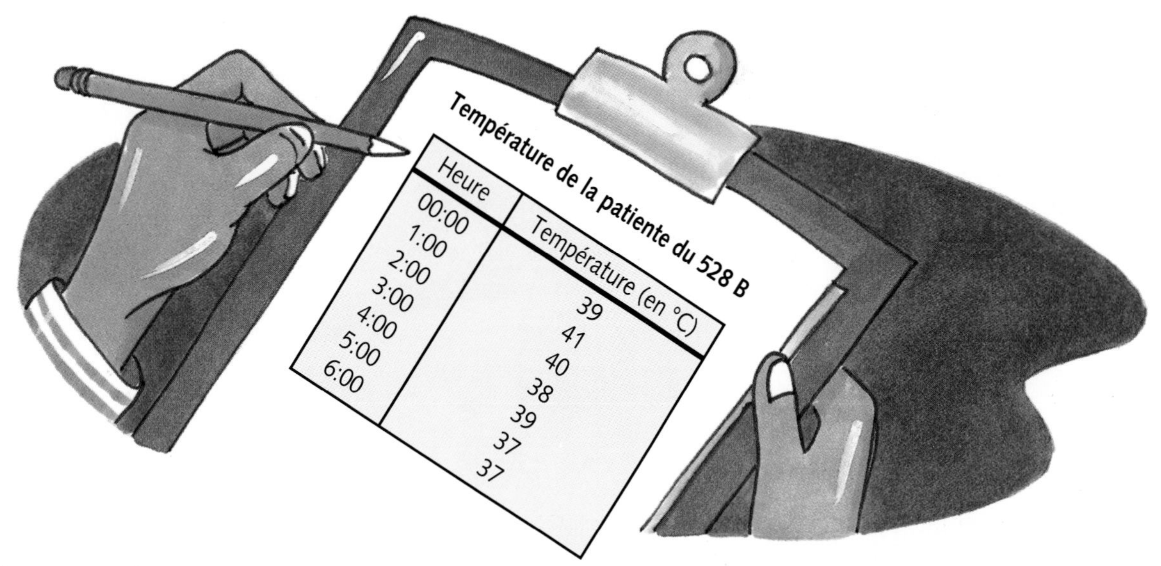

Température de la patiente du 528 B

Heure	Température (en °C)
00:00	39
1:00	41
2:00	40
3:00	38
4:00	39
5:00	37
6:00	37

27 Au Québec, la chasse au cerf de Virginie donne lieu chaque année à un grand nombre de prises. Voici un tableau donnant le nombre de cerfs de Virginie abattus au cours des dernières années. Construis le graphique à ligne brisée illustrant cette distribution.

Chasse au cerf de Virginie au Québec

Année	Effectif
1985	15 316
1986	17 484
1987	17 344
1988	18 237
1989	20 552
1990	21 063
1991	22 466
1992	22 415

Source : Ministère du Loisir, de la Chasse et de la Pêche.

28 Invente des données et construis un graphique à ligne brisée qui représente, à l'aide d'une échelle de 0 à 10, le degré de luminosité observé le 15 janvier de 6:00 à 20:00.

29 Construis le tableau de distribution correspondant à ce diagramme circulaire.

Destinations de vacances des gens du Québec

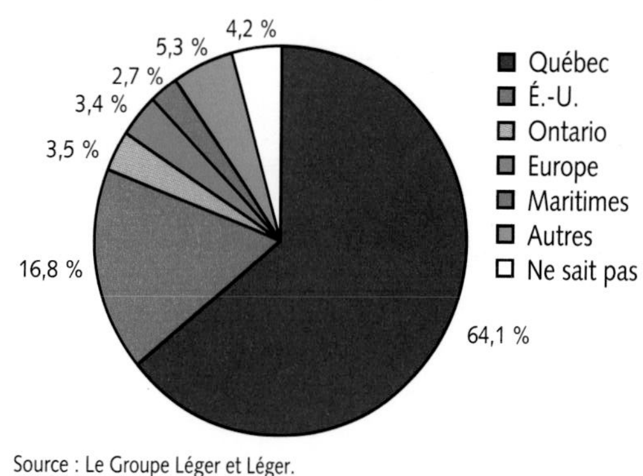

Source : Le Groupe Léger et Léger.

Le diagramme circulaire ci-contre montre les causes de morts accidentelles chez les jeunes enfants.

Causes de morts accidentelles chez les enfants de moins de 5 ans

23,7 %
7,1 %
21,2 %
19,1 %
16,3 %
12,6 %

- Accident de voiture
- Véhicule à moteur
- Asphyxie
- Noyade
- Incendie
- Autres

a) Quelles sont les deux principales causes de morts accidentelles chez les enfants de moins de 5 ans?

b) Quel est le pourcentage des enfants de moins de 5 ans qui sont morts à la suite d'accidents mettant en cause un véhicule?

c) Sur 300 enfants de moins de 5 ans morts au Québec, combien approximativement ont péri par noyade?

d) Dans quelle catégorie peut-on classer les meurtres d'enfants?

e) Comment fait-on pour déterminer le pourcentage correspondant à la catégorie «Autres» si l'on connaît les pourcentages des autres catégories?

À l'aide de ton rapporteur, mesure d'abord les angles des secteurs du diagramme circulaire ci-contre, puis remplis un tableau de distribution semblable à celui ci-dessous.

Moyen	**Fréquence relative** (en %)	**Mesure des secteurs** (en degrés)

Moyens de locomotion utilisés par les vacanciers et vacancières du Québec (1992)

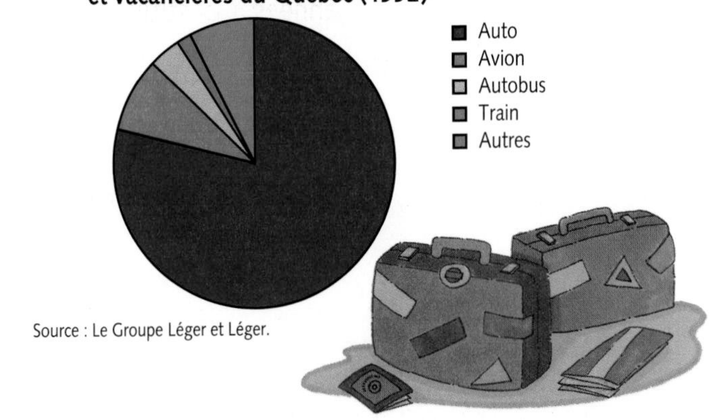

Source : Le Groupe Léger et Léger.

Observe le diagramme circulaire ci-contre.

a) Dans quel pourcentage les personnes âgées vivent-elles hors de l'hôpital?

b) Peut-on dire que les personnes âgées sont des gens très malades?

Résidences des personnes âgées du Québec

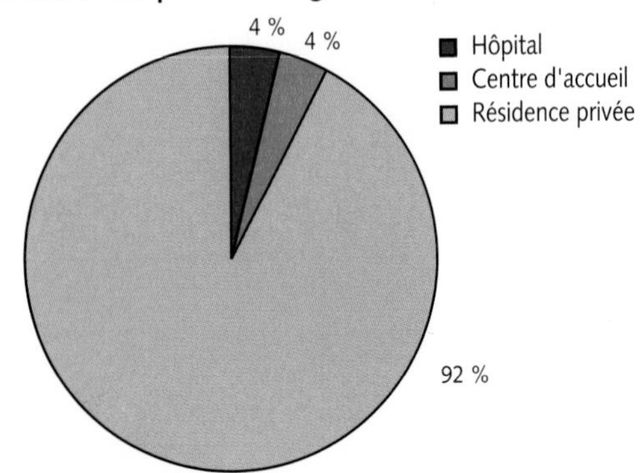

33 Complète ces tableaux de distribution sur les croyances des jeunes du secondaire et illustre-les par des diagrammes circulaires.

a) **Croyance en Dieu**

Croyance	Fréquence relative (en %)	Mesure des secteurs (en degrés)
Croit en Dieu	61 %	▬
Ne croit pas en Dieu	10 %	▬
Indécis	▬	▬

b) **Existence de quelque chose après la mort**

Croyance	Fréquence relative (en %)	Mesure des secteurs (en degrés)
Paradis	46 %	▬
Autre vie	21 %	▬
Rien	18 %	▬
Ne sait pas	15 %	▬

c) **Catégories de personnes modèles pour les jeunes**

Catégorie	Fréquence relative (en %)	Mesure des secteurs (en degrés)
Adulte	57 %	▬
Jeune	34 %	▬
Personne âgée	8 %	▬

34 Invente des données et construis un diagramme circulaire montrant l'apport du squelette, de la chair et du sang à la masse d'une personne de 60 kg.

35 Construis le tableau de distribution correspondant à ce pictogramme.

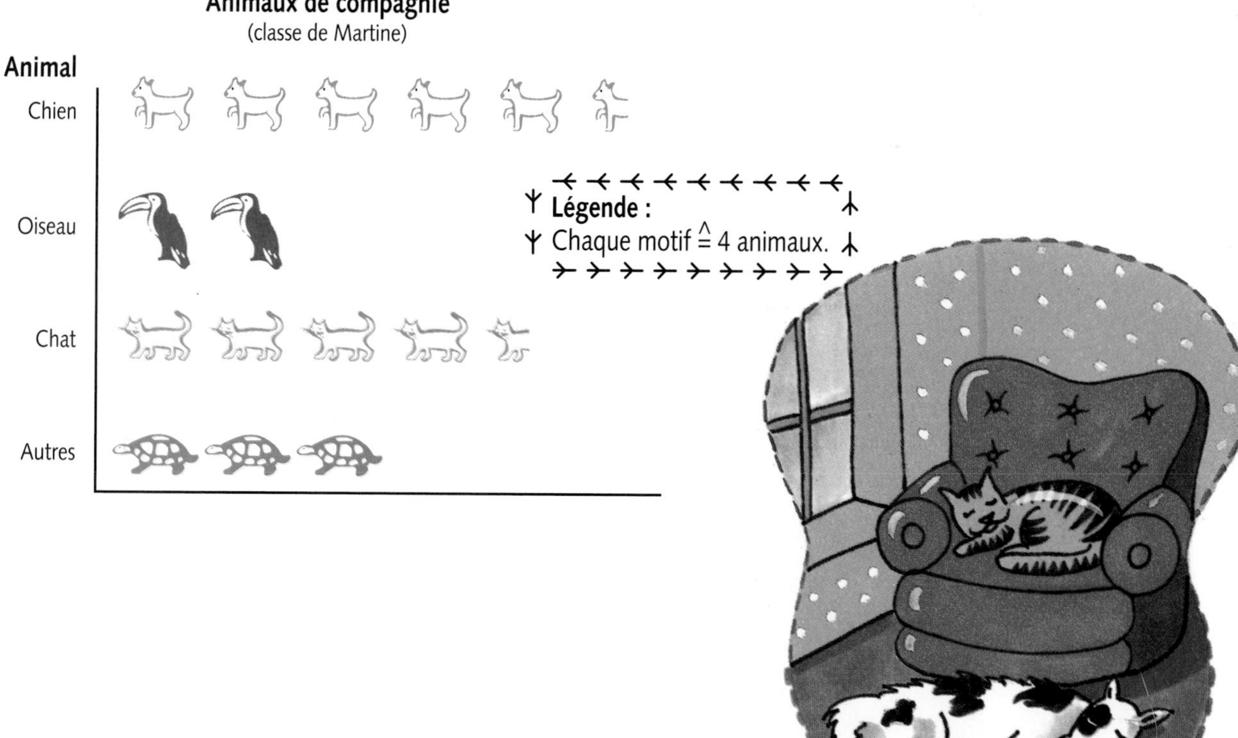

36 Ce pictogramme illustre entre autres les exploits de Paul Anderson (1957) et de Josephine Blatt (1895), qui ont soulevé avec un harnais des masses respectives de 2 850 kg et 1 620 kg.

Capacité de soulever sa masse

Homme

Femme

Fourmi

Légende :
Chaque motif ≙ 5 fois sa masse.

a) Combien de fois la fourmi est-elle capable de soulever sa masse?

b) Si la masse d'une fourmi est de 0,6 g, quelle masse approximative peut-elle soulever?

c) Quelle était la masse de Josephine Blatt?

37 Les personnes qui consomment beaucoup d'alcool vivent dans les pays industrialisés. Cependant, le taux d'accroissement de la consommation d'alcool est plus fort dans les pays en voie de développement.

Consommation d'alcool dans le monde
(par personne par an)

Région

Asie

Amérique du Sud

Amérique du Nord

Europe

Légende :
≙ 2 litres

a) Donne la consommation d'alcool pour chaque région.

b) Un litre d'alcool coûte en moyenne 12 $. Combien les vingt-sept millions de Canadiens et Canadiennes dépensent-ils en consommation d'alcool?

38 Les Japonais ont dépassé les Américains comme constructeurs d'automobiles. Observe ce graphique.

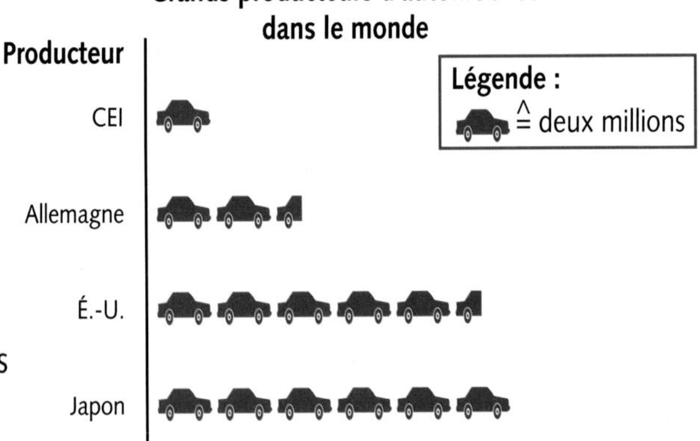

a) Combien d'automobiles les Japonais produisent-ils de plus par année que les Américains?

b) D'après ce graphique, peut-on penser que les États de la CEI produisent eux-mêmes toutes les automobiles qu'ils utilisent?

c) Si la production de l'Allemagne diminuait de moitié, quelle serait alors sa production?

39 Le tableau suivant fournit le nombre annuel moyen de tremblements de terre dans certains pays du monde. Traduis ce tableau de données en un pictogramme.

Tremblements de terre de la planète

Pays	Nombre
Chili	1 500
Japon	1 450
Nouvelle-Zélande	310
Java et Sumatra	280
Italie	230

40 Illustre par un pictogramme les populations des plus grandes régions métropolitaines du Canada.

Population des plus grandes régions métropolitaines du Canada (1991)

Région métropolitaine	Population
Toronto	3 900 000
Montréal	3 100 000
Vancouver	1 600 000
Ottawa-Hull	920 000

Source : Statistique Canada (recensement de 1991).

41 Une chaîne de télévision a commandé un sondage pour connaître la popularité des sports télévisés. Voici l'un des tableaux qu'elle a obtenus.

a) Que peut-on affirmer si l'on compare les réponses des femmes avec celles des hommes?

b) Construis un diagramme à bandes qui illustre cette comparaison.

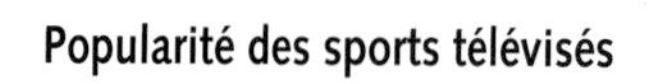

Popularité des sports télévisés

Sport	Femmes	Hommes
Hockey (LNH)	429	694
Baseball majeur	339	572
Football (LCF)	153	348
Football (LNF)	84	321
Soccer	48	124
Aucun intérêt	301	417

42 En octobre 1992, le Canada a tenu un référendum sur la constitution du pays. Les changements proposés furent refusés par la population. Si l'on compare les résultats référendaires, que remarque-t-on de particulier?

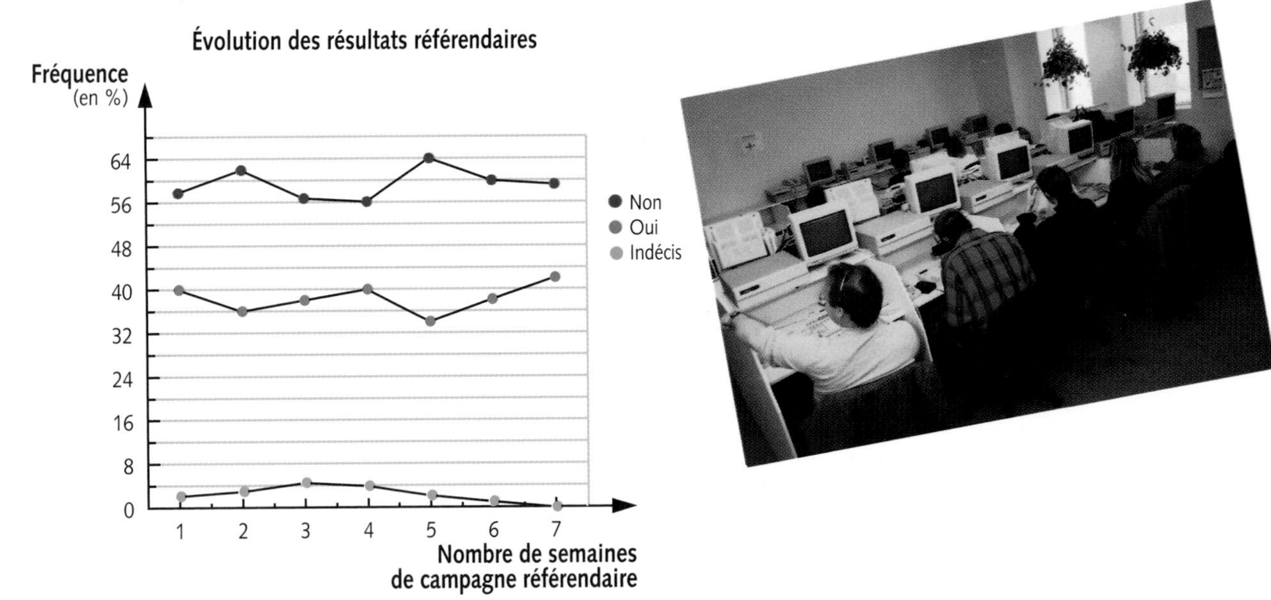

43 Au cours d'un repêchage, tu dois choisir entre deux joueurs. Tu observes le graphique de leur production des dernières saisons. Quel joueur choisirais-tu et pourquoi?

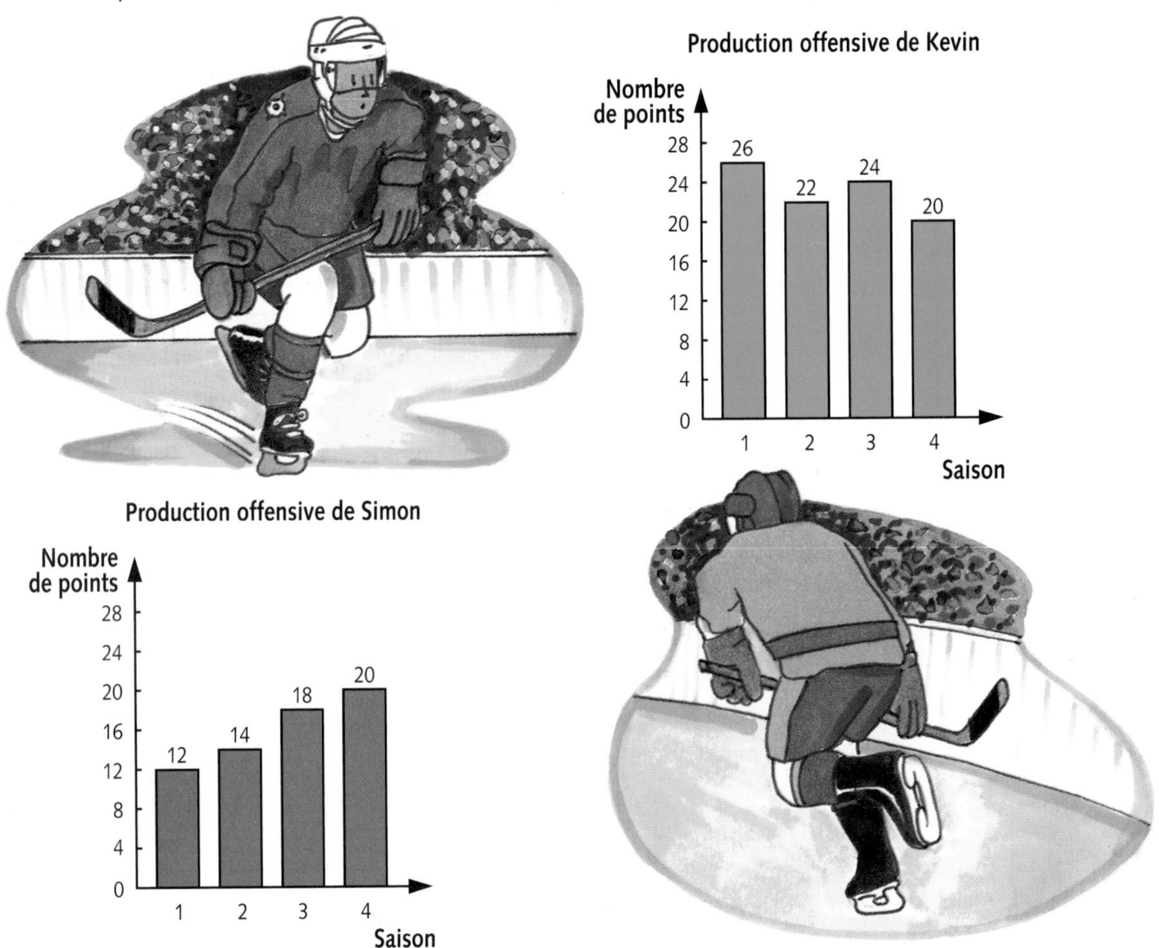

44 Quatre amies se rencontrent au début de l'année. Bien sûr, elles se racontent leurs amours de vacances. Chacune a même tracé un graphique de l'évolution de son sentiment amoureux envers son ami. Décris ce qui s'est passé pour chacune.

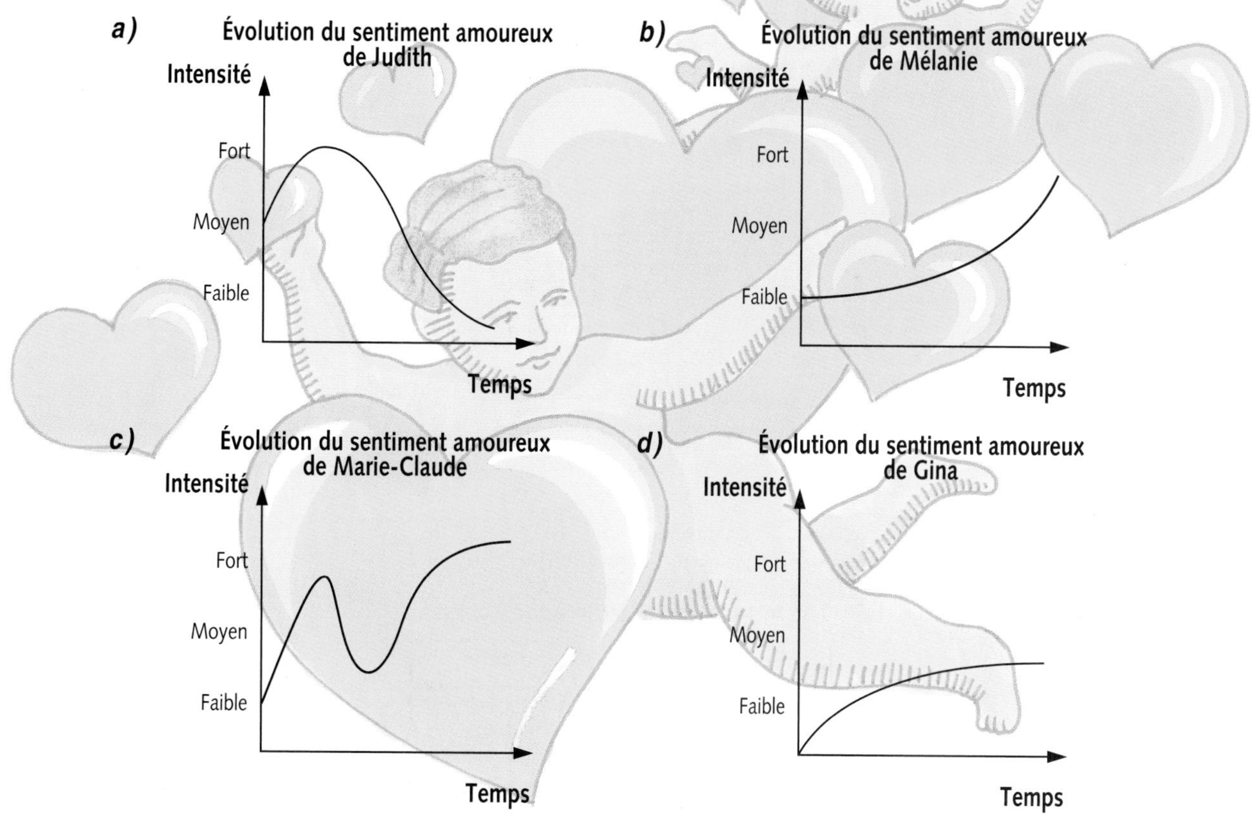

45 On vient de tracer le graphique de la vitesse de 4 camions au cours des 5 dernières minutes. Décris ce qui s'est passé pour chacun.

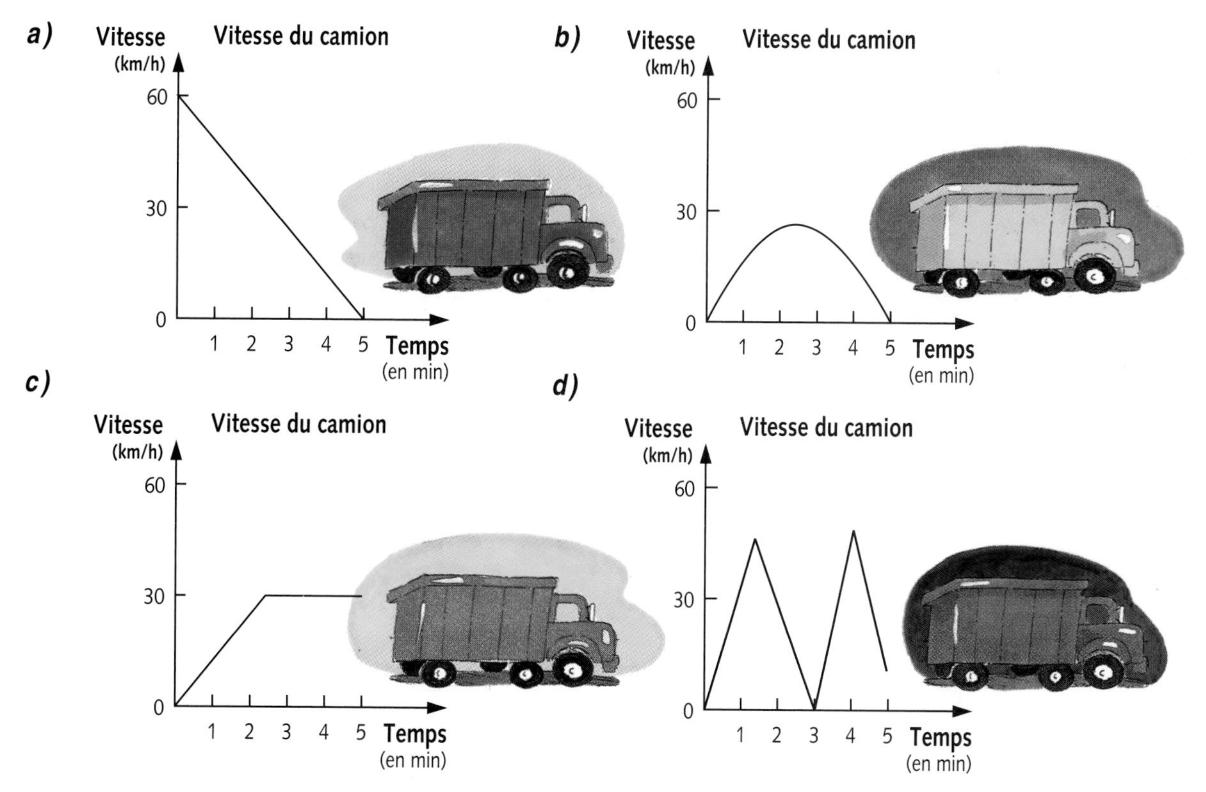

46 À l'aide d'une ligne sur un graphique, illustre ton rendement en mathématique au primaire.

47 Quelle conclusion cet histogramme t'inspire-t-il?

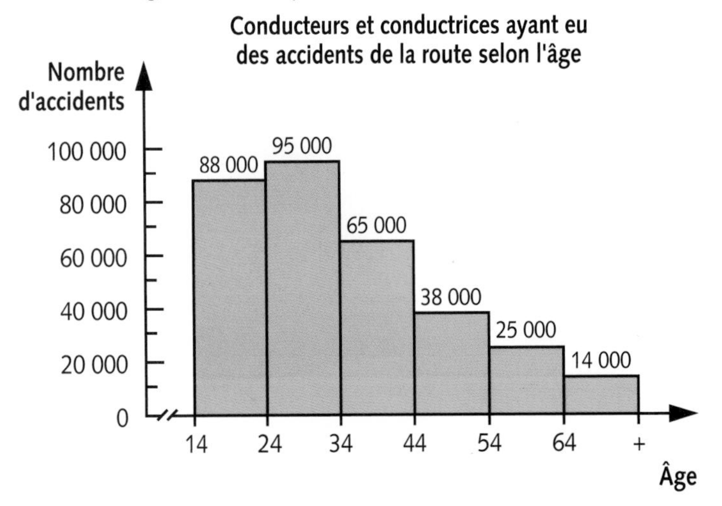

48 Le tableau suivant indique le nombre de voitures au Québec selon leur âge en 1987 et 1991. Quelles conclusions peut-on tirer de ce tableau de distribution?

Automobiles en circulation selon leur âge

Âge	1987	1991
0	277 262	237 263
1	277 789	227 031
2	276 116	240 810
3	283 690	271 693
4	173 064	256 803
5	143 525	265 846
6	191 781	251 819
7	183 487	240 127
8	158 789	127 132
9	117 205	84 266
10	79 730	96 208

49 Parfois, un graphique peut cacher certaines vérités ou amplifier certains faits. Il est important d'analyser un graphique avec un oeil critique.

Dans le graphique suivant, la production de l'équipe pee-wee semble assez semblable d'un mois à l'autre. Cependant, on peut modifier cette impression en modifiant l'échelle. Reconstruis ce graphique en graduant l'axe vertical de 12 à 26 au lieu de 0 à 48.

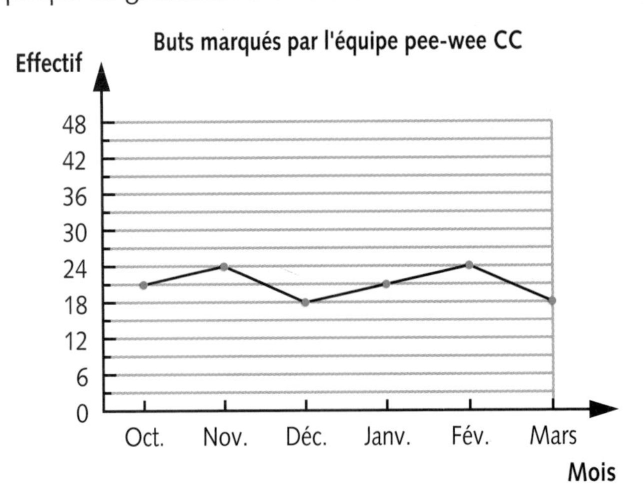

50 Quelle fausse impression aurait-on produite si l'on avait décidé d'arrêter le graphique suivant à 12 ans au lieu de 18?

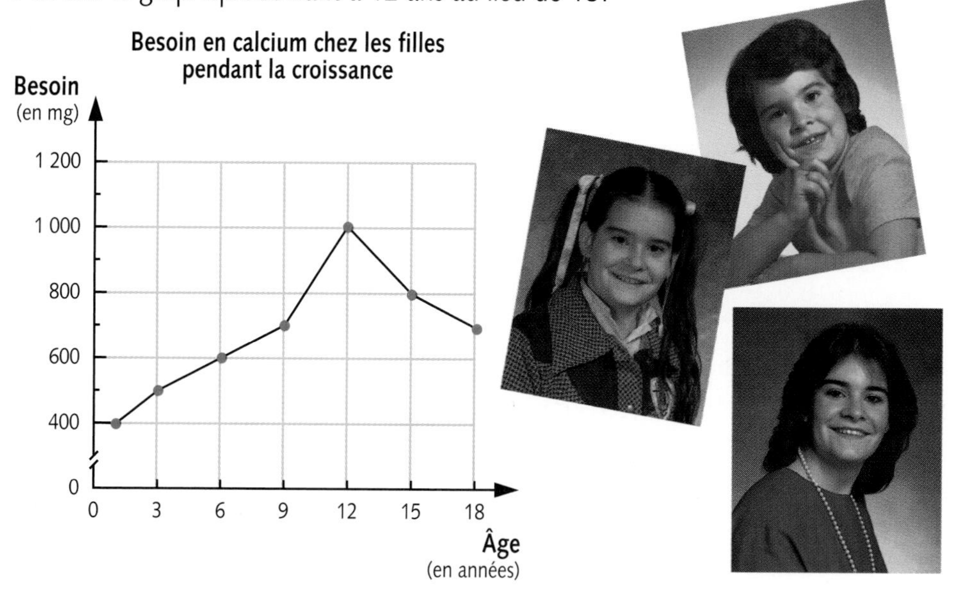

51 Voici un bout de film montrant 3 graphiques. Quel message veut-on transmettre par ces quelques images?

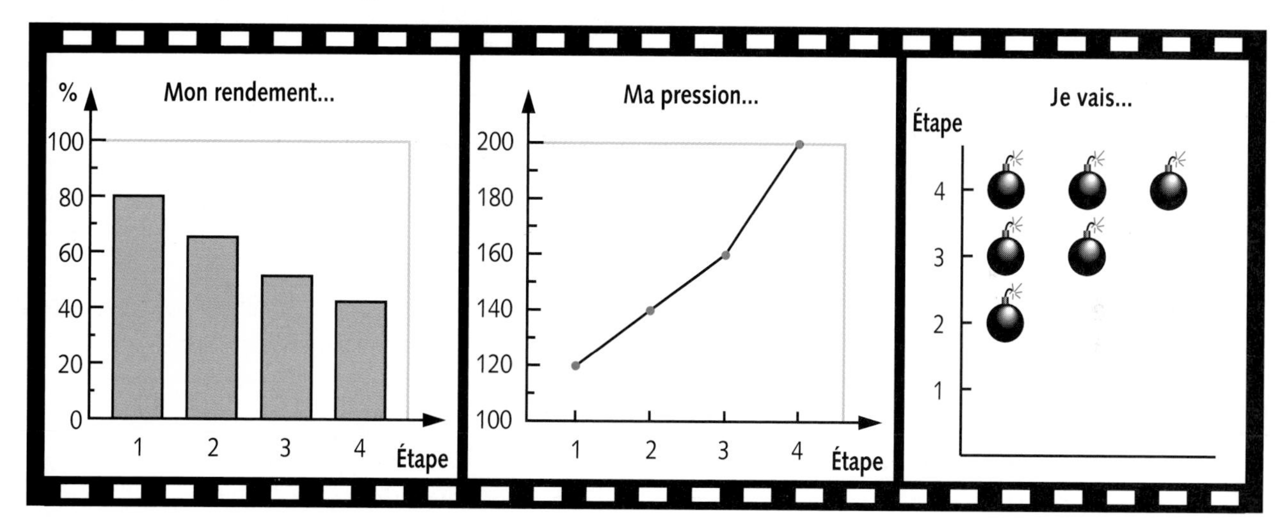

52 En biologie, les élèves ont fait une petite expérience pour déterminer leur groupe sanguin. Voici les résultats de 90 élèves qui ont fait cette expérience.

Données : O, A, O, AB, O, O, O, O, A, B, B, AB, O, O, O, A, O, O, A, B, B, O, O, O, A, O, AB, A, O, O, O, A, B, O, B, A, B, O, O, B, A, O, O, O, B, A, A, A, O, A, O, A, B, O, A, A, A, A, O, A, AB, A, O, A, B, A, A, O, O, A, A, A, AB, O, A, A, B, O, A, A, B, O, A, O, O, A, A, O, AB, O.

a) Organise ces données en tableau de distribution.

b) Représente cette distribution par un diagramme circulaire.

c) Tire les conclusions qui s'imposent.

53 Martin a enregistré les données au cours d'une opération radar sur une autoroute. Voici les vitesses recueillies, en kilomètres par heure.

Données : 112-118-132-105-90-98-106-124-108-140-112-108-104-107-123-115-115-118-121-132-138-90-98-101-112-105-107-112-115-118-99-105-118-133-130-112-107-92-97-108-112-107-92-109-108-115-112-108-127-125-95-117-106-114-112-94-98-134-120-111-108-106-113-121-119.

a) Construis un tableau de distribution de ces données.

b) Illustre ce tableau par un histogramme.

c) Sachant que la limite de vitesse sur cette autoroute est de 100 km par heure et qu'on tolère les vitesses allant jusqu'à 115 km par heure, indique le nombre d'interceptions auxquelles Martin a assisté.

d) Écris un texte de 3 ou 4 lignes décrivant les conclusions que Martin a pu tirer de son expérience.

Les tableaux sont un outil de résolution de problèmes.

54 La construction d'un tableau facilite souvent la résolution d'un problème. Résous les problèmes suivants en utilisant un tableau.

a) Quelles sont toutes les sommes d'argent différentes que l'on peut former en réunissant trois de n'importe lequel de ces billets : 50 $, 20 $, 10 $, 5 $ et 2 $?

Premier billet	50	50	50	50	50	50	20	20	20	10
Deuxième billet	20	20	20	10	10	5	10	10	5	5
Troisième billet	10									
Somme	80									

b) Dino a 25 pièces de monnaie qui totalisent exactement 1 $. Combien de pièces de chaque sorte a-t-il? (Prolonge ce tableau en faisant différents essais qui, progressivement, se rapprocheront de la solution.)

1¢	5¢	10¢	25¢	50¢	1 $	**Nombre de pièces**	**Valeur**
9	15	1	0	0	0	25	0,94 $

c) Voici le menu proposé au *Petit Restaurant du Coin*.

Jean-Michel a composé un menu qui lui coûte 10,30 $. Découvre ce qu'il a mangé. Écris tes différents essais dans un tableau semblable au suivant.

Entrée	**Plat principal**	**Dessert**	**Total**

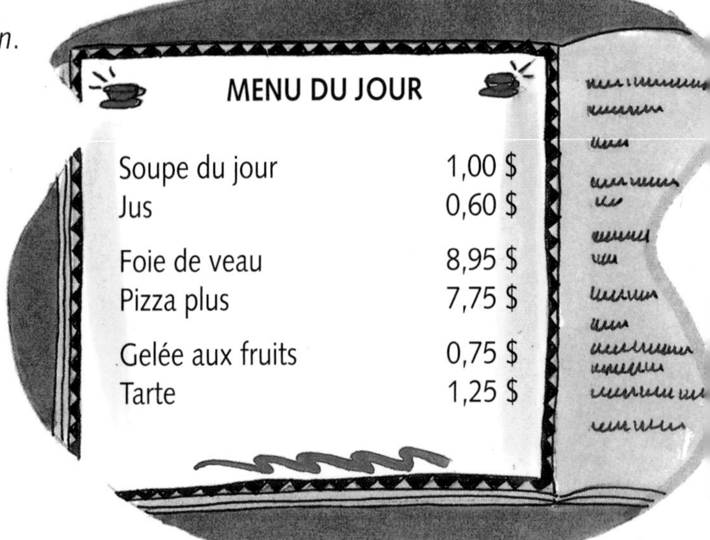

d) Olivier a loué dans une ferme un jardin de 60 m². Il a le choix de la largeur et de la longueur du jardin. Cependant, il doit le clôturer. La clôture se vend 2 $ le mètre. Quelles dimensions (à l'entier près) devrait-il choisir pour que la clôture lui coûte le moins cher possible?

Largeur	Longueur	Aire	Périmètre	Coût
1	60	60	122	244 $

LE SPHINX

Qui fait quoi?

- Sébastien demande à Chloé :
  «Qui t'enseigne les matières suivantes : le français, l'anglais, la mathématique et l'écologie?» Chloé répond : «Ce sont deux femmes et deux hommes dont les prénoms sont Annick, Berthe, Donald et Yan. Mais je ne te les ai pas nommés nécessairement dans l'ordre!»

  Voici 3 indices qui vont permettre à Sébastien de découvrir qui enseigne chacune des matières mentionnées.

  1° Le frère de Berthe enseigne l'écologie et est marié à la professeure de français.

  2° La femme du professeur d'anglais a eu un fils le mois dernier.

  3° La personne qui enseigne la mathématique et Donald sont célibataires.

	Français	Anglais	Mathématique	Écologie
Annick				
Berthe				
Donald				
Yan				

  Reproduis et remplis le tableau ci-dessus pour découvrir qui fait quoi. Trace un X à l'intersection si tu déduis que telle personne n'enseigne pas telle matière.

Je connais la signification des expressions suivantes :

Donnée statistique : toute information révélée au cours d'une enquête ou d'une expérience.

Valeur : différentes formes que peuvent prendre les données.

Tableau de dépouillement : tableau servant à dénombrer les données d'une enquête ou d'une expérience.

Tableau de distribution : tableau montrant les effectifs ou les fréquences relatives des différentes valeurs.

Effectif : nombre de fois qu'une valeur apparaît.

Classe : intervalle permettant de regrouper des données.

Fréquence relative : rapport de chaque effectif à l'effectif total et parfois exprimé sous la forme d'un pourcentage, d'une fraction ou d'un nombre décimal.

Diagramme à bandes : diagramme ou graphique dans lequel les effectifs ou les fréquences relatives des valeurs sont illustrés à l'aide de bandes.

Histogramme : graphique formé de deux axes gradués et montrant l'effectif de chaque classe à l'aide de rectangles collés les uns aux autres.

Diagramme à ligne brisée : graphique montrant l'évolution d'un phénomène à l'aide d'une ligne brisée.

Diagramme circulaire : graphique utilisant un disque partagé en secteurs pour illustrer les fréquences relatives ou les effectifs des valeurs.

Pictogramme : graphique illustrant les effectifs des valeurs à l'aide d'un motif qui en représente un certain nombre fixé par une légende.

Je maîtrise les habiletés suivantes :

Organiser des données dans des tableaux.

Déterminer la graduation de l'axe des effectifs. On obtient une idée du pas de graduation en faisant le calcul suivant : $\dfrac{\textbf{effectif maximal – effectif minimal}}{\textbf{nombre de graduations désirées}}$

Lire et **construire** un diagramme à bandes.

Lire et **construire** un histogramme.

Lire et **construire** un diagramme à ligne brisée.

Lire et **construire** un diagramme circulaire.

Lire et **construire** un pictogramme.

Comparer des données et **tirer** des conclusions à partir de graphiques.

Des graphiques parlants!

1. On a fait un sondage pour connaître la saison la plus populaire auprès d'élèves de première secondaire. Voici les données que l'on a recueillies.

E, A, E, E, E, H, P, P, E, E, E, P, E, E, A, P, E, E, E, H, A, E, E, A, E,
P, P, E, E, E, E, H, E, H, A, P, E, P, H, A, E, E, H, P, A, E, E, E, A, E.

a) **Organise ces données** dans un tableau de distribution.

b) **Tire deux conclusions** de ce sondage.

2. **Construis un diagramme à bandes** illustrant la distribution suivante :

Prénoms masculins les plus populaires au Québec (1990)

Prénom	Fréquence relative (en %)
Maxime	5,1 %
Alexandre	4,6 %
Mathieu	4 %
Jonathan	3,5 %

Source : Bureau de la statistique du Québec.

3. Voici la distribution du revenu familial moyen au Québec de 1984 à 1991 :

Revenu familial moyen au Québec de 1984 à 1991

Année	Revenu	Année	Revenu
1984	49 700	1988	53 900
1985	51 000	1989	55 400
1986	52 000	1990	54 800
1987	52 900	1991	53 100

Source : Le Groupe Léger et Léger.

a) **Construis un graphique à ligne brisée** illustrant cette distribution.

b) **Tire deux conclusions** importantes concernant le revenu familial moyen au Québec.

4. Plusieurs voient dans la mer la solution du problème de la faim dans le monde.

Étendue des continents et des océans

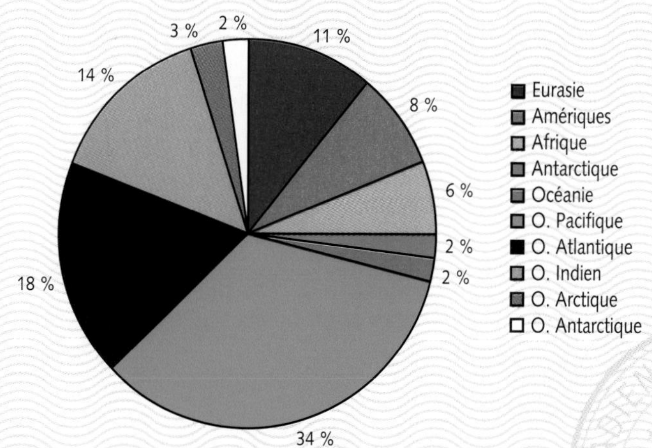

a) **Quel pourcentage** de la surface terrestre les océans occupent-ils?

b) Les Amériques sont **combien de fois plus grandes** que l'Antarctique?

c) **Est-il vrai** que l'océan Pacifique couvre plus du quart de la surface de la planète?

d) **Quel océan** fait à peu près le sixième de la planète?

5. On a posé la question suivante à un groupe de 200 personnes : «Si vous aviez le choix, dans quel milieu choisiriez-vous de vivre : dans l'eau, dans les airs ou sur la terre?» Voici la distribution obtenue.

   a) **Complète le tableau** de cette distribution.

   b) **Construis le diagramme circulaire** de cette distribution.

Milieu de vie préféré

Milieu de vie	Effectif	Fréquence relative (en %)	Mesure des secteurs (en degrés)
Eau	30	■	■
Airs	90	■	■
Terre	80	■	■
Total	200	100 %	360°

6. La viande n'est pas la principale nourriture de la planète, et heureusement, car alors on n'aurait plus de céréales pour l'être humain.

   a) **Combien** y a-t-il de joules dans une portion de porc?

   b) **Quel aliment** de ce tableau est-il recommandé de manger si l'on veut maigrir?

   c) La viande d'agneau est-elle une viande **plus grasse** que celle du poulet?

   d) **Combien** de joules une personne qui prend une portion de poisson et une portion de boeuf absorbe-t-elle approximativement?

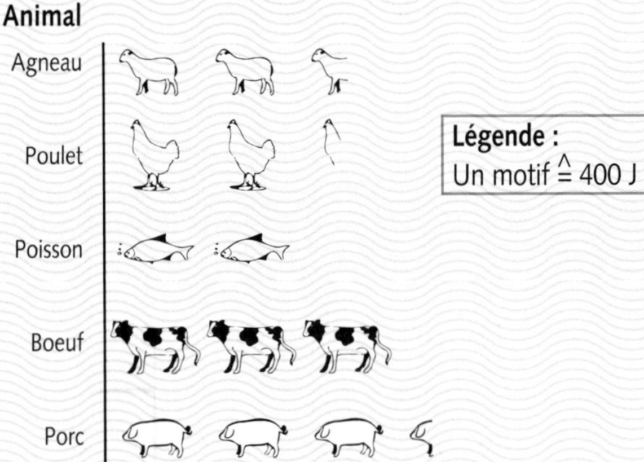

7. L'augmentation de la population humaine soulève bien des interrogations, surtout quand on sait que c'est dans les pays non industrialisés que la population augmente le plus.

   a) La population de l'Afrique a quadruplé au cours des 50 dernières années. **Qu'en est-il** de la population mondiale?

   b) **Quel pourcentage** de la population mondiale la population d'Afrique représente-t-elle (à la dizaine près)?

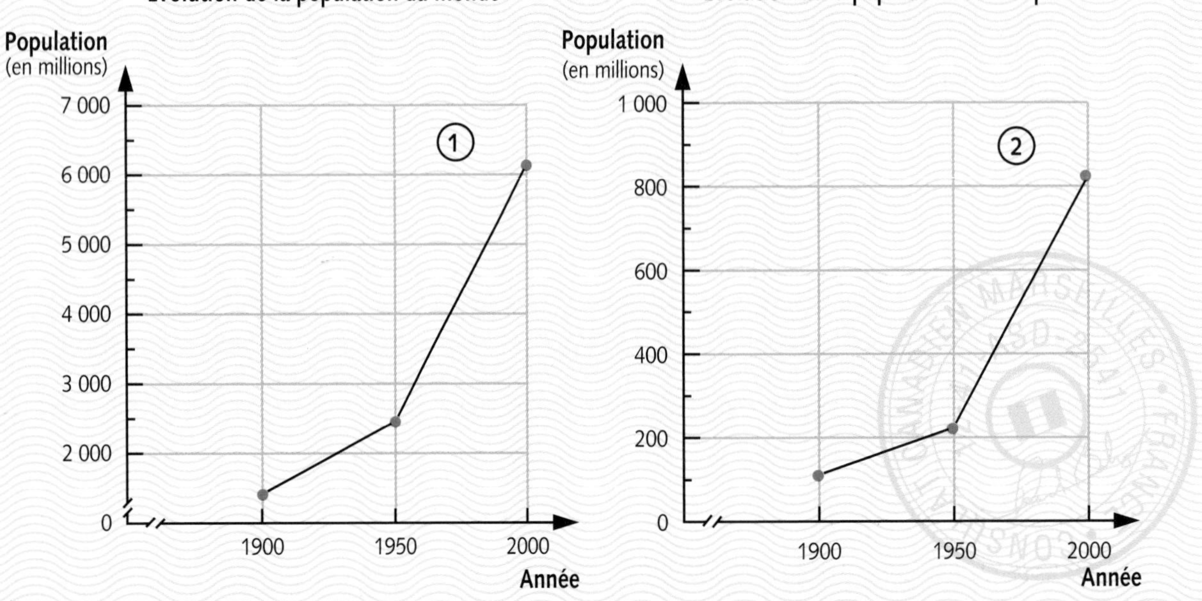

8. Les élèves d'une classe ont été jumelés. L'un devait dire à quel moment il croyait qu'une minute s'était écoulée, pendant que l'autre surveillait un chronomètre. Le temps était noté. Ensuite, on intervertissait les rôles. On a effectué l'expérience à deux reprises. La première fois, les élèves ne pouvaient pas être distraits, tandis que la deuxième fois, ils devaient l'être. Voici les résultats, présentés sous la forme de graphiques.

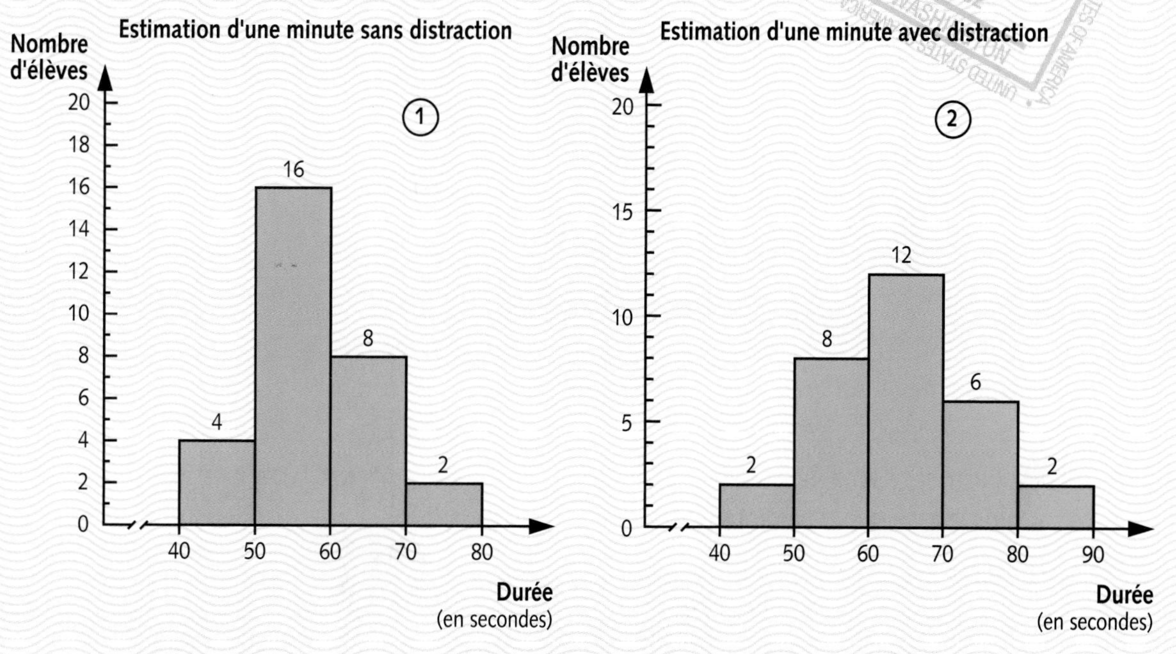

a) **Combien** d'élèves ont sous-estimé la durée d'une minute lorsqu'ils n'étaient pas distraits?

b) **Combien** d'élèves ont surestimé la durée d'une minute lorsqu'ils étaient distraits?

c) **La conclusion suivante est-elle vraie?**

«Le temps passe plus vite lorsqu'on est distrait.»

d) **Dans quel cas** l'estimation du temps est-elle la meilleure : quand les élèves sont distraits ou quand ils ne sont pas distraits?

9. **Résous** ce problème en complétant le tableau.

Un concierge a numéroté un certain nombre de cases en commençant par 1. Il a utilisé 291 chiffres. Combien de cases a-t-il numérotées?

Numéros	Nombre de chiffres	Nombre de cases	Nombre de chiffres utilisés
1 à 9	1	9	9
10 à 99	2	90	180
100 à ...			

ITINÉRAIRE 12

LES FIGURES GÉOMÉTRIQUES

Les grandes idées :

- points, segments, droites;
- unités de longueur;
- relations entre deux droites;
- notion d'angle et mesure d'angle;
- relations entre deux angles.

Objectif terminal :

Résoudre des problèmes portant sur des droites ou des angles.

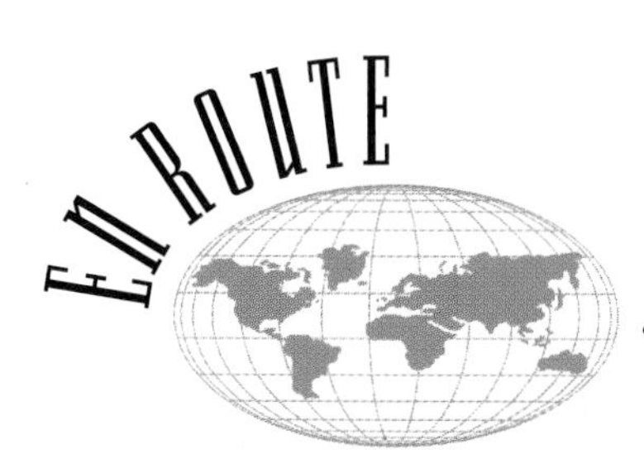

... VERS LES FIGURES GÉOMÉTRIQUES

POINTS, SEGMENTS DE DROITE ET DROITES

L'écran d'un ordinateur!

On peut utiliser l'ordinateur pour représenter diverses figures.

- Explique comment on réussit à faire apparaître des figures à l'écran d'un ordinateur.
- Comment réussit-on à donner de la couleur à des figures sur un écran d'ordinateur?

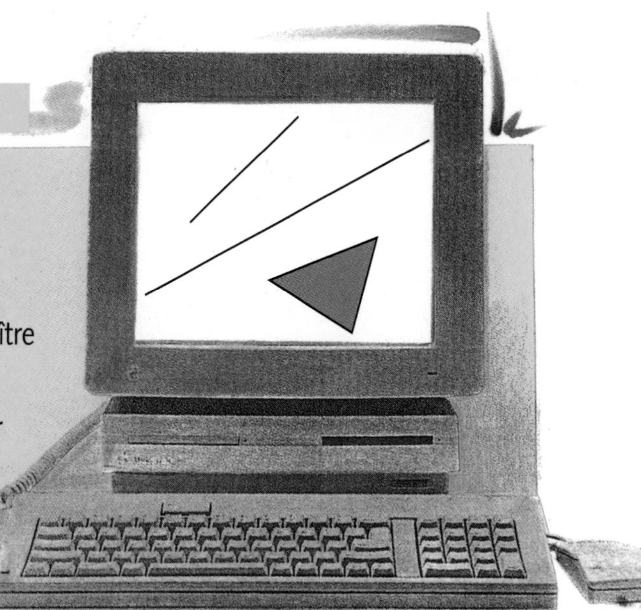

Un écran d'ordinateur, une planche à dessin ou une feuille de travail sont des surfaces planes qui évoquent l'idée de **plan.** On considère ces surfaces comme des ensembles de points.

Les **points** du plan sont généralement désignés par des lettres majuscules et sont représentés par la trace d'une pointe de crayon.

Un crayon que l'on déplace sur une feuille engendre une **ligne.** Si le crayon se déplace :

- en gardant constamment la même direction, il engendre une **ligne droite;**
- en changeant constamment de direction, il engendre une **ligne courbe.**

Le plan est le lieu de résidence des figures géométriques.

En reliant deux points d'un plan par un trait droit, on trace un **segment.** Le segment reliant le point *A* et le point *B* est appelé **segment *AB*** et il est **noté** $\overline{AB}$.

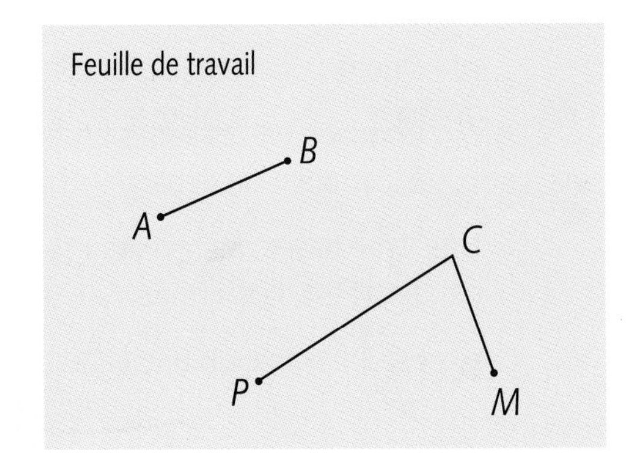

a) Comment noterais-tu :

1) le segment *PC*? 2) le segment *CM*?

Un segment a deux extrémités. Elles peuvent être plus ou moins éloignées l'une de l'autre.
La distance entre les deux extrémités d'un segment correspond à la **mesure du segment** ou à sa longueur.

CARNET DE VOYAGE

La mesure d'un segment *AB* se note m $\overline{AB}$ ou mes $\overline{AB}$.

Des **segments congrus** sont des segments qui ont la même mesure.

Le symbole ≅ est utilisé pour remplacer les mots **«est congru à»**.

Si m $\overline{CE}$ = m $\overline{ED}$, alors $\overline{CE} \cong \overline{ED}$.

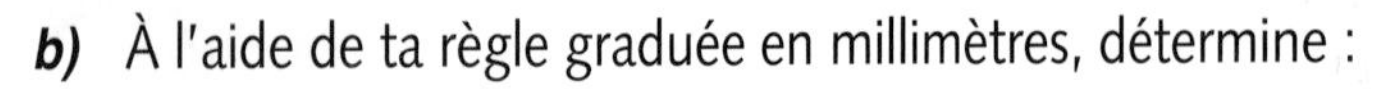

b) À l'aide de ta règle graduée en millimètres, détermine :

1) m $\overline{AB}$

2) m $\overline{CE}$

3) m $\overline{ED}$

4) m $\overline{PM}$

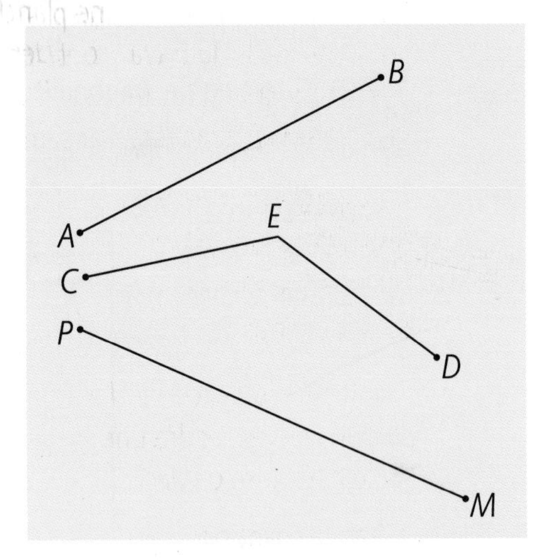

Si l'on imagine un segment qui se prolonge indéfiniment au-delà de l'une de ses extrémités, on obtient une **demi-droite.**

c) Combien y a-t-il d'extrémités dans une demi-droite?

Si l'on imagine un segment qui se prolonge indéfiniment au-delà de ses deux extrémités, on obtient une **droite.**

On note généralement une droite par une lettre minuscule ou deux de ses points.

d) Combien d'extrémités une droite a-t-elle ?

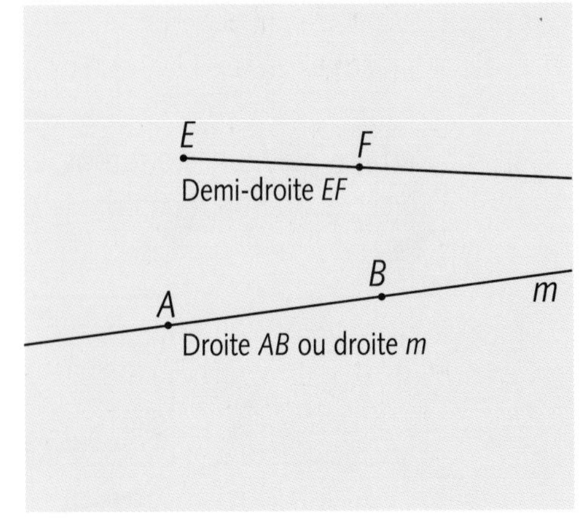

On a tracé dans ce plan 3 lignes brisées.

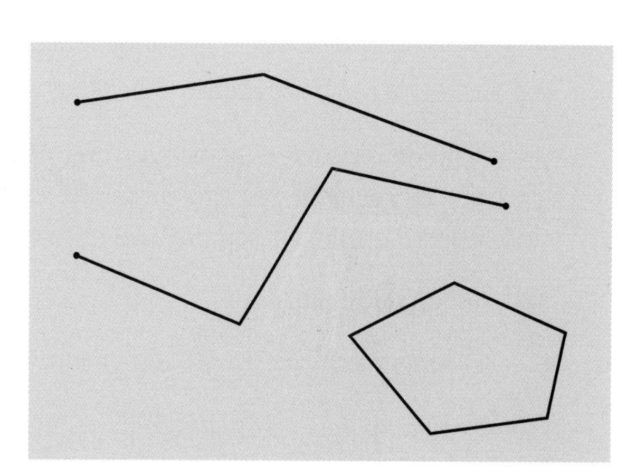

e) Donne la définition d'une ligne brisée.

f) Combien de ces lignes brisées reviennent à leur point de départ?

Une ligne brisée qui revient à son point de départ est dite **fermée.**

g) Est-il possible qu'une ligne brisée fermée ne soit formée que de deux segments?

h) Combien de segments au minimum doit-on avoir pour former une ligne brisée fermée?

Un **polygone** est une figure plane formée par une ligne brisée fermée.

Dans un polygone, les extrémités des segments sont appelées **sommets.** Les segments joignant deux sommets consécutifs sont appelés **côtés** et deux sommets non consécutifs sont appelés **diagonales.**

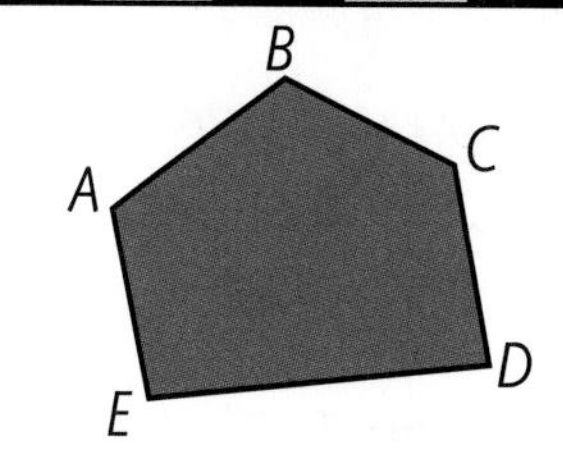

i) 1) Est-il vrai qu'un polygone a toujours autant de sommets que de côtés?

2) Combien de diagonales compte un polygone à 4 côtés, à 5 côtés?

On classe les polygones d'après leur nombre de côtés.

Classification des polygones

Nombre de côtés	Nom
3	triangle
4	quadrilatère
5	pentagone
6	hexagone
7	heptagone
8	octogone
9	ennéagone
10	décagone
12	dodécagone

Certains polygones ont tous leurs **angles** et leurs **côtés congrus.** On dit alors qu'ils sont **réguliers.** Voici ceux qu'on rencontre le plus fréquemment.

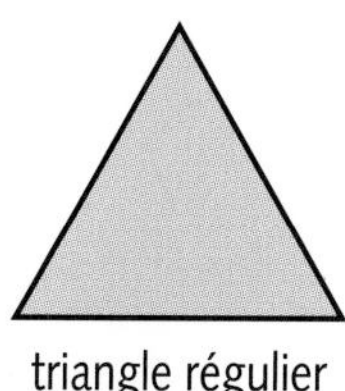

triangle régulier ou équilatéral

quadrilatère régulier ou carré

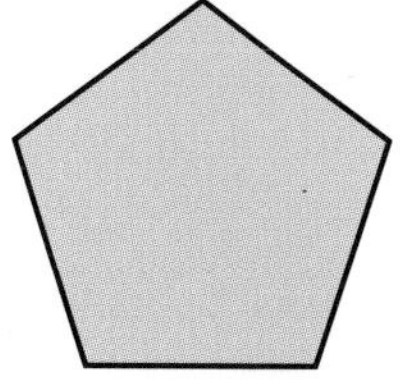

pentagone régulier

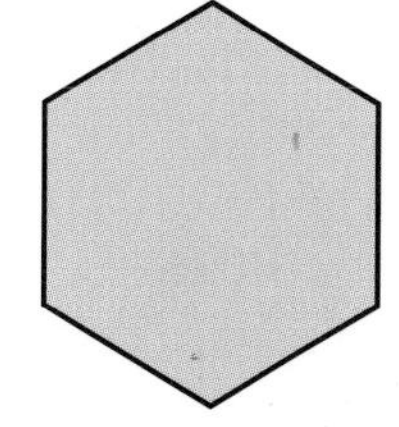

hexagone régulier

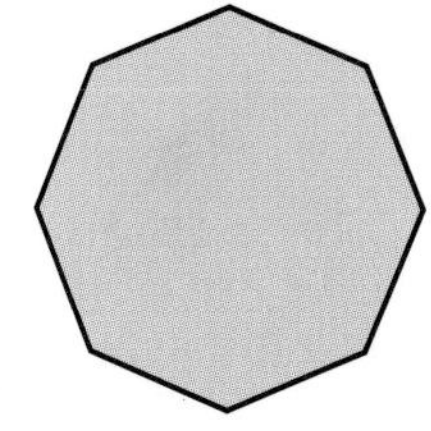

octogone régulier

1 Quelle figure géométrique représente le plus court chemin entre deux points?

2 En joignant deux à deux tous ces points, combien obtient-on de segments?

a)

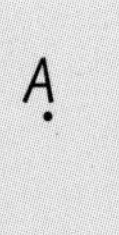

b)

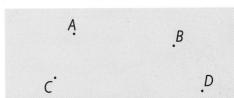

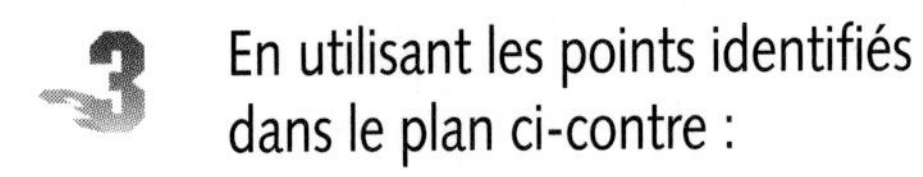

3 En utilisant les points identifiés dans le plan ci-contre :

a) nomme 3 points alignés;

b) nomme les segments qui ont le point *A* comme extrémité;

c) nomme deux segments congrus;

d) détermine en millimètres :

1) m $\overline{CA}$

2) m $\overline{AD}$

3) m $\overline{EF}$

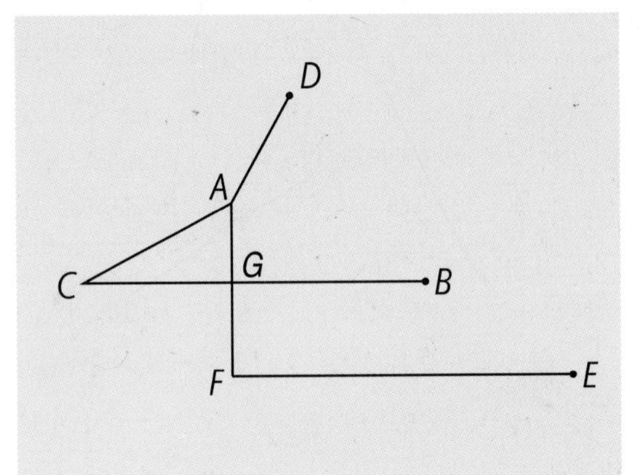

4 En te référant au plan ci-contre, détermine les énoncés vrais.

a) m $\overline{FG}$ = m $\overline{AG}$

b) $\overline{GC} \cong \overline{BC}$

c) m $\overline{BE}$ + m $\overline{EC}$ = m $\overline{BC}$

d) $\overline{BE} \cong \overline{AG}$

e) m $\overline{GC}$ = m $\overline{CG}$

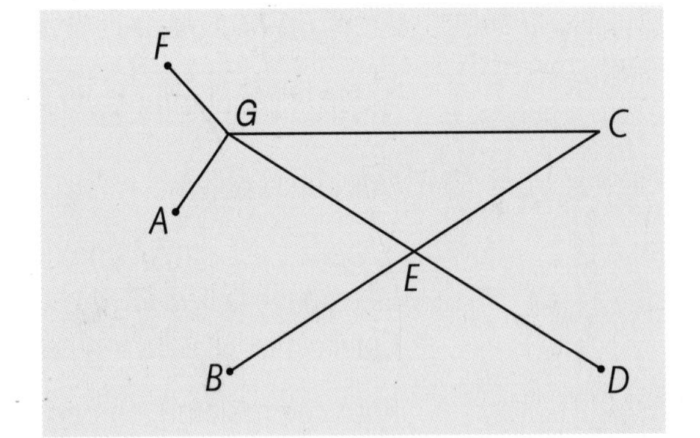

5 Sur $\overline{MN}$, on a choisi deux points et on les a notés *C* et *D*.

a) Nomme les 6 segments formés par ces 4 points.

b) À l'aide de ta règle, détermine :

1) m $\overline{MD}$ 2) m $\overline{CN}$ 3) m $\overline{MN}$ 4) m $\overline{CD}$

c) À l'aide de ta règle, détermine :

1) m $\overline{CD}$ + m $\overline{DN}$ 2) m $\overline{MD}$ – m $\overline{CD}$ 3) m $\overline{MN}$ – (m $\overline{CD}$ + m $\overline{DN}$)

Dans ton cahier, trace 3 points non alignés et note-les A, B et C. Trace ensuite la figure demandée.

a) La demi-droite AB. ***b)*** La droite BC. ***c)*** Le segment AC.

Dans un plan, combien de droites peut-on faire passer par :

***a)* un point?** ***b)* deux points?**

8 Peut-on trouver une mesure de longueur pour :

a) une demi-droite? ***b)*** une droite?

9 Nomme les paires de segments congrus dans ces figures.

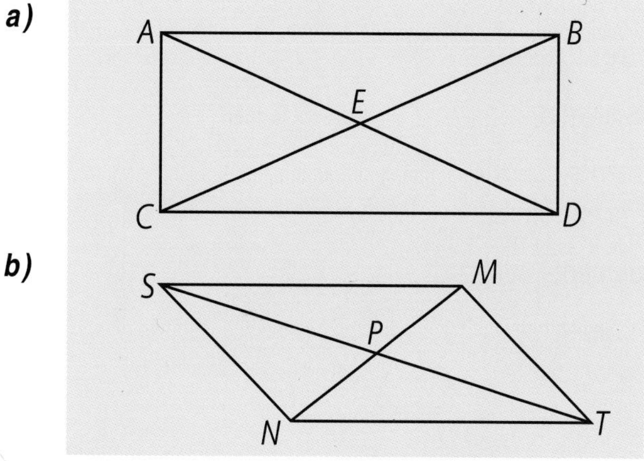

10 $\overline{AB}$ et $\overline{BA}$ désignent-ils le même segment?

11 À quelle condition une droite passe-t-elle par 3 points donnés?

12 Voici un problème.

Isabella s'est acheté une douzaine de mouches à pêcher pour 42,50 $.
Elle a payé la TPS (7 %) et la TVQ (8 %).
Quel est le total de son achat?

Pour ce problème, on peut voir ci-dessous deux débuts de démarche.
Indique laquelle est la plus avancée ou la plus près de la réponse.

Démarche 1 : 12 mouches pour 42,50 $
Total de l'achat?
Prix d'une mouche : 42,50 $ ÷ 12 = 3,54 $
...

Démarche 2 : 12 mouches pour 42,50 $
Total de l'achat?
Calcul de la TPS : 42,50 $ x 0,07 ≈ 2,98 $
...

FLASH
PROBLÈME

Lorsqu'on travaille à résoudre un problème, il est important d'évaluer si l'on s'approche de la réponse.

Hors de l'imagination!

■ Quelles sont les dimensions :

a) d'un plan? ***b)*** d'un point?

■■ Quelle est la largeur d'un segment?

■■■ Quelle est la longueur d'une droite?

LES MESURES DE LONGUEUR

Une mesure est toujours formée d'un **nombre** et d'une **unité.**

Pour prendre une mesure, il faut d'abord choisir un instrument de mesure et l'unité appropriés.

A) LES INSTRUMENTS DE MESURE DE LONGUEUR

Voici différents instruments de mesure de longueur.

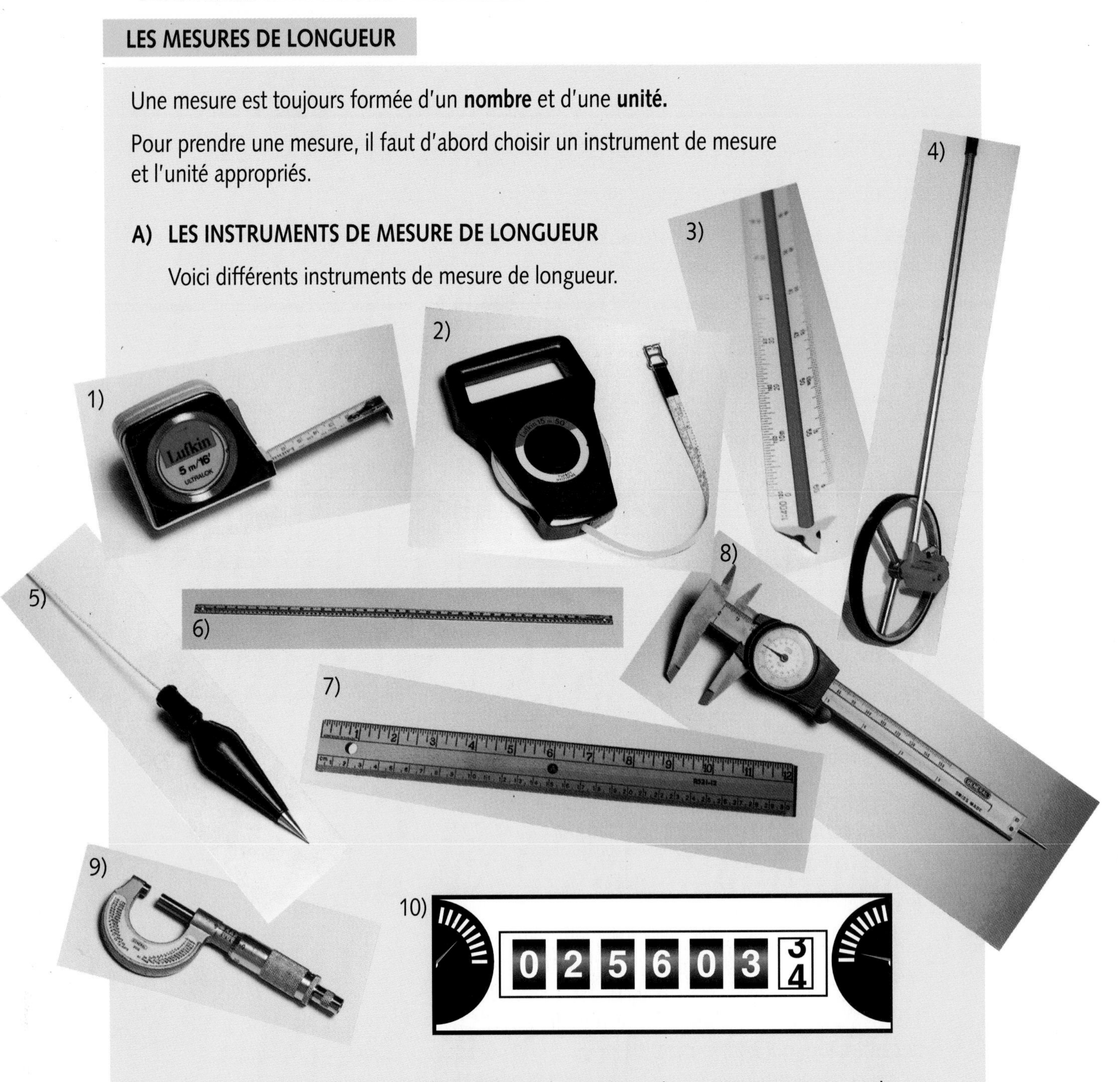

- Donne le nom de chaque instrument et décris ce que l'on peut mesurer avec chacun.

Les segments que l'on trace sur une feuille de travail sont bien souvent la représentation de la longueur, de la largeur, de la hauteur ou de l'épaisseur d'objets que l'on trouve dans notre environnement. Le choix de l'instrument de mesure dépend des situations et des mesures elles-mêmes.

a) Quel instrument convient le mieux pour déterminer :

1) la mesure d'un segment sur une feuille de papier?
2) la hauteur d'une porte?
3) le diamètre des tuyaux?
4) la profondeur d'un lac?
5) la longueur d'une route?
6) la distance de freinage dans un accident?
7) l'altitude d'un avion en vol?
8) la longueur d'un petit sentier très sinueux?
9) l'épaisseur d'une plaque de tôle?
10) les dimensions d'un carreau de céramique?

B) LES UNITÉS DE MESURE DE LONGUEUR

L'unité de base des unités de longueur est le **mètre.**

Toutes les autres unités de mesure de longueur sont basées sur le mètre. Elles sont formées d'un **préfixe** et du mot **mètre.**

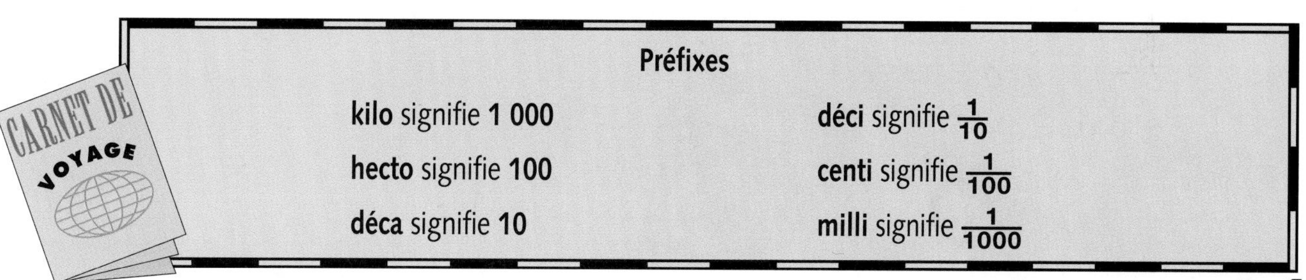

Préfixes

kilo signifie **1 000**

hecto signifie **100**

déca signifie **10**

déci signifie $\frac{1}{10}$

centi signifie $\frac{1}{100}$

milli signifie $\frac{1}{1000}$

Ces unités sont :

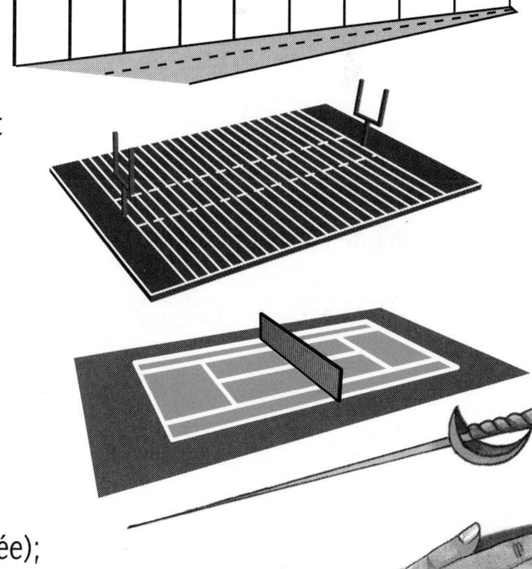

- le **kilomètre,** qui égale 1 000 m
  (**1 km** correspond à peu près à la longueur d'une ligne de transport de l'électricité comprenant une dizaine de poteaux);
- l'**hectomètre,** qui égale 100 m
  (**1 hm** correspond à peu près à la longueur d'un terrain de football);
- le **décamètre**, qui égale 10 m
  (**1 dam** correspond à peu près à la largeur d'un terrain de tennis);
- le **mètre**
  (**1 m** correspond à peu près à la longueur d'une épée);
- le **décimètre,** qui équivaut à 0,1 m
  (**1 dm** correspond à peu près à la largeur d'une main);
- le **centimètre,** qui équivaut à 0,01 m
  (**1 cm** correspond à peu près à la largeur de l'ongle du petit doigt);
- le **millimètre,** qui équivaut à 0,001 m
  (**1 mm** correspond à peu près à l'épaisseur d'une allumette de carton).

Estimer une distance, une longueur, une largeur, une hauteur ou une épaisseur est une habileté importante pour bien fonctionner dans un monde à 3 dimensions. Pour maîtriser cette habileté, tu dois te donner des unités de référence.

1. Estime d'abord et mesure ensuite à l'aide de ta règle :

   a) l'écartement maximal entre ton pouce et ton index;

   b) l'écartement maximal entre ton index et ton majeur;

   c) l'écartement maximal entre ton pouce et ton auriculaire.

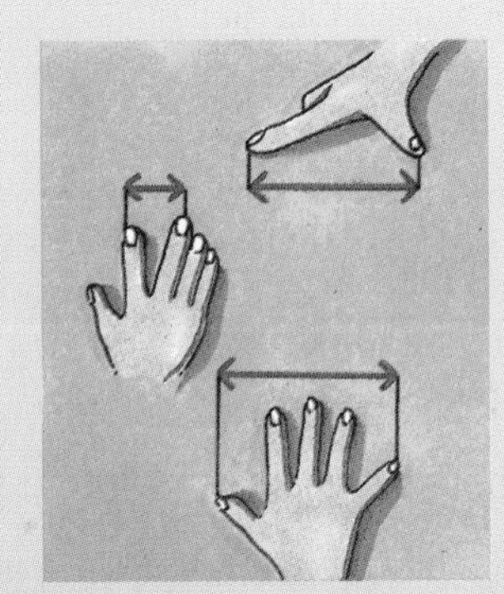

2. On peut utiliser l'écartement entre le pouce et l'auriculaire comme instrument de mesure. Estime avec ta main, puis détermine à l'aide de ta règle :

   a) la largeur de ton bureau;

   b) la largeur de ton livre de mathématique lorsqu'il est ouvert.

3. Chez l'adulte, la distance de la ceinture aux pieds est à peu près de 1 m. En utilisant cette référence, estime la hauteur :

   a) de ton pupitre;

   b) du plafond de la classe;

   c) de l'un des tableaux de la classe;

   d) de la porte de la classe;

   e) de l'horloge de la classe (s'il y en a une).

4. Certaines personnes affirment que la distance entre le bout des majeurs lorsque les bras sont tendus en croix équivaut à la taille. Cette affirmation est-elle vraie dans ton cas?

5. À l'aide de ta règle, mesure la largeur de ta main. En utilisant ta main, estime en décimètres :

   a) la longueur de ton étui à crayons;

   b) la longueur d'un crayon de bois neuf;

   c) la longueur de tes pieds.

6. En utilisant la largeur de ton petit doigt, estime :

   a) la longueur de ta gomme à effacer; ***b)*** la longueur d'une craie neuve.

7. Estime en millimètres les mesures suivantes :

   a) L'épaisseur de ta règle. ***b)*** L'épaisseur et le diamètre d'une pièce de 5¢.

8. Estime les dimensions d'un billet de 2 $.

9. Quelles sont les dimensions moyennes d'une patinoire?

10. Quelle est la longueur approximative d'un train ayant une trentaine de wagons?

11. Si la taille moyenne d'un Québécois adulte est de 1,80 m, estime la taille moyenne d'une Québécoise adulte en te basant sur ce dessin.

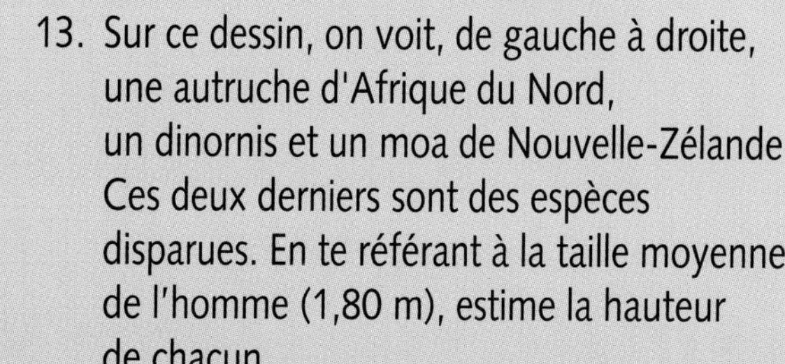

12. Le plus grand homme connu fut Robert Wadlow et le plus petit fut Calvin Philips. Estime leur taille si l'homme du centre mesure 1,80 m.

13. Sur ce dessin, on voit, de gauche à droite, une autruche d'Afrique du Nord, un dinornis et un moa de Nouvelle-Zélande. Ces deux derniers sont des espèces disparues. En te référant à la taille moyenne de l'homme (1,80 m), estime la hauteur de chacun.

C) LE CHOIX DES UNITÉS DE MESURE DE LONGUEUR

À ma naissance, je mesurais 51 cm. Maintenant, je fais 1,80 m!

As-tu remarqué le changement d'unités dans l'expression de la taille?

Le **choix des unités** relève souvent de la situation elle-même.

a) Dans chaque cas, donne l'unité qui convient.

1) Cette patinoire mesure 65 ■ sur 28 ■.
2) Il a fait ce trou avec un foret ayant un diamètre de 15 ■.
3) La balle de ce lanceur atteint la vitesse de 96 ■/h ou 27 ■/s.
4) Elle a mangé une pizza de 30 ■ de diamètre.
5) La mécanicienne a vissé ce boulon avec une clé de 20 ■.
6) Après ce froid, l'épaisseur de la glace atteint maintenant 20 ■.
7) Avec ce vent, les vagues atteignent 2,8 ■.
8) Il n'y aura probablement pas de cours demain : on annonce une tempête de 25 ■ de neige.
9) L'ouragan Hugo a apporté des vents de 180 ■/h.
10) Elle est tombée d'une falaise de 35 ■.

b) Dans chaque cas, donne l'unité appropriée.

1) Elle a réussi un saut de 1,56 ■.
2) Il a nagé le 200 ■ en un temps record.
3) Sa manche de chemise mesure 68 ■.
4) Ses skis mesurent 175 ■.
5) La distance entre Québec et Montréal est de 250 ■.
6) Elle a perdu une vis de 30 ■.
7) Un trombone a une longueur de 3 ■.
8) Son col de chemise mesure 40 ■.
9) Elle travaille dans une mine à une profondeur de 350 ■.
10) Il a cloué cette planche avec des clous de 3 ■.
11) Un panneau de contreplaqué mesure 2 400 ■ de longueur.
12) À cause de la turbulence, le pilote a fait monter son avion à une altitude de 6 000 ■.

c) Place une virgule au bon endroit dans le nombre afin que la mesure ait du sens.

1) Anne-France a couru 156 km en 60 minutes.
2) Marc-André a sauté 149 m à son dernier saut en hauteur.
3) Son tour de cou est de 365 cm.
4) La taille moyenne des joueurs de cette équipe est de 195 m.
5) À sa naissance, elle mesurait 525 cm.
6) Je peux voir sa maison : elle demeure à 25 hm de chez moi.
7) La longueur de ce pont est de 75 km.
8) Mélyssa marche à la vitesse de 42 km par heure.
9) Cet athlète a des mains d'une largeur de 15 dm.
10) L'épaisseur exacte de cette pièce de monnaie est de 21 mm.

d) Quel est le degré de précision que permet d'atteindre :

1) le compteur kilométrique d'une voiture?

2) une règle d'écolier?

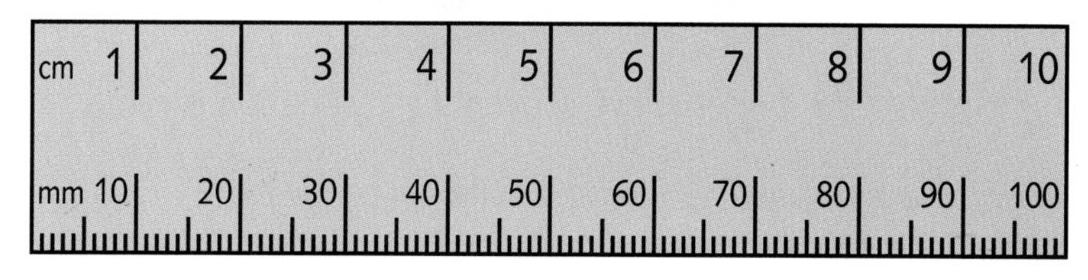

e) Pourquoi serait-il ridicule de donner une précision au millimètre près à la longueur d'une maison mesurée à l'aide d'un décamètre à ruban?

f) Indique si la précision donnée à la mesure frise le ridicule. Si oui, explique pourquoi.

1) La hauteur de cette montagne est de 4 325,83 m.

2) L'explosion de la bombe a fait un trou de 18,7 m de diamètre.

3) Henri mesure 1,72 m.

4) Elle a lancé le javelot à une distance de 72,3 m.

5) La longueur de cette lame de métal est de 58,25 mm.

D) TRANSFORMATION D'UNITÉS

Dans un ordre décroissant, les unités de longueur s'alignent comme suit :

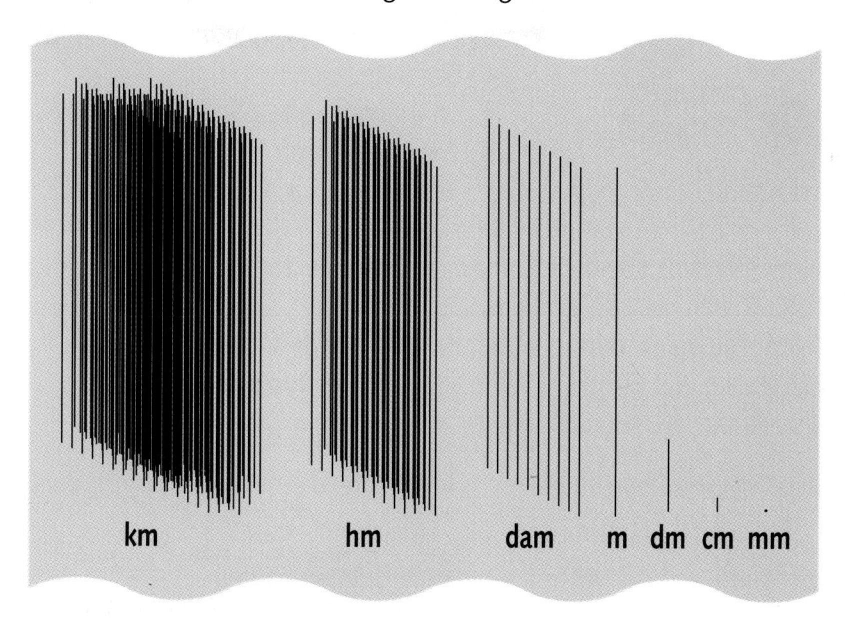

Chaque unité vaut 10 fois l'unité suivante ou est le dixième de l'unité précédente.

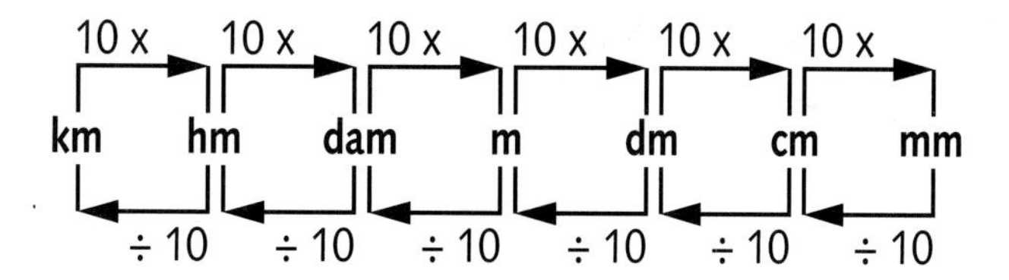

QU'EN PENSEZ-VOUS?

a) Convertissez :

1) 25 cm en décimètres;
2) 382 mm en mètres;
3) 4 502 m en kilomètres;
4) 35 hm en décimètres.

b) D'après le travail effectué ci-dessus, quelle opération devez-vous faire sur le nombre pour convertir une mesure :

1) en une unité plus petite?
2) en une unité plus grande?

c) Décrivez une méthode qui vous permet d'exprimer une mesure de longueur en différentes unités.

1 Sur cette règle, quelle est la distance entre :

a) **A** et **B**? ***b)*** **B** et **C**?

2 Combien de millimètres, de centimètres, de décimètres et de mètres apparaissent sur la règle ci-dessous?

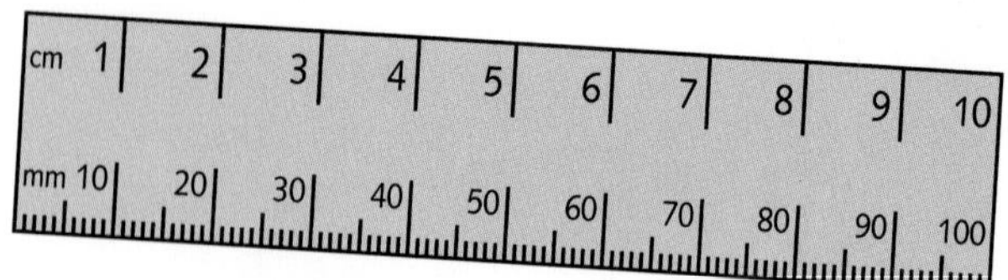

3 Quel instrument convient le mieux pour mesurer :

a) l'épaisseur d'une planche?

b) le tour de taille?

c) les dimensions d'un tapis?

d) la longueur d'un pont?

e) la longueur d'un saut en longueur?

4 Avec quelle précision convient-il de mesurer :

a) la longueur d'une route entre deux villages?

b) le diamètre d'un comprimé d'aspirine?

c) la longueur d'un crayon?

d) le parcours d'un trou de golf?

POURQUOI?
Pourquoi la balle
de golf a-t-elle
des alvéoles?

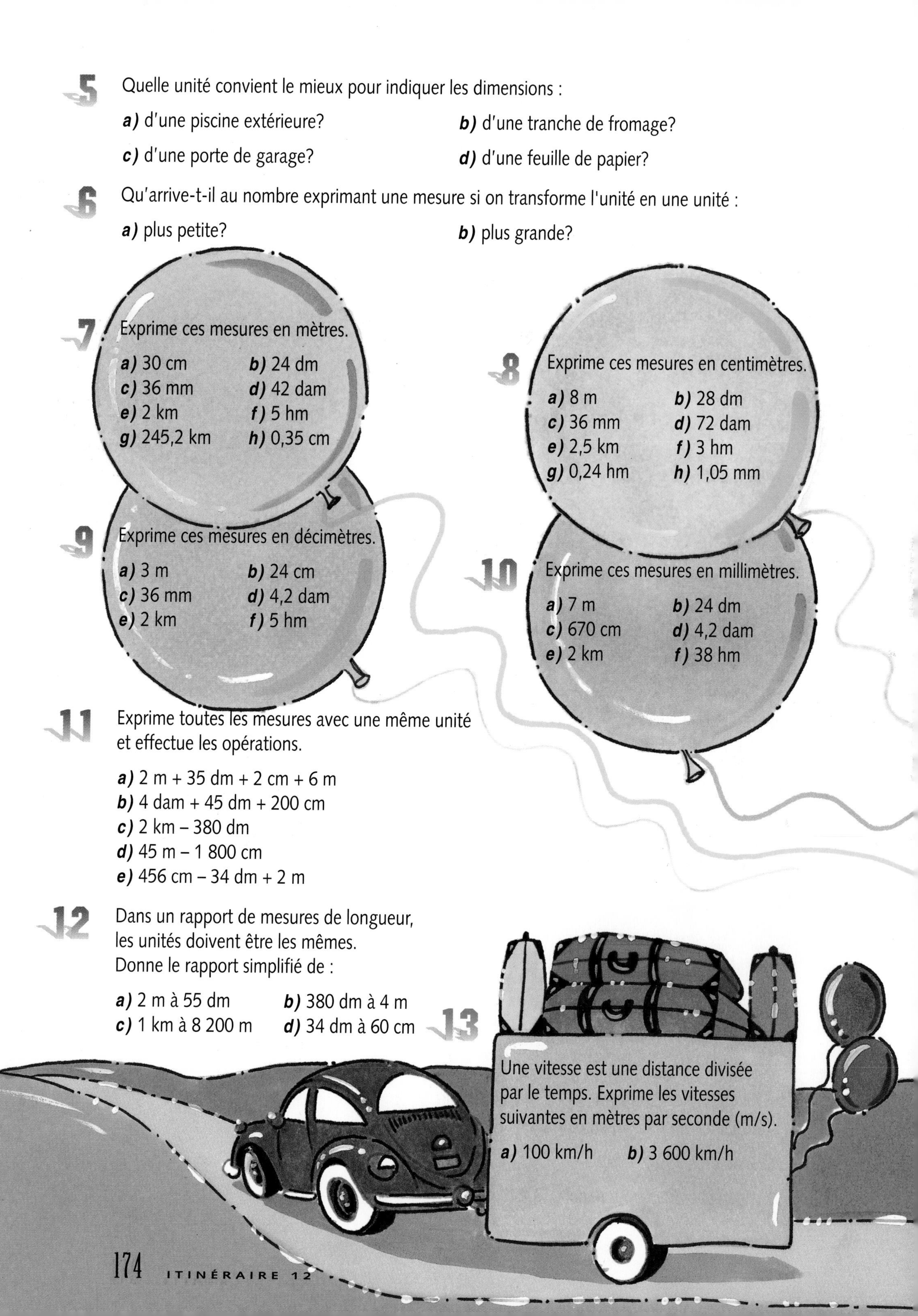

5 Quelle unité convient le mieux pour indiquer les dimensions :

a) d'une piscine extérieure?
b) d'une tranche de fromage?
c) d'une porte de garage?
d) d'une feuille de papier?

6 Qu'arrive-t-il au nombre exprimant une mesure si on transforme l'unité en une unité :

a) plus petite?
b) plus grande?

7 Exprime ces mesures en mètres.

a) 30 cm
b) 24 dm
c) 36 mm
d) 42 dam
e) 2 km
f) 5 hm
g) 245,2 km
h) 0,35 cm

8 Exprime ces mesures en centimètres.

a) 8 m
b) 28 dm
c) 36 mm
d) 72 dam
e) 2,5 km
f) 3 hm
g) 0,24 hm
h) 1,05 mm

9 Exprime ces mesures en décimètres.

a) 3 m
b) 24 cm
c) 36 mm
d) 4,2 dam
e) 2 km
f) 5 hm

10 Exprime ces mesures en millimètres.

a) 7 m
b) 24 dm
c) 670 cm
d) 4,2 dam
e) 2 km
f) 38 hm

11 Exprime toutes les mesures avec une même unité et effectue les opérations.

a) 2 m + 35 dm + 2 cm + 6 m
b) 4 dam + 45 dm + 200 cm
c) 2 km – 380 dm
d) 45 m – 1 800 cm
e) 456 cm – 34 dm + 2 m

12 Dans un rapport de mesures de longueur, les unités doivent être les mêmes. Donne le rapport simplifié de :

a) 2 m à 55 dm
b) 380 dm à 4 m
c) 1 km à 8 200 m
d) 34 dm à 60 cm

13 Une vitesse est une distance divisée par le temps. Exprime les vitesses suivantes en mètres par seconde (m/s).

a) 100 km/h
b) 3 600 km/h

14 Exprime ces vitesses en kilomètres par heure.

a) 3 600 m par minute. *b)* 42 000 m par seconde.

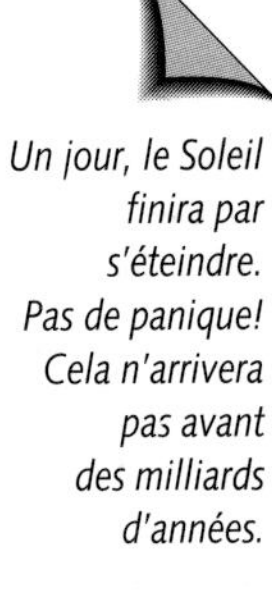

Un jour, le Soleil finira par s'éteindre. Pas de panique! Cela n'arrivera pas avant des milliards d'années.

15 Exprime cette mesure en utilisant strictement l'unité mètre.

a) 3 m 2 dm 8 cm et 4 mm *b)* 12 dam 5 m et 45 dm

16 Le son se propage dans l'air à une vitesse approximative de 331 m/s. Exprime cette vitesse en kilomètres par heure.

17 La vitesse de la lumière est d'environ 300 000 000 m/s. En combien de temps la lumière nous parvient-elle du Soleil si la distance entre le Soleil et la Terre est de 150 millions de kilomètres?

18 Marianne affirme que pour transformer une unité en une autre unité, il suffit de multiplier par 10, 100, 1 000,... si l'on veut une unité plus petite et de diviser si l'on veut une unité plus grande. Cette affirmation est-elle vraie? Justifie ta réponse.

19 Combien de mètres y a-t-il dans un mégamètre?

20 Si un mètre représente approximativement la dix-millionième partie du quart du tour de la terre, combien de kilomètres le tour de la terre mesure-t-il?

21 Quel pourcentage du second segment le premier segment représente-t-il?

22 Dans quelle figure le rapport hauteur-longueur est-il le plus grand?

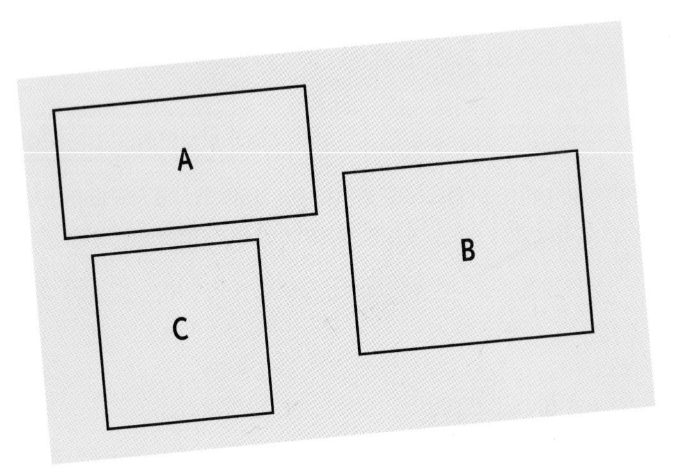

23 Une fois que l'on a terminé la résolution d'un problème, il convient de se demander si l'on a trouvé la solution la plus élégante. Il est également normal de chercher à améliorer cette solution.

Voici un problème pour lequel on fournit une démarche.

Francko a commandé au restaurant un repas pour lui, sa soeur et sa mère. Son repas coûte 5,99 $, celui de sa soeur 6,99 $ et celui de sa mère 8,99 $. Il doit ajouter une taxe de 15,56 % au total de l'addition et prévoir un pourboire de 2 $ pour la livreuse. De combien a-t-il besoin?

Améliore cette démarche afin de la rendre plus élégante.

> Démarche : Prix des repas : 5,99 $, 6,99 $ et 8,99 $
> Taxe : 15,56 % du prix
> Pourboire : 2 $
> Total?
>
> Taxe : 15,56 % x 5,99 + 15,56 % x 6,99 + 15,56 % x 8,99 = 3,42
> Prix des repas : 6 + 7 + 9 – 0,03 = 21,97
> Prix total : 21,97 + 3,42 + 2 = 27,39
>
> Réponse : Il a besoin de 27,39 $.

Tout un voyage!

- Une année-lumière représente la distance parcourue par la lumière à la vitesse de 300 000 000 m/s pendant un an. Combien de kilomètres la lumière parcourt-elle en un an?

Le camelot! — Stratégie : procéder par élimination

Un camelot est rémunéré selon le pourcentage de ses ventes. La semaine dernière, il a reçu 12,60 $ pour des ventes totalisant 42 $. Quel pourcentage de ses ventes a-t-il reçu?

A) 12 % B) 18 % C) 25 % D) 30 %

Les A jumeaux!

Ce nombre de 4 chiffres est divisible par 9. Trouve ce nombre.

3AA1

RELATIONS ENTRE DEUX DROITES

Les grandes constructions!

Toute la nature est l'oeuvre d'un grand géomètre.

- Qu'est-ce que les lignes apparaissant sur ces photographies ont de remarquable?

L'être humain réalise également des constructions aux lignes harmonieuses.

- Décris ce que les lignes ont de remarquable dans chaque photographie.

Deux droites peuvent occuper différentes positions l'une par rapport à l'autre.

a) Qu'ont en commun les droites *AB* et *BC* dans le plan ci-contre?

Les droites *AB* et *BC* sont des droites **sécantes.**

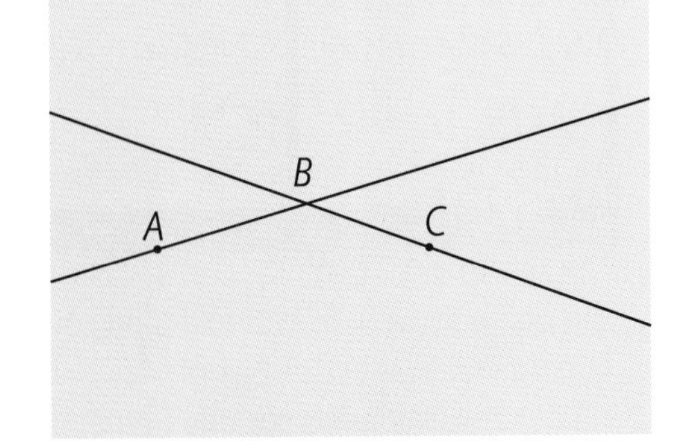

Des droites **sécantes** sont des droites qui se coupent en un seul point dans un même plan.

b) Quelle est la caractéristique principale d'une équerre?

c) Quelle caractéristique les droites *AB* et *MP* présentent-elles dans le plan ci-contre?

d) Décris deux utilités de l'équerre en menuiserie.

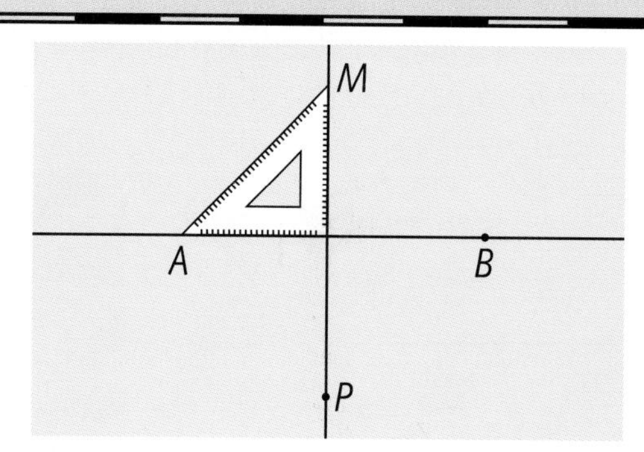

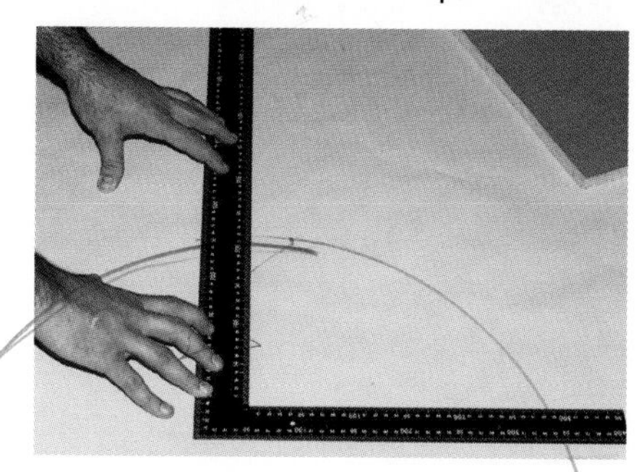

Deux droites **perpendiculaires** sont des droites qui forment des angles droits.
Le symbole ⊥ est utilisé pour remplacer l'expression **«est perpendiculaire à».**

Ainsi, dans le plan ci-dessus, $AB \perp MP$.

La façon la plus rapide de construire une droite perpendiculaire à une autre est sans contredit celle du menuisier, soit l'utilisation de l'équerre.

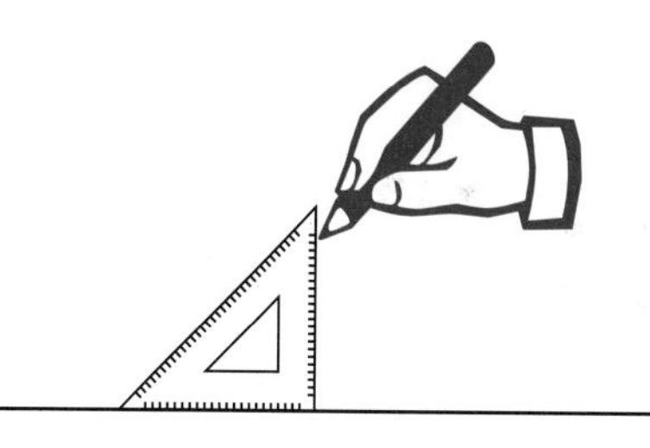

Mais il est également possible d'utiliser une règle et un compas. Observe bien le film de cette construction.

Construction de droites perpendiculaires

1 — *P*

2 — Du centre *P*, on trace un arc *AB*. (*P*, *A*, *B*)

3 — De *A* et de *B*, on trace 2 arcs qui se coupent en *E*. (*P*, *A*, *B*, *E*)

4 — On trace la droite *PE*. (*P*, *A*, *B*, *E*)

On utilise souvent le symbole d'un coin pour indiquer la perpendicularité de deux droites ou de deux segments sur une figure.

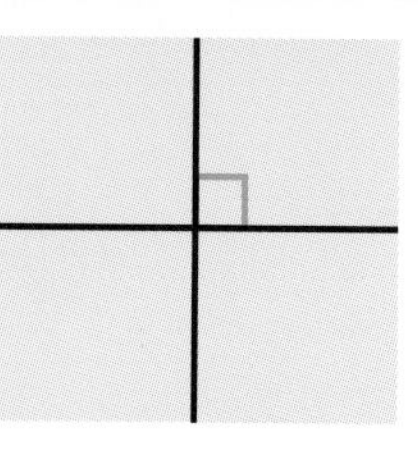

QU'EN PENSEZ-VOUS?

e) Les notations MC et CM désignent-elles une même droite? Justifiez votre réponse.

f) Les droites illustrées dans le plan ci-contre sont-elles sécantes? Justifiez votre réponse.

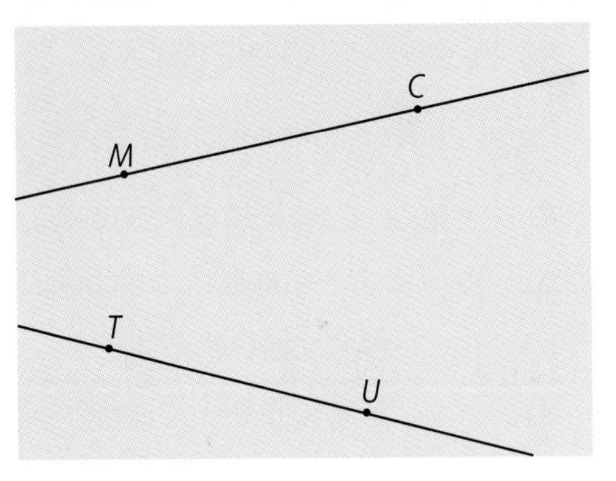

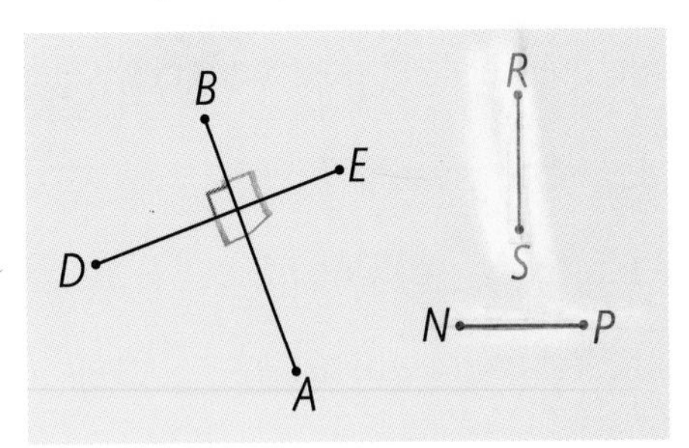

g) Dans le plan ci-contre, $\overline{AB} \perp \overline{DE}$, mais $\overline{RS}$ est-il perpendiculaire à $\overline{NP}$?

h) À quelle condition deux segments sont-ils perpendiculaires?

Définir est une activité très importante en géométrie. Les définitions servent à préciser les concepts et permettent aux individus de comprendre la même chose lorsqu'ils utilisent les mêmes mots.

Une bonne définition comprend deux parties équivalentes séparées le plus souvent par le verbe **être :**

PREMIÈRE PARTIE **est** SECONDE PARTIE

De plus, on exige :

1° que les mots de la seconde partie soient différents de ceux utilisés dans la première partie;

~~Un cheval est un cheval.~~

2° que la seconde partie décrive strictement la première partie et rien d'autre.

~~Un cheval est un animal.~~

I Indique pourquoi les définitions suivantes ne sont pas valables.

a) Un clocher est un clocher.

b) Un poulet est un animal à deux pattes.

c) Un biberon est un contenant.

d) Un soldat est un soldat.

e) Une école est un bâtiment.

f) Une fourchette est un ustensile.

II Parmi les définitions suivantes, repère celles qui sont valables.

a) Une pomme est le fruit produit par le pommier.

b) Une maison est un édifice en bois.

c) Un lac est un réservoir d'eau.

d) Un poisson est un animal vertébré à respiration branchiale et possédant des nageoires.

III Donne une définition convenable pour chacun des mots suivants :

a) Un chien.

b) Une gomme à effacer.

c) Une mère.

Définir en ses propres mots n'est pas toujours facile. C'est pour cette raison que les **définitions méritent d'être mémorisées.**

Savais-tu que les poissons dorment? Cependant, ils ne peuvent pas fermer les yeux puisqu'ils n'ont pas de paupières.

i) Trace une droite oblique et identifie un point de chaque côté de cette droite. À l'aide de ton équerre, et par chacun de ces points, trace une droite perpendiculaire à la droite oblique.

j) Reproduis chacun de ces plans et, passant par *P*, trace une droite perpendiculaire à la droite donnée.

1)

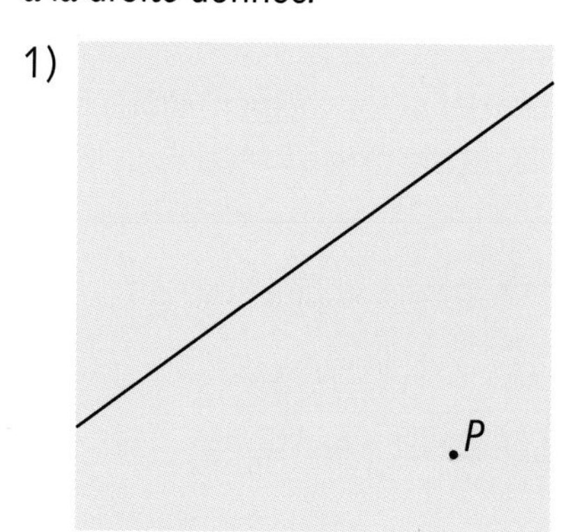

2)

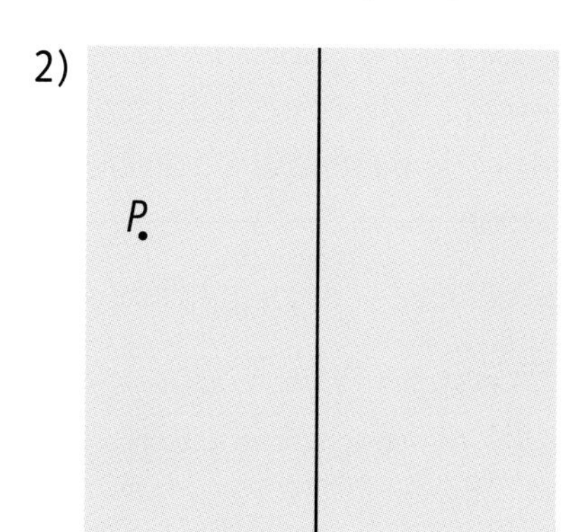

3)

P

4)

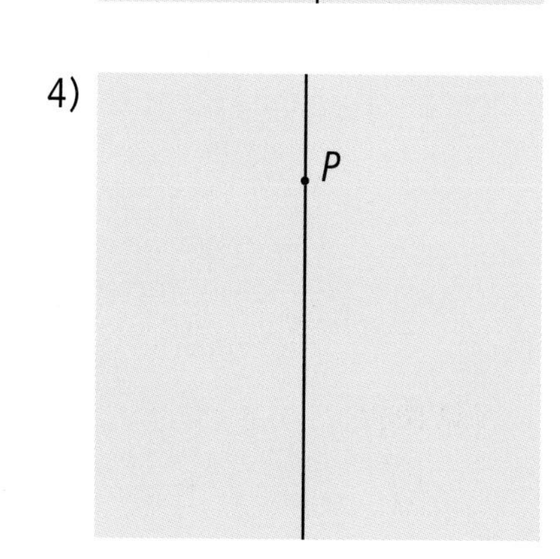

k) On appelle **distance entre deux points** la longueur du segment joignant ces deux points et on appelle **distance d'un point à une droite** la longueur du segment perpendiculaire reliant le point à la droite.

Trace sur ta feuille de travail le segment dont la longueur est la distance de A à C et du point *A* à la droite *BC*.

1)

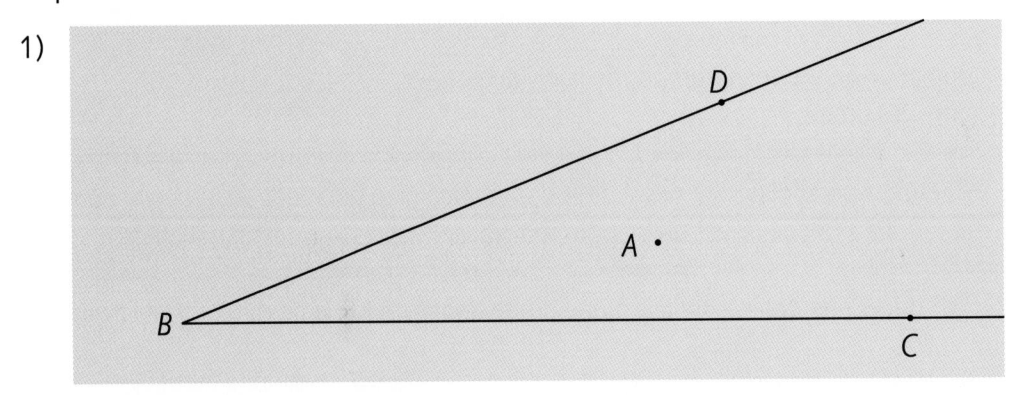

2)

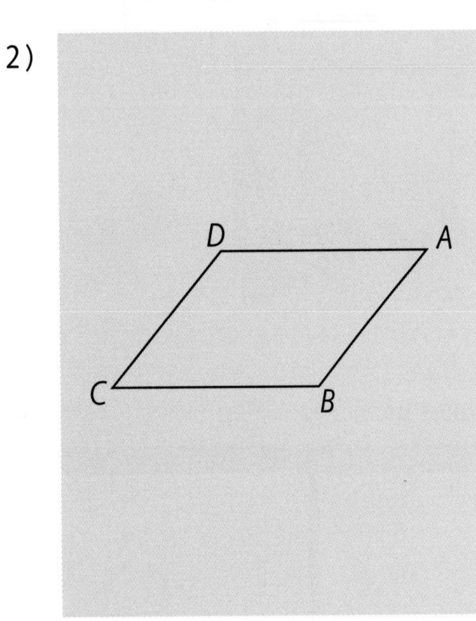

3)

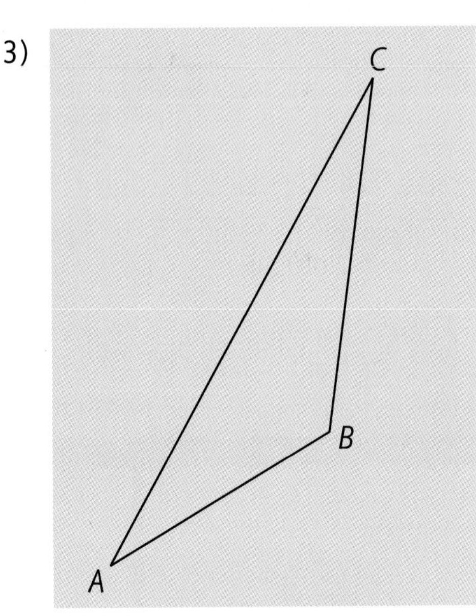

l) Dans chaque cas, trace le segment représentant la distance entre les deux droites si cela est possible.

1)

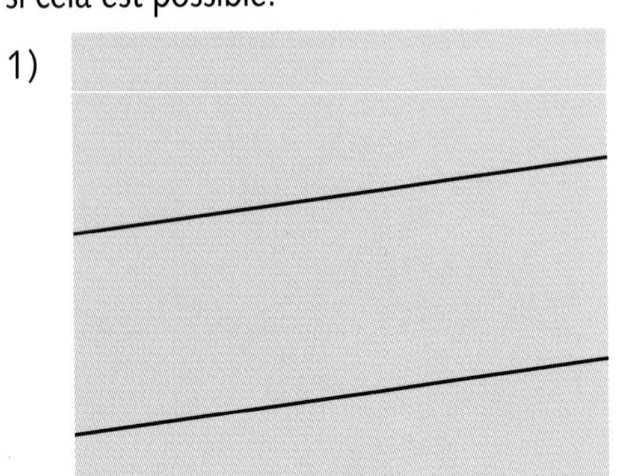

2)

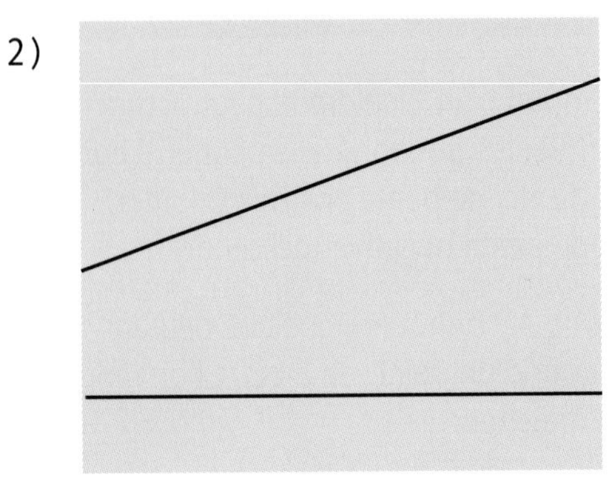

m) Quelle caractéristique les deux droites tracées de chaque côté de cette règle ont-elles?

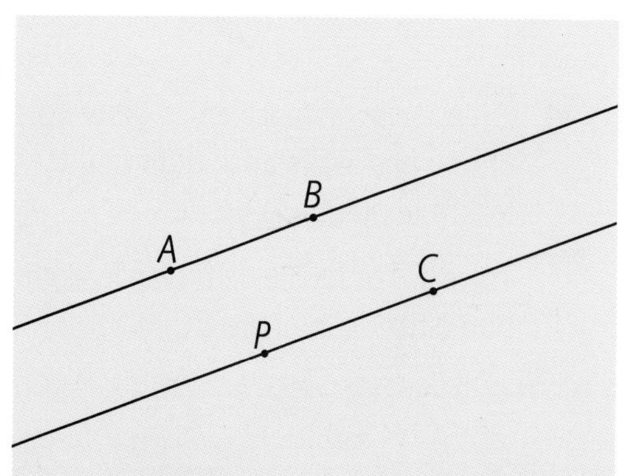

n) Quelle caractéristique les droites représentées dans ce plan ont-elles?

o) Que peut-on affirmer à propos de la distance entre ces droites?

CARNET DE VOYAGE

> Des droites **parallèles** sont des droites d'un même plan qui n'ont aucun point commun.
> Le symbole // est utilisé pour remplacer l'expression «**est parallèle à**».

On peut tracer une droite parallèle à une droite donnée à l'aide de différents instruments. Entre autres :

1° avec le rouleau géométrique :

2° avec deux équerres en procédant comme suit :

Construction de droites parallèles

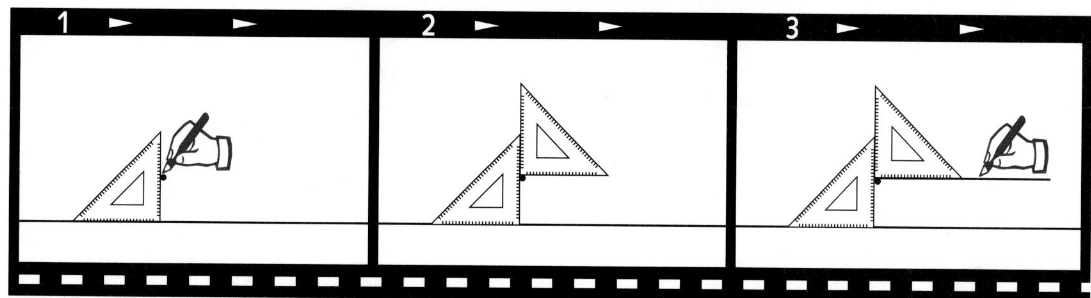

Dans un plan, une droite peut occuper différentes positions. Elle peut être **horizontale, verticale,** de **pente positive** (monter) et de **pente négative** (descendre).

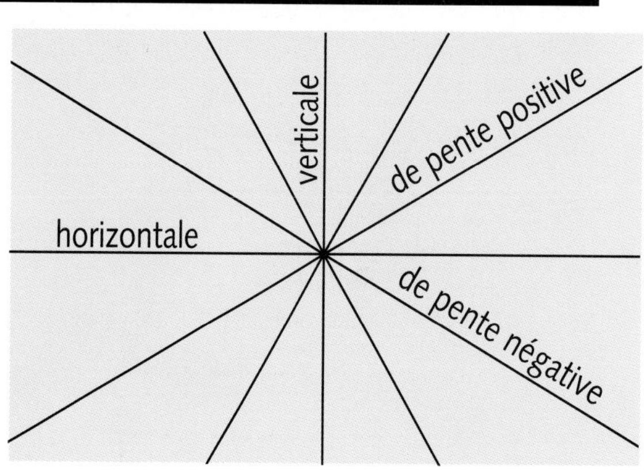

Dès que l'on tourne quelque peu une droite autour d'un point, on dit que l'on modifie sa **direction.**

p) Que peut-on affirmer à propos de la direction de deux droites parallèles?

1 Nomme les droites qui ont la même direction dans ce plan.

2 Deux droites perpendiculaires ont-elles la même direction?

3 Que doit-on faire à la droite *p* pour qu'elle ait la même direction que la droite *m*?

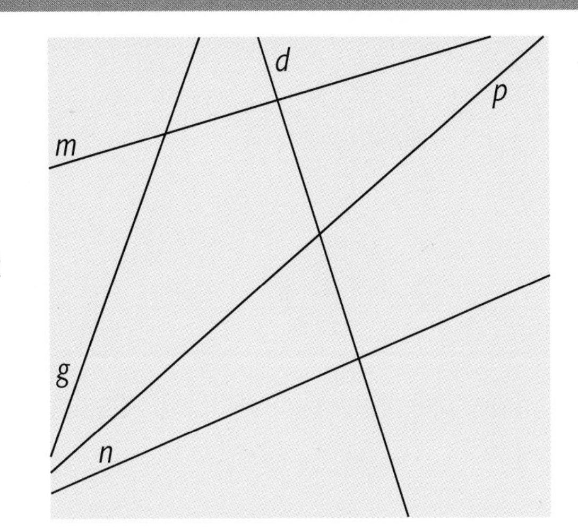

4 Indique si les deux segments donnés sont parallèles.

a) $\overline{DE}$ et $\overline{FG}$ ***b)*** $\overline{HI}$ et $\overline{JK}$

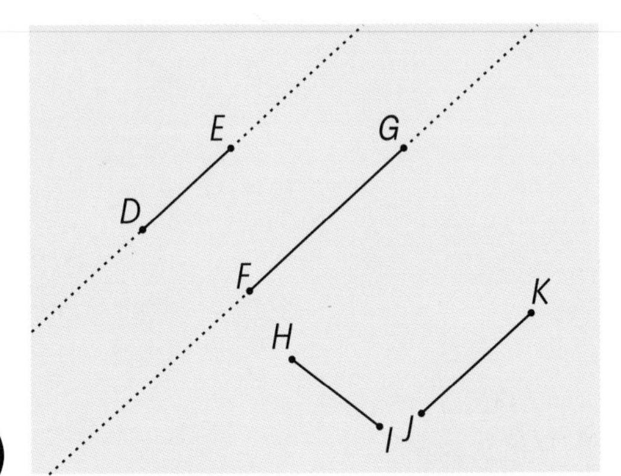

5 Un seul des énoncés suivants est acceptable pour définir des segments parallèles. Quel est cet énoncé?

A)

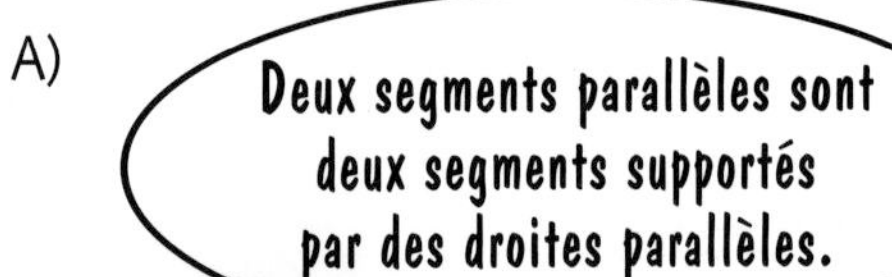

B)

Deux segments parallèles sont deux segments qui ne se rencontrent pas.

6 Les lignes du premier quadrillage possèdent une caractéristique que ne présentent pas les lignes du second quadrillage. Quelle est cette caractéristique?

a)

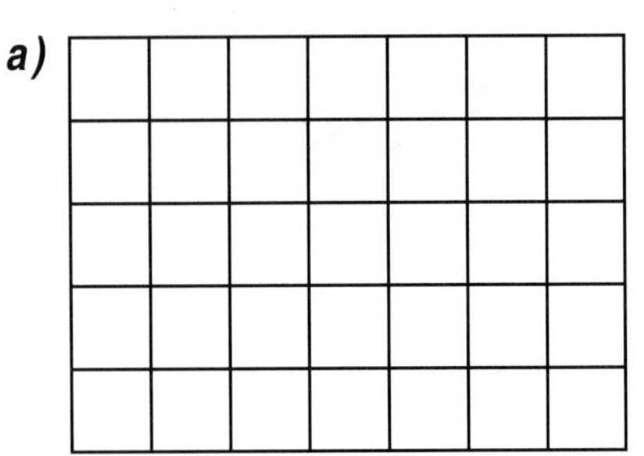

b)

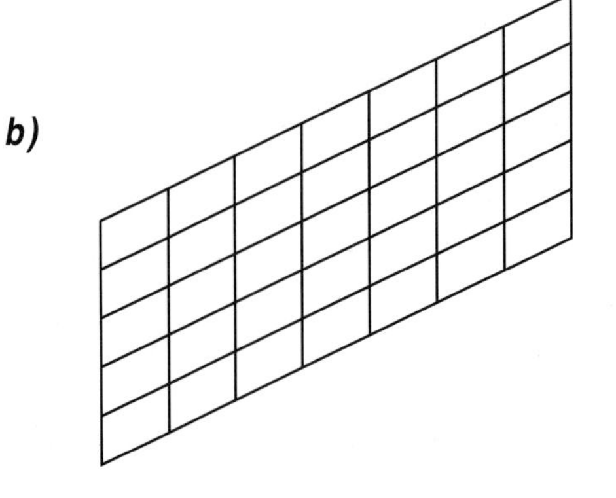

7. À l'aide de tes équerres, trace sur ta feuille de travail une droite parallèle à la droite donnée passant par P.

a)

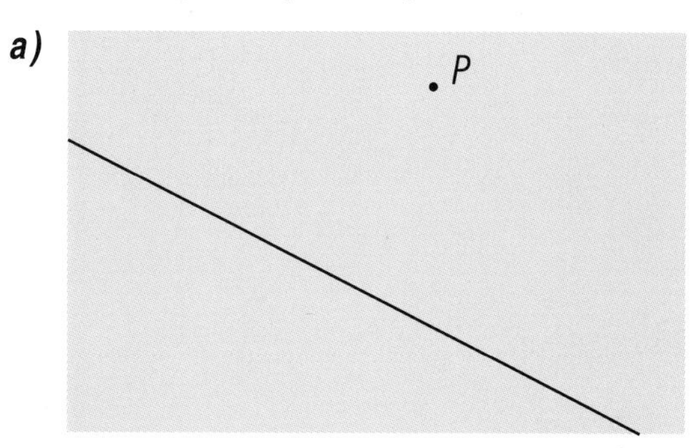

b)

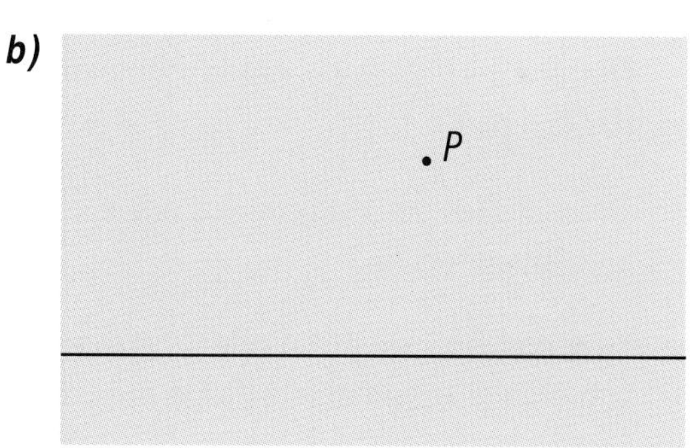

8. Trace une droite parallèle à la droite donnée passant par P.

a)

b)

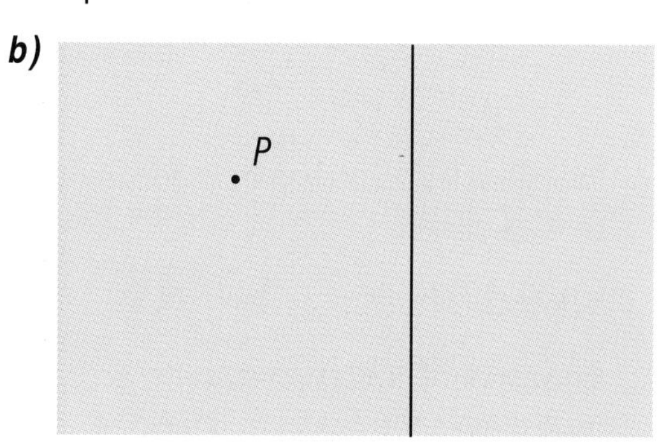

c)

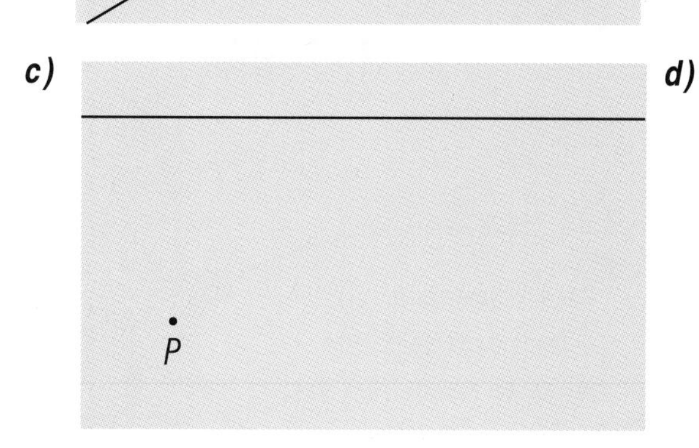

d)

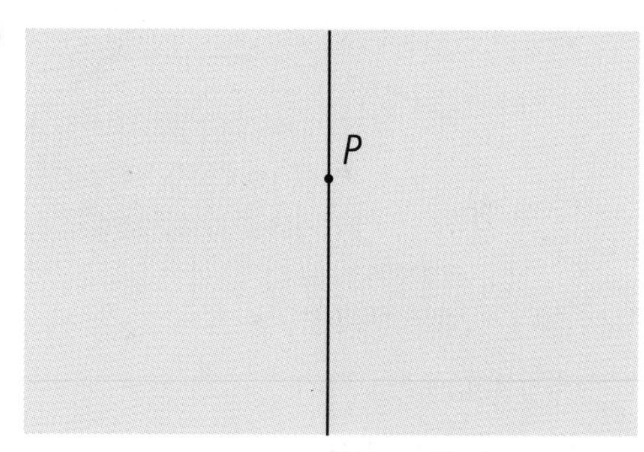

9. **a)** Des points A et C, trace deux droites perpendiculaires à la droite m.

   b) Quelle caractéristique les deux droites que tu viens de tracer possèdent-elles?

   c) Complète cet énoncé :

   Deux droites perpendiculaires à une même droite sont ▬▬▬ entre elles.

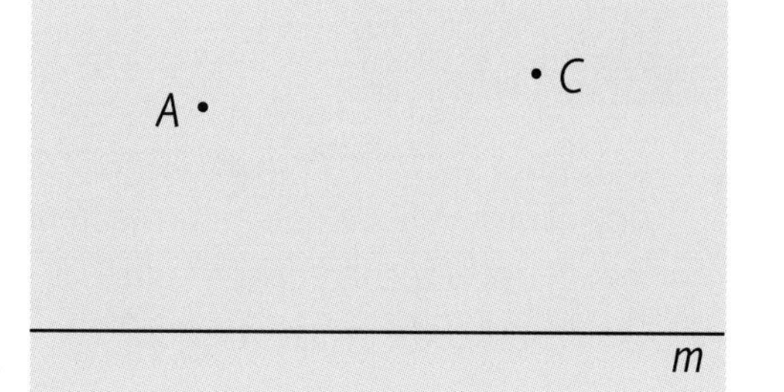

10 Dans quelle figure les lignes horizontales sont-elles droites et parallèles?

A)

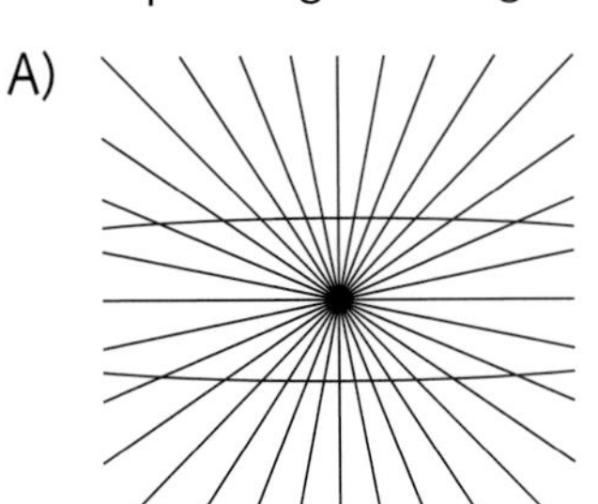

B)

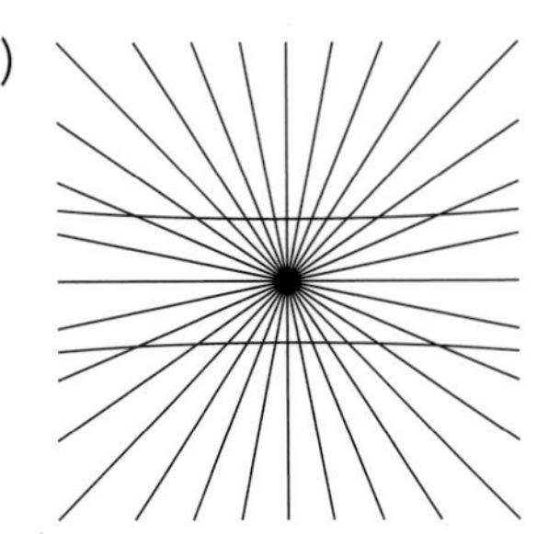

C)

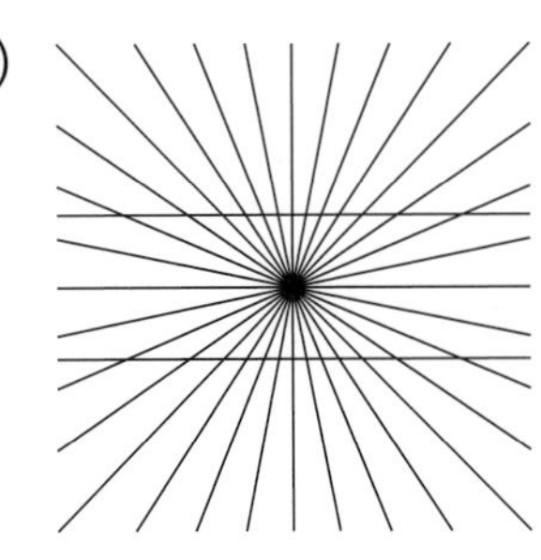

11 Dans chacune de ces figures, le quadrilatère est-il un carré? Vérifie.

a)

b)

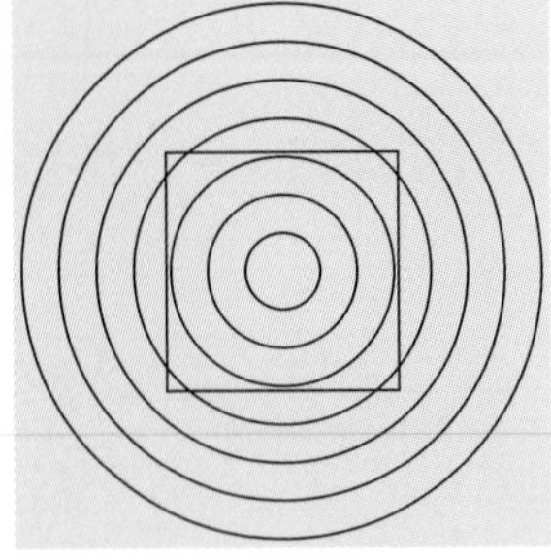

12 Observe le dessin ci-contre.

a) Comment peux-tu expliquer que ces lignes sont parallèles?

b) Qu'est-ce qui ne va pas quand on observe les personnages?

13 Donne la liste des lettres majuscules de l'alphabet qui ont au moins une paire de segments :

a) parallèles;

b) perpendiculaires.

A B C D E
F G H I J
K L M N O
P Q R S T
U V W X Y Z

14 Donne la caractéristique principale des barreaux d'une échelle.

15 La capacité de résoudre un problème dépend souvent de beaucoup de facteurs. Entre autres, le degré de fatigue et le stress y comptent pour beaucoup. D'autres fois, on ne pense pas à un indice qui aurait pu nous mettre sur la piste ou encore les idées ne nous viennent tout simplement pas.

L'important, c'est d'essayer sérieusement!

Résous ce problème.

Une imprimerie demande 5¢ la feuille pour le papier et 3¢ la page pour imprimer un livre de 280 pages en 5 000 exemplaires.
On doit ajouter une taxe de 7 % sur le papier et de 4 % sur le travail.
À quel coût revient un exemplaire de ce livre?

Des zigzags!

■ Les zigzags suivants sont des dents de scie.

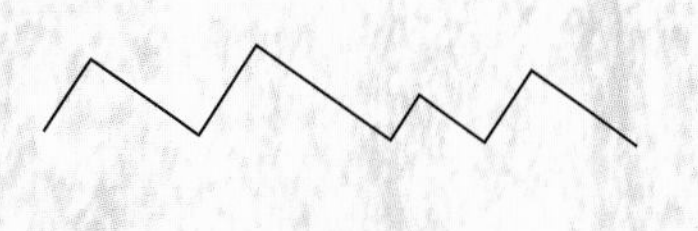

Ceux-ci ne sont pas des dents de scie.

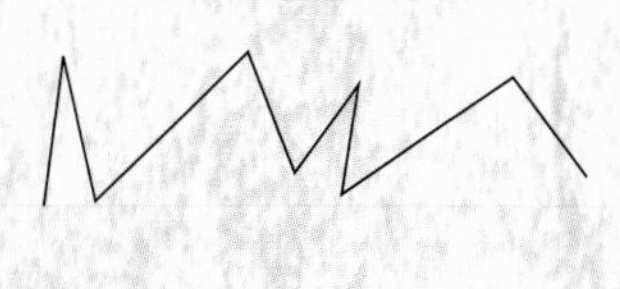
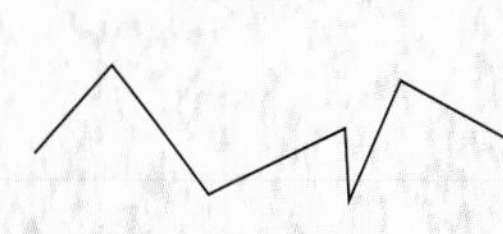

a) Quelle caractéristique les dents de scie possèdent-elles?

b) Lequel de ces zigzags forme des dents de scie?

1) 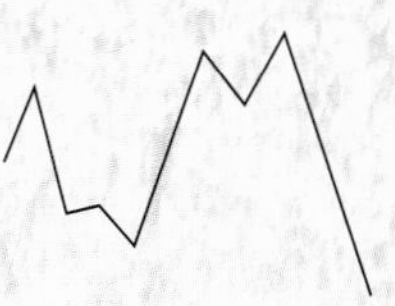
2) 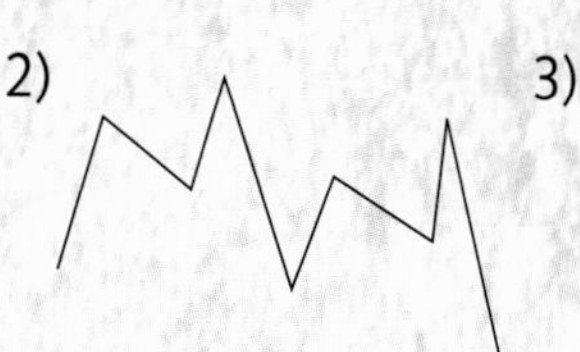
3)
4) 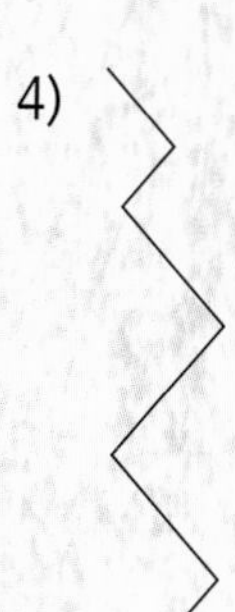

LES ANGLES

De la menuiserie à la géométrie!

L'angle que forment les branches avec le tronc est plus prononcé chez l'épinette que chez le sapin.

- Que peut vouloir dire l'expression «l'angle des branches est plus prononcé»?
- À quoi ces outils peuvent-ils servir?

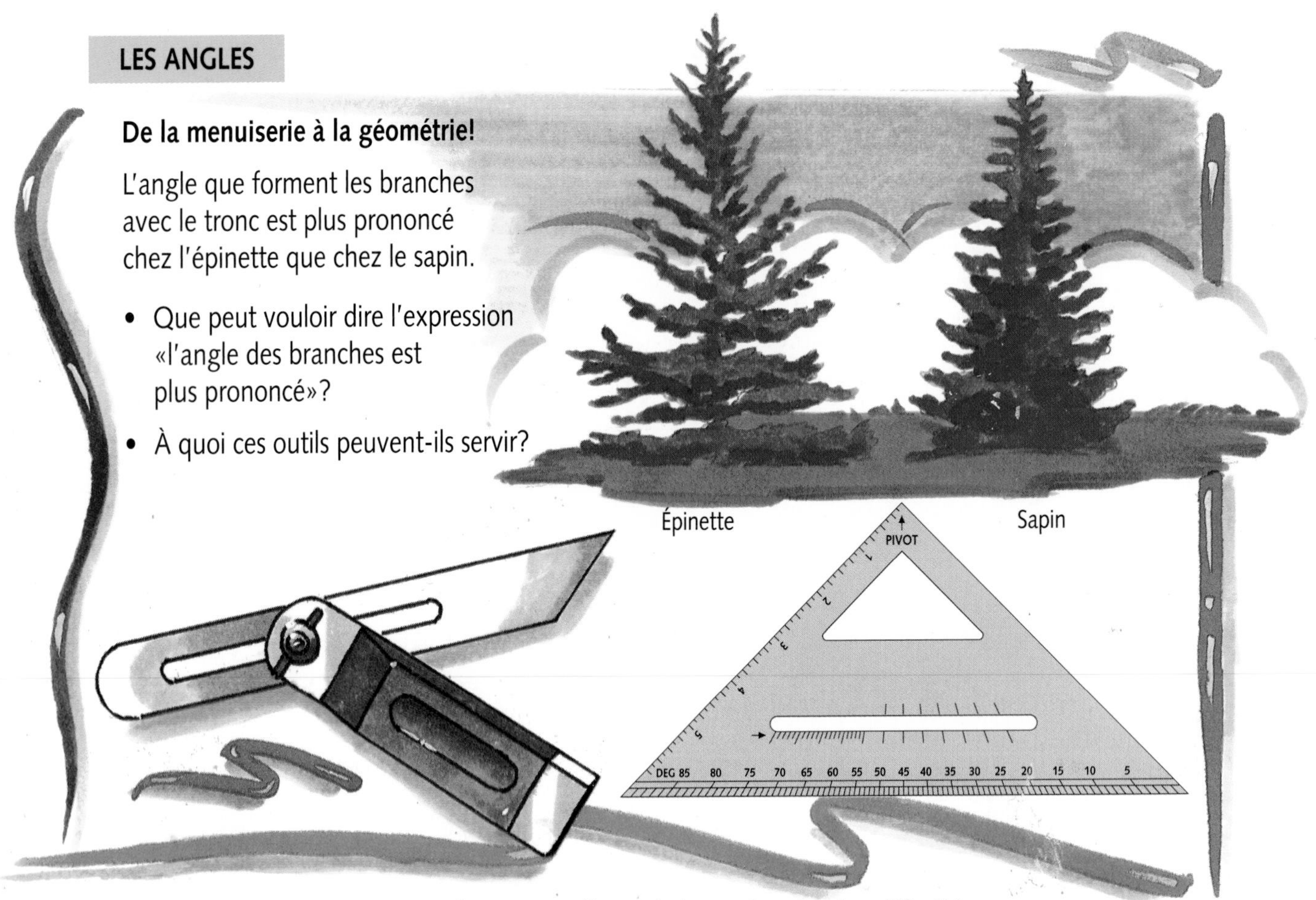

La figure ci-dessous est un angle. On appelle **angle** la portion de plan délimitée par deux demi-droites ayant la même origine.

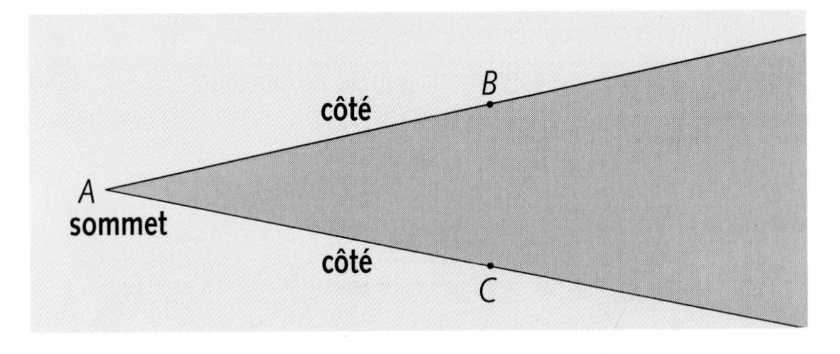

L'origine des demi-droites est appelée **sommet** de l'angle, et les deux demi-droites sont les **côtés.** Dans cet exemple, les côtés sont la demi-droite *AB* et la demi-droite *AC*.

On nomme un angle par son sommet.
Ex. : L'angle *A*.

On peut utiliser le symbole ∠ à la place du mot **angle.** Ainsi, on dit «l'angle *A*» et on note ∠ *A*.

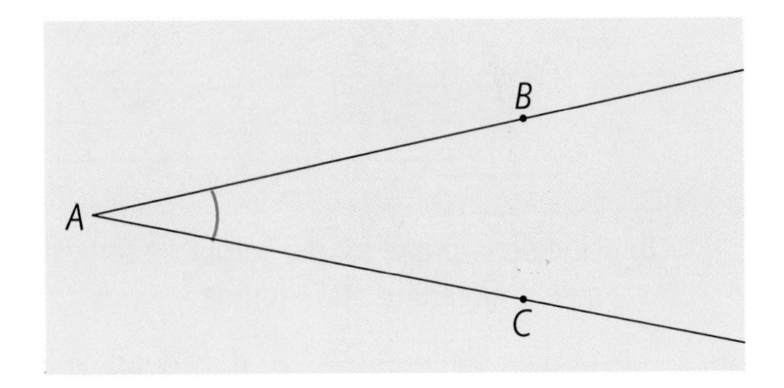

S'il y a risque de confusion, on utilise alors 3 lettres.

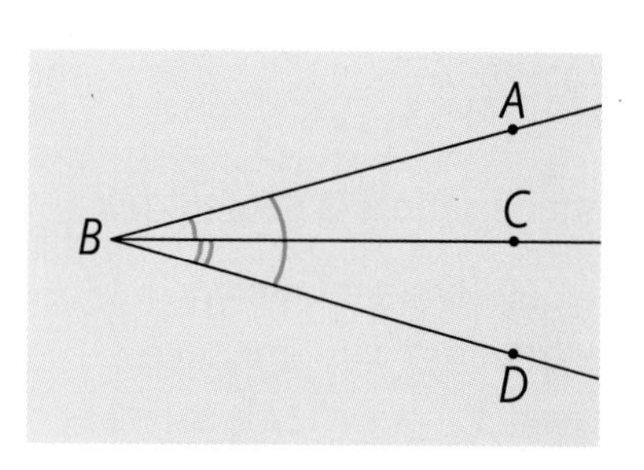

Ex. : Dans cette illustration, ∠ *B* peut correspondre à 3 angles. Pour éviter la confusion, on utilise 3 points pour nommer chaque angle :

∠ *ABC*, ∠ *CBD* et ∠ *ABD*.

> La lettre du centre représente toujours le sommet.
> Ex. : ∠ A*B*D
> ↑

On peut aussi utiliser une lettre minuscule ou un nombre. On a ici ∠ a et ∠ 1.

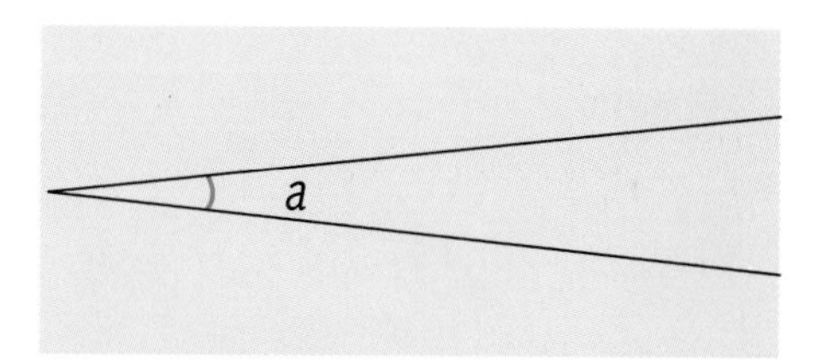

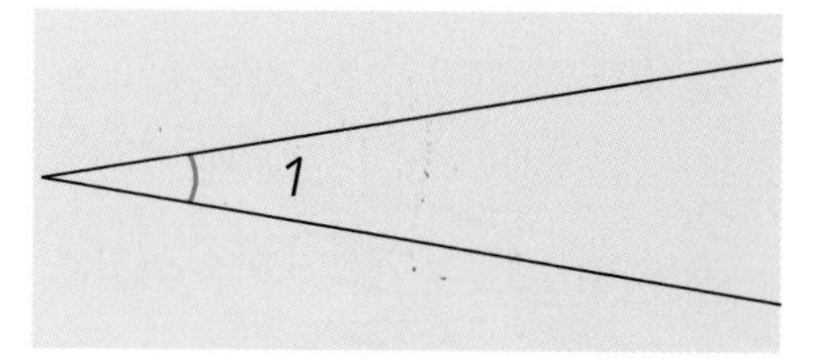

a) Nomme au moins 6 angles dans la figure ci-dessous.

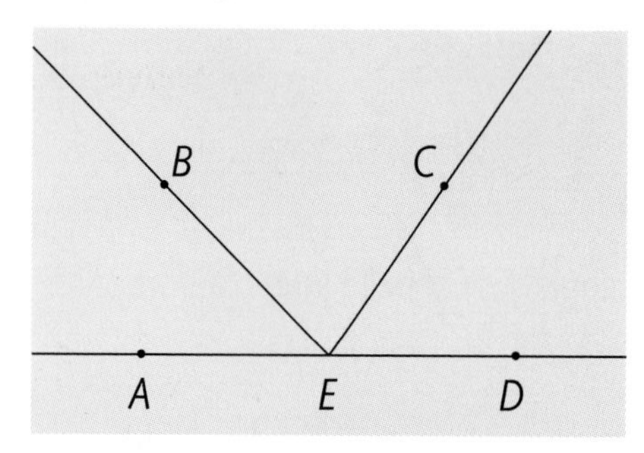

On mesure un angle à l'aide d'un instrument appelé **rapporteur.**
L'unité de base pour mesurer des angles est le **degré.**

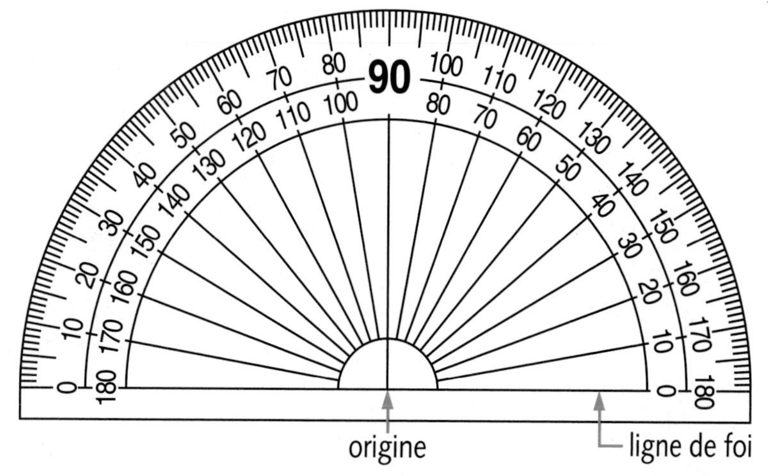

b) Une demi-droite tourne autour de son extrémité. Quelle est la mesure de l'angle qu'elle engendre si elle tourne :

1) d'un demi-tour? 2) d'un quart de tour? 3) de $\frac{1}{8}$ de tour? 4) de $\frac{3}{4}$ de tour?

c) Pourquoi un rapporteur a-t-il deux échelles de graduation?

d) Mesure les deux angles ci-dessous à l'aide de ton rapporteur.

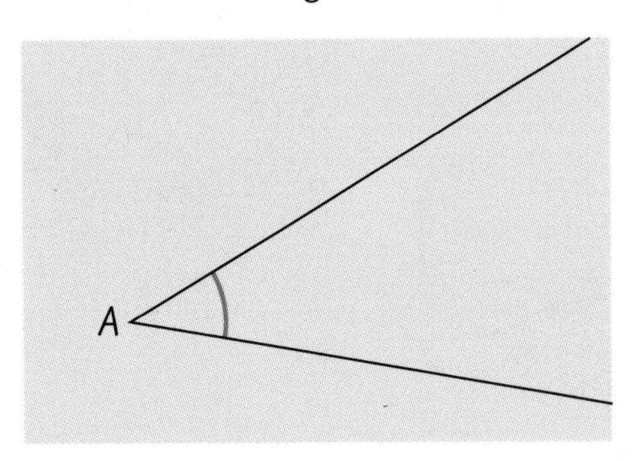

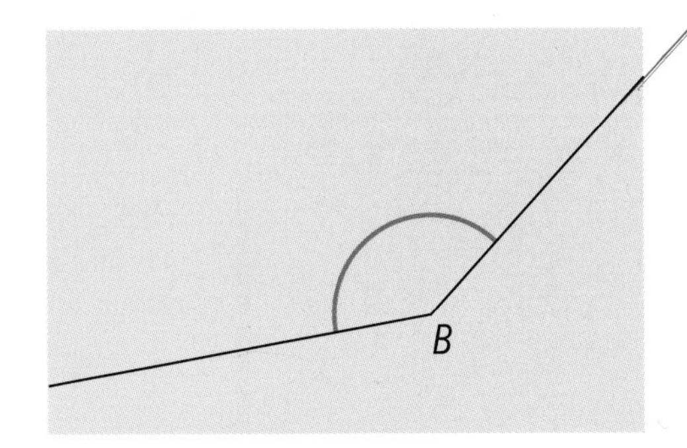

Pour **mesurer** un angle, on place le rapporteur sur l'angle, de sorte que :

1° l'origine du rapporteur soit sur le sommet de l'angle;

2° la ligne de foi du rapporteur coïncide avec l'un des côtés de l'angle.

On lit la mesure qui coïncide avec le second côté de l'angle sur l'échelle qui débute avec le premier côté.

Exemple 1

La mesure de ∠ *BAC* est 30°.

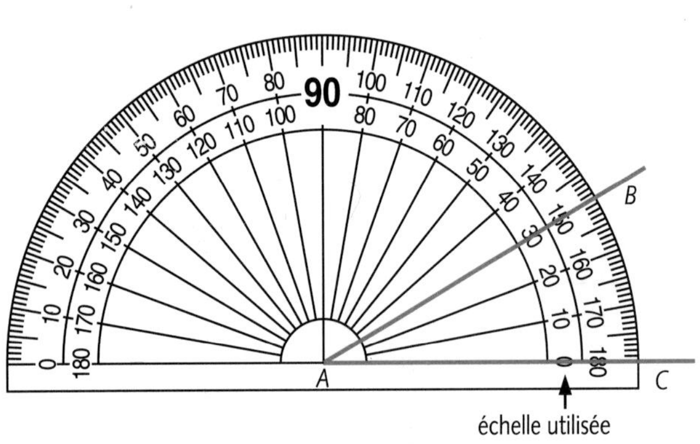
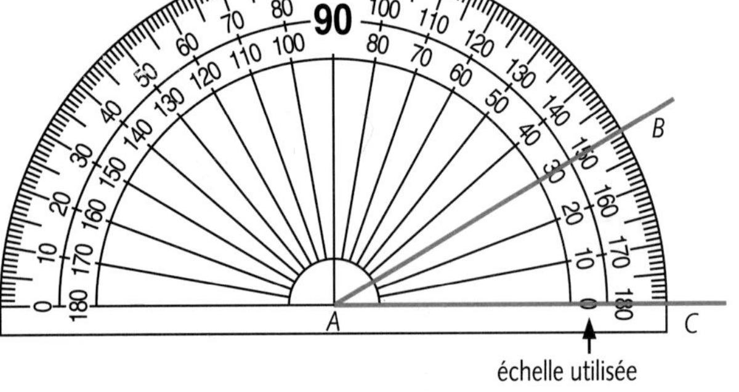

Exemple 2

La mesure de ∠ *DEF* est 70°.

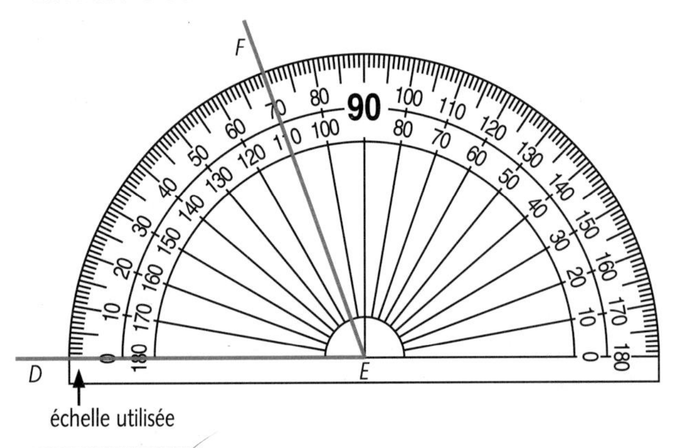

On note la mesure de ∠ DEF
comme suit :
m ∠ DEF = 70°
ou mes ∠ DEF = 70°.

Exemple 3

La mesure de ∠ *HLK* est 150°
ou m ∠ *HLK* = 150°.

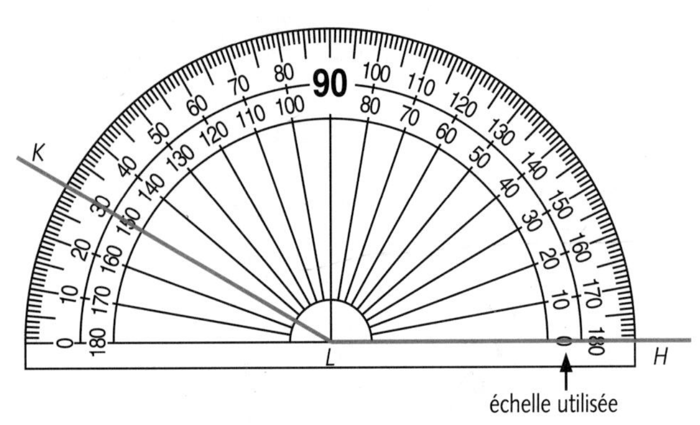

Il est important de lire la mesure sur la bonne échelle.

Le rapporteur permet également de construire des angles. Observe bien ce film de la construction d'un angle de 70°.

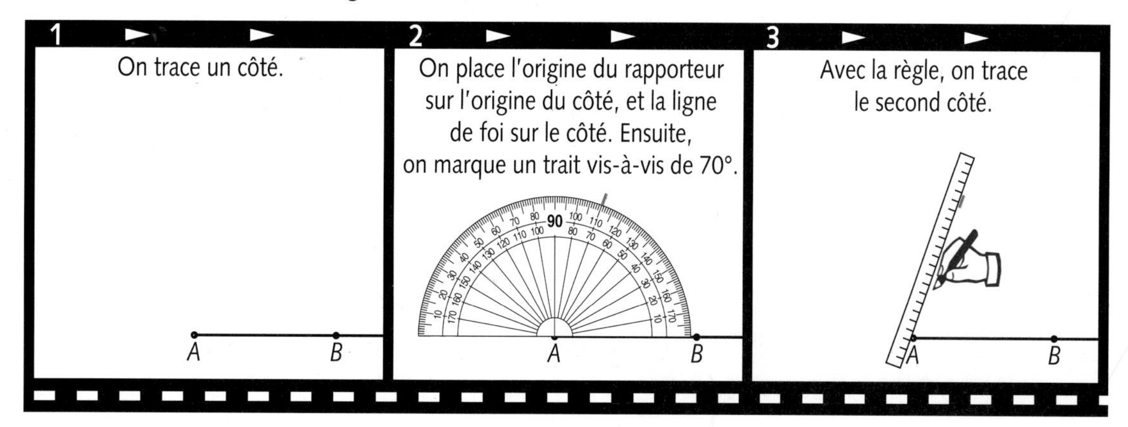

1
On trace un côté.
A
B
2
On place l'origine du rapporteur sur l'origine du côté, et la ligne de foi sur le côté. Ensuite, on marque un trait vis-à-vis de 70°.
A
B
3
Avec la règle, on trace le second côté.
A
B

QU'EN PENSEZ-VOUS?

e) La figure ci-contre est-elle un angle?

f) Est-ce que $\angle BAC = \angle CAB$?

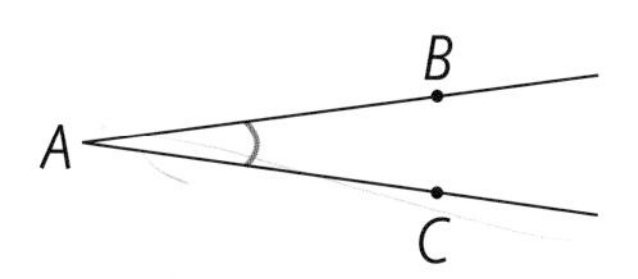

g) Comment pouvez-vous mesurer cet angle?

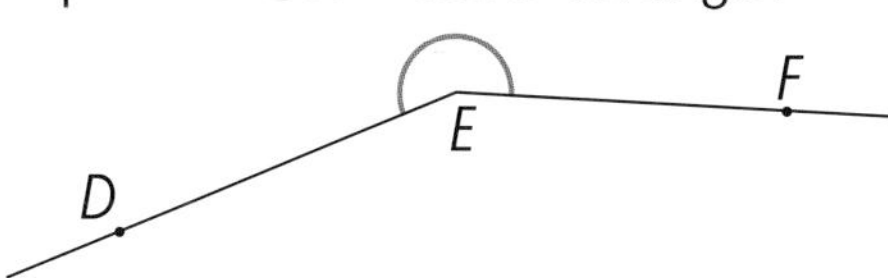

h) La mesure d'un angle dépend-elle de la longueur de ses côtés?

i) Expliquez comment on peut obtenir la mesure de $\angle CAB$ en plaçant le rapporteur de la façon illustrée sur la figure ci-contre.

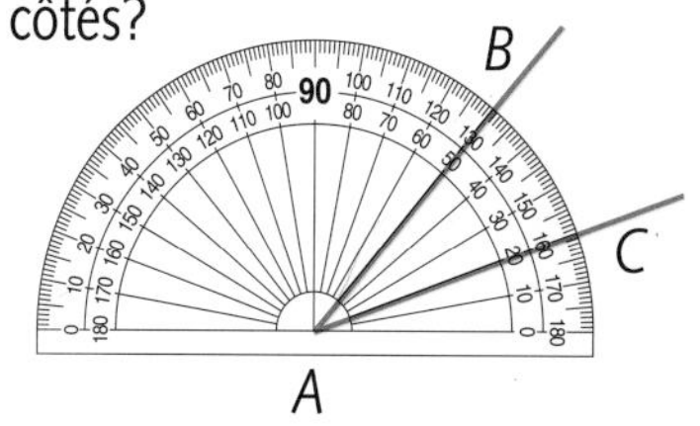

j) Avec une loupe qui grossit deux fois, on observe un angle de 30°. Quelle est la mesure de l'angle à travers la loupe?

Qu'il s'agisse de reproduire un patron, de couper un morceau de bois, de souder une pièce, d'économiser des tuyaux en plomberie, souvent dans la vie, on doit **estimer la mesure d'un angle.**

La capacité à estimer la mesure d'un angle peut être améliorée en utilisant différentes stratégies.

La principale stratégie que l'on peut utiliser consiste à évaluer **le nombre de fois que cet angle est contenu dans un angle droit** (90°).

Exemple 1

On veut estimer la mesure de l'angle *ABC*.

On imagine un angle droit.

Par la suite, on réalise que notre angle est un peu moins que la moitié d'un angle droit. On propose alors 40°.

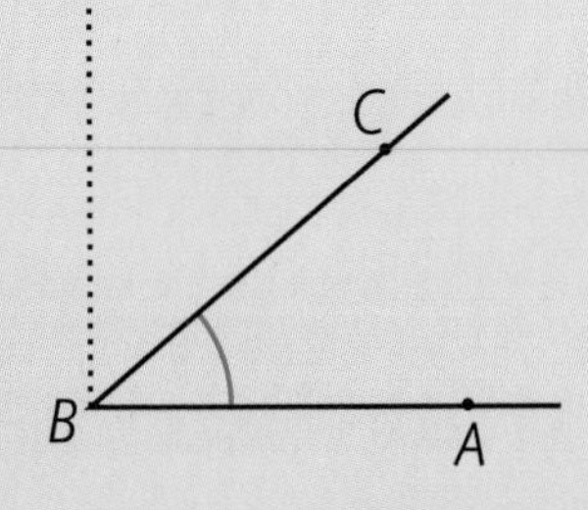

Exemple 2

On veut estimer la mesure de l'angle *DEF*.

On imagine un angle droit et on essaie de déterminer combien de fois notre angle est contenu dans l'angle droit.

Ici, on peut estimer à 3 le nombre de fois. Donc, notre angle mesure à peu près 30°.

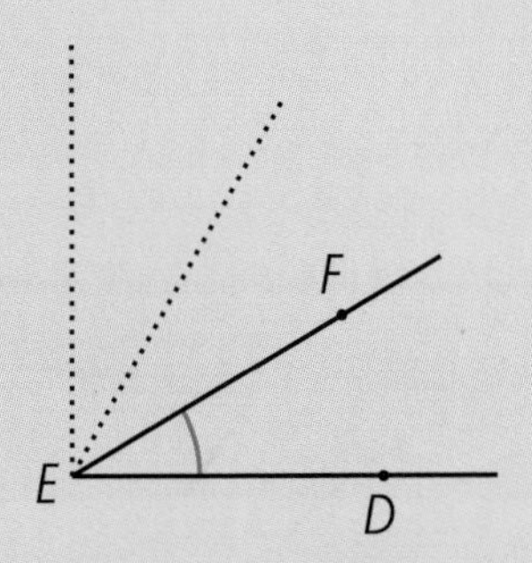

Exemple 3

On veut estimer la mesure de l'angle *GHK*.

On imagine un angle droit et un angle plat; on essaie de déterminer la mesure de la partie qui excède l'angle droit.

On estime ici cette mesure aux 2/3 de l'angle droit, soit 60°. Donc, la mesure de l'angle est à peu près 90° + 60° ou 150°.

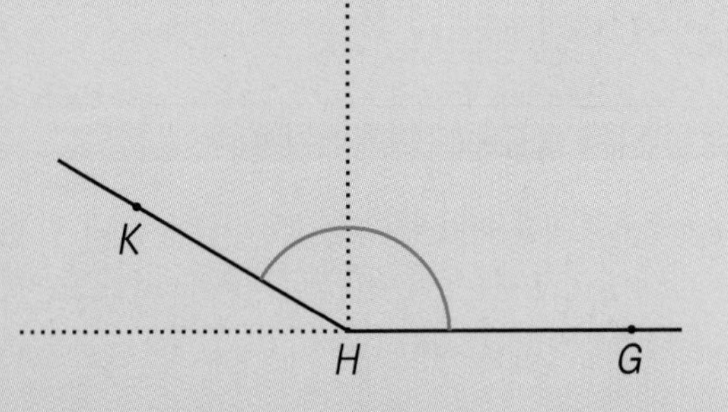

Il va sans dire que les angles de 30°, 45°, 90°, 180°, 270° et 360° servent souvent d'angles de référence dans l'estimation de la mesure des angles. Une précision aux 5° près est jugée acceptable.

1. Estime les mesures des angles de tes deux équerres.

2. En utilisant seulement ta règle, construis un angle selon la mesure donnée. Ensuite, à l'aide de ton rapporteur, détermine ton erreur d'estimation.

   a) 40°　　***b)*** 25°　　***c)*** 74°

   d) 10°　　***e)*** 189°　　***f)*** 100°

3. Estime la mesure de l'angle indiqué, puis vérifie ton estimation à l'aide de ton rapporteur.

   a) L'angle de la partie supérieure.

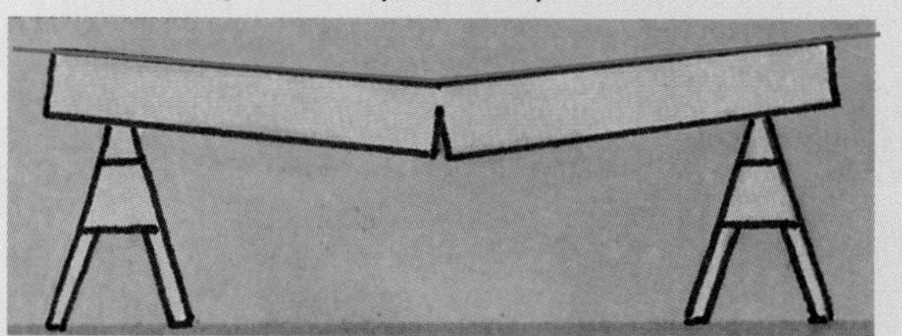

   b) L'angle entre les branches inférieures.

   c) L'angle intérieur de cette clé.

   d) L'angle formé par ce raccord en Y.

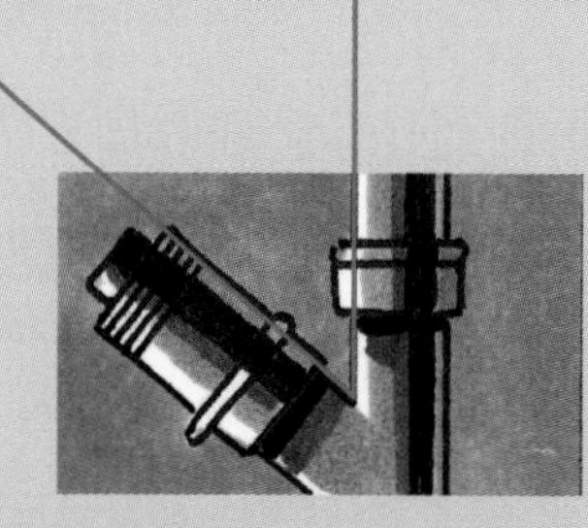

   e) L'angle entre les pales de cette hélice.

   f) L'angle de ce grappin à neige.

   g) L'angle inférieur de la voile.

4. En te fiant à ton oeil, trace sur ces rapporteurs un angle de la mesure donnée. Ensuite, à l'aide de ton rapporteur, calcule ton erreur.

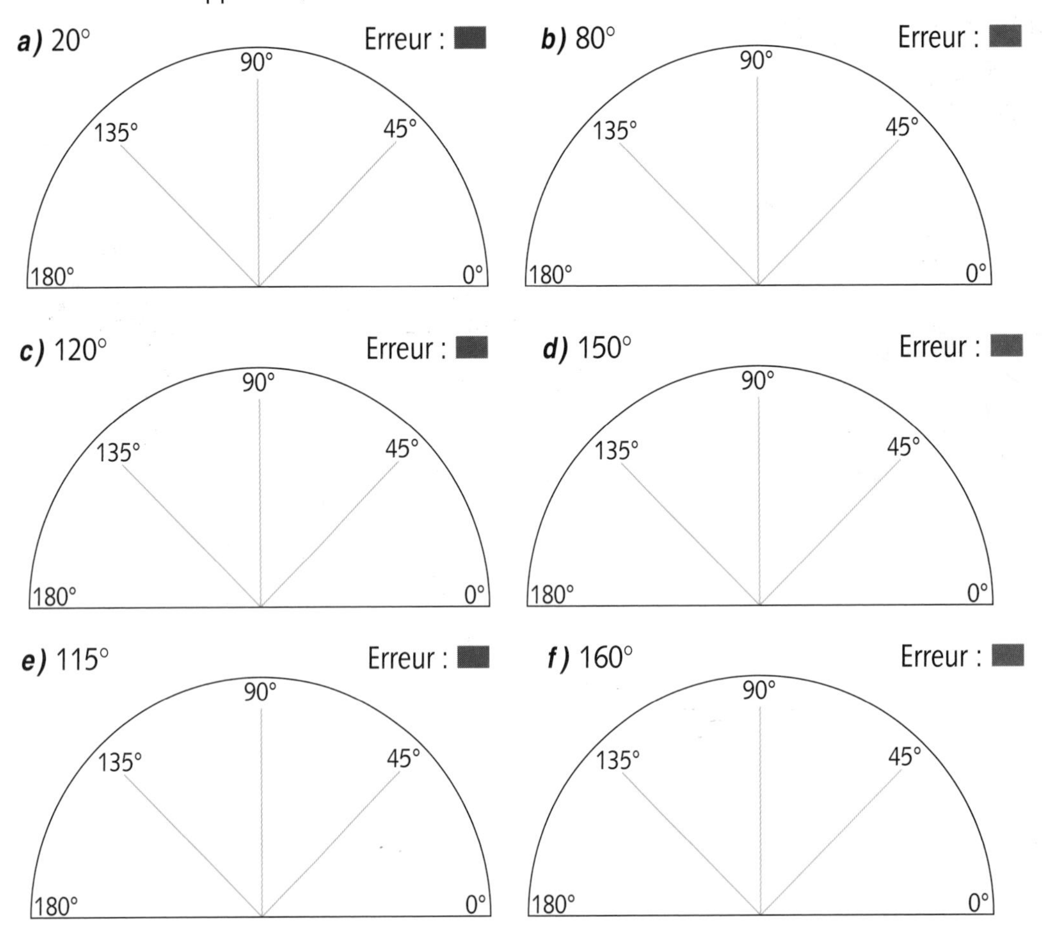

5. Du sable fin qui s'écoule forme un amoncellement qui a toujours le même angle à la base. Les Égyptiens se sont d'ailleurs inspirés de ce fait pour déterminer l'angle à la base des grandes pyramides. Estime la mesure de cet angle.

POURQUOI?

Pourquoi les Égyptiens ont-ils bâti les grandes pyramides?

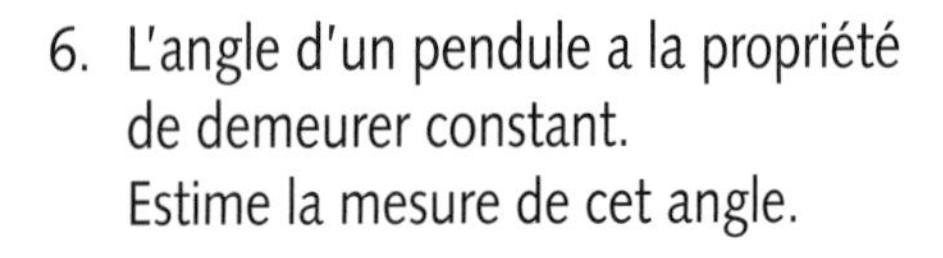

6. L'angle d'un pendule a la propriété de demeurer constant. Estime la mesure de cet angle.

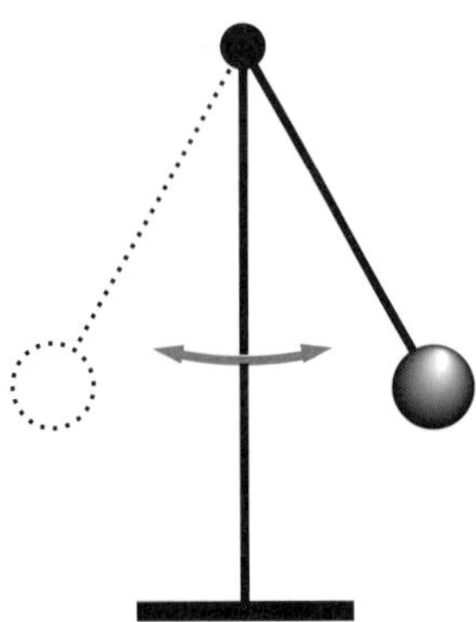

CLASSIFICATION DES ANGLES

Des chapeaux pour la fête!

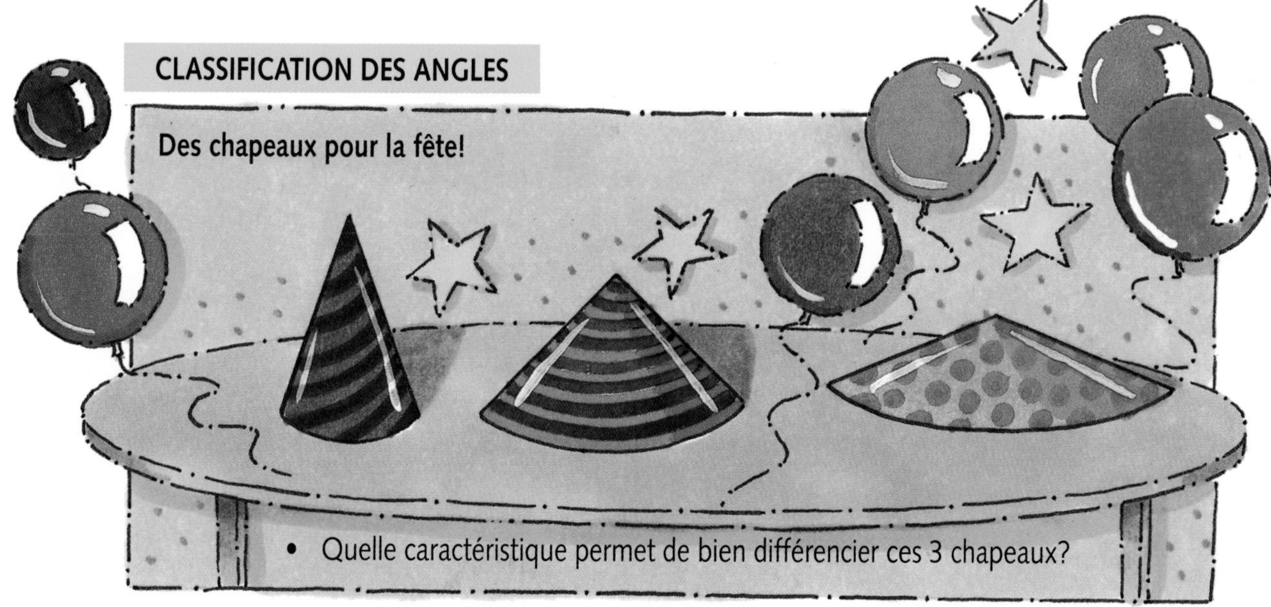

• Quelle caractéristique permet de bien différencier ces 3 chapeaux?

On **classe** les angles d'après leur **mesure.**

NUL	AIGU	DROIT	OBTUS	PLAT
mesure = 0°	0° < **mesure** < 90°	**mesure** = 90°	90° < **mesure** < 180°	**mesure** = 180°
angle nul	**angle aigu**	**angle droit**	**angle obtus**	**angle plat**

Un angle dont la mesure est comprise entre 180° et 360° est dit **rentrant** et un angle dont la mesure est de 360° est dit **plein.**

1 L'être humain possède des articulations qui lui permettent de bouger. Ainsi, le bassin permet de plier le tronc. Dessine un bonhomme formant avec son bassin l'angle donné.

a) nul ***b)*** aigu ***c)*** droit ***d)*** obtus ***e)*** plat

2 Si cela est possible, dessine à main levée un triangle possédant :

a) deux angles aigus et un angle obtus;

b) trois angles aigus;

c) deux angles aigus et un angle droit;

d) un angle droit et un angle obtus.

3 Dans la figure suivante, ∠ *AOD* est plat.
Nomme tous les angles :

a) aigus; ***b)*** droits; ***c)*** obtus.

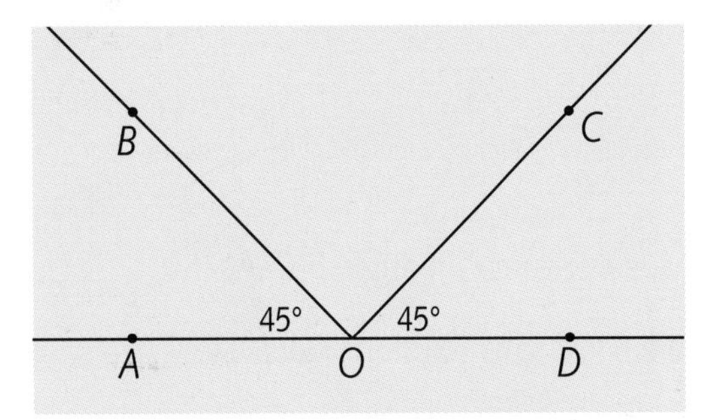

4 Dans la figure suivante, ∠ *DEF* est plat.
Nomme tous les angles :

a) aigus; ***b)*** droits; ***c)*** obtus.

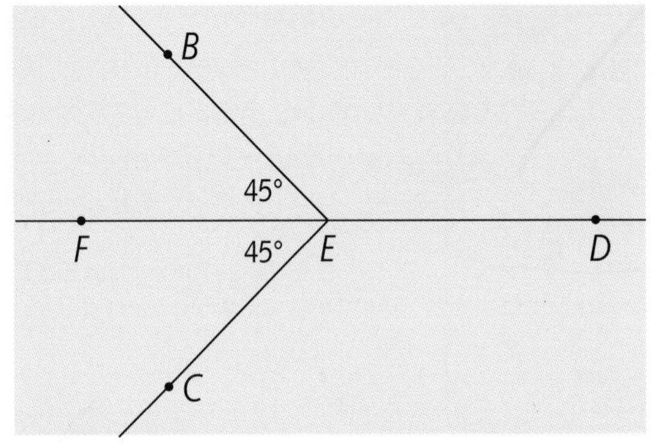

5 À l'aide de ton rapporteur, détermine la mesure de ces angles rentrants.

a)

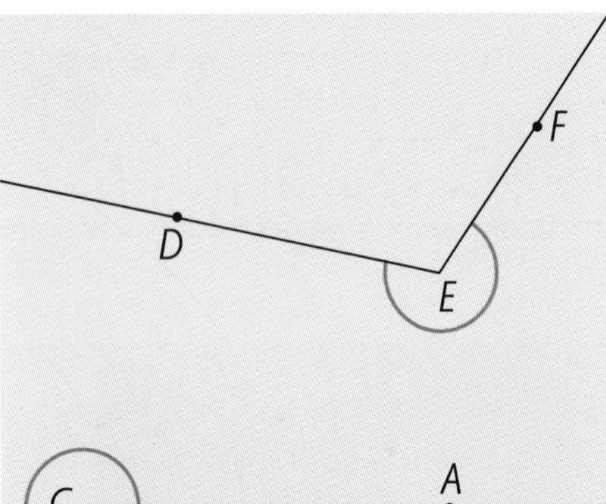

b)

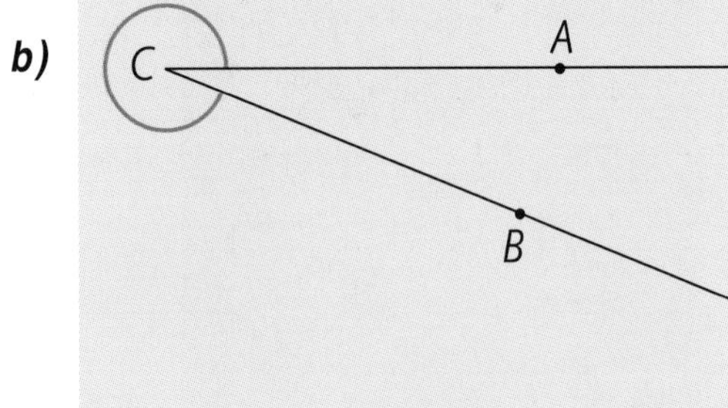

6 Dans la figure ci-dessous, combien compte-t-on d'angles :

a) aigus? ***b)*** droits? ***c)*** obtus?

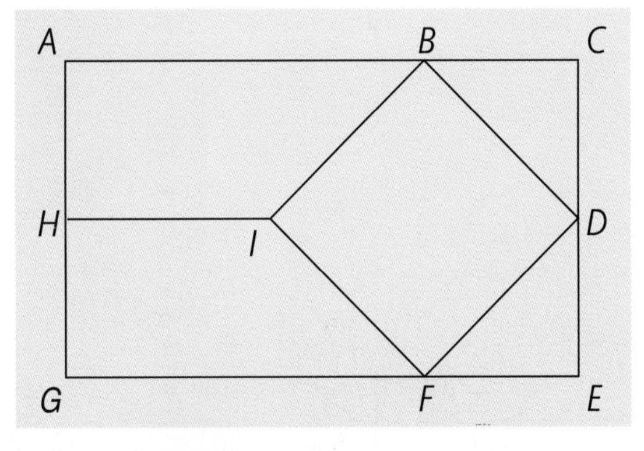

7 Classe les angles des secteurs de ce diagramme circulaire.

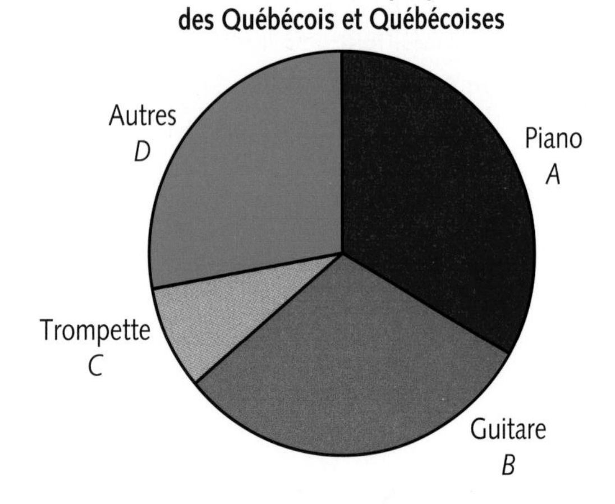

Dans cette figure, nomme tous les angles qui sont :

a) plats;

b) rentrants.

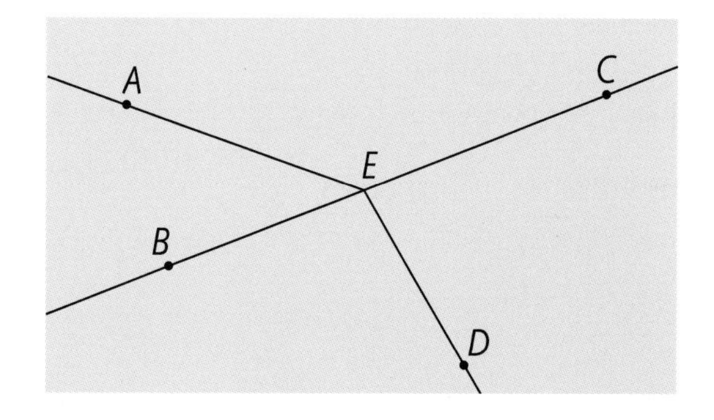

Est-il vrai qu'un angle qui mesure 360° a la même apparence qu'un angle nul?

Voici deux problèmes. L'un d'entre eux est sans solution. Trouve-le.

Certains problèmes sont sans solution.

Problème 1

Au IIIe siècle avant J.-C., la Chine s'est isolée du reste du monde en construisant une muraille de 8 m de hauteur sur une distance d'environ 6 000 km.
Tous les 300 m, il y avait un poste de garde. Cette muraille servait également de route pour franchir les montagnes.

Deux gardes assuraient la surveillance de chaque poste jour et nuit.
Chaque garde travaillait 12 heures. Combien de gardes surveillaient la muraille à cette époque?

Problème 2

Une pièce de bois flotte sur une rivière. Il y a 4 heures, elle a été vue sous le pont de la rivière Blanche. À quelle distance de ce pont se trouve-t-elle maintenant?

Angle rentrant ou sortant?

■ Est-il possible de dessiner un quadrilatère qui a :

a) un angle rentrant?

b) deux angles rentrants?

■■ Est-il vrai qu'un angle de 360°, c'est le plan tout entier?

RELATIONS ENTRE DEUX ANGLES

On compare des angles soit d'après leurs mesures, soit d'après leurs positions.

A) ANGLES CONGRUS

a) Dans chaque cas, compare les mesures des deux angles représentés.

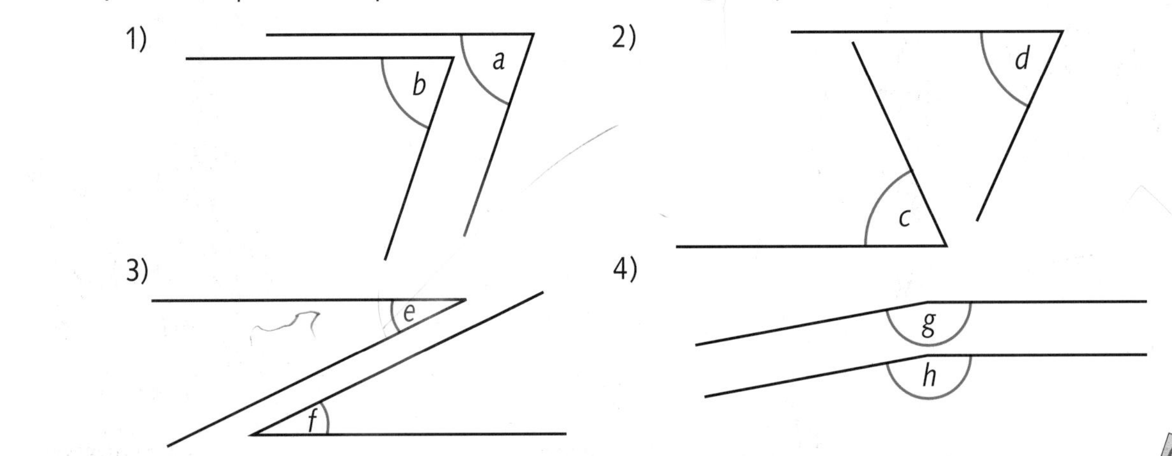

On a ici des paires d'angles **congrus.**

Deux angles **congrus** sont des angles qui ont la même mesure.

Il est fréquent d'avoir à reproduire un angle congru à un angle donné.
On procède alors comme suit :

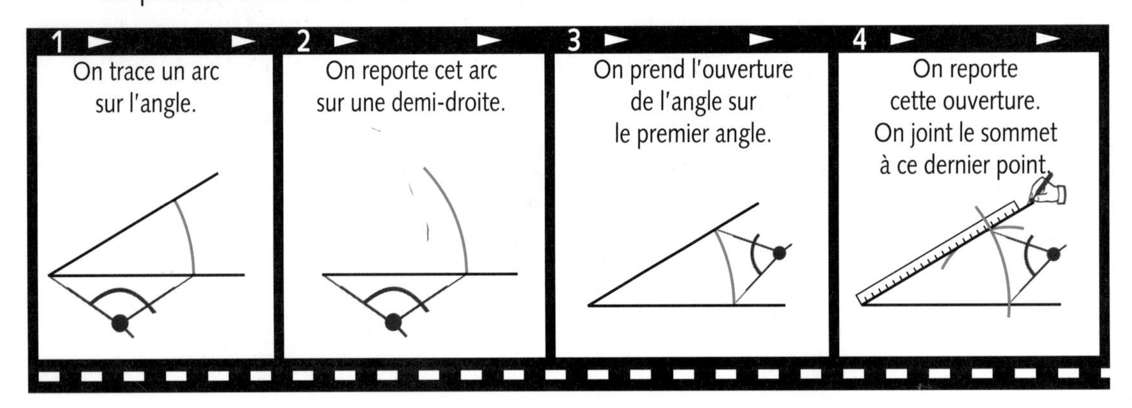

1
On trace un arc sur l'angle.
2
On reporte cet arc sur une demi-droite.
3
On prend l'ouverture de l'angle sur le premier angle.
4
On reporte cette ouverture. On joint le sommet à ce dernier point.

Il arrive aussi que l'on veuille partager un angle en deux parties congrues.
On construit alors la **bissectrice.**

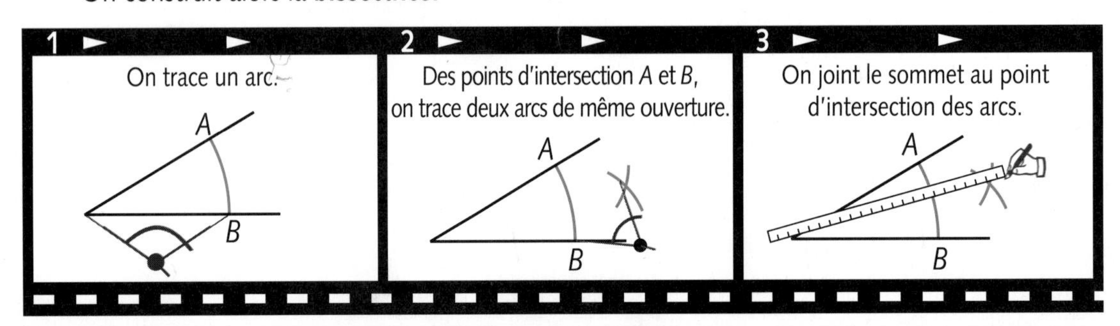

1
On trace un arc.
A
B
2
Des points d'intersection *A* et *B*, on trace deux arcs de même ouverture.
A
B
3
On joint le sommet au point d'intersection des arcs.
A
B

Une **bissectrice** est la demi-droite ou la droite qui partage un angle en deux angles congrus.

FEUILLE DE TRAVAIL 4

b) À l'aide de ton compas et de ta règle, reproduis ces 4 angles dans ton cahier.

1) 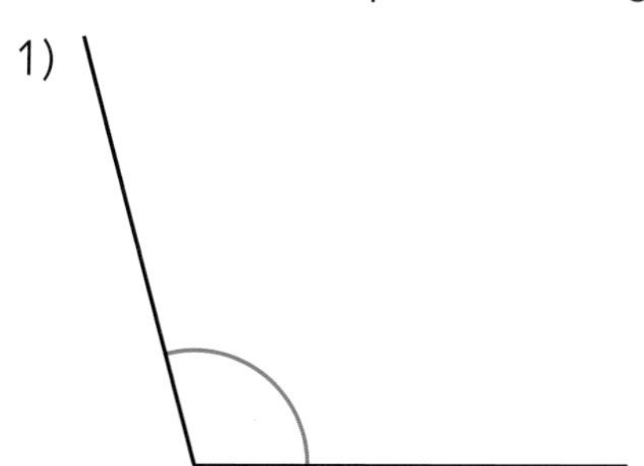

2) 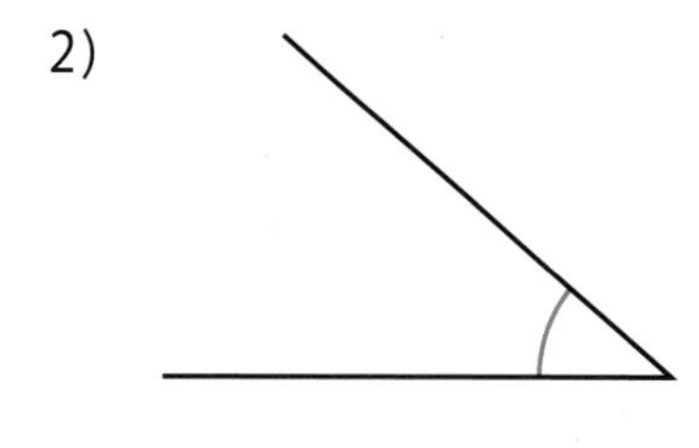

3) 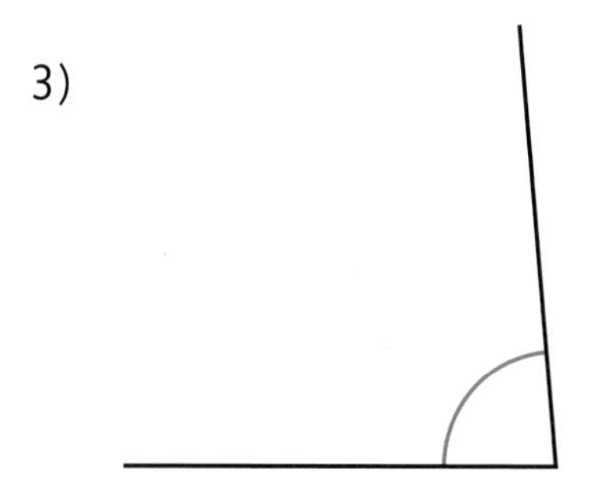

4) 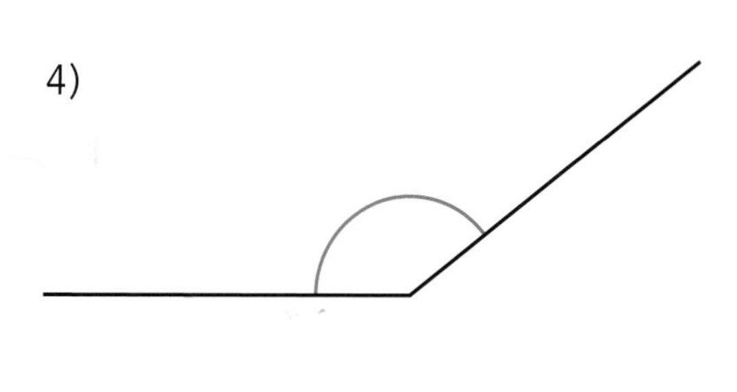

c) Trace les bissectrices de ces angles.

1) 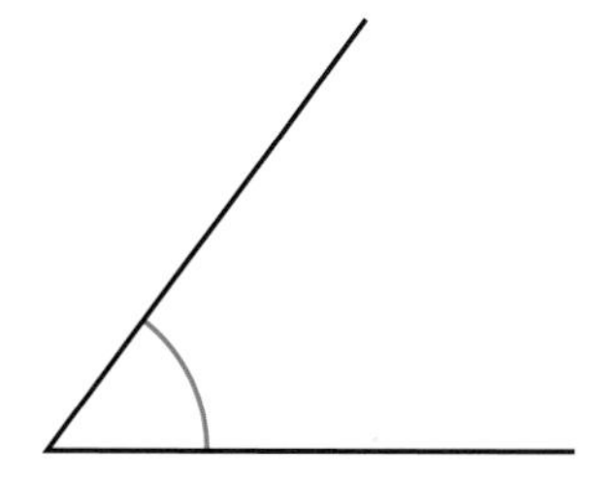

2) 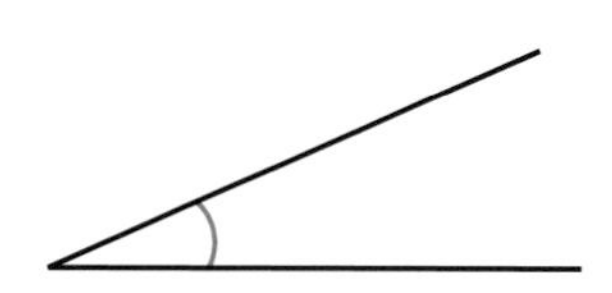

3) 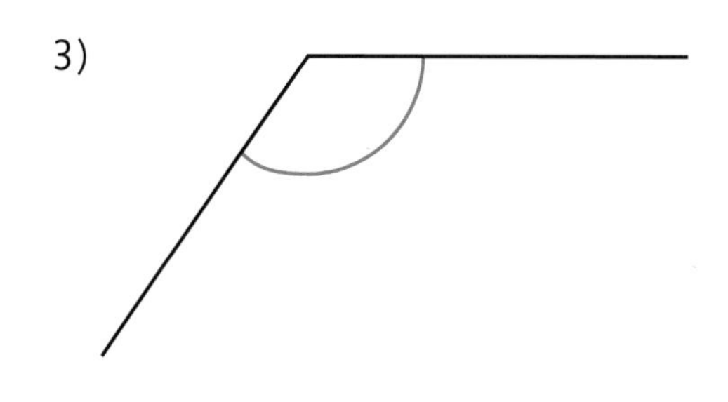

4) 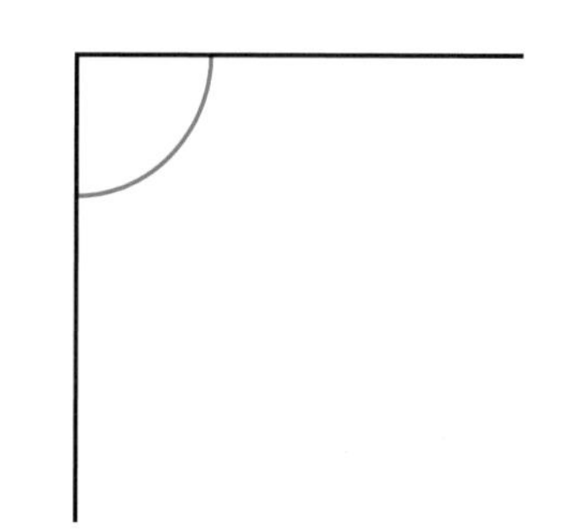

d) Quelle est la mesure des angles formés par la bissectrice d'un angle de 108°?

e) Quelle est la mesure de l'angle compris entre les deux bissectrices des angles *AOB* et *BOC*?

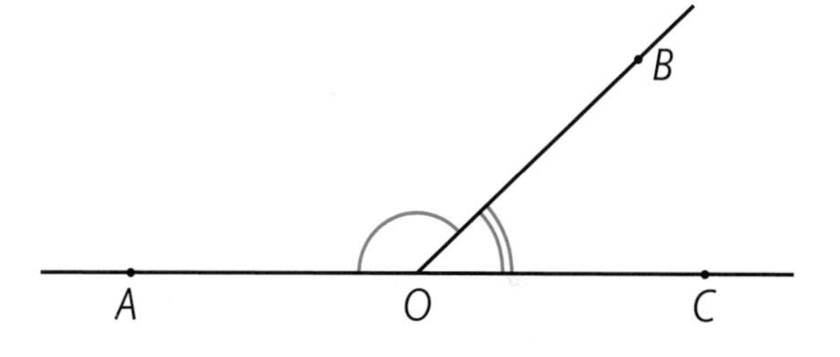

B) ANGLES COMPLÉMENTAIRES ET SUPPLÉMENTAIRES

La somme des mesures de deux angles peut être remarquable.

a) Dans chaque cas, mesure les deux angles et complète chaque énoncé.

1) Somme des mesures = ■ + ■ = ■

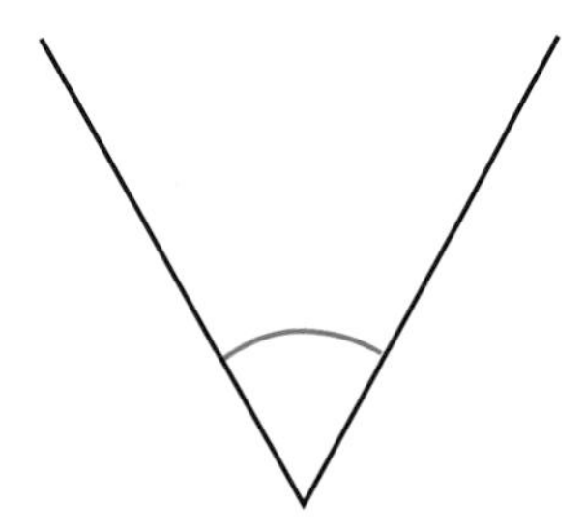

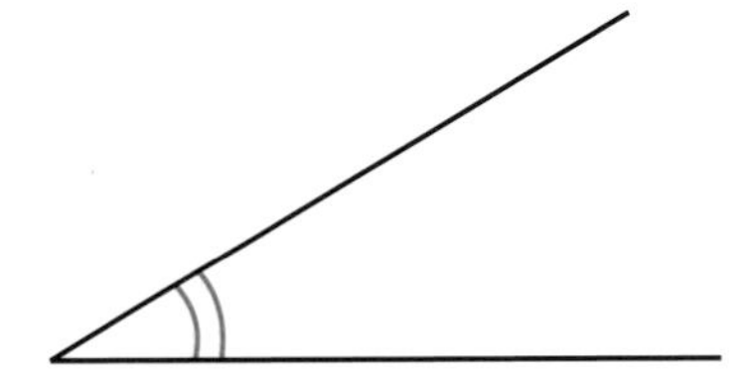

2) Somme des mesures = ■ + ■ = ■

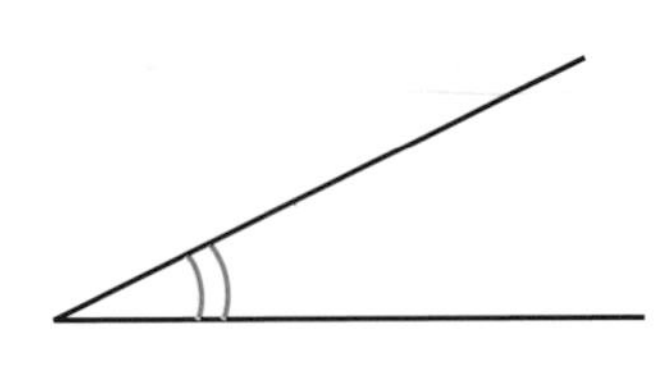

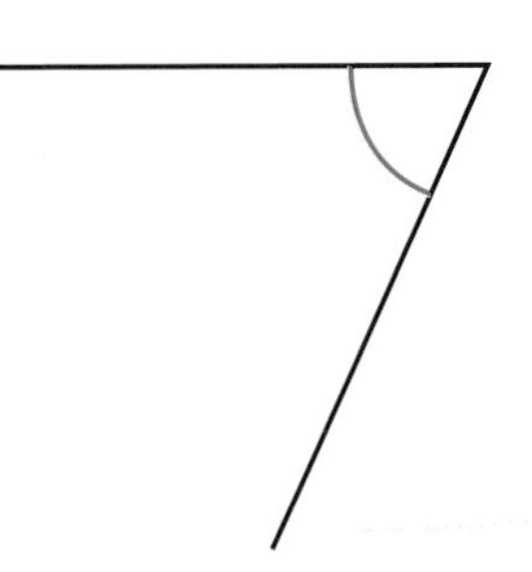

3) Somme des mesures = ■ + ■ = ■

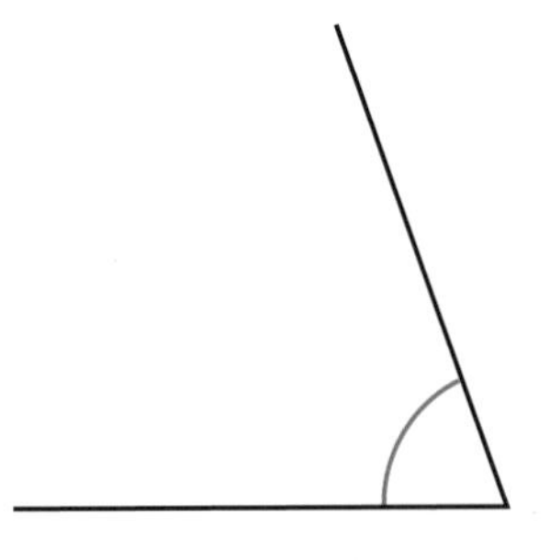

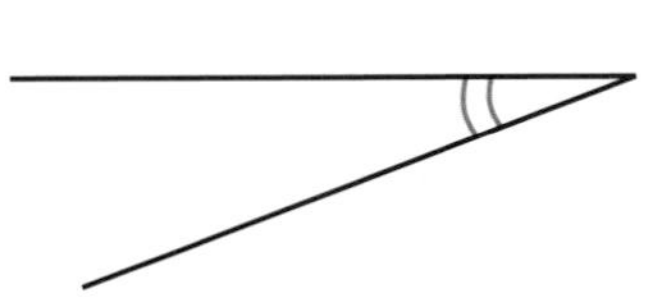

4) Somme des mesures = ■ + ■ = ■

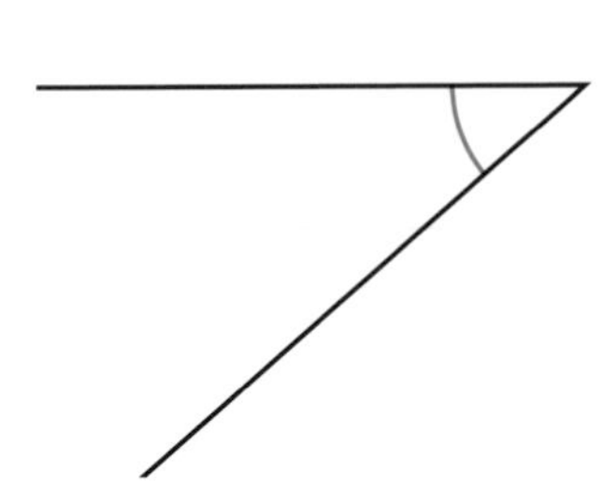

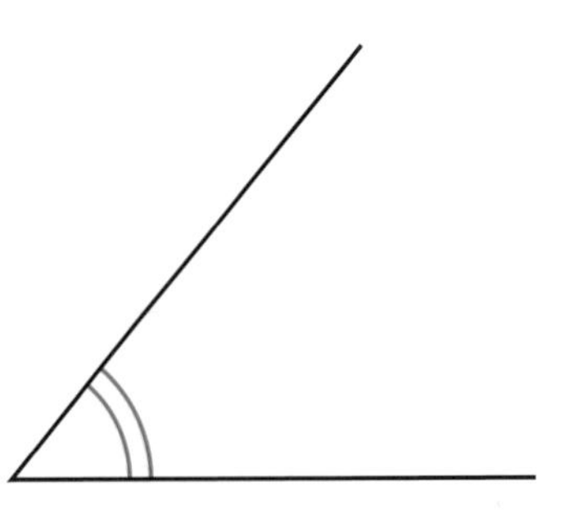

Les angles ci-dessus sont **complémentaires.**

CARNET DE VOYAGE

> Deux angles **complémentaires** sont deux angles dont la somme des mesures est 90°.

b) Dans chaque cas, mesure les deux angles et calcule la somme des mesures obtenues.

1) Somme des mesures = ■ + ■ = ■

2) Somme des mesures = ■ + ■ = ■

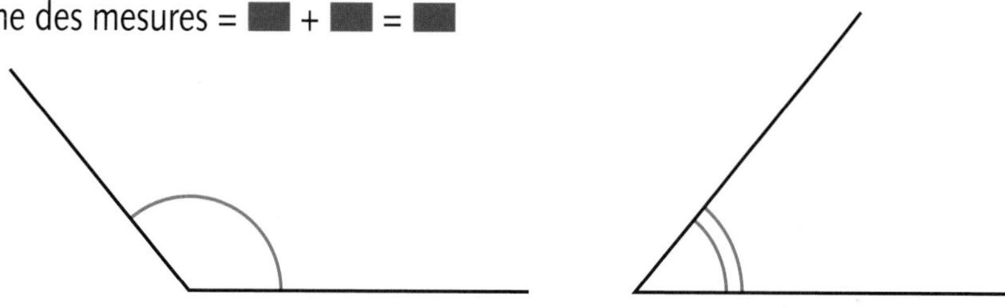

3) Somme des mesures = ■ + ■ = ■

4) Somme des mesures = ■ + ■ = ■

CARNET DE VOYAGE

Ces angles sont **supplémentaires.**

Deux angles **supplémentaires** sont deux angles dont la somme des mesures est 180°.

C) ANGLES ADJACENTS

En traçant la demi-droite *OC* issue du sommet *O*, on forme deux angles **adjacents :** $\angle AOC$ et $\angle BOC$.

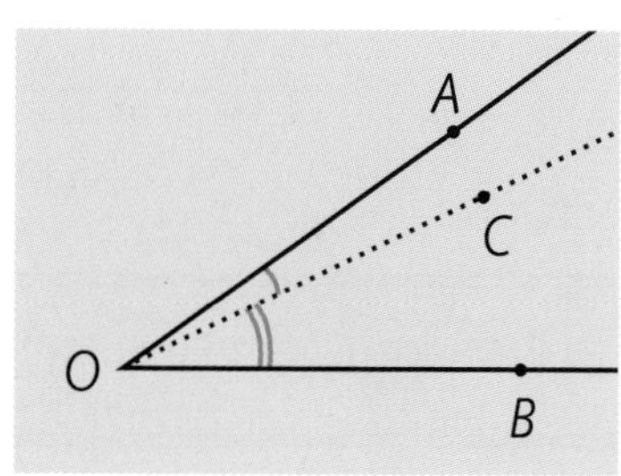

a) Complète les 3 caractéristiques qui définissent des **angles adjacents.**

1° Ils ont le même ________.
2° Ils ont un côté ________.
3° Ils sont situés de part et d'autre du ________.

b) Explique pourquoi les angles donnés ne sont pas adjacents.

1) ∠ *ABC* et ∠ *CDE*

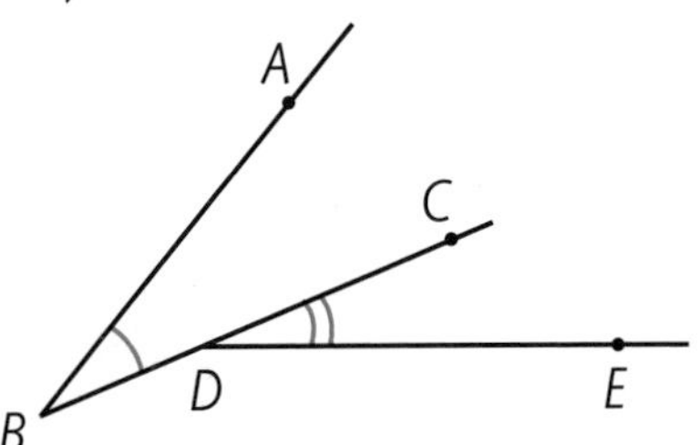

2) ∠ *ABE* et ∠ *CBE*

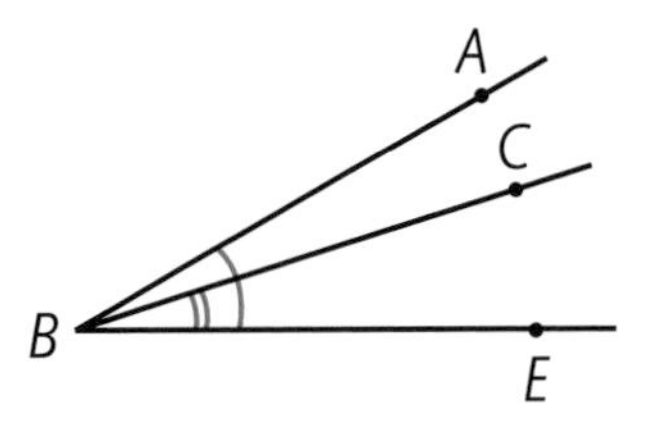

c) Quelle est la somme des mesures des paires d'angles adjacents suivants?

1)

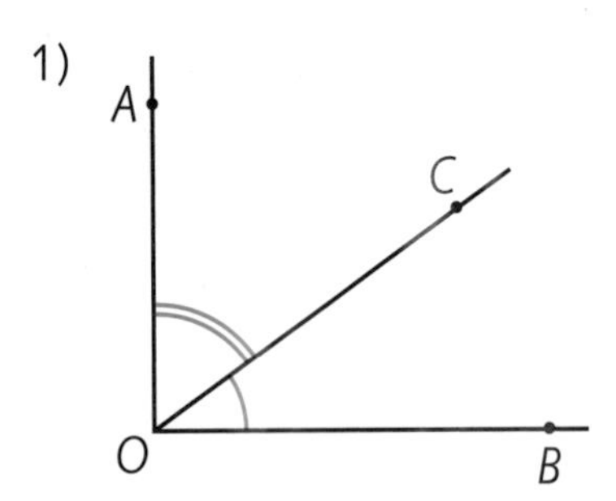

2)

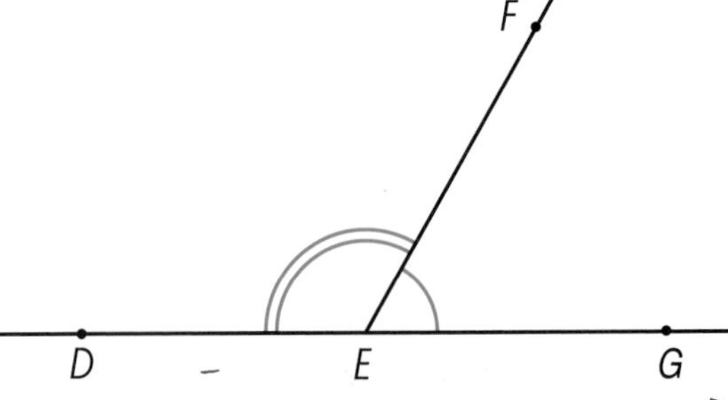

d) Complète ces énoncés en t'inspirant des deux figures précédentes.

1) Deux angles adjacents qui ont leurs côtés extérieurs perpendiculaires sont ________.
2) Deux angles adjacents qui ont leurs côtés extérieurs en ligne droite sont ________.

D) ANGLES OPPOSÉS

En prolongeant les deux côtés de cet angle au-delà du sommet *O*, on forme des angles **opposés** par le sommet.

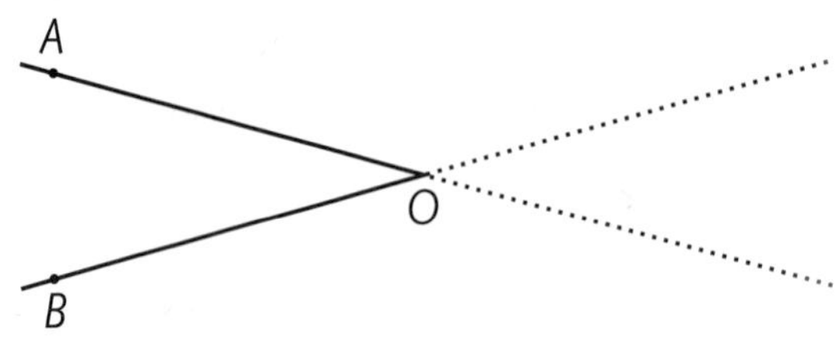

a) Explique pourquoi :

1) ∠ *AOB* et ∠ *DOE* ne sont pas opposés par le sommet;

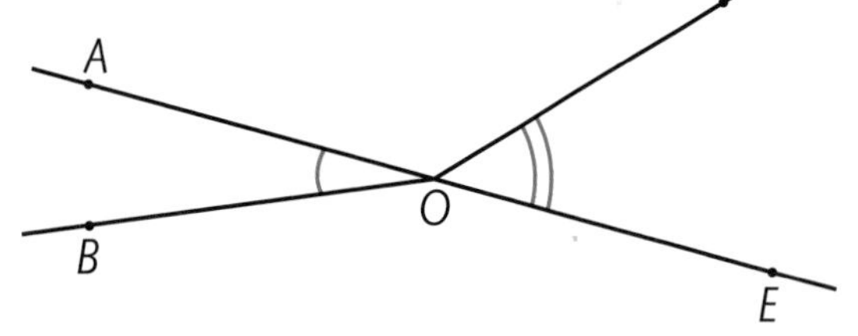

2) ∠ 1 et ∠ 2 sont opposés par le sommet.

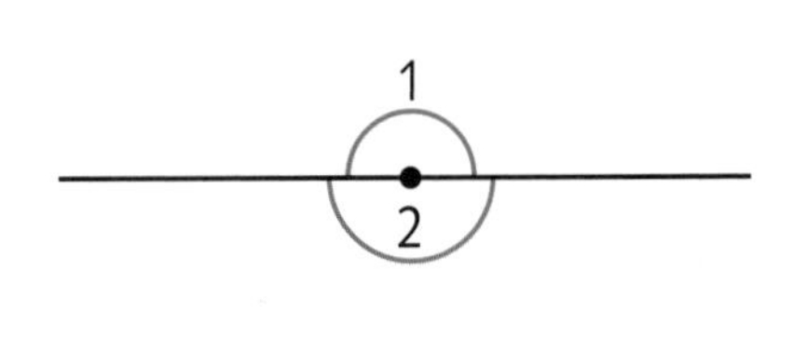

b) Complète les deux caractéristiques qui définissent des angles opposés par le sommet.

1° Ils ont le même ▬▬▬▬.

2° Les côtés de l'un sont les prolongements des ▬▬▬▬ de l'autre.

c) Voici des paires d'angles opposés par le sommet. Détermine avec ton rapporteur la mesure de chacun.

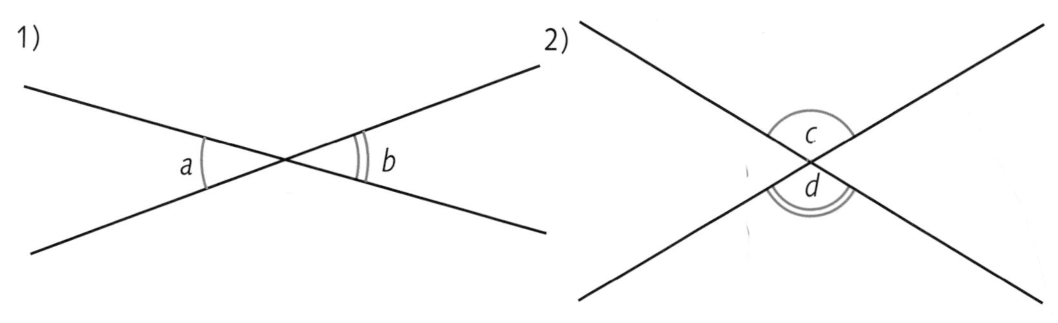

d) Complète la caractéristique importante que l'on observe à propos des angles opposés par le sommet.

Les angles opposés par le sommet sont nécessairement ▬▬▬▬.

e) 

1) Deux droites sécantes forment nécessairement deux paires d'angles opposés par le sommet.

2) Deux droites perpendiculaires forment deux paires d'angles opposés par le sommet tous congrus entre eux.

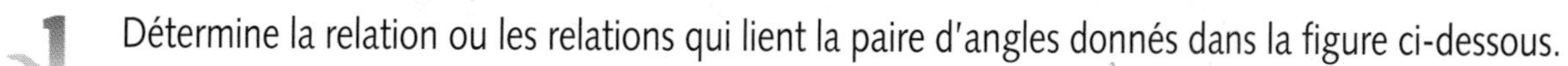

1 Détermine la relation ou les relations qui lient la paire d'angles donnés dans la figure ci-dessous.

a) $\angle 1$ et $\angle 6$ ***b)*** $\angle 1$ et $\angle 2$

c) $\angle 4$ et $\angle 6$ ***d)*** $\angle 5$ et $\angle 6$

e) $\angle 3$ et $\angle 4$ ***f)*** $\angle 2$ et $\angle 3$

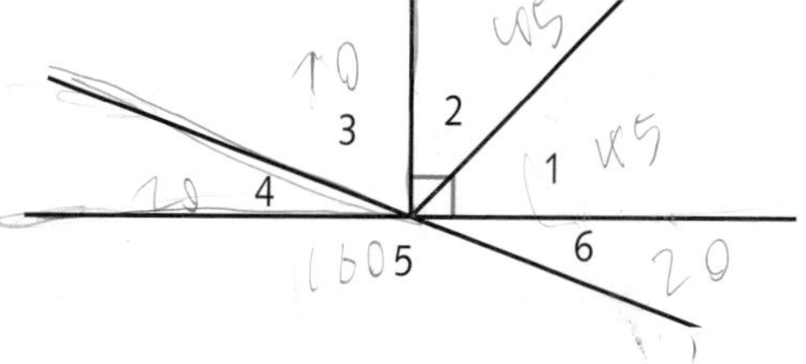

2 Calcule la mesure du complément et du supplément de chaque angle donné, s'il y a lieu.

a)

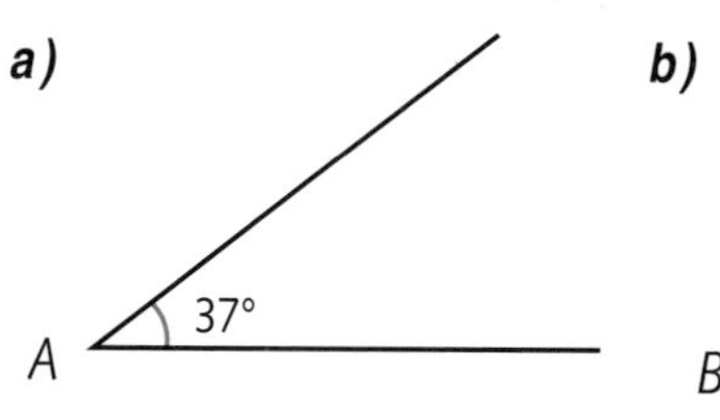

b)

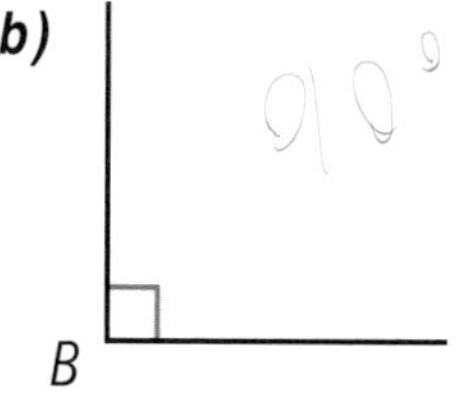

c)

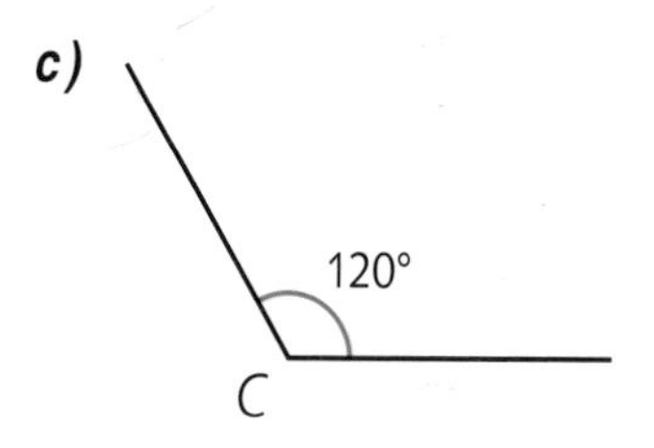

3 Identifie toutes les paires d'angles adjacents dans chaque cas.

a)

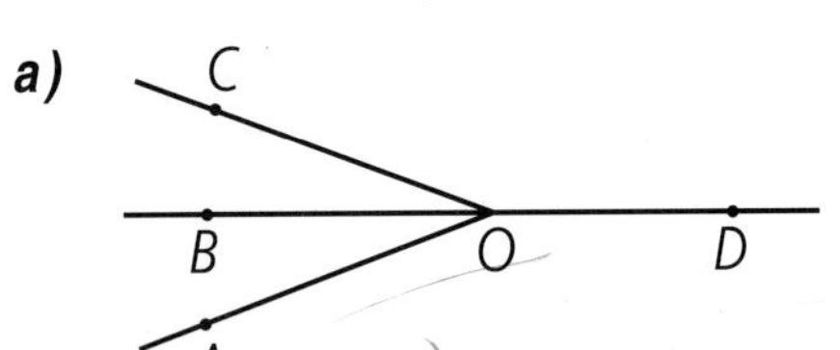

b)

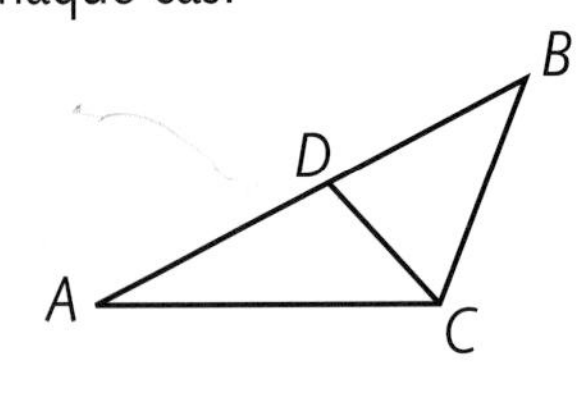

4 Indique pour quelles raisons les angles indiqués ne sont pas adjacents.

a)

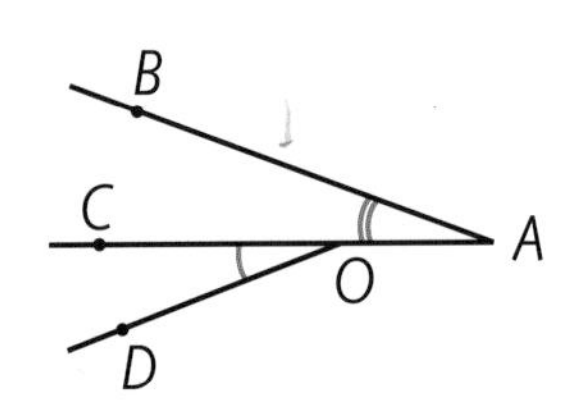

b)

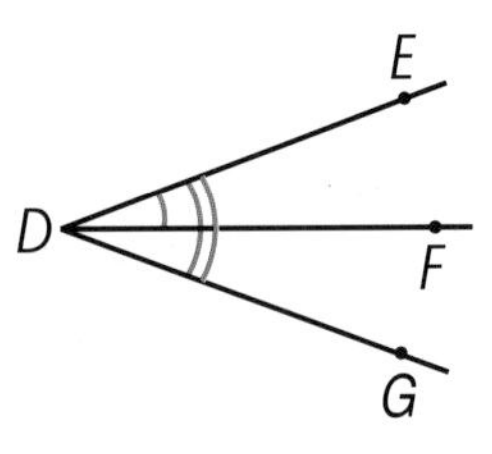

c)

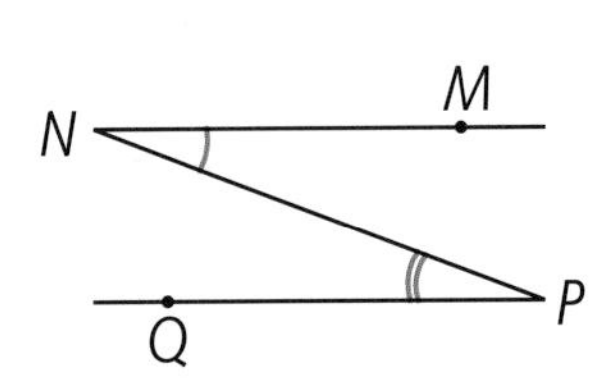

d)

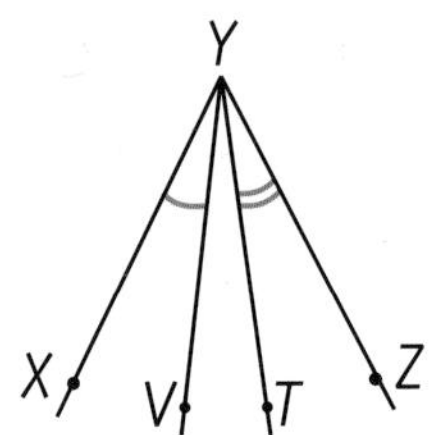

5 On trace la bissectrice *OC* d'un angle *AOB*. Quelles caractéristiques (2) les angles *AOC* et *BOC* ont-ils?

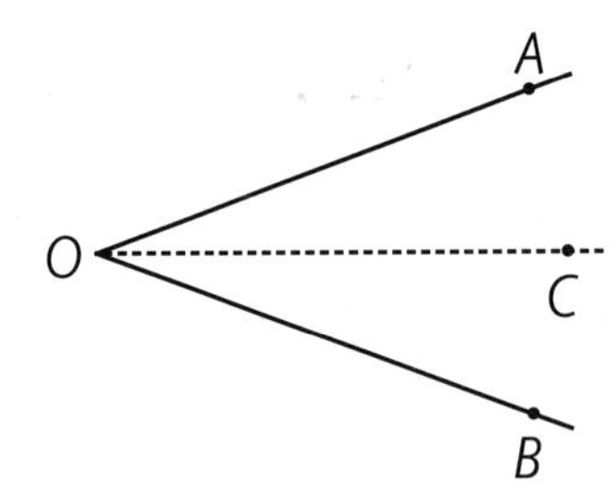

6 Donne la mesure du complément d'un angle dont la mesure est :

a) 18° **b)** 45° **c)** 89,5° **d)** 90°

7 Donne la mesure du supplément d'un angle dont la mesure est :

a) 1° **b)** 100,8° **c)** 2 x 50° **d)** 90°

8 L'angle *AOB* mesure 62°. Quelle est la mesure d'un angle :

a) complémentaire à ∠ *AOB*?

b) adjacent et congru à ∠ *AOB*?

c) opposé par le sommet à ∠ *BOA*?

d) supplémentaire à ∠ *AOB*?

9 La somme de deux angles est 150°. Est-il possible que ces deux angles soient aigus? Si oui, trace-les dans ton cahier.

10 Est-il possible que deux angles complémentaires soient congrus? Si oui, trace-les dans ton cahier.

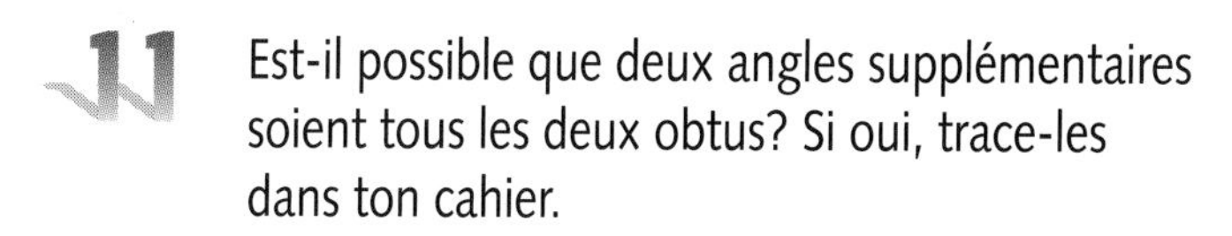

11 Est-il possible que deux angles supplémentaires soient tous les deux obtus? Si oui, trace-les dans ton cahier.

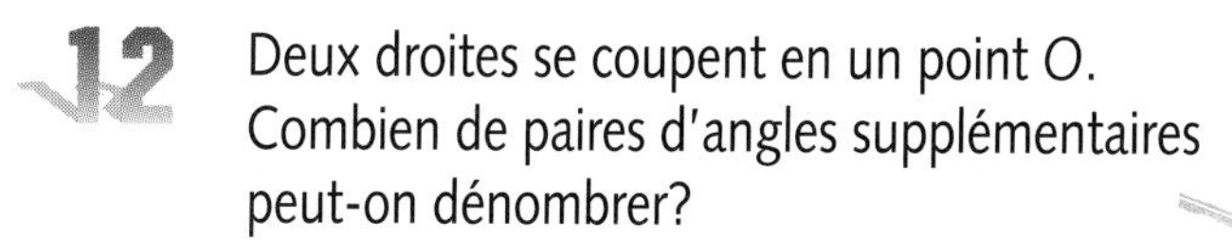

12 Deux droites se coupent en un point O. Combien de paires d'angles supplémentaires peut-on dénombrer?

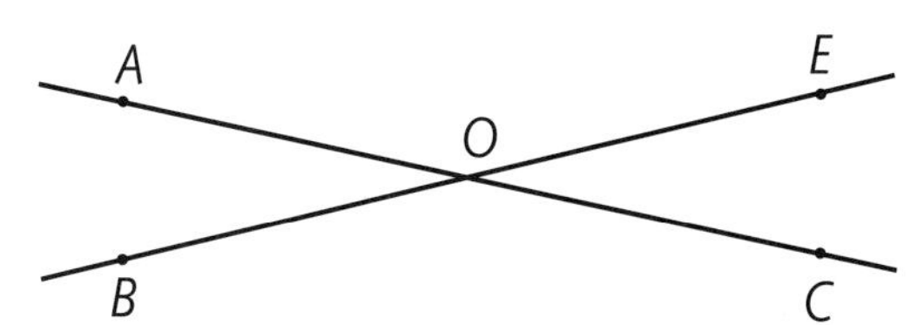

13 Est-il possible de trouver des angles supplémentaires congrus? Si oui, quelle mesure ont-ils?

14 Avec ton rapporteur, construis dans ton cahier un angle congru au complément de l'angle donné.

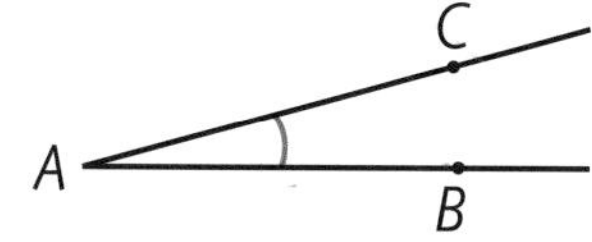

15 Est-il possible que deux angles opposés par le sommet soient non congrus? Si oui, dessine-les dans ton cahier.

16 Est-il possible que deux angles adjacents soient supplémentaires? Si oui, dessine-les dans ton cahier.

17 Est-il possible que des angles adjacents soient en même temps opposés par le sommet? Si oui, dessine-les dans ton cahier.

18 Est-il possible que deux angles obtus soient adjacents? Si oui, dessine-les dans ton cahier.

19 Est-il possible que deux angles aigus soient adjacents et supplémentaires? Si oui, dessine-les dans ton cahier.

20 Est-il possible que deux angles opposés par le sommet soient supplémentaires? Si oui, dessine-les dans ton cahier.

21 Dans chaque cas, déduis la valeur de a.

a)

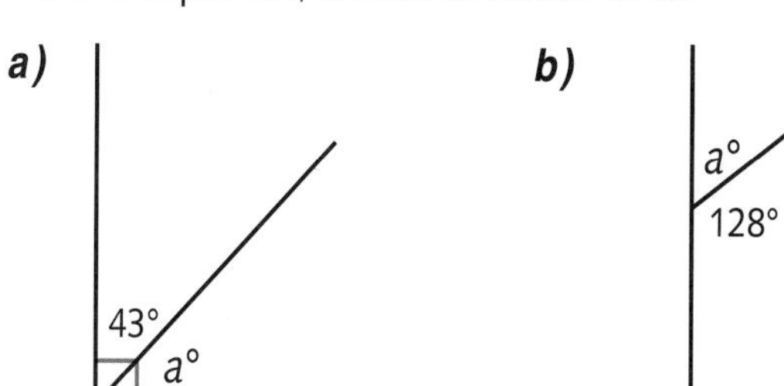

b)

a°
128°

22 Si la demi-droite BE est bissectrice de $\angle ABD$, détermine la valeur de a.

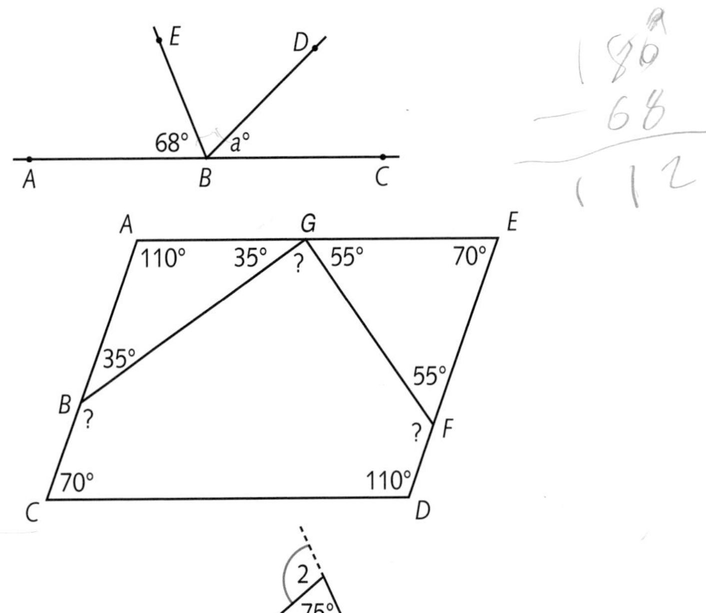

23 Déduis les mesures manquantes dans la figure ci-contre et trouves-y les paires d'angles :

a) congrus;

b) complémentaires;

c) supplémentaires.

24 On appelle **angle extérieur** d'un polygone l'angle formé par un côté et le prolongement de l'autre en un sommet donné. Déduis la mesure des angles extérieurs de ce triangle.

75°
40°
65°
1
2
3

25 Voici 3 énoncés.

1)
Les angles opposés par le sommet sont congrus.
2)
Les angles adjacents qui ont leurs côtés extérieurs perpendiculaires sont complémentaires.
3)
Les angles adjacents qui ont leurs côtés extérieurs en ligne droite sont supplémentaires.

Parmi ces 3 énoncés, indique celui qui permet de déduire que :

a) m $\angle DCF = 50°$;

b) m $\angle ABE = 110°$;

c) m $\angle FCG = 40°$.

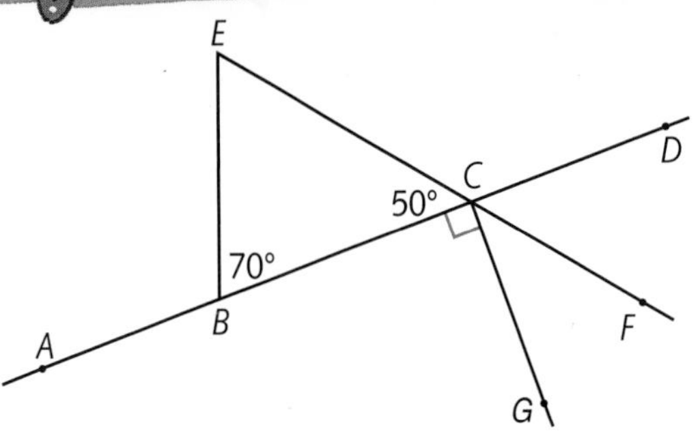

26 Déduis la mesure de :

a) ∠ *BOC*

b) ∠ *AOD*

c) ∠ *COD*

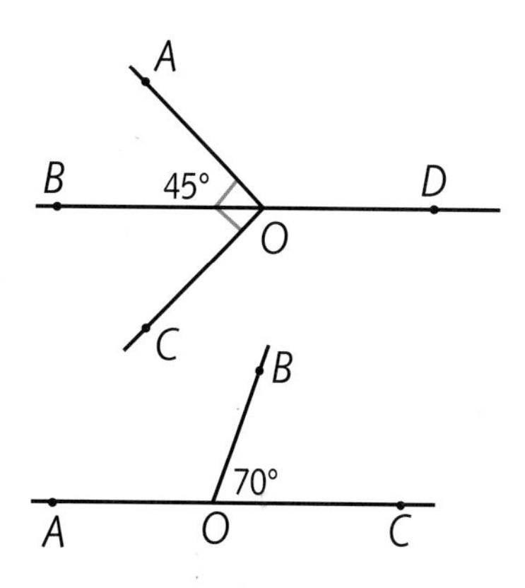

27 Dans la figure ci-contre, indique pourquoi on peut être assuré que m ∠ *AOB* = 110°.

28 Justifie chaque affirmation.

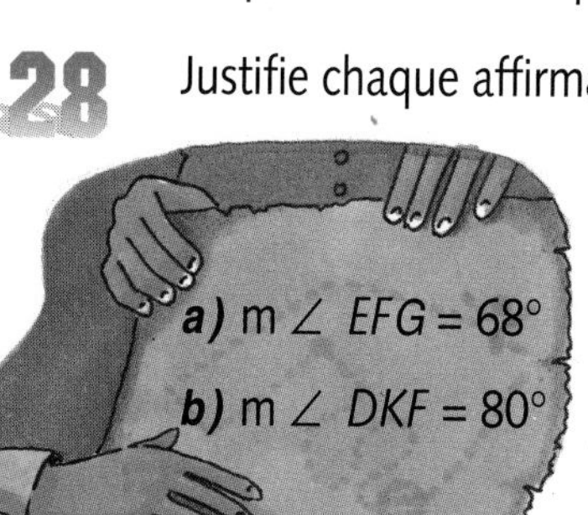

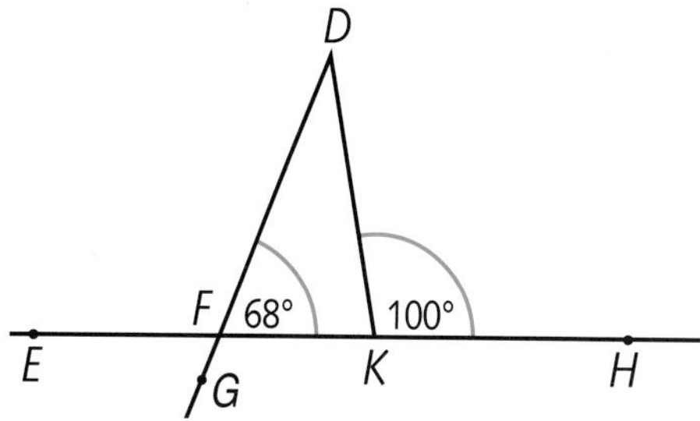

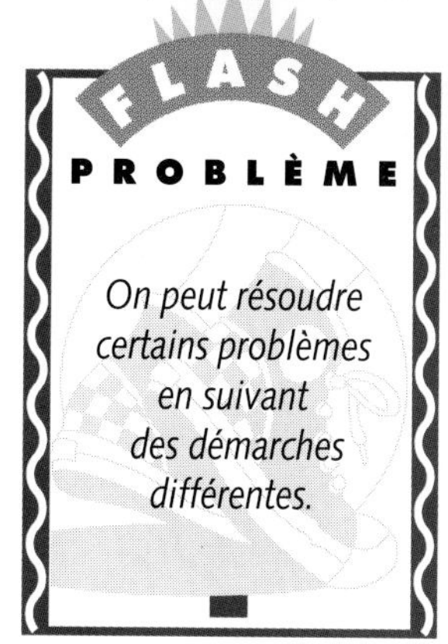

29 On a résolu le problème ci-dessous en suivant deux démarches différentes. Complète ces démarches afin de trouver la réponse.

À l'achat d'un ordinateur au prix courant de 1 200 $, on offre une réduction de 20 %. Quel est le prix réduit de cet ordinateur?

Démarche 1 : Prix courant : 1 200 $
Réduction : 20 % x 1 200 $
Prix réduit : 1 200 $ – 20 % x 1 200 $ = ...

Démarche 2 : Prix courant : 1 200 $
Réduction : 20 % x 1 200 $
Prix réduit : 80 % x 1 200 $ = ...

30 Résous ce problème en suivant deux démarches différentes.

À la polyvalente Le Sentier, c'est une journée bien spéciale! Le tiers des 864 élèves a fait du ski alpin et la moitié a visité le Biodôme. Les autres élèves ont participé à différentes activités à la polyvalente. Combien d'élèves sont restés à la polyvalente?

Des règles de partage!

■ Une demi-droite partage un angle plat en deux angles de telle sorte que la mesure du premier est la moitié de la mesure du second. Quelle est la mesure du plus petit angle?

■■ Trois demi-droites sont issues d'un même point et forment 3 angles. La mesure du deuxième est le double de la mesure du premier et la mesure du troisième est le triple de la mesure du premier. Quelles sont les mesures de ces trois angles?

Je connais la signification des expressions suivantes :

Segments congrus ou isométriques : segments qui ont la même mesure.

Droites sécantes : droites d'un même plan qui se coupent en un seul point dans un même plan.

Droites parallèles : droites d'un même plan qui n'ont aucun point commun.

Droites perpendiculaires : droites qui forment des angles droits.

Angle : portion de plan délimitée par deux demi-droites ayant la même origine.

Angles adjacents : deux angles qui ont le même sommet, un côté commun et qui sont situés de part et d'autre de ce côté commun.

Angles opposés : deux angles qui ont le même sommet et dont les côtés de l'un sont les prolongements des côtés de l'autre.

Angles complémentaires : deux angles dont la somme des mesures est de 90°.

Angles supplémentaires : deux angles dont la somme des mesures est de 180°.

Angles congrus : deux angles qui ont la même mesure.

Bissectrice : demi-droite ou droite qui partage un angle en deux angles congrus.

Polygone : figure plane formée par une ligne brisée fermée.

Diagonale : segment joignant deux sommets non consécutifs d'un polygone.

Je maîtrise les habiletés suivantes :

Identifier et **construire** des droites ou des segments perpendiculaires ou parallèles.

Estimer, mesurer et **construire** un angle.

Construire la bissectrice d'un angle.

Classer des angles.

Décrire, s'il y a lieu, diverses relations entre deux angles : complémentaires, supplémentaires, congrus, opposés par le sommet, adjacents.

Déduire la mesure d'un angle en s'appuyant sur un énoncé.

Je comprends les énoncés suivants :

Les angles opposés par le sommet sont congrus.

Les angles adjacents qui ont leurs côtés extérieurs perpendiculaires sont complémentaires.

Les angles adjacents qui ont leurs côtés extérieurs en ligne droite sont supplémentaires.

Sous quel angle?

1. **Reproduis** la figure ci-contre.

   a) **Trace** le segment représentant la distance du point *P* à la droite *AB*.

   b) **Trace** une droite parallèle à *AB* passant par *P*.

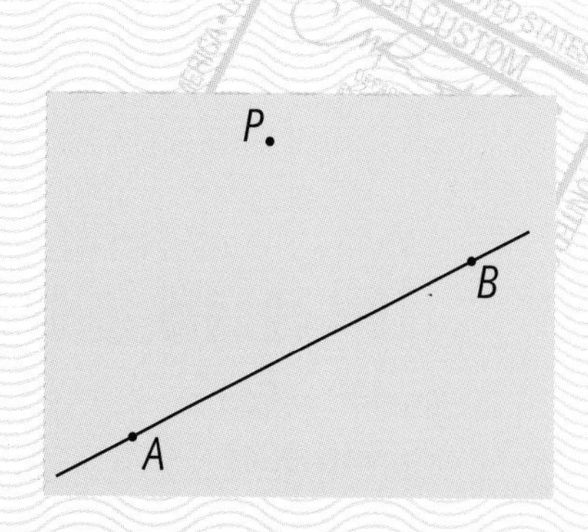

2. **Estime** sans rapporteur :

   a) l'angle que forment les ailes de la mouche;

   b) l'angle *MOX* sur le tableau;

   c) l'angle de la pointe inférieure du triangle qui porte la faucille et le marteau.

3. Dans la figure ci-contre, **identifie :**

   a) le ou les angles aigus;

   b) le ou les angles droits;

   c) le ou les angles obtus;

   d) une paire d'angles opposés par le sommet.

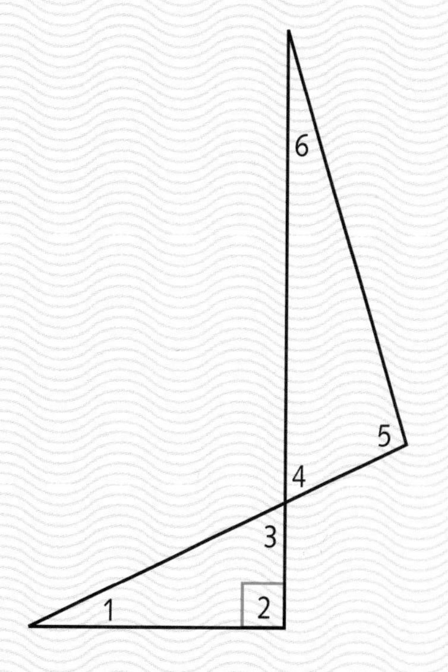

4. Dans la figure ci-contre :

   a) donne la mesure du **complément** de $\angle DNE$;

   b) nomme un angle **adjacent** à $\angle FNP$;

   c) nomme un angle qui est le **supplément** de $\angle CPB$;

   d) donne l'angle **opposé** par le sommet à $\angle CPB$;

   e) donne la **mesure** d'un angle congru à $\angle NPC$.

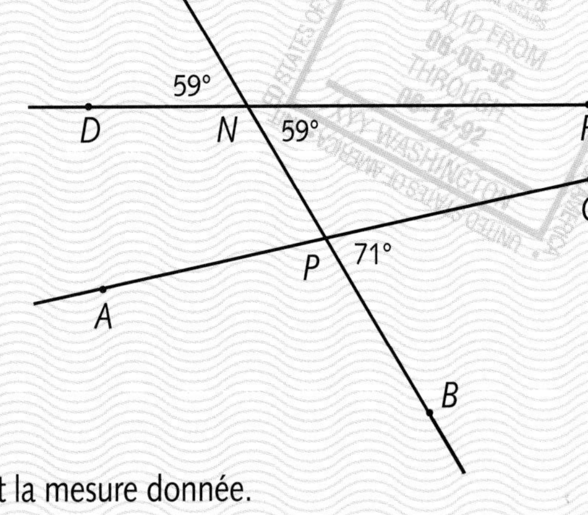

5. **Trace** à l'aide de ton rapporteur un **angle** ayant la mesure donnée.

   a) 48°   ***b)*** 220°

6. À l'aide de ton rapporteur, **détermine au degré près la mesure** des angles donnés.

   a)

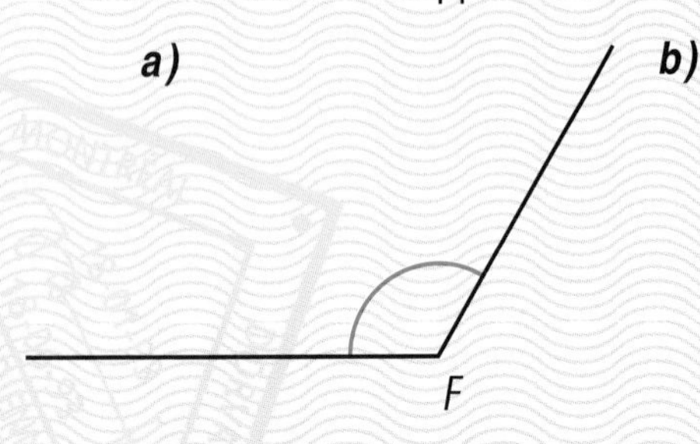

   b)

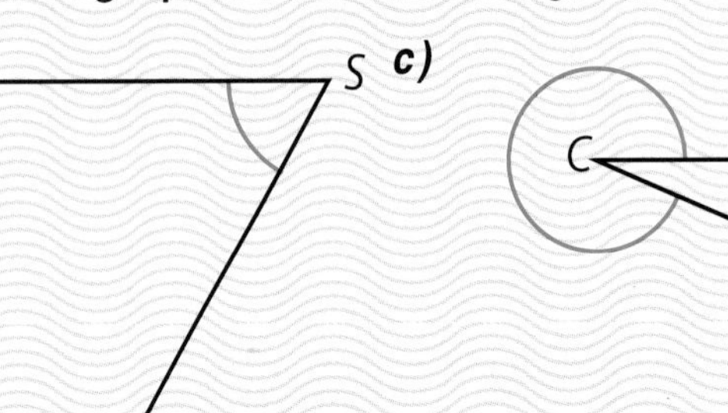

   c)

C A B

7. À l'aide de ton compas :

   a) **reproduis** l'angle *DEF* ci-contre;

   b) en laissant la trace de ta démarche, **construis la bissectrice** de l'angle que tu viens de reproduire.

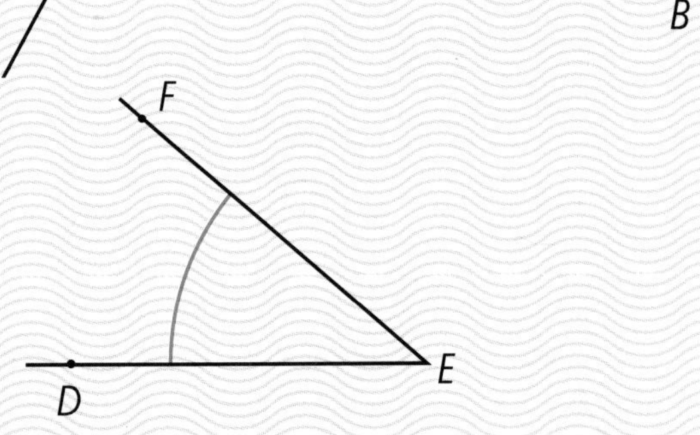

8. **Construis** une paire d'angles adjacents complémentaires.

9. **Construis** une paire d'angles opposés par le sommet mesurant 50°.

10. **Construis** deux angles adjacents et supplémentaires.

11. **Déduis** la mesure des angles *a* et *b* dans chaque cas.

   a)

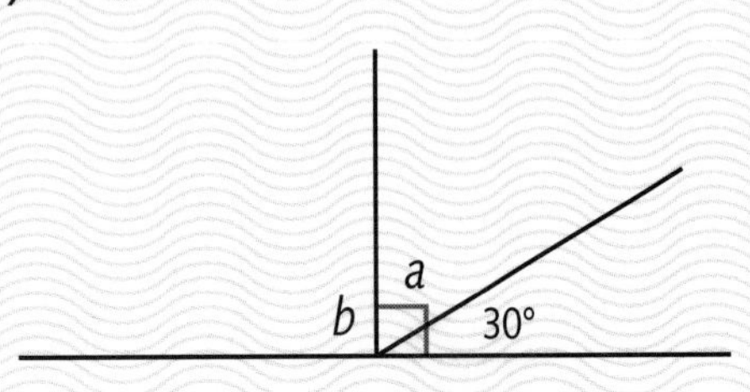

   b)

110° b a 40°

12. **Quelles relations** (adjacents, opposés par le sommet, congrus, complémentaires, supplémentaires) y a-t-il entre les deux angles donnés?

a)

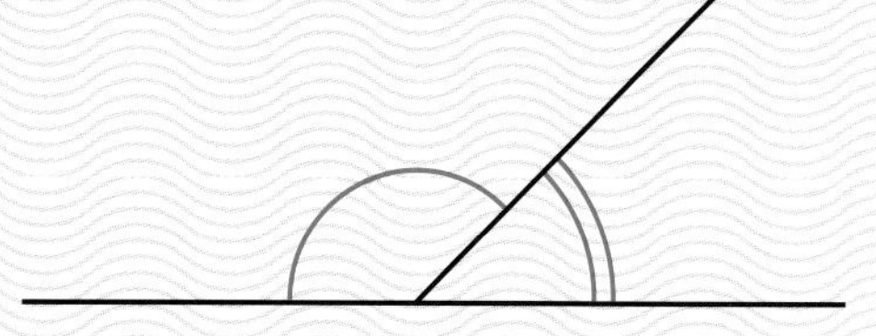

b)

c)

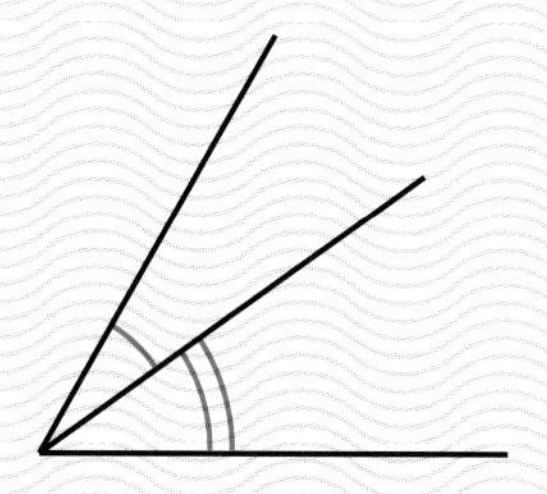

d)

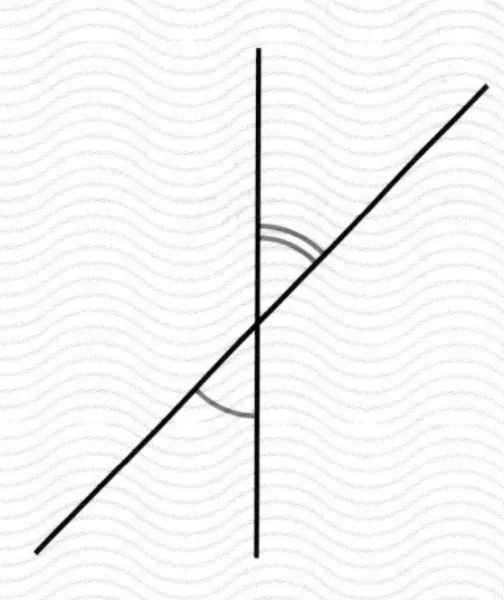

13. **Indique** pourquoi dans cette figure on peut être assuré que :

a) m $\angle ADB = 50°$;

b) m $\angle JEH = 70°$.

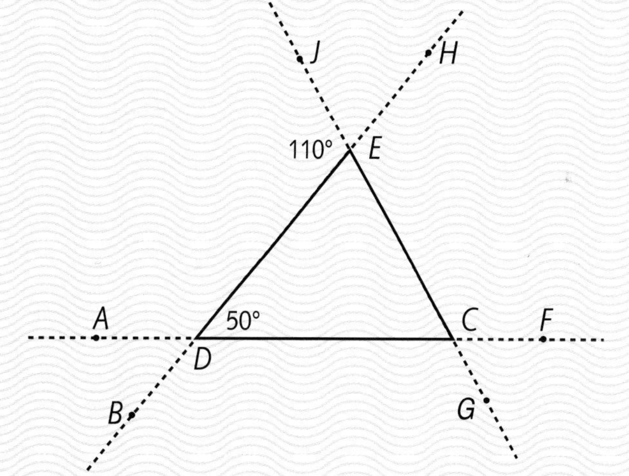

ITINÉRAIRE 13

TRANSFORMATION DE FIGURES

Les grandes idées :

- notion de transformation du plan;
- les transformations isométriques :
  - translation,
  - rotation,
  - réflexion;
- construction d'images.

Objectif terminal :

Créer des figures
en utilisant les transformations
isométriques.

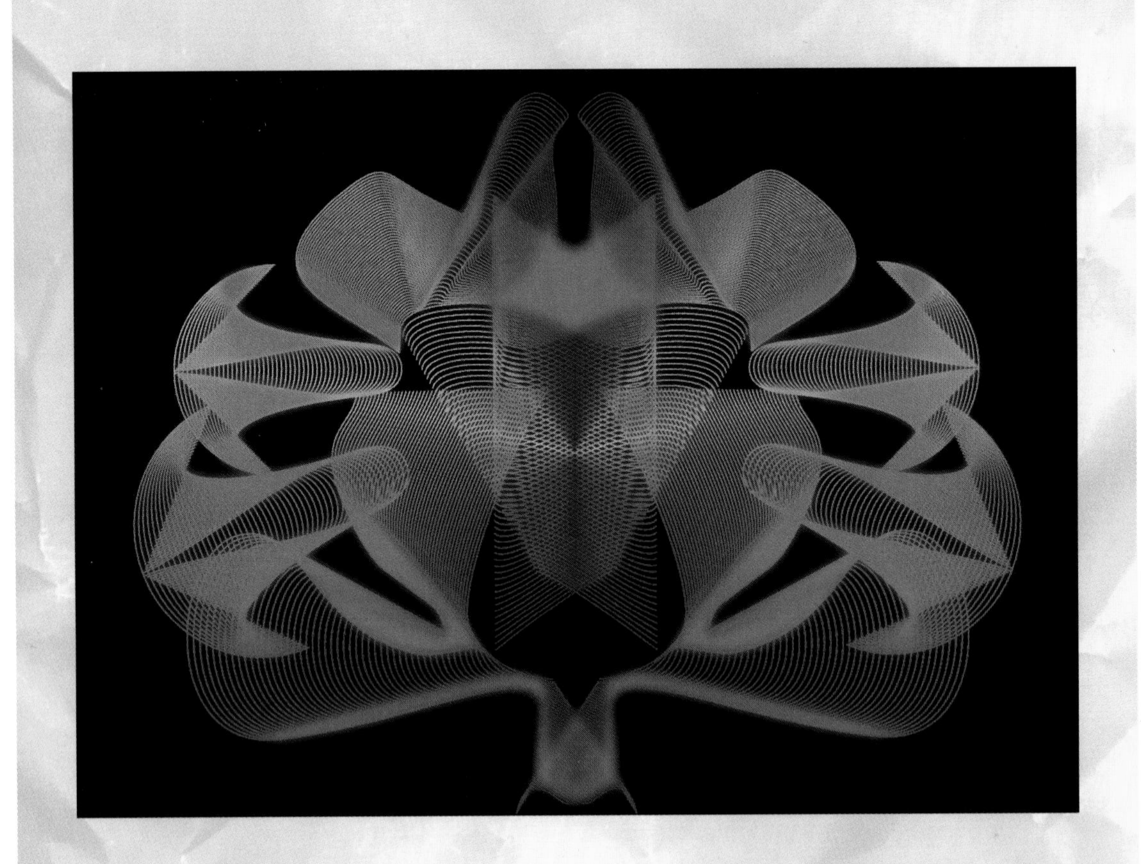

EN ROUTE

... VERS LE MONDE DES TRANSFORMATIONS

LES TRANSFORMATIONS DE FIGURES

De drôles d'images!
Sans doute as-tu déjà pris plaisir à te regarder dans des miroirs qui transforment ton visage et toute ta silhouette en de drôles d'images.
• Comment fabrique-t-on des miroirs transformants?

Il est également possible de transformer les figures d'un plan. On peut imaginer toutes sortes de moyens pour transformer des figures. En voici quelques-uns.

– Utiliser une grille déformante :

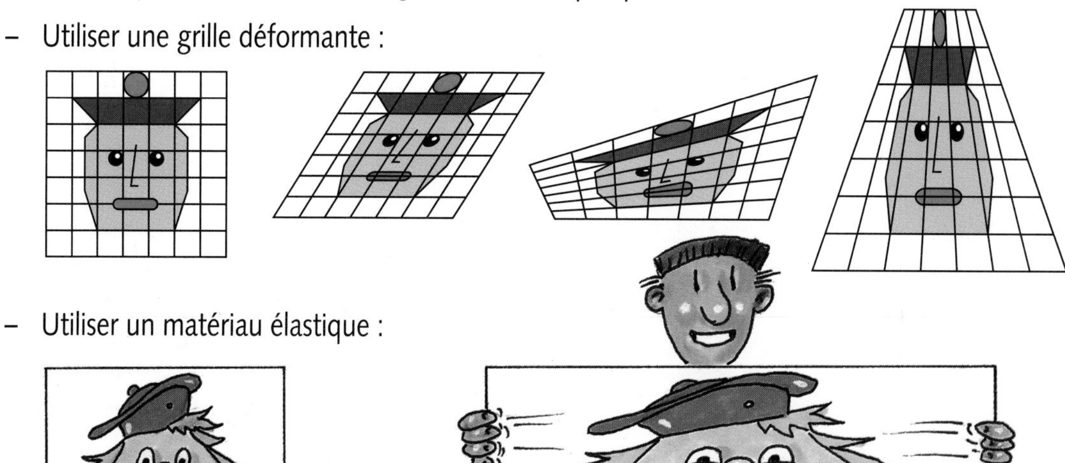

– Utiliser un matériau élastique :

– Utiliser une règle décrivant l'**image** de chaque point du plan :

Ex. : Un point situé au-dessus de la droite *m*, ou sur celle-ci, a comme image le pied de la perpendiculaire abaissée de ce point à la droite *m*, et un point situé sous la droite *m* glisse horizontalement de 1 cm vers la droite.

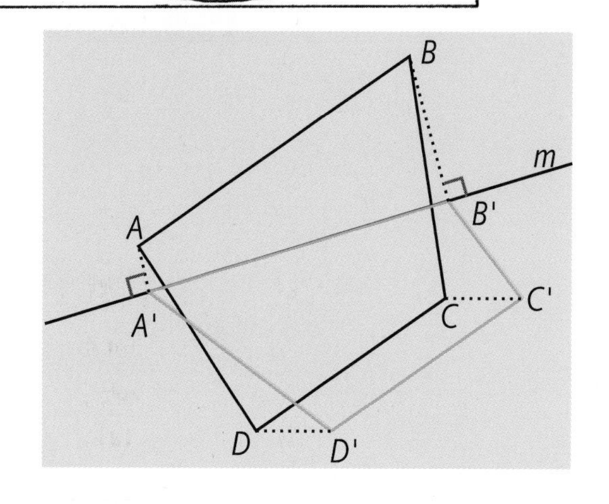

FEUILLE DE TRAVAIL 5

a) Afin d'obtenir la deuxième grille, on a froissé la première grille. Reproduis la figure de la première grille comme elle doit maintenant apparaître sur la deuxième grille.

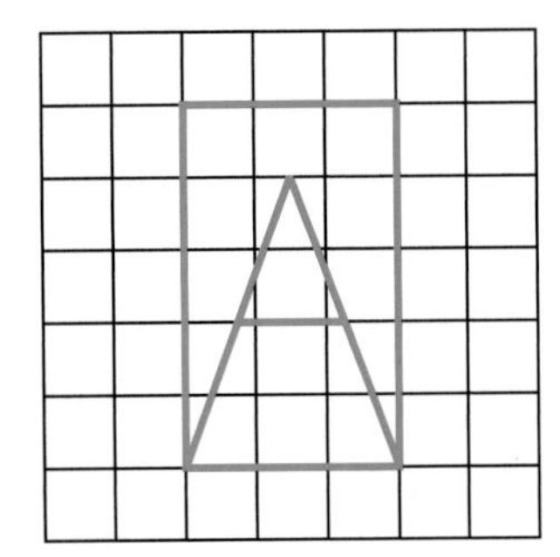

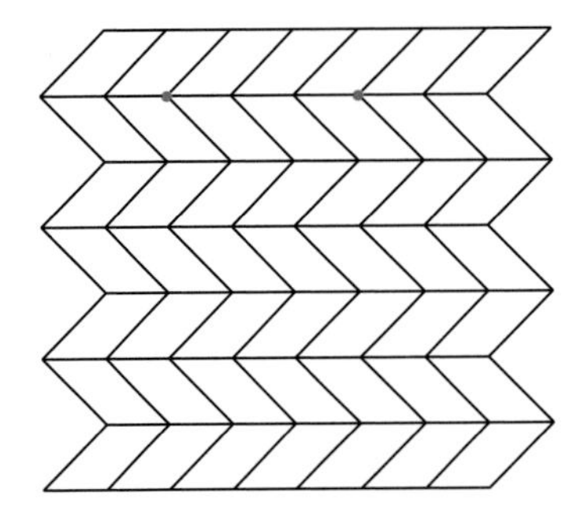

b) Trace l'image de la figure *ABCD* en reliant dans l'ordre les points images *A'*, *B'*, *C'* et *D'*.

1)

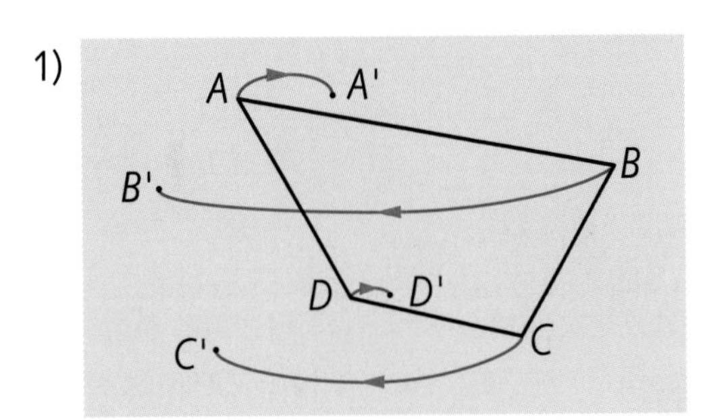

2)

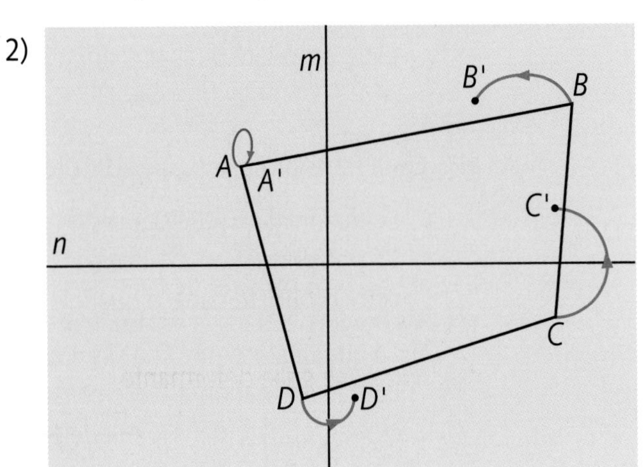

c) Trouve l'image des figures données selon la règle décrite.

1) Chaque point image est deux fois plus éloigné de *O* que le point initial sur sa trace.

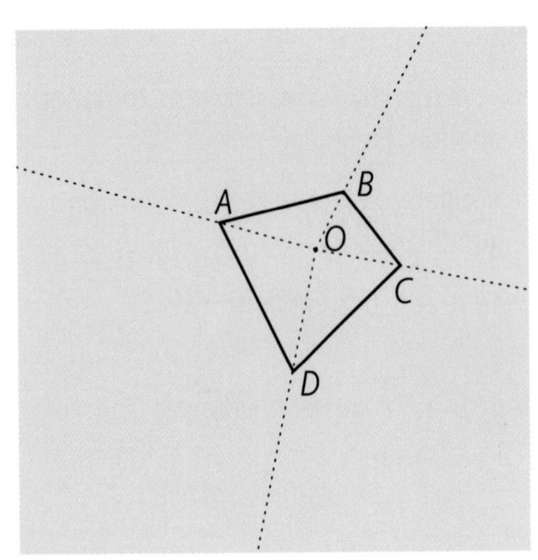

2) Tout point du plan a son image à la même distance sur une droite horizontale de l'autre côté de la droite *m*.

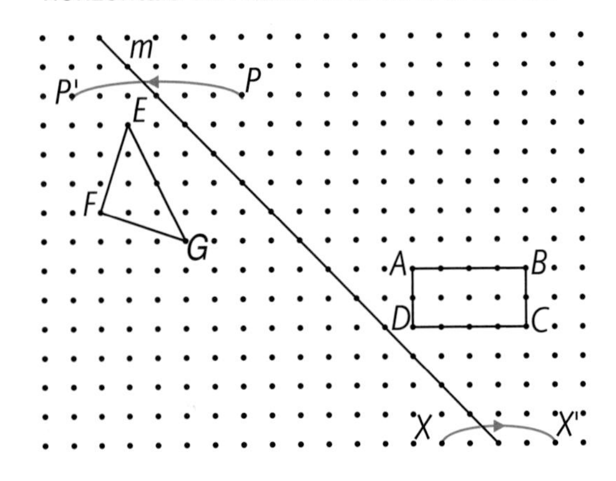

On peut imaginer toutes sortes de transformations. Chacune a pour effet de transformer les figures du plan, notamment les polygones.

En agissant sur les polygones, les transformations peuvent modifier leurs propriétés. Les **propriétés** d'un polygone sont généralement des énoncés concernant ses **côtés,** ses **angles** ou ses **diagonales.**

d) On a transformé le triangle *TPS* en le triangle *T'P'S'*.

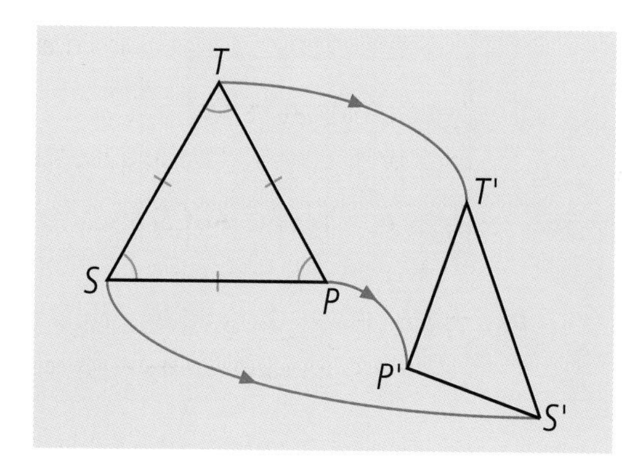

1) Le triangle *TPS* a ses 3 côtés congrus. La transformation a-t-elle conservé cette propriété dans le triangle image?

2) Le triangle *TPS* a ses 3 angles congrus. La transformation a-t-elle conservé cette propriété dans le triangle image?

e) On a transformé la figure *ABCD* en la figure *A'B'C'D'*.

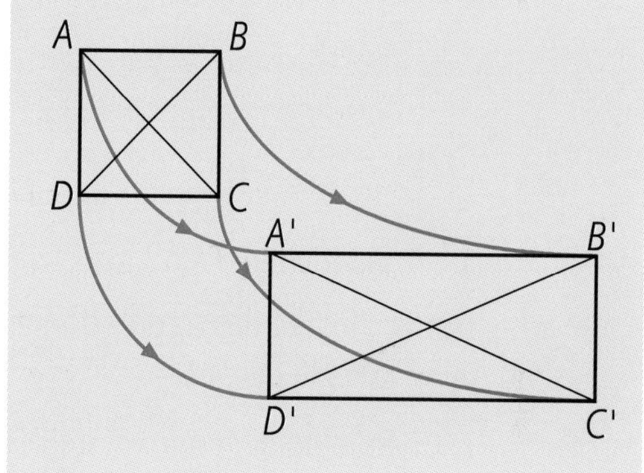

1) Le quadrilatère *ABCD* a ses 4 côtés congrus. La transformation a-t-elle conservé cette propriété dans le quadrilatère image?

2) Le quadrilatère *ABCD* a ses 4 angles droits. La transformation a-t-elle conservé cette propriété dans le quadrilatère image?

3) Le quadrilatère *ABCD* a ses diagonales congrues. La transformation a-t-elle conservé cette propriété dans le quadrilatère image?

4) Le quadrilatère *ABCD* a ses côtés parallèles deux à deux. La transformation a-t-elle conservé cette propriété dans le quadrilatère image?

5) Les diagonales du quadrilatère *ABCD* sont perpendiculaires. La transformation a-t-elle conservé cette propriété dans le quadrilatère image?

6) Les diagonales du quadrilatère *ABCD* se coupent en leur milieu. La transformation a-t-elle conservé cette propriété dans le quadrilatère image?

7) Peut-on dire que le périmètre du quadrilatère *ABCD* a été conservé dans la transformation?

8) Peut-on dire que l'aire du quadrilatère *ABCD* a été conservée dans la transformation?

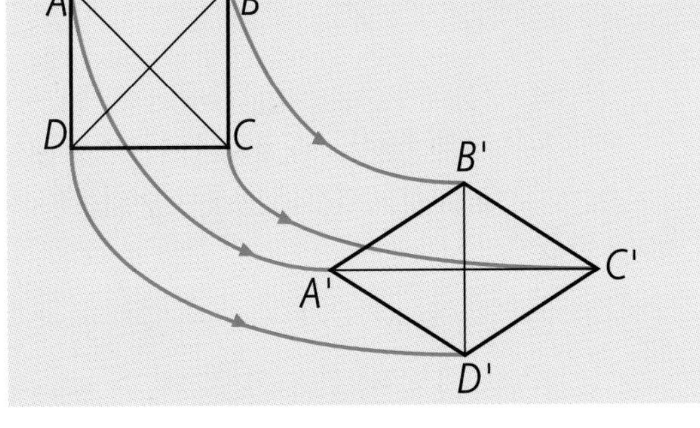

f) On a transformé le quadrilatère *ABCD* en le quadrilatère *A'B'C'D'*.

1) Le quadrilatère *ABCD* a ses 4 côtés congrus. La transformation a-t-elle conservé cette propriété dans le quadrilatère image?
2) Le quadrilatère *ABCD* a ses 4 angles droits. La transformation a-t-elle conservé cette propriété dans le quadrilatère image?
3) Le quadrilatère *ABCD* a ses diagonales congrues. La transformation a-t-elle conservé cette propriété dans le quadrilatère image?
4) Le quadrilatère *ABCD* a ses côtés parallèles deux à deux. La transformation a-t-elle conservé cette propriété dans le quadrilatère image?
5) Les diagonales du quadrilatère *ABCD* sont perpendiculaires. La transformation a-t-elle conservé cette propriété dans le quadrilatère image?
6) Les diagonales du quadrilatère *ABCD* se coupent en leur milieu. La transformation a-t-elle conservé cette propriété dans le quadrilatère image?
7) Peut-on dire que la transformation a conservé le périmètre du quadrilatère *ABCD* en le transformant en le quadrilatère *A'B'C'D'*?
8) Peut-on dire que la transformation a conservé l'aire du quadrilatère *ABCD* en le transformant en le quadrilatère *A'B'C'D'*?

g) On a transformé le quadrilatère *EFGH* en le quadrilatère *E'F'G'H'*.

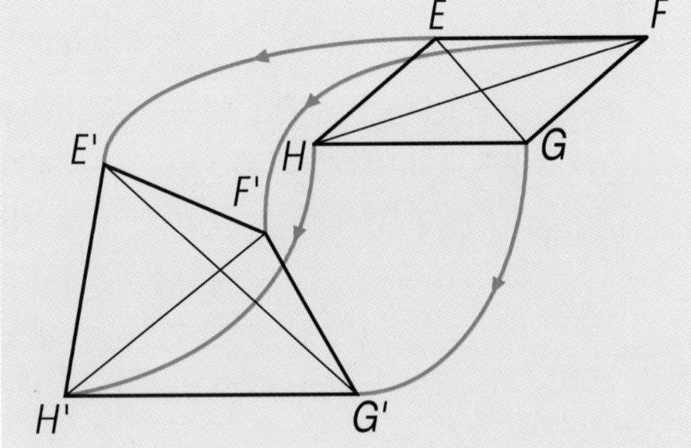

1) Le quadrilatère *EFGH* a ses côtés parallèles deux à deux. La transformation a-t-elle conservé cette propriété dans le quadrilatère image?
2) Les diagonales du quadrilatère *EFGH* se coupent en leur milieu. La transformation a-t-elle conservé cette propriété dans le quadrilatère image?
3) Le quadrilatère *EFGH* a ses côtés congrus deux à deux. La transformation a-t-elle conservé cette propriété dans le quadrilatère image?
4) Peut-on dire que cette transformation a conservé la forme du quadrilatère?
5) Cette transformation conserve-t-elle :

   i) le périmètre de *EFGH*?

   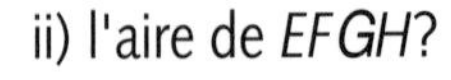

   ii) l'aire de *EFGH*?

h) Dans cette transformation, énonce une propriété du quadrilatère *MPRN* qui est conservée.

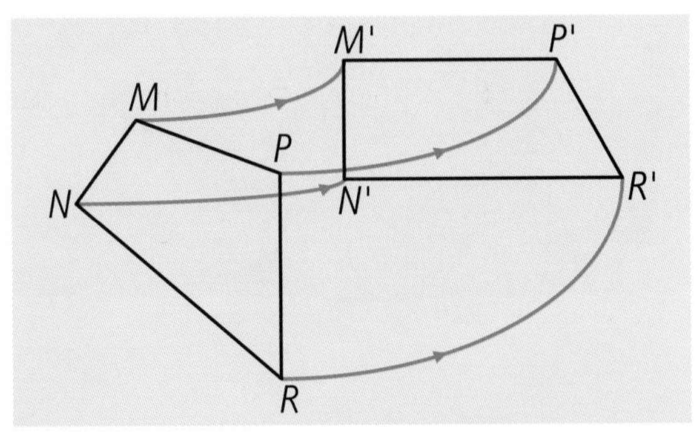

i) On a transformé 3 fois le carré *ABCD*. Indique au moins une chose qui a changé au cours de chaque transformation.

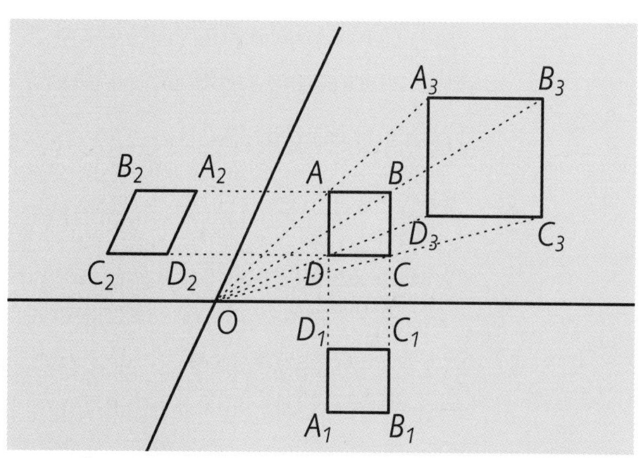

LES TRANSLATIONS

Le fou du roi!

Aux échecs, les pièces du jeu se déplacent de différentes façons. Le fou se déplace en diagonale.

- Comment se déplacent les pièces suivantes du jeu d'échecs?

Les déplacements des pièces du jeu d'échecs évoquent l'idée de **translation.**

On a transformé le triangle ABC en le triangle $A'B'C'$.

a) Peut-on affirmer que les droites AA', BB' et CC' sont parallèles ou ont la même direction?

b) Les segments AA', BB' et CC' sont-ils congrus?

c) Les déplacements A vers A', B vers B' et C vers C' sont-ils tous dans le même sens?

Une transformation qui répond à ces 3 conditions est appelée **translation.**

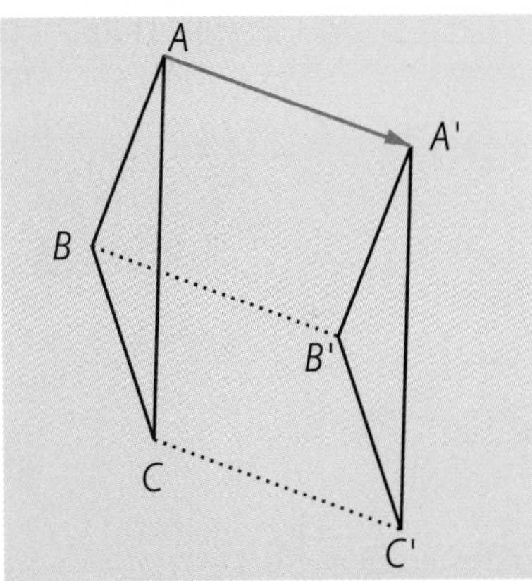

CARNET DE VOYAGE

Une translation est une transformation qui, à tous les points du plan, fait correspondre un point image suivant une même **direction,** un même **sens** et une même **distance.**

On décrit une translation à l'aide d'une **flèche.** Cette flèche fixe la **direction,** le **sens** et la **distance** des points à leur image.

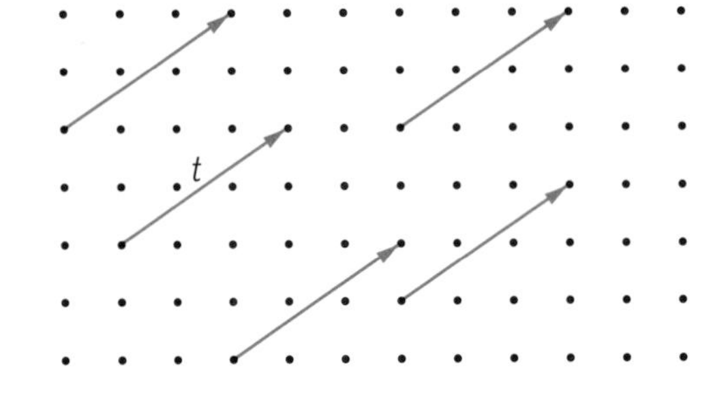

Tous les points du plan ont chacun une image dans cette direction, dans ce sens et à cette distance.

Toutes les figures du plan ont également une figure image.

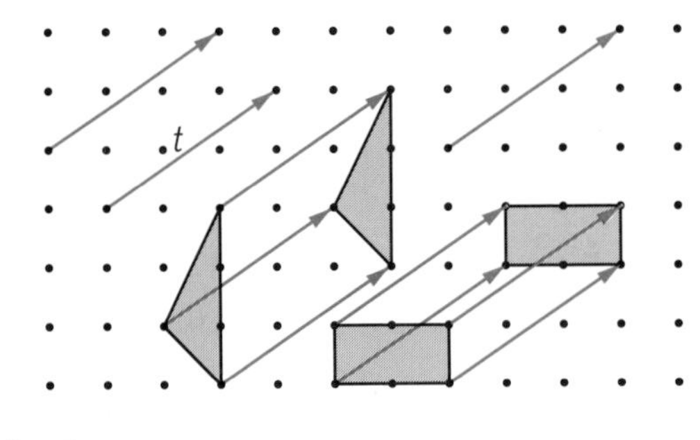

On note la flèche ***t*** et l'image d'un point A est notée ***A'*** ou ***t(A).***

Le plan quadrillé et le plan pointé sont très utiles pour tracer l'image d'une figure par une translation.

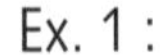

Ex. 1 :

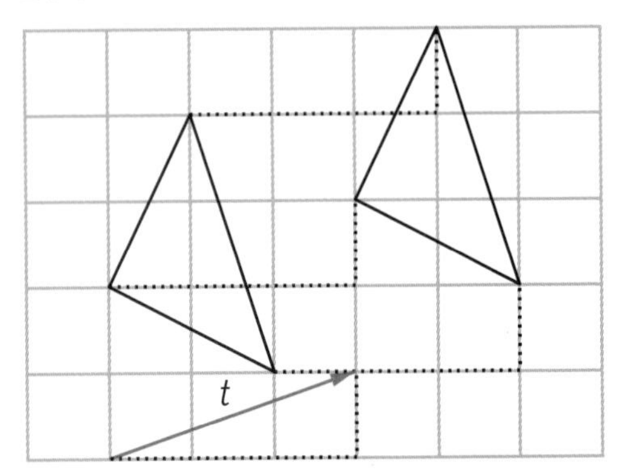

On trouve l'image de chaque point en se déplaçant de 3 unités vers la droite et de 1 unité vers le haut.

Ex. 2 :

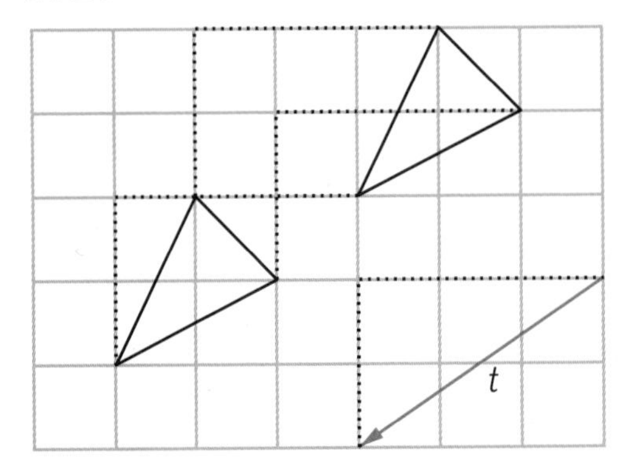

On trouve l'image de chaque point en se déplaçant de 3 unités vers la gauche et de 2 unités vers le bas.

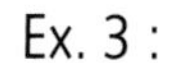
Ex. 3 :

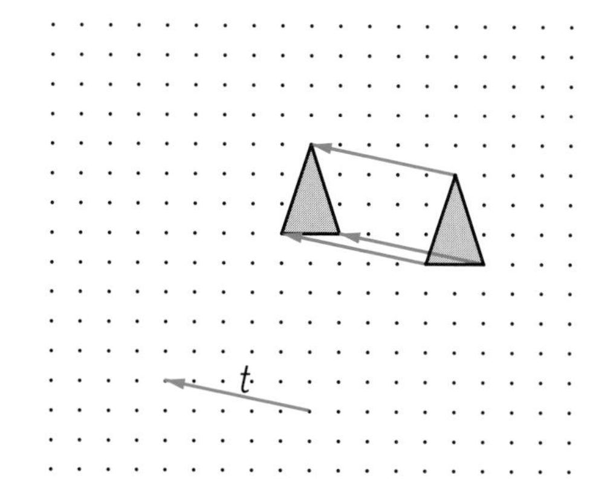

On trouve l'image de chaque point en se déplaçant de 5 unités vers la gauche et de 1 unité vers le haut.

Ex. 4 :

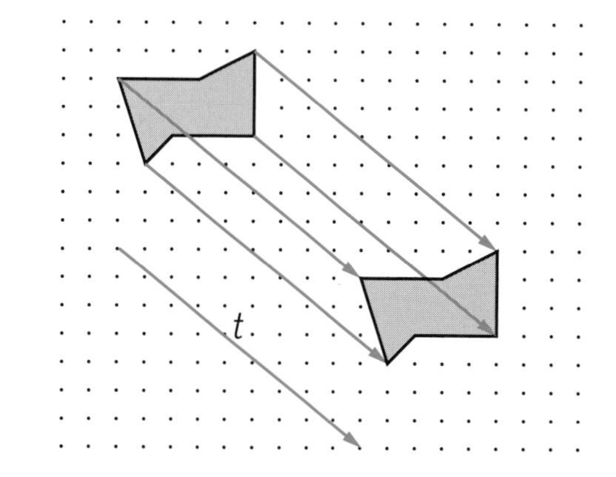

On trouve l'image de chaque point en se déplaçant de 9 unités vers la droite et de 7 unités vers le bas.

Pour trouver l'image d'une figure dans un plan non quadrillé ou non pointé, on procède comme suit :

1° Par les sommets de la figure, on trace des parallèles à la flèche de translation.

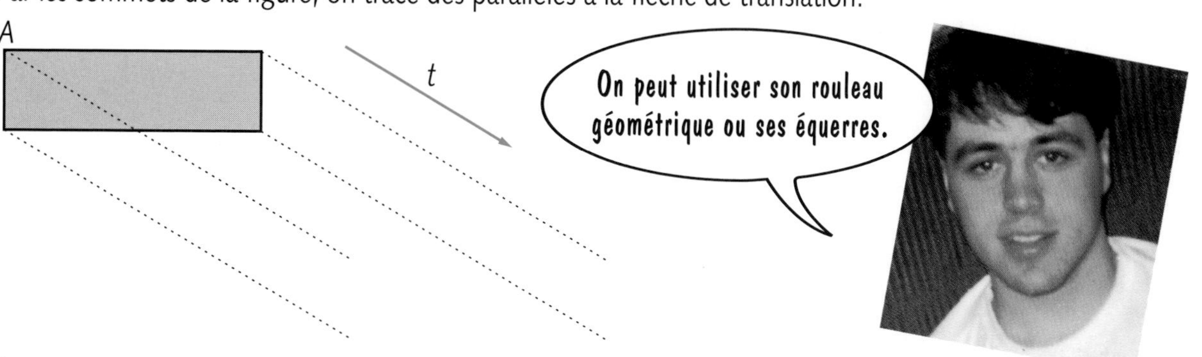

A
t
On peut utiliser son rouleau géométrique ou ses équerres.

2° À l'aide du compas, et dans le sens de la flèche, on reporte sur les traces parallèles des segments de même longueur que la flèche.

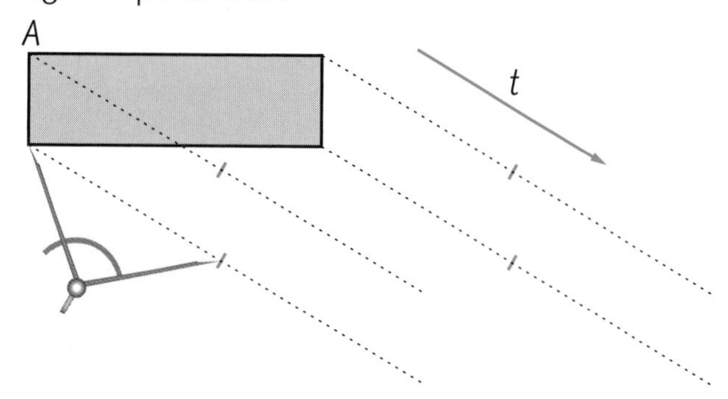

3° À l'aide de la règle, on relie les points obtenus de la même façon que les points de la figure initiale.

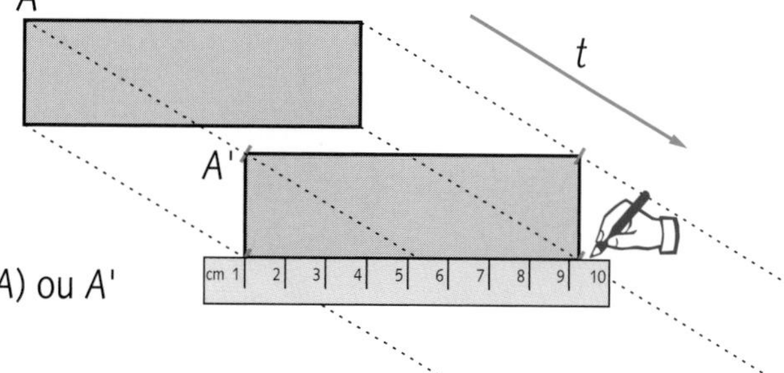

On note l'image de A par $t(A)$ ou A' ou une autre lettre.

1 Deux voitures circulent sur la même route.
Ces deux voitures vont-elles :

a) dans la même direction?

b) dans le même sens?

2 Indique si l'image a été obtenue par la translation indiquée par la flèche.

a)

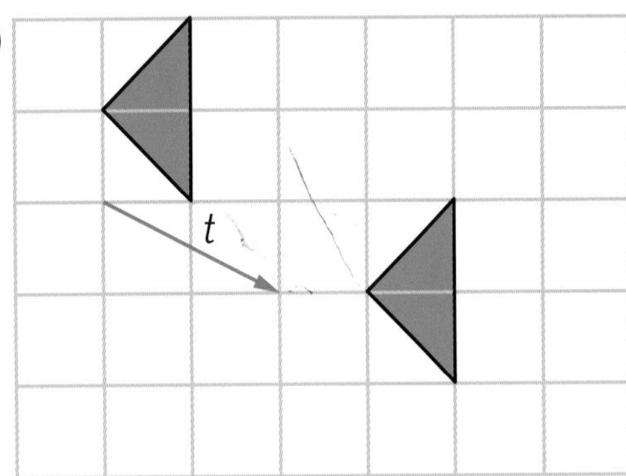

b)

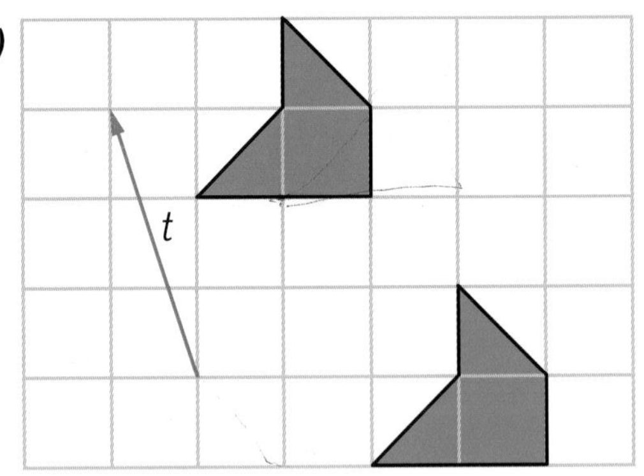

3 Indique si l'image a été obtenue par une translation.

a)

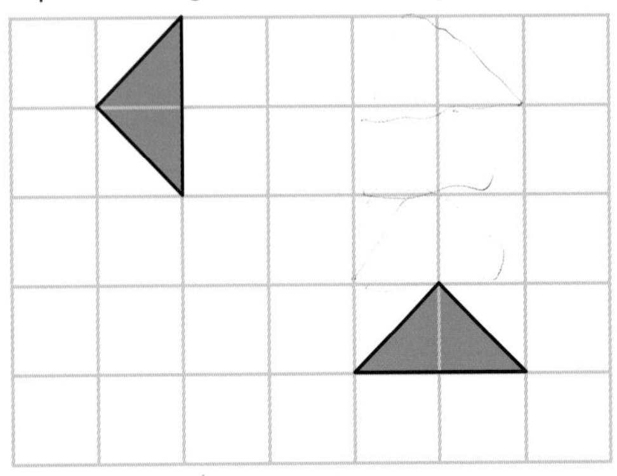

b)

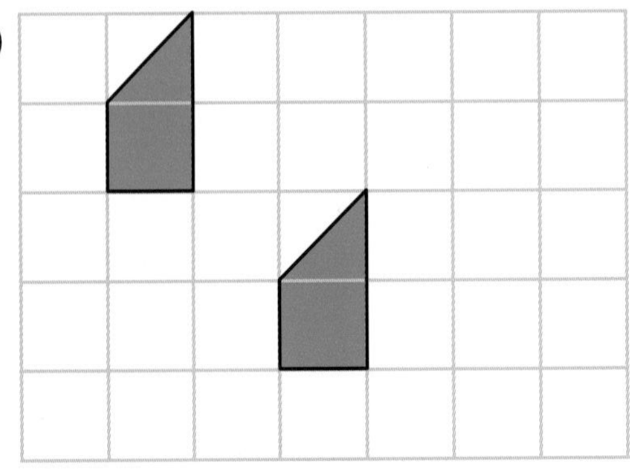

4. Trace l'image de la figure donnée par la translation décrite par la flèche.

a)

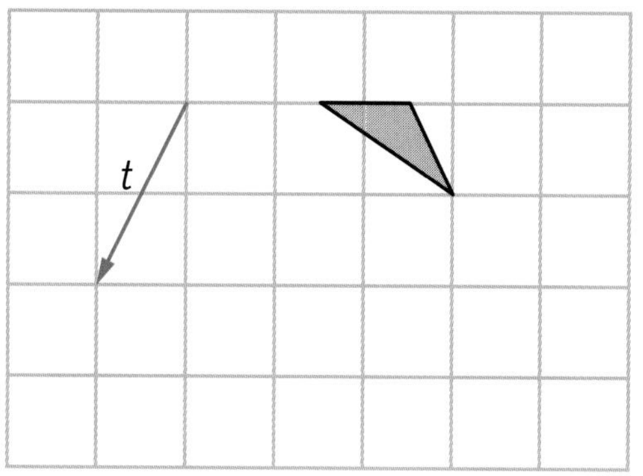

b)

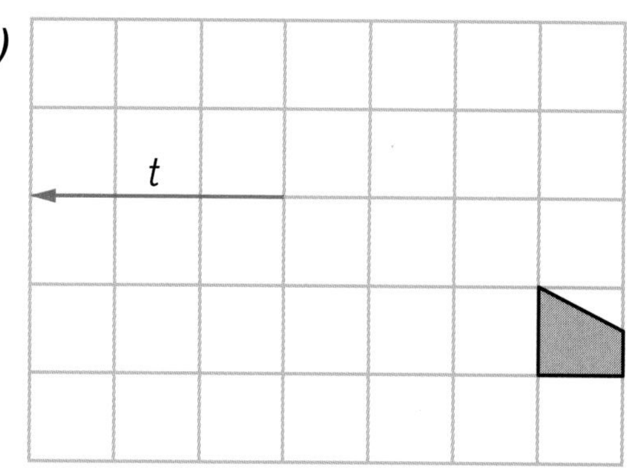

c)

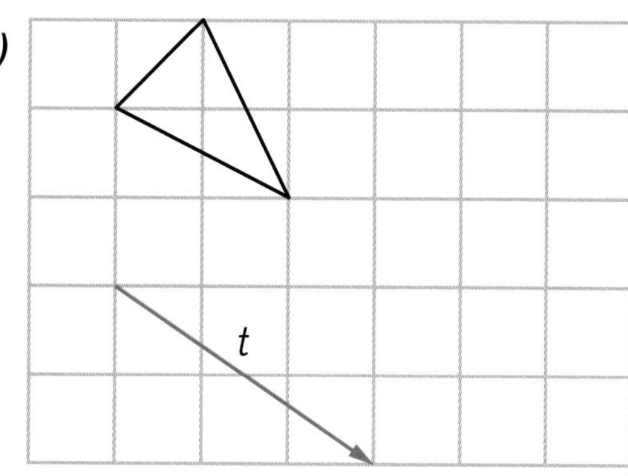

d)

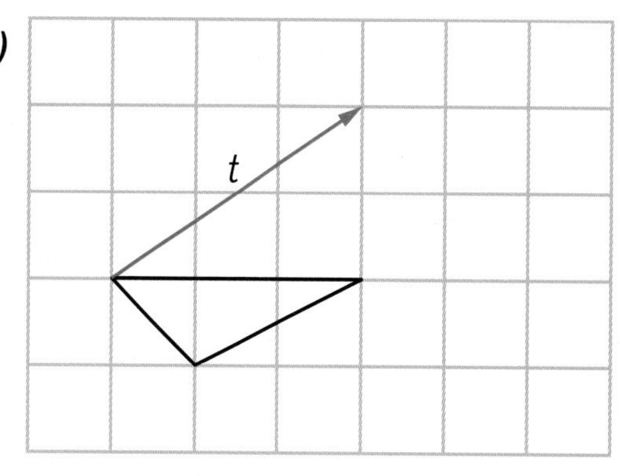

e)

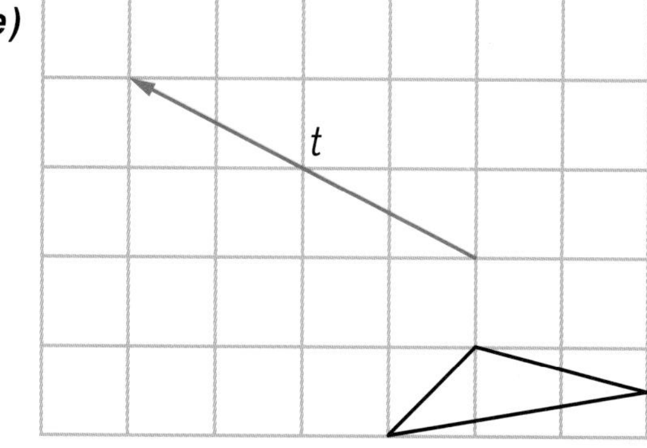

f)

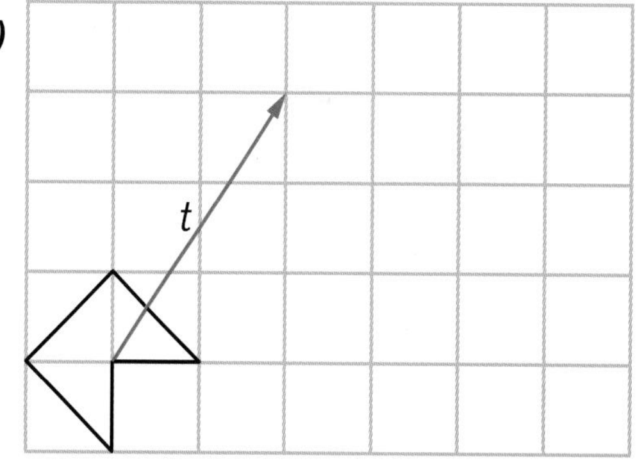

5. À partir de *A*, trace la flèche qui correspond à la translation effectuée.

a)

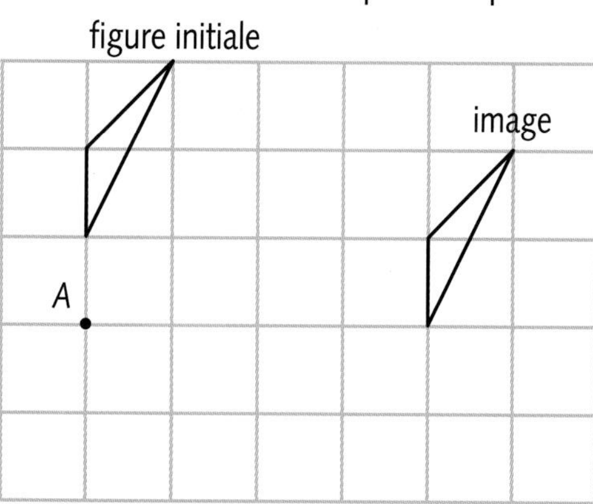

b)

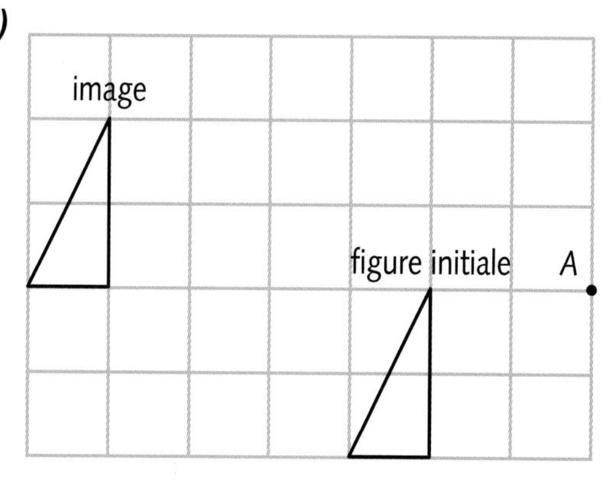

FEUILLE DE TRAVAIL 7

6. Trace l'image de la figure donnée par la translation indiquée.

a)

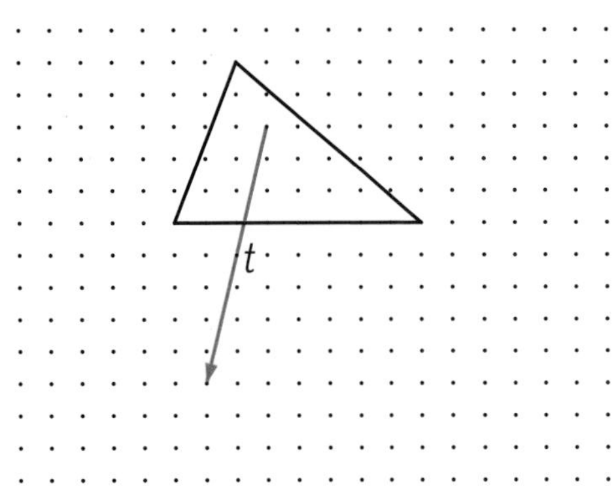

b)

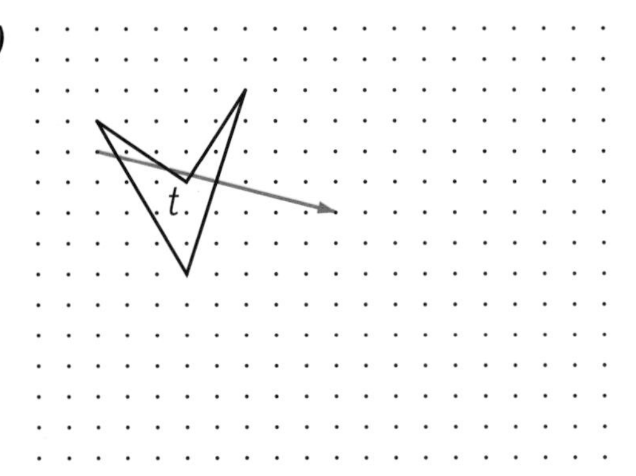

7. À l'aide de tes équerres et de ton compas, ou de ton rouleau géométrique, trace l'image de la figure donnée par la translation décrite par la flèche.

a)

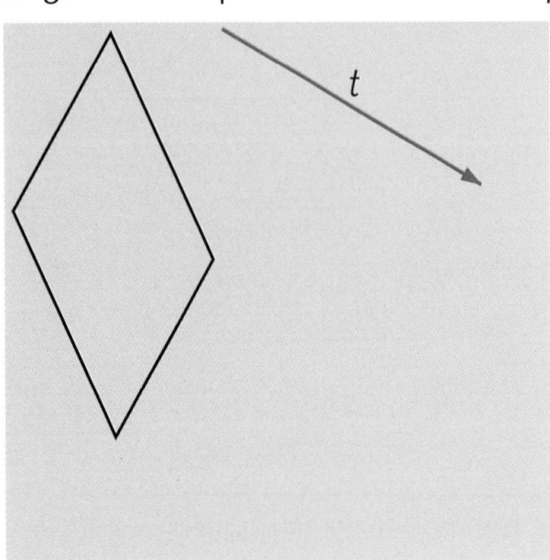

b)

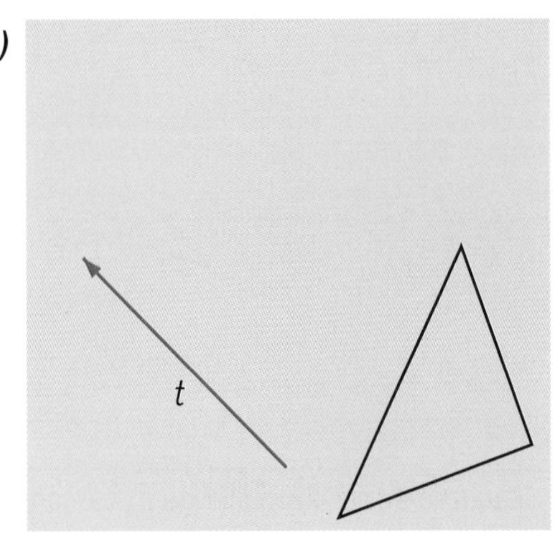

c)

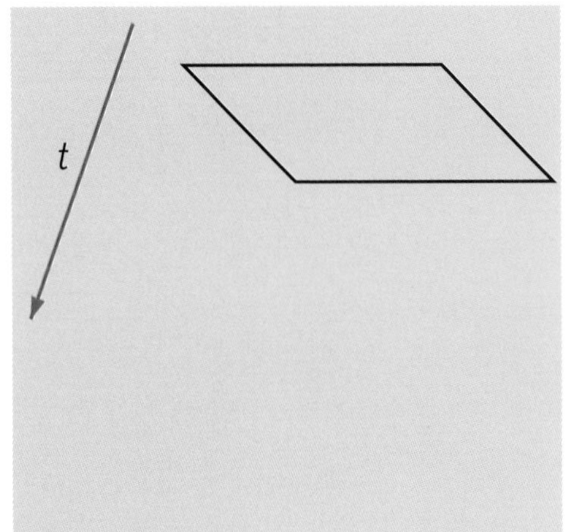

d)

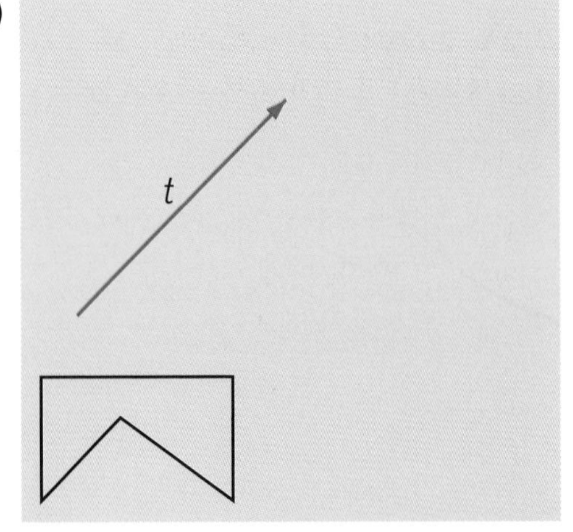

8 Indique si les deux flèches décrivent la même translation.

a)

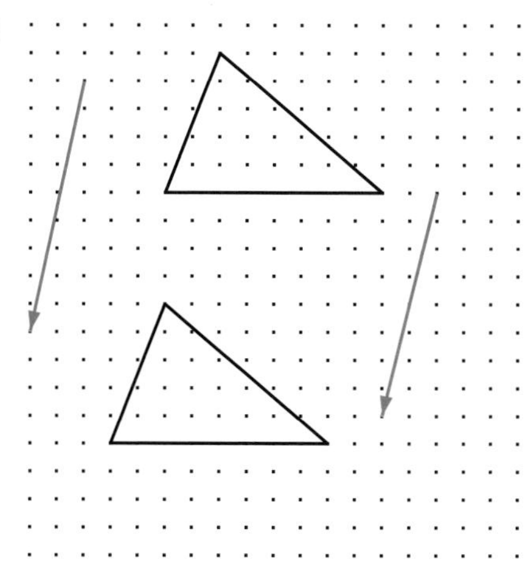

b)

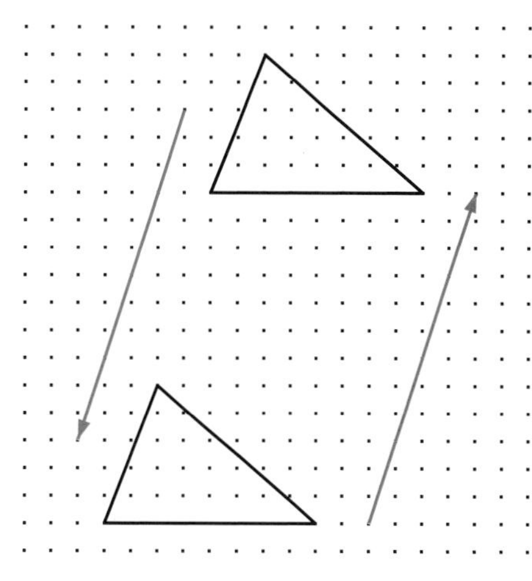

c)

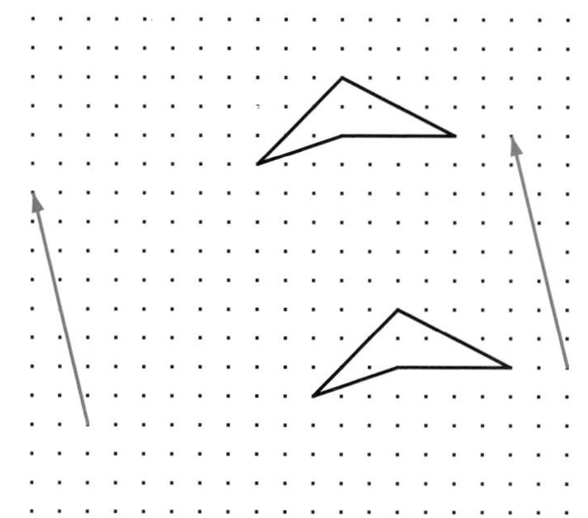

d)

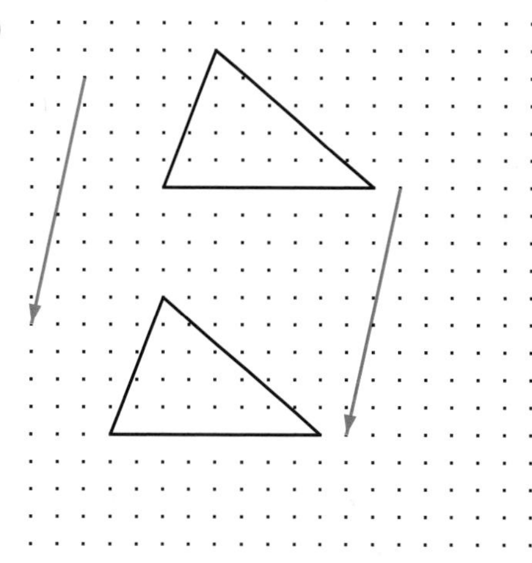

9 Laquelle de ces figures (1 ou 2) est considérée comme l'image de l'autre par la translation indiquée?

a)

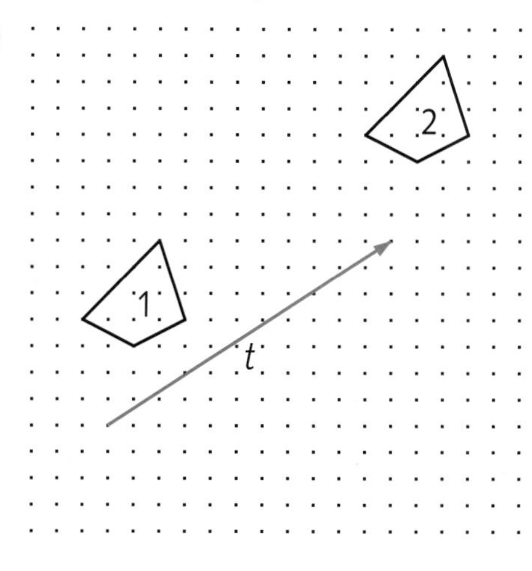

b)

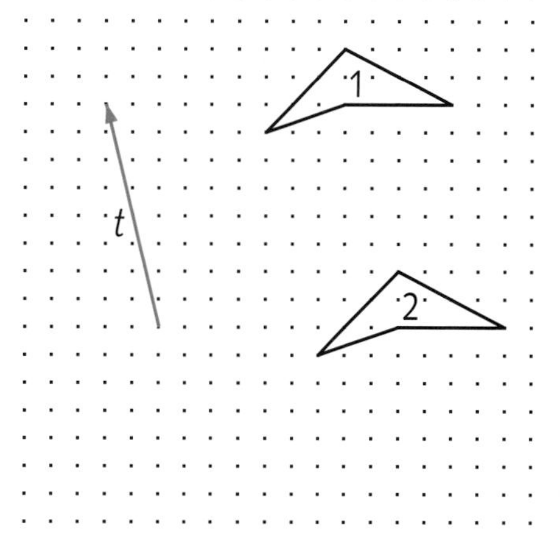

FEUILLE DE TRAVAIL 8

10. Trace l'image de la figure 1 par la translation donnée.

a)

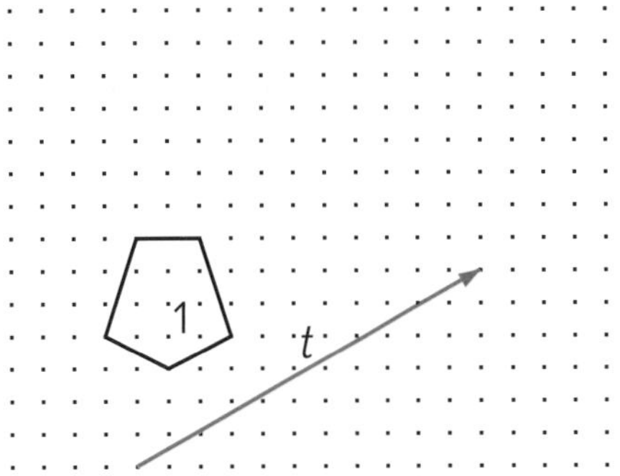

b)

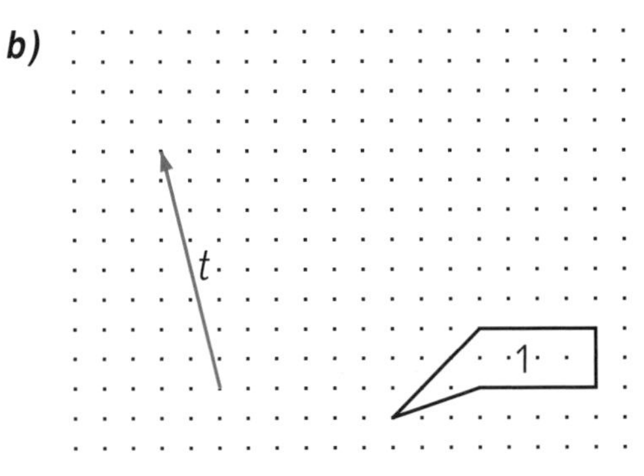

11. À partir du point *A*, trace la flèche de la translation qui défait le travail effectué par la translation donnée.

a)

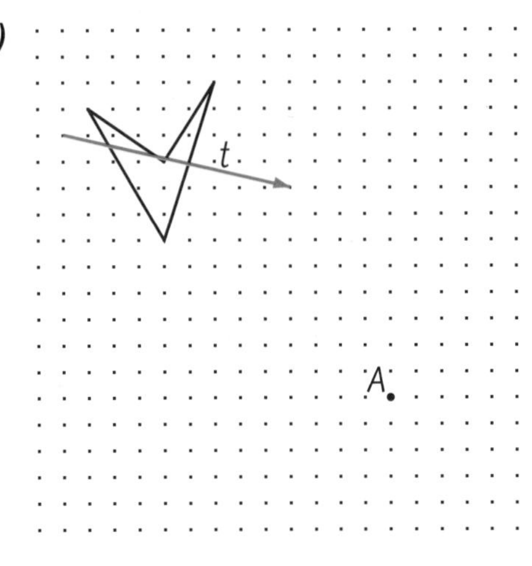

b)

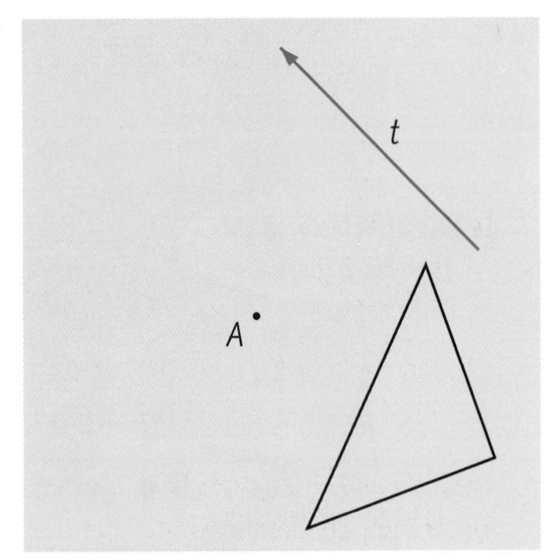

12. Trace l'image de la droite par la translation donnée.

a)

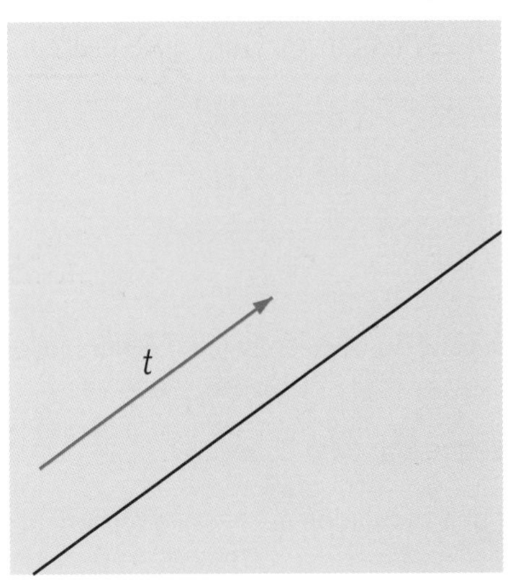

b)

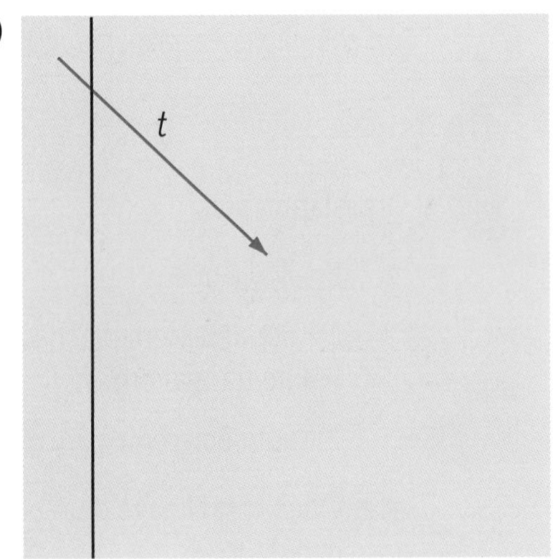

FLASH
PROBLÈME

Faire défiler dans sa tête les différents sujets étudiés au cours de l'étape ou de l'année peut permettre d'entrevoir une piste... ou même la solution.

POURQUOI?

Pourquoi l'avion peut-il voler?

13 Parfois, on peut résoudre un problème en faisant des rapprochements entre le problème et certaines connaissances déjà acquises. Raccroche ces problèmes à des sujets déjà étudiés et résous-les.

a) En 1990, il y avait 3240 ans d'écoulés depuis la sortie d'Égypte du peuple hébreu sous la conduite de Moïse. En quelle année cet événement a-t-il eu lieu?

b) Les puissances de 5, supérieures à 1, finissent toujours par un 5. Parmi les nombres naturels de 0 à 9, lesquels ont une propriété semblable?

c) Trois agents de bord se retrouvent sur le même vol...

Je suis affectée à ce vol tous les 2 jours.
Et moi, tous les 3 jours.
J'y suis affectée tous les 5 jours.
Dans combien de jours voleront-ils de nouveau ensemble?

d) Au cours de la saison de basket-ball, Miguel a réussi 96 paniers en 216 tentatives. Son coéquipier Patrice en a réussi 104 en 224 tentatives. Qui a eu le meilleur rendement?

LE SPHINX

Translation plus!

■ Est-il vrai que :

1) tout déplacement en L, comme celui du cavalier au jeu d'échecs, évoque une translation?

2) tout déplacement en zigzag évoque une translation?

■■ Quelle est l'image d'un point par une translation qui n'a ni direction, ni sens, ni distance?

À l'ouverture d'une partie d'échecs, chaque joueur a 20 possibilités. Après le deuxième tour, il y a plus de un million de positions possibles!

Les signes du zodiaque!

Faites tourner la roue
du zodiaque... et gagnez
5 fois votre mise!

- On fait tourner la roue de telle sorte que le taureau se retrouve complètement sur le dos.

  1) Dans quel sens faut-il faire tourner la roue?

  2) De quelle grandeur doit être la rotation de la roue?

  3) Lors de la rotation, le taureau s'est-il rapproché du centre de la roue?

- On dit qu'il existe au moins deux façons de ramener le lion sur ses pattes. Décris deux de ces façons.

Une roue suggère l'idée de **rotation.**

On a transformé le triangle ABC en le triangle $A'B'C'$.

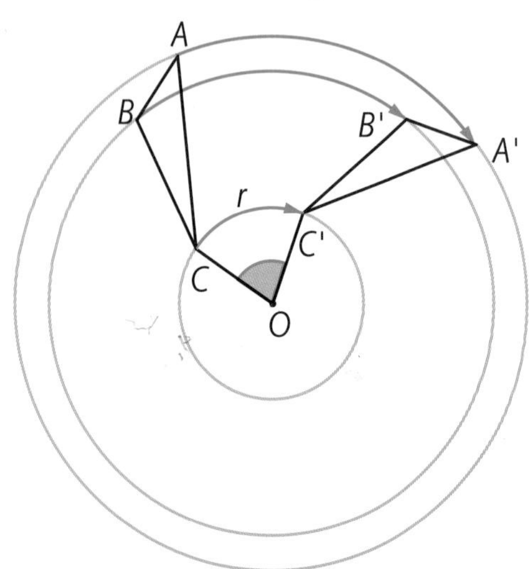

a) Les points A, B et C ont-ils leur image dans le même sens?

b) Les points A, B et C ont-ils tous leur image sur des cercles de même centre?

c) Les angles AOA', BOB' et COC' sont-ils tous congrus? Vérifie avec ton rapporteur.

Une transformation qui remplit ces 3 conditions est appelée **rotation.**

Une **rotation** est une transformation qui, à tous les points du plan, fait correspondre un point image suivant un centre, un angle et un sens de rotation donnés.

Dans une rotation, tous les points du plan ont leur image sur des cercles ayant le même centre. Ce centre est appelé **centre de rotation.**

La rotation possède deux **sens :** horaire ↷ et anti-horaire ↶.

On décrit la rotation à l'aide d'un centre et d'une **flèche.**

Par une rotation, toutes les figures du plan ont une figure image.

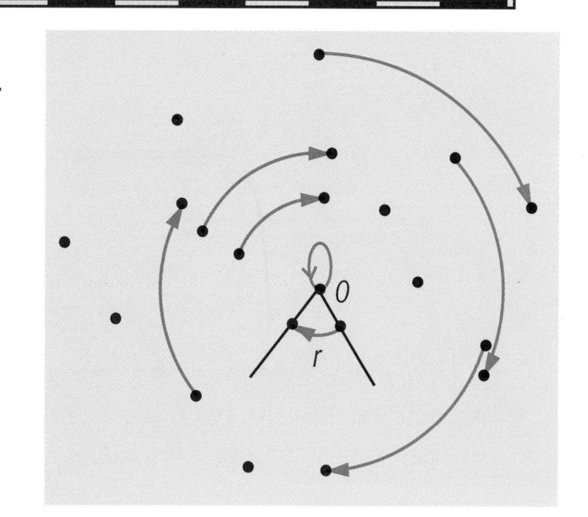

Pour **tracer l'image** d'une figure par une rotation, on procède comme suit :

1° Du centre de la rotation, on trace des cercles passant par chaque sommet de la figure.

2° Pour chaque cercle, on donne au compas une ouverture correspondant à l'arc intercepté par l'angle de rotation.

3° On reporte cet arc à partir du sommet de la figure, dans le sens indiqué par la flèche de rotation; on repère ainsi l'image de chaque sommet.

4° On trace la figure image.

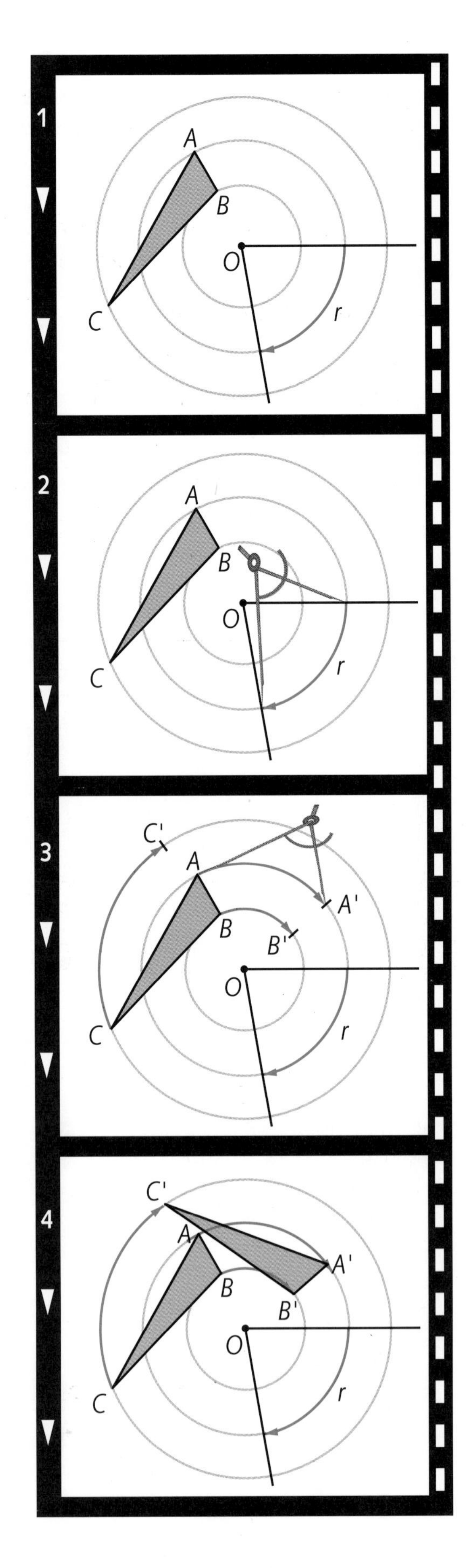

On note l'image d'un point *A* par une rotation *r* par *r*(*A*) ou *A*' ou une autre lettre.

Deux flèches de rotation qui sont dans le même sens et qui correspondent au même angle par rapport à un même centre sont deux flèches de la même rotation.

QU'EN PENSEZ-VOUS?

d) Définissez deux rotations de centre A qui ont la figure 2 comme image de la figure 1.

Fig. 2 ▪ A

e) Est-il vrai que pour toute rotation on peut toujours en définir une autre de même centre qui a les mêmes images pour les mêmes points?

f) Pouvez-vous expliquer pourquoi une personne assise dans la grande roue d'un parc d'attractions n'effectue pas le mouvement évoqué par une rotation?

1 Dans chaque cas, indique si le $\Delta\ A'B'C'$ est l'image du $\Delta\ ABC$ par la rotation indiquée.

a)

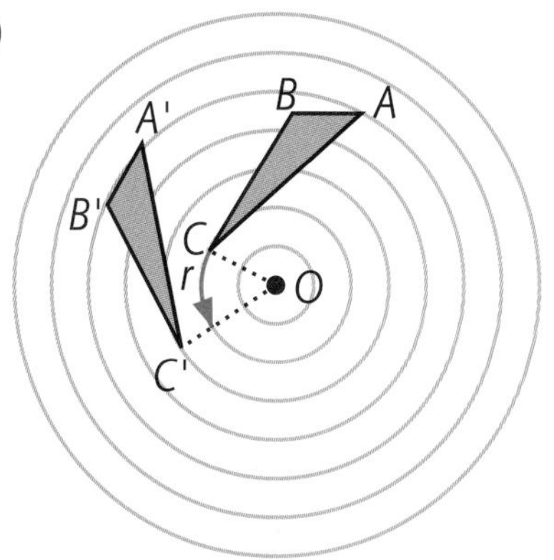

b)

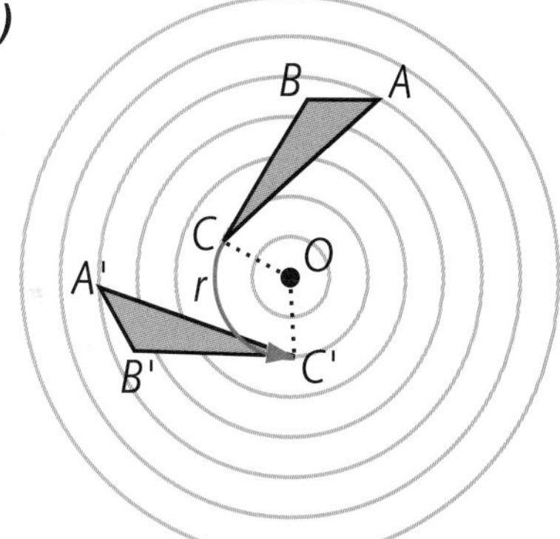

FEUILLE DE TRAVAIL 9

2. À l'aide de ton compas et de ta règle, trace l'image de la figure par la rotation donnée.

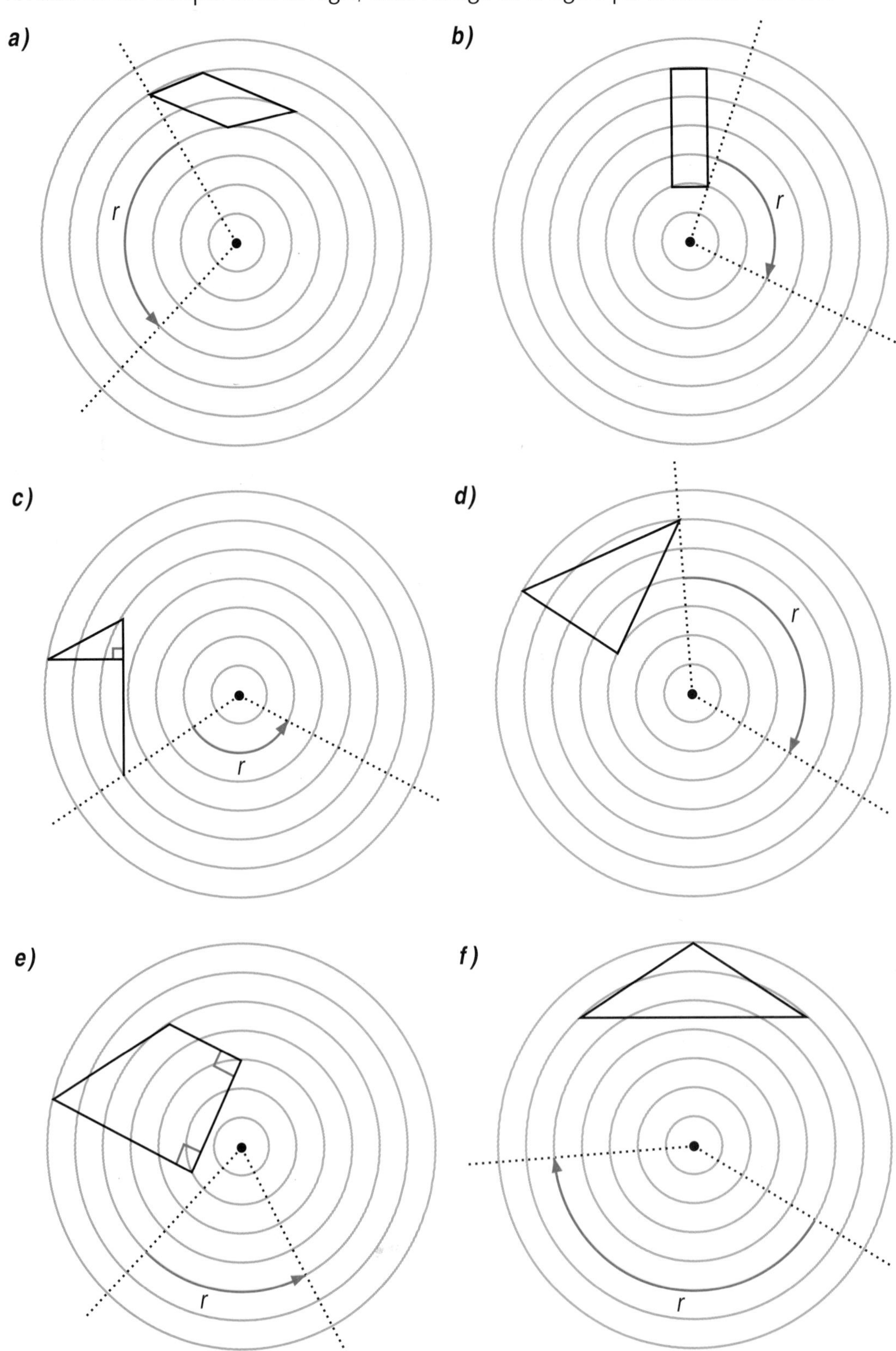

3. À l'aide de ton compas et ta règle, trace l'image de la figure par la rotation donnée.

a)

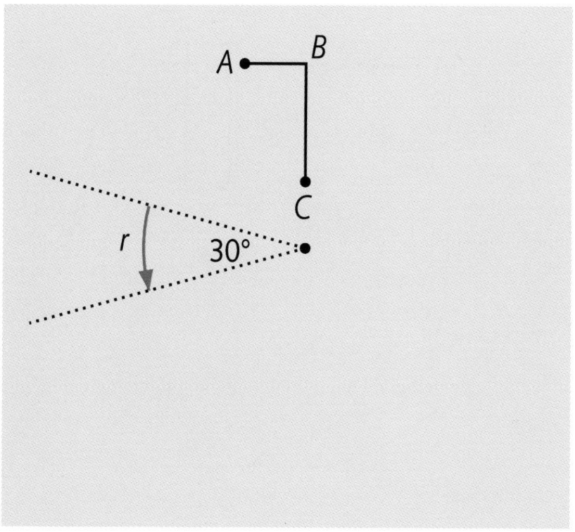

A B C r 30°

b)

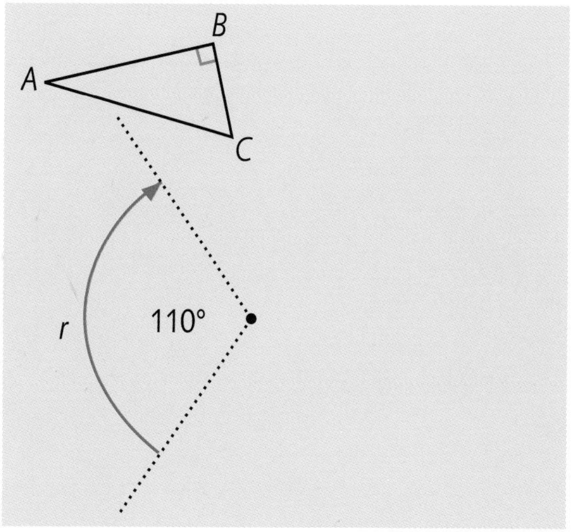

B A C r 110°

c)

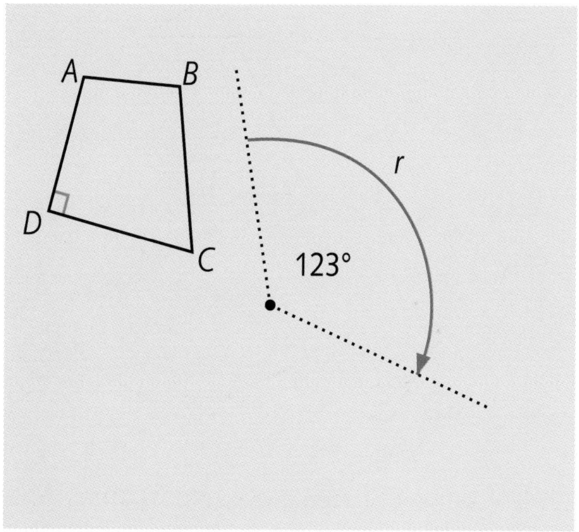

A B D C r 123°

d)

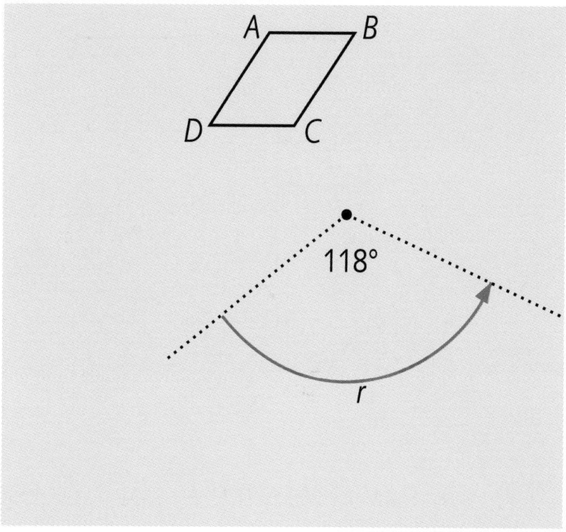

A B D C 118° r

e)

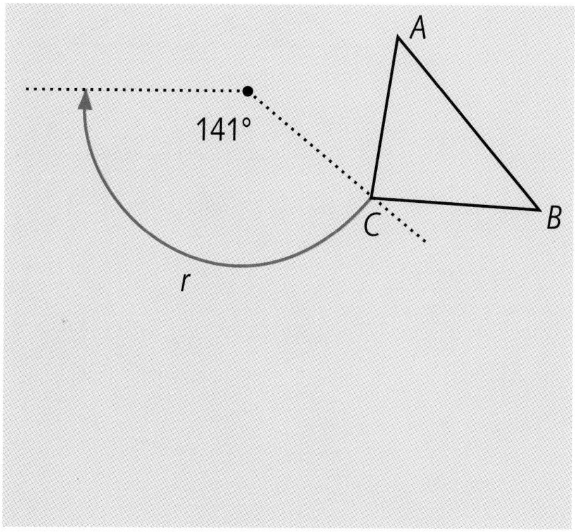

A 141° C B r

f)

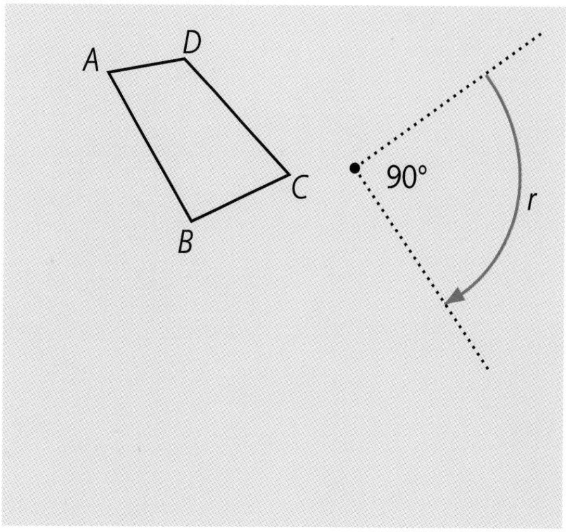

A D C B 90° r

4. À partir de P, trace une flèche de la rotation afin que la figure $A'B'C'$ devienne l'image de la figure ABC.

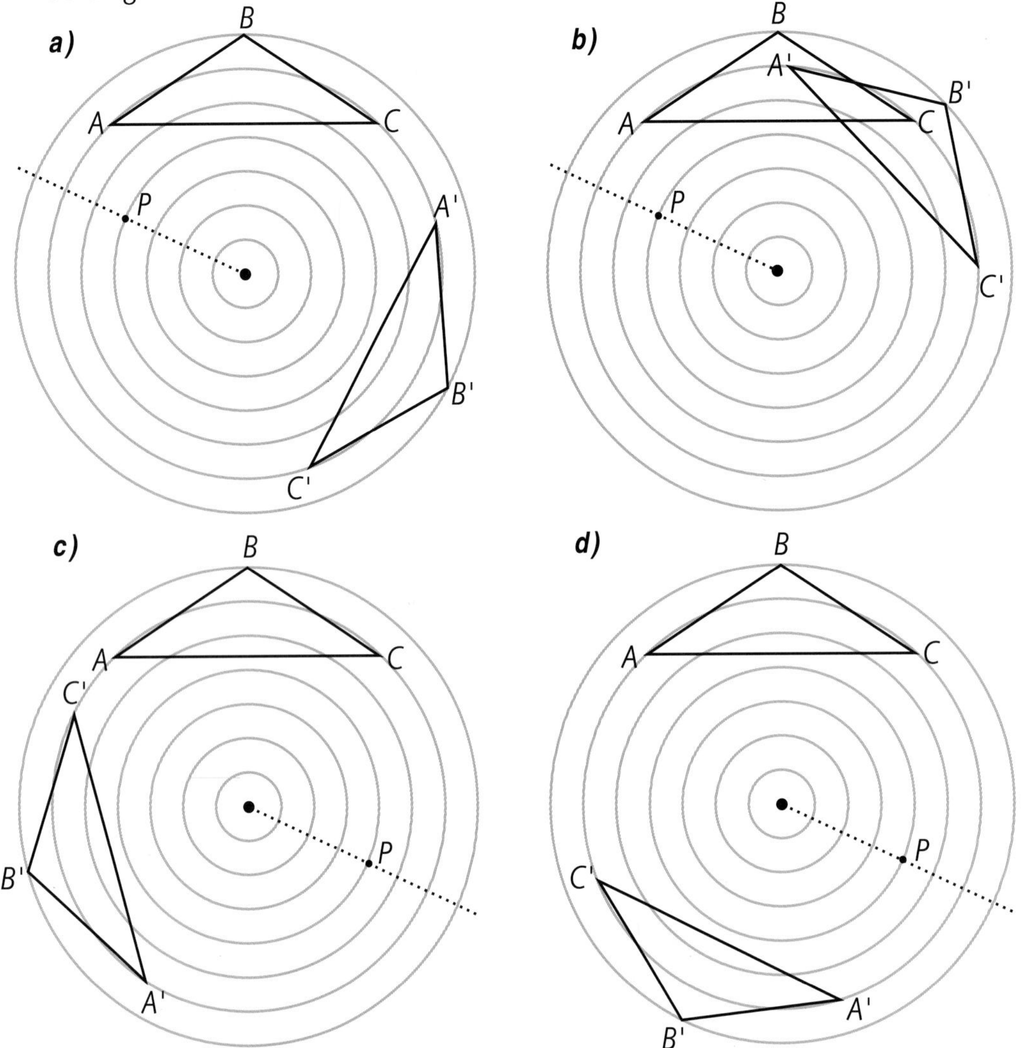

5. Lequel des points A, B ou C est le centre de la rotation qui donne la figure 2 comme image de la figure 1?

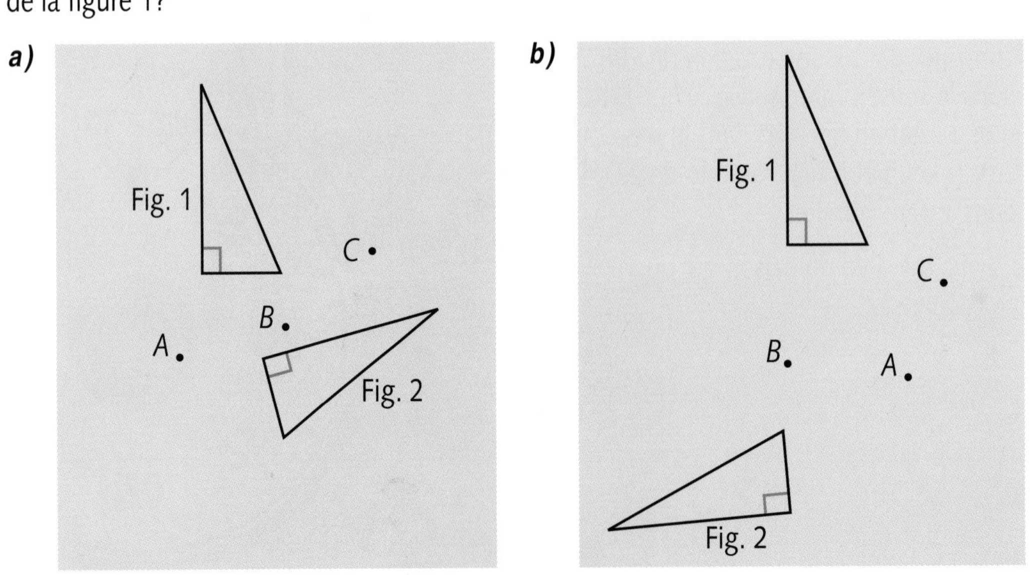

6 Toute rotation est toujours équivalente à une autre rotation de sens contraire. Décris la rotation équivalente à celle donnée.

a) Une rotation de 135° dans le sens des aiguilles d'une montre.

b) Une rotation de 210° dans le sens contraire des aiguilles d'une montre.

c) Une rotation de 180° dans le sens horaire.

d) Une rotation de 360° dans le sens anti-horaire.

e) Une rotation de 90° dans ce sens : .

f) Une rotation de 130° dans ce sens : .

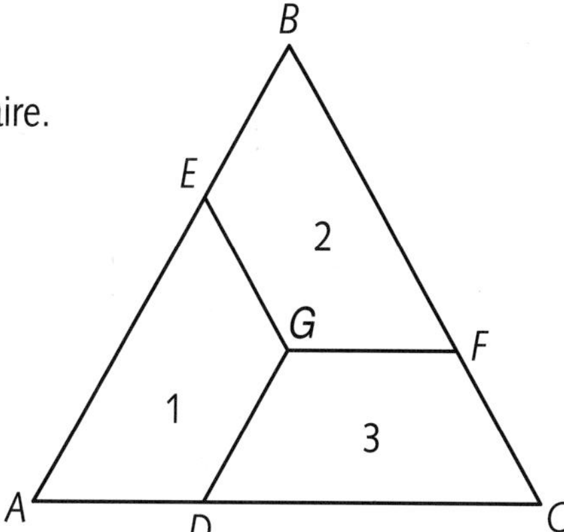

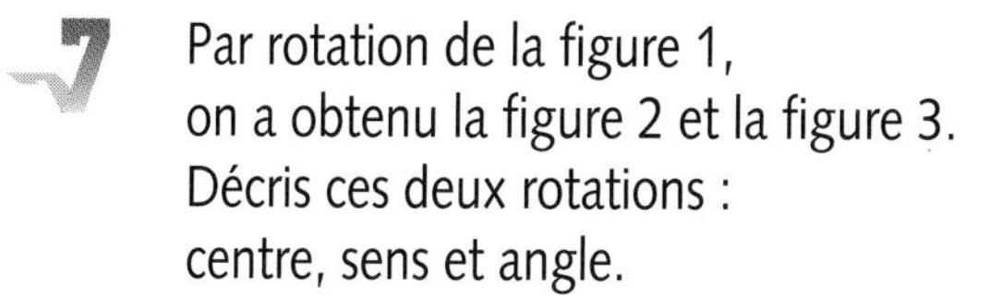

7 Par rotation de la figure 1,
on a obtenu la figure 2 et la figure 3.
Décris ces deux rotations :
centre, sens et angle.

8 Récris en mots où se trouve le centre de la rotation qui transforme la figure 1 en la figure 2.

a)

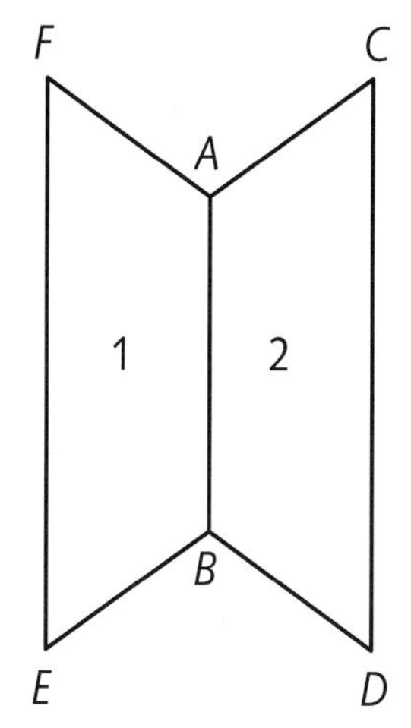

b)

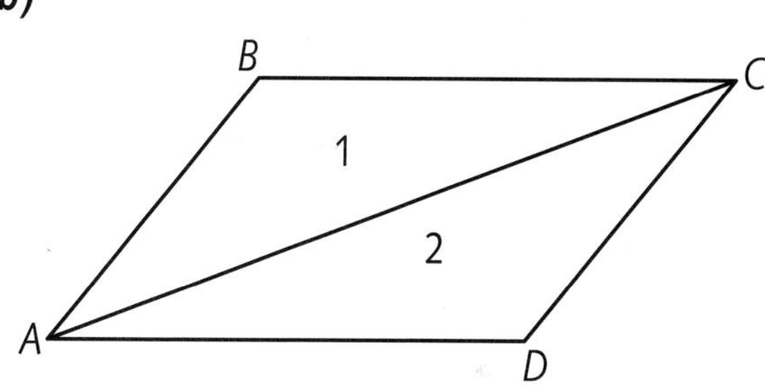

9 Pour ouvrir un cadenas à numéros, on doit effectuer à partir de zéro les mouvements correspondant à une rotation de 108° dans le sens horaire, suivie d'une rotation de 144° dans le sens anti-horaire et d'une rotation de 225° dans le sens horaire.

Quelle est la combinaison qui ouvre ce cadenas?

10 Résous ces problèmes. Revois certaines connaissances s'il le faut.

a) Une partie de la facture d'électricité est une redevance d'abonnement qui coûte 0,373 $ par jour et une autre partie correspond au coût de la consommation. La consommation coûte chaque jour 0,0124 $ par kilojoule pour les 108 premiers kilojoules et 0,0149 $ pour les autres kilojoules. À quel montant s'élève une facture portant sur une consommation de 14 076 kJ pour une période de 61 jours, avant le calcul des taxes?

b) Pour bien entretenir une déneigeuse, on recommande de vérifier l'huile du moteur toutes les 8 heures de travail et l'huile de l'embrayage toutes les 20 heures de travail. Combien de temps après l'achat l'utilisateur vérifiera-t-il au même moment les deux réservoirs d'huile?

c) Une mère donne à son fils aîné 40 % d'un terrain pris sur sa longueur et, à son deuxième fils, 20 % du même terrain, pris cette fois sur sa largeur. Quelle fraction du terrain les deux fils possèdent-ils en commun?

LE SPHINX

Tourne encore!

■ Quelle est la rotation inférieure à 360° pour laquelle il n'est pas nécessaire de préciser le sens?

■■ Décris deux rotations qui défont le travail fait par une rotation horaire de 60° autour de *A*.

■■■ Explique comment une translation de longueur 0 et une rotation de 0° peuvent faire le même travail.

LES RÉFLEXIONS

Après mûre réflexion!

Miroir, dis-moi qui est la plus belle, celle que je vois ou celle que je suis?

- Que voit-on si l'on observe le bord d'un lac ou d'une mare par temps calme?
- Quel travail le miroir accomplit-il?

Les points et les figures d'un plan peuvent également être réfléchis.

> On appelle **réflexion** suivant une droite *m* une transformation du plan qui, à tout point *P*, fait correspondre un point *P*' tel que $\overline{PP'}$ est coupé perpendiculairement et en son milieu par la droite *m*.

Tous les points du plan sont ainsi réfléchis. Chaque demi-plan est transformé en l'autre demi-plan.

Chaque point et son image sont dits **symétriques.**

La droite utilisée est appelée **axe de la réflexion.**

Les réflexions transforment également les figures en des figures symétriques.

1° Tout point et son image sont les extrémités d'un segment **perpendiculaire** à l'axe de réflexion.

2° L'axe de réflexion coupe ce dernier segment en son **milieu.**

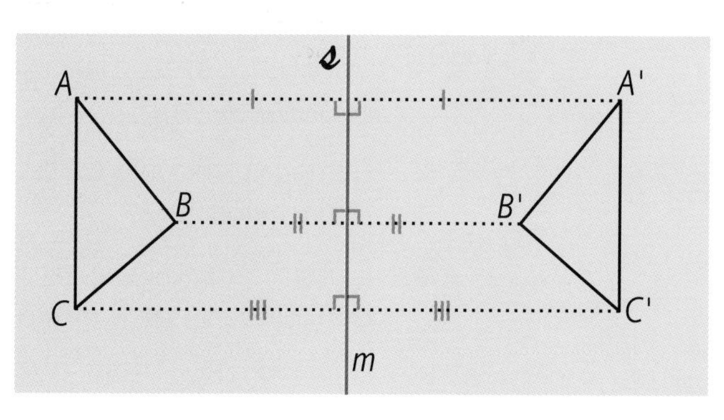

On dit que l'axe de réflexion est une **médiatrice** (perpendiculaire sur le milieu) de chacun des segments reliant un point et son image.

On note souvent une réflexion par la lettre $\mathscr{s}$.

On utilise ces deux relations pour construire l'image d'une figure par une réflexion.

1° Voici la réflexion $\mathscr{s}$ définie par son axe.

2° À l'aide du rouleau géométrique ou d'un rapporteur, on trace des perpendiculaires à l'axe de réflexion passant par les sommets de la figure.

3° À l'aide de la règle, on reporte la longueur de l'autre côté de l'axe.

4° On obtient l'image en reliant dans l'ordre les points obtenus.

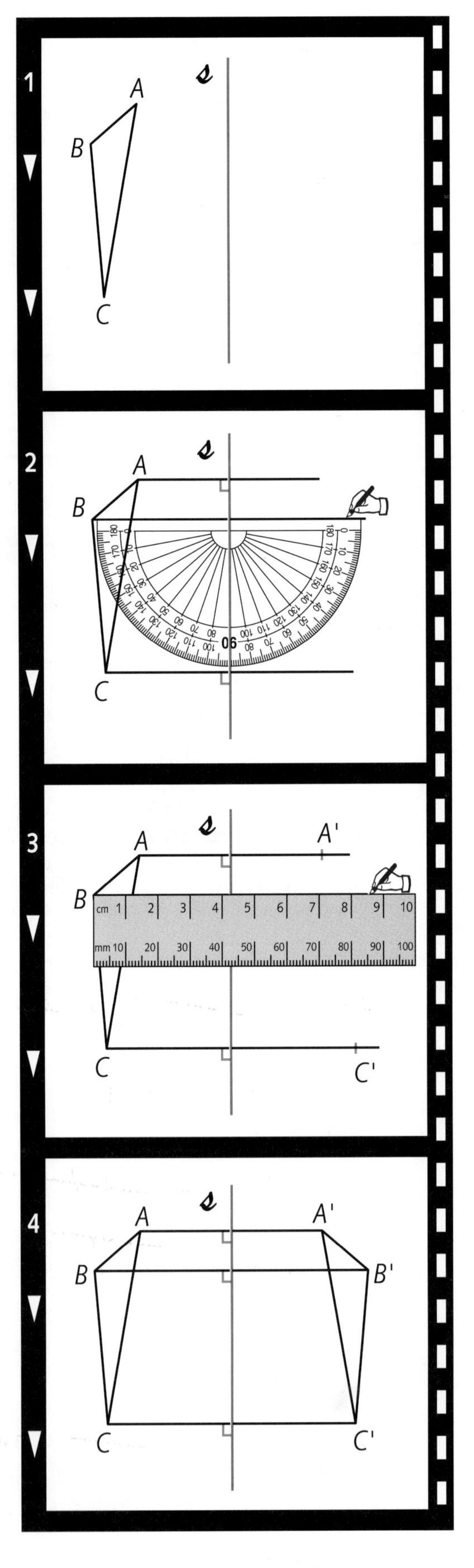

On note l'image d'un point A par une réflexion $\mathscr{s}$ par $\mathscr{s}(A)$ ou A' ou une autre lettre.

Certaines figures sont leur propre image par une réflexion. On dit alors que la figure est **symétrique,** et l'axe de réflexion est appelé **axe de symétrie.**

Une figure symétrique est sa propre image par une réflexion.

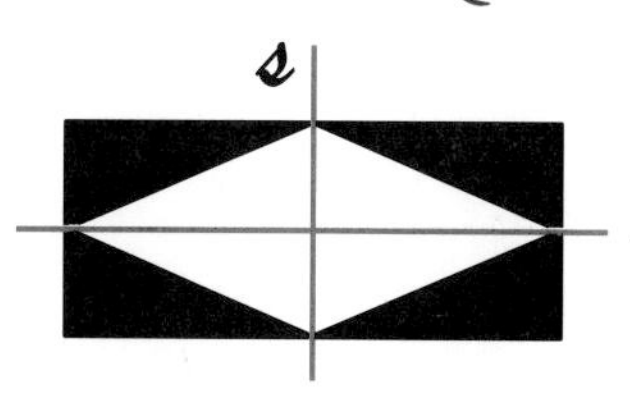

Une même figure peut avoir plus d'un axe de symétrie.

L'axe de symétrie d'un angle est sa **bissectrice.**

L'axe de symétrie d'un segment est appelé **médiatrice**.

On construit la médiatrice d'un segment de la façon suivante :

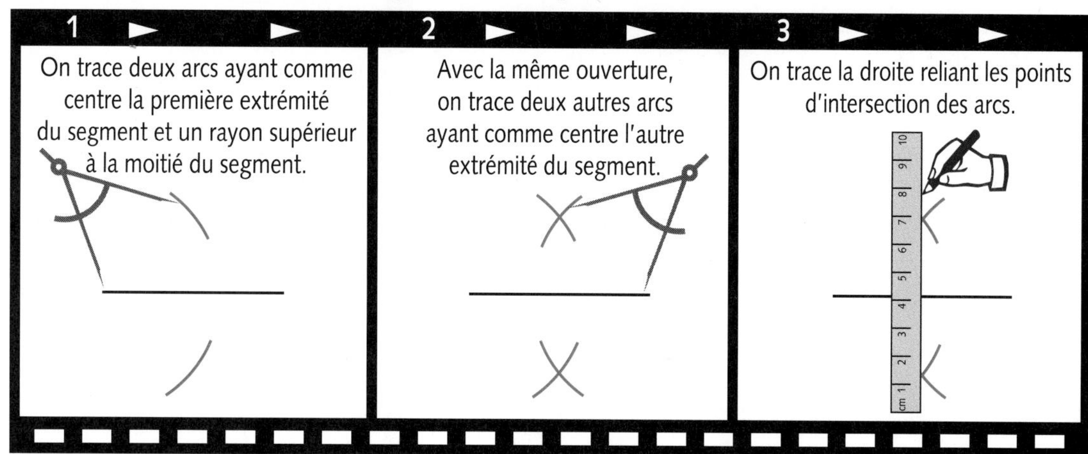

1
On trace deux arcs ayant comme centre la première extrémité du segment et un rayon supérieur à la moitié du segment.
2
Avec la même ouverture, on trace deux autres arcs ayant comme centre l'autre extrémité du segment.
3
On trace la droite reliant les points d'intersection des arcs.

1 Explique pourquoi il n'y a pas de réflexion.

a)  ***b)*** 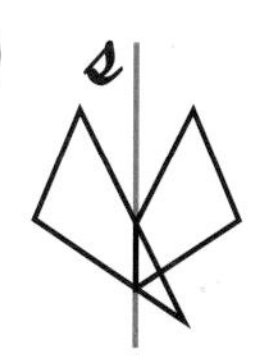 ***c)***   ***d)*** 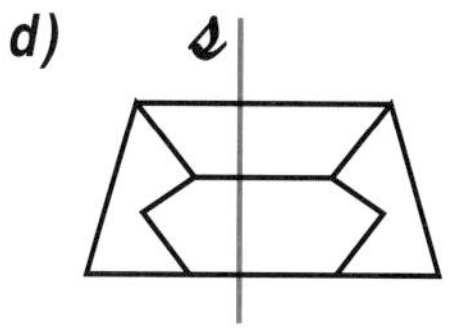

2 Dans chaque cas, indique si la figure ou les figures sont symétriques.

a) 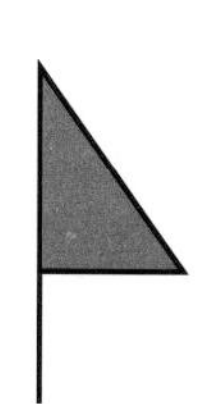 ***b)*** 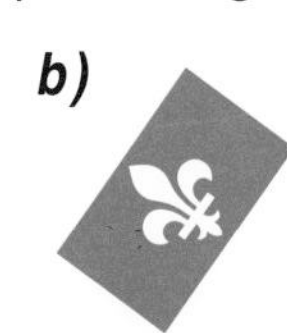  ***c)*** 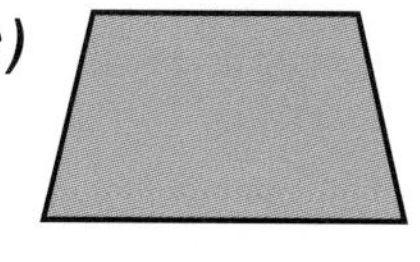 ***d)*** 

3. À l'aide de ta règle, trace l'image par la réflexion donnée.

a)

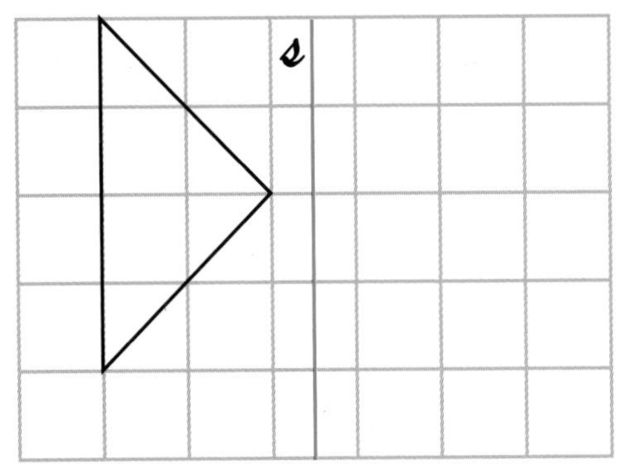

b)

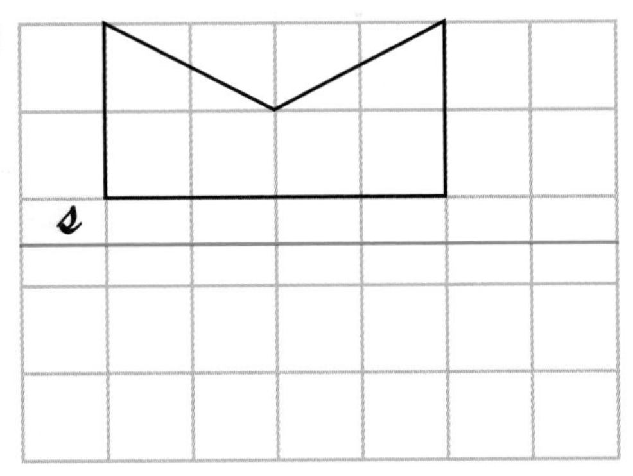

c)

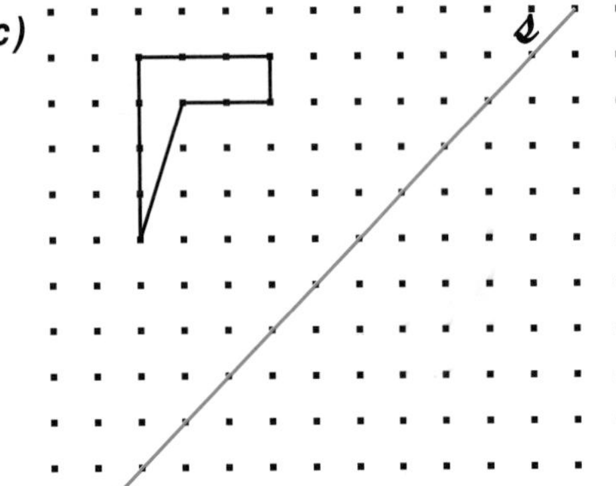

d)

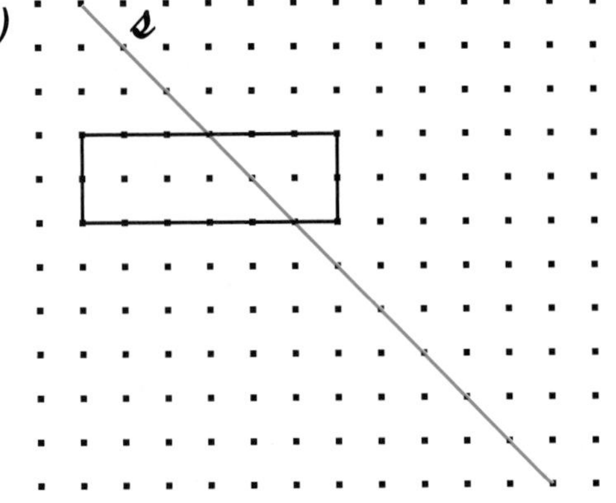

4. À l'aide du rouleau géométrique ou du rapporteur et de ta règle, trace l'image de la figure par la réflexion donnée.

a)

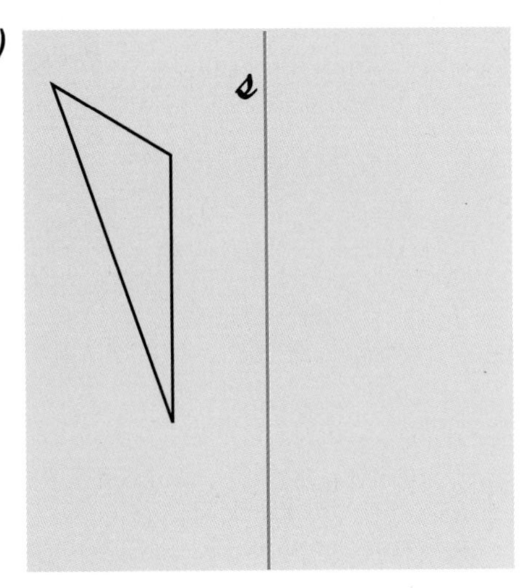

b)

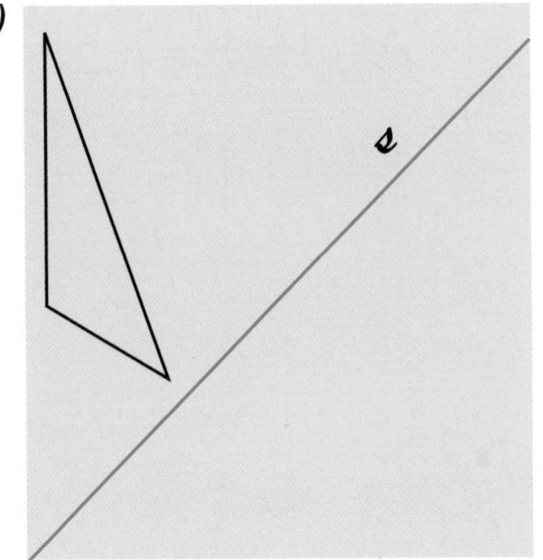

5. À l'aide du rouleau géométrique ou du rapporteur et de ta règle, trace l'image de la figure par la réflexion donnée.

a)

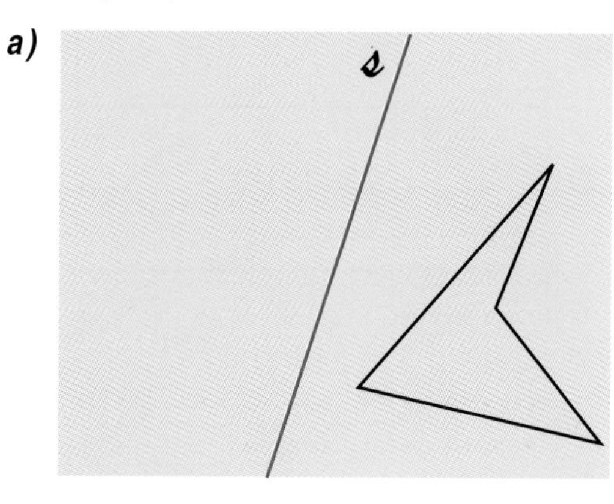

b)

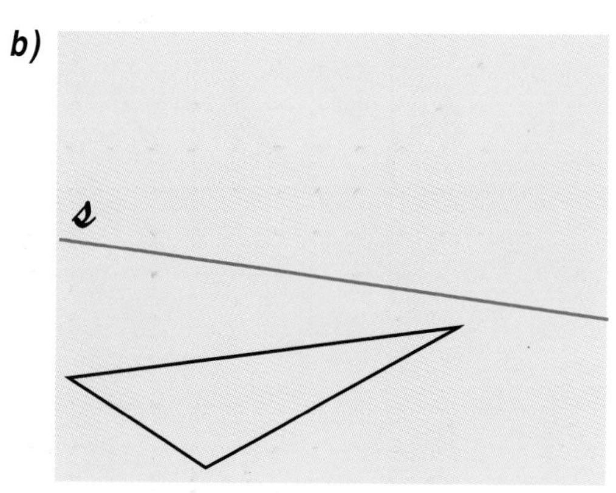

c)

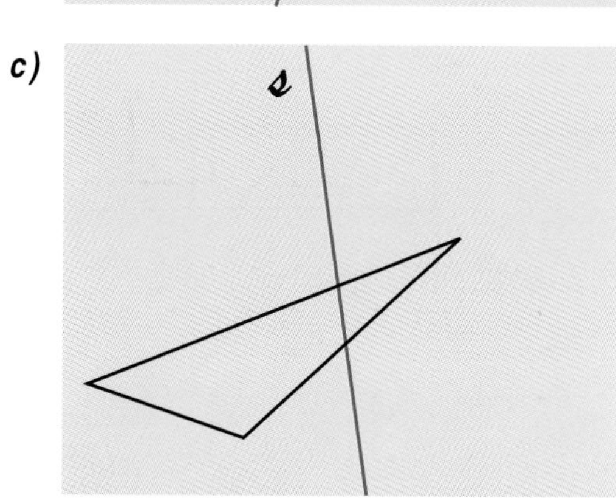

d)

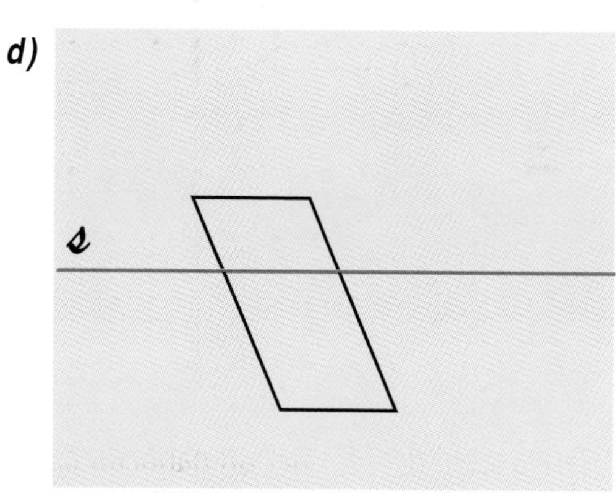

6. Dans chaque cas, trace l'axe de réflexion.

a)

b)

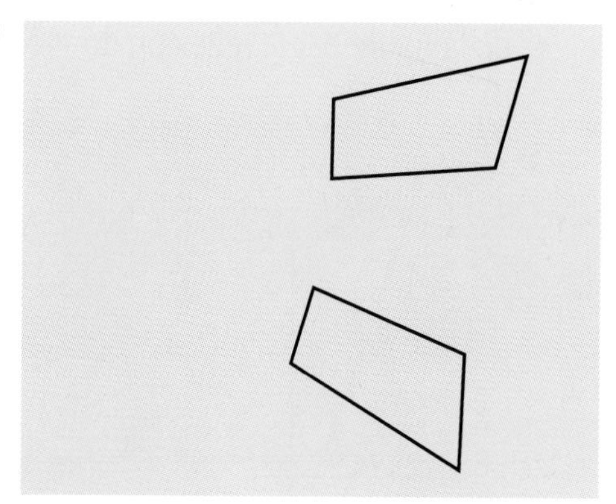

7 Parmi les transformations suivantes, détermine lesquelles sont des réflexions.

a)

b)

c)

d)

8 Tanya vient de dépasser un panneau de signalisation. Elle l'observe dans son rétroviseur. Découvre la ville indiquée en déchiffrant ce qu'elle voit.

POURQUOI?
Pourquoi le miroir reflète-t-il une image inversée?

9 Déchiffre ces messages.

a)

b)

10 Nomme les lettres majuscules de l'alphabet qui demeurent inchangées si on leur applique une réflexion.

11. Trace tous les axes de symétrie de ces figures.

a)

b)

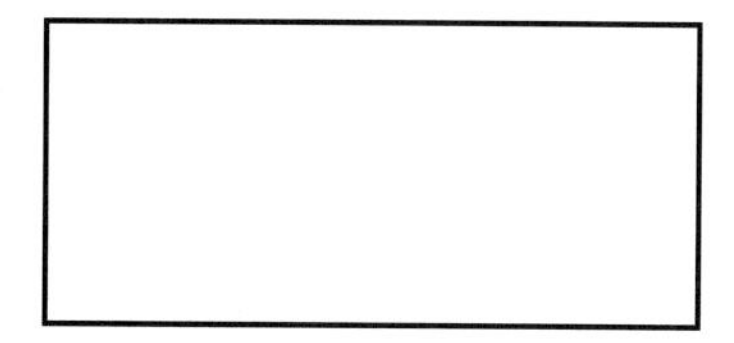

c)

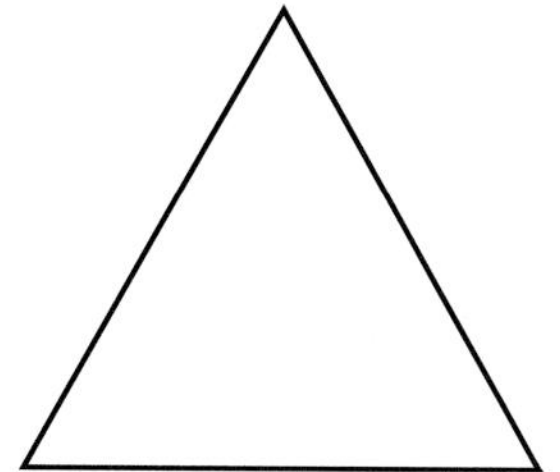

d)

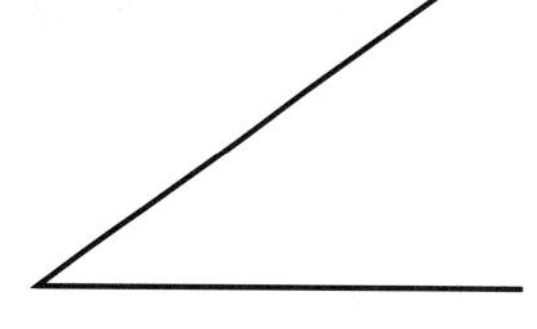

e)

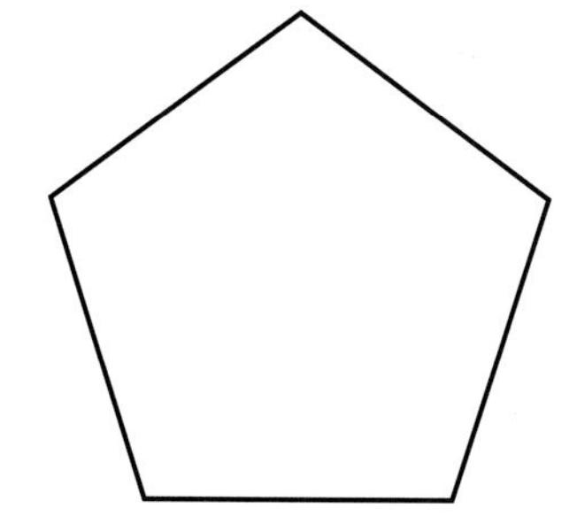

f)

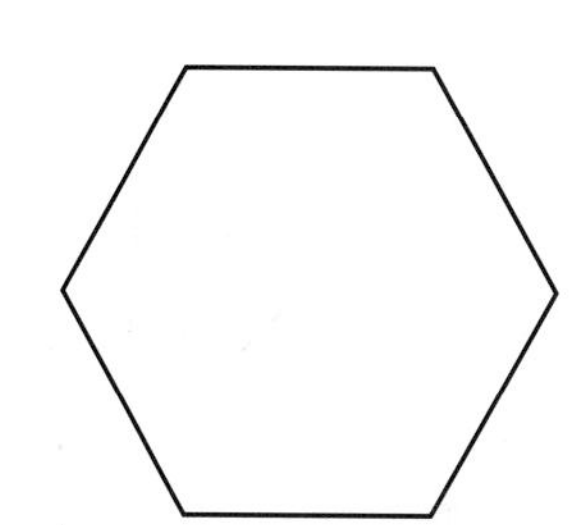

g)

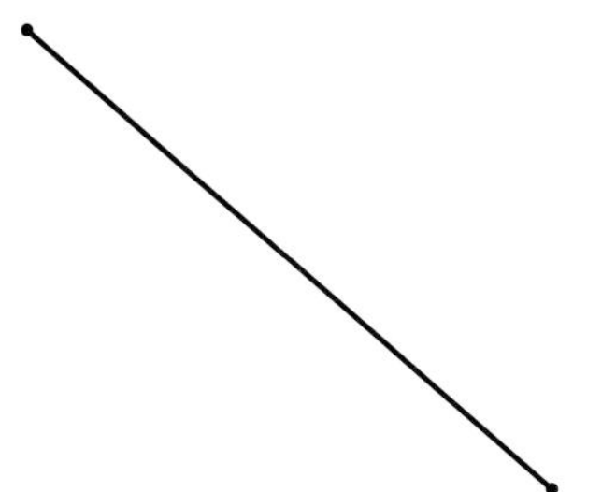

h)

i)

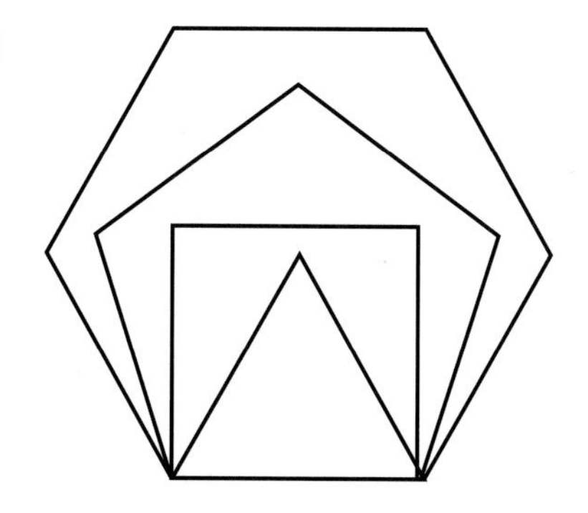

j)

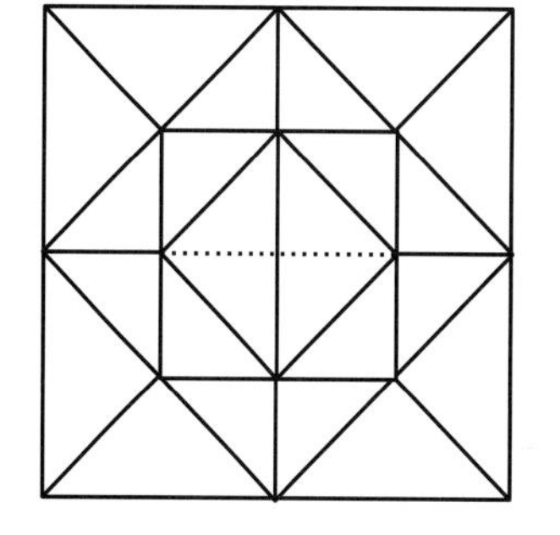

12 Résoudre un problème, c'est trouver un chemin entre une question et une réponse.

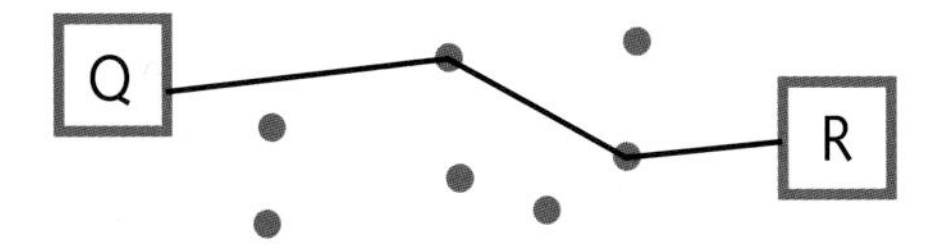

Au départ, on entrevoit rarement plus d'une partie de ce chemin. Il est donc nécessaire d'essayer toute piste prometteuse.

Résous les problèmes suivants :

a) Un fermier vend la moitié de son troupeau de vaches à l'encan. Il donne le tiers de ce qu'il lui reste à sa fille aînée. Combien de vaches lui reste-t-il s'il en a vendu 30 à l'encan?

b) Danielle, Pierre et Claude-Michel se partagent une barre de chocolat. Danielle prend les $\frac{2}{5}$ de la barre. Pierre prend le tiers de ce qu'il reste. Claude-Michel reçoit le reste. Si le morceau de Danielle mesure 4 cm sur 5 cm, quelles sont les dimensions du morceau de Pierre?

Une question de disposition!

■ Comment disposerais-tu ces formes afin de former un rectangle?

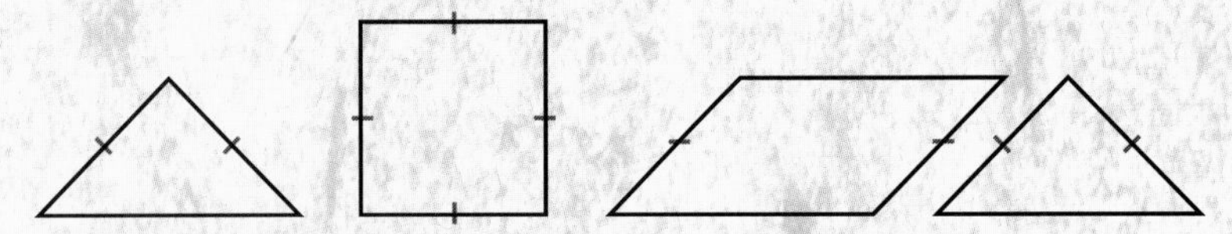

■■ Comme le montre la figure 1, Fabienne a planté 6 arbres dans son jardin. En ne transplantant que deux de ces arbres, comment peut-elle obtenir la disposition de la figure 2?

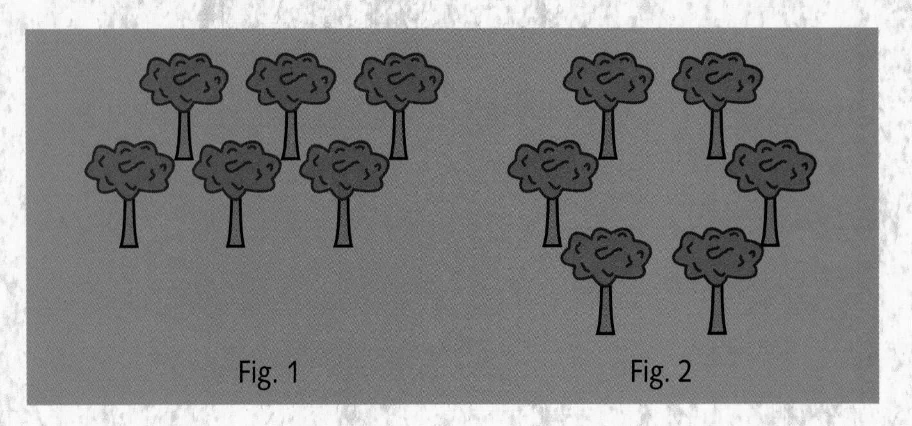

Fig. 1 Fig. 2

Méli-mélo

1. Quelle transformation (translation, rotation ou réflexion) a-t-on appliquée à la lettre q pour obtenir les lettres suivantes?

   a) p ***b)*** b ***c)*** d

2. En déplaçant un motif plusieurs fois, on crée souvent de belles figures. À partir du motif 1, quelle transformation a-t-on appliquée pour construire la figure illustrée?

   a)

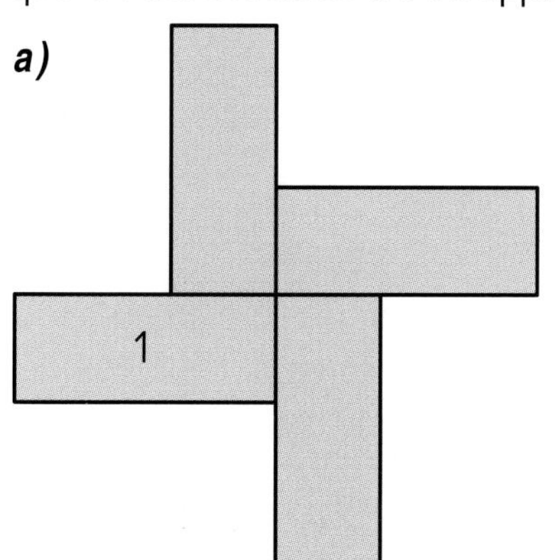

   b)

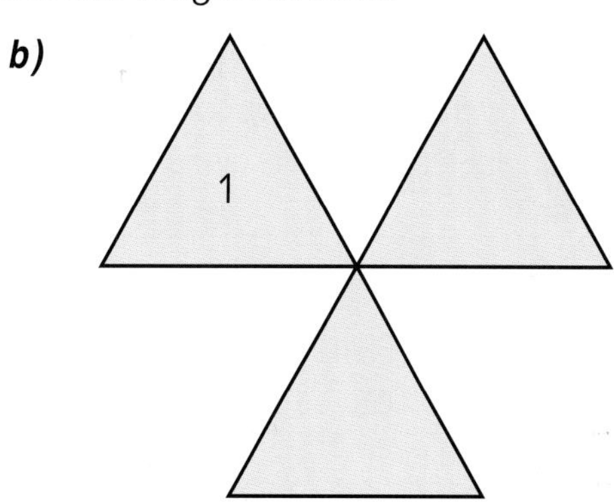

3. ***a)*** Quelle transformation doit-on appliquer au motif 4 pour obtenir :

   1) le motif 1?

   2) le motif 2?

   3) le motif 3?

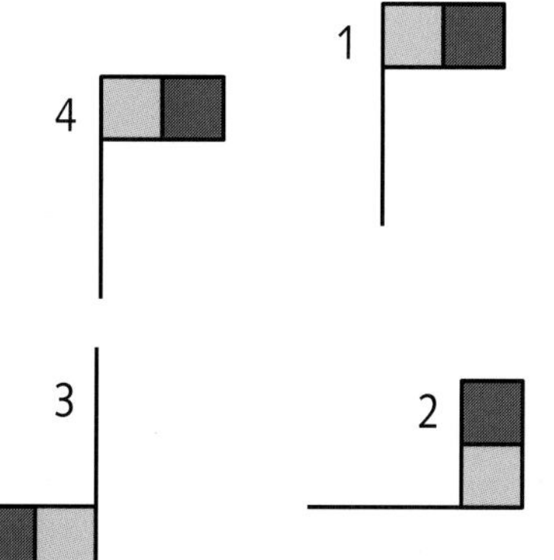

Ce pavillon du Code international maritime signifie «Remorquez-moi jusqu'au port.»

   b) Quelle transformation doit-on appliquer au motif 2 pour obtenir :

   1) le motif 1?

   2) le motif 4?

   3) le motif 3?

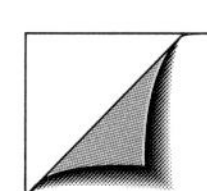

Cet autre pavillon signifie «Je suis échoué en situation dangereuse.»

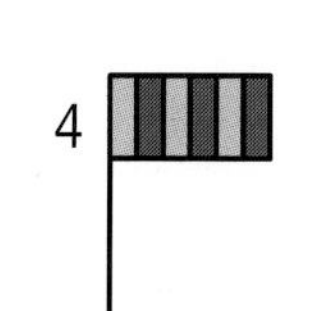

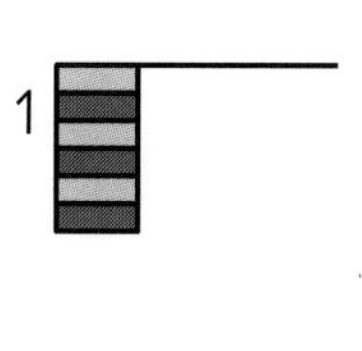

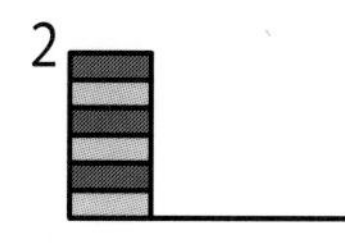

4. Voici une suite de motifs que l'on obtient en appliquant sur le dernier motif soit une translation, soit une rotation ou une réflexion. Ex. :

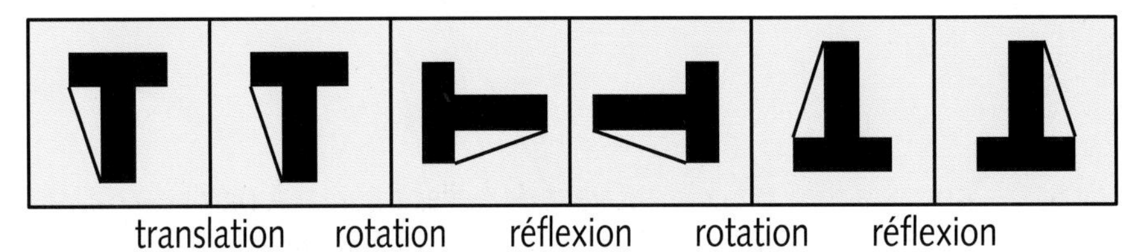

Construis la suite de motifs qui correspond aux mouvements évoqués.

a) Rotation horaire d'un quart de tour, translation, réflexion, réflexion et rotation d'un demi-tour.

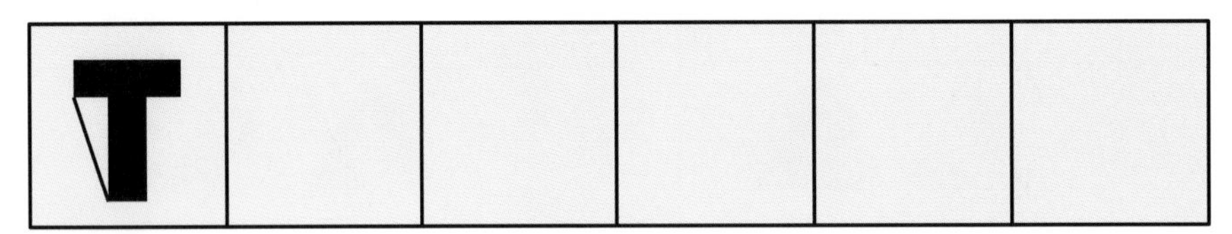

b) Rotation anti-horaire d'un quart de tour, translation, translation, réflexion et rotation horaire d'un quart de tour.

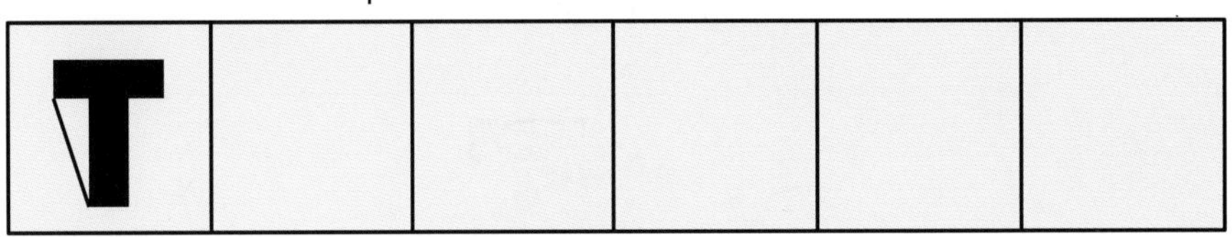

c) Réflexion, translation, réflexion, réflexion et rotation horaire d'un quart de tour.

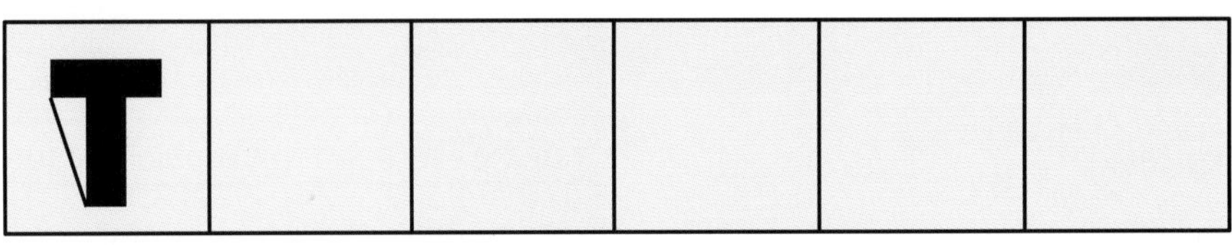

d) Rotation horaire de trois quarts de tour, translation, réflexion, translation et rotation d'un demi-tour.

(5) On a transformé le triangle *ABC* de 4 façons différentes afin de former un plus grand triangle ayant la même forme. Indique quelle transformation a subi le triangle *ABC* pour devenir :

a) Δ *BCE*

b) Δ *CED*

c) Δ *BFE*

(6) La figure 1 a été transformée dans un plan triangulé en la figure 2, et la figure 2 en la figure 3. Indique dans l'ordre les transformations qui ont été appliquées. Donne au moins deux possibilités pour chacune.

a)

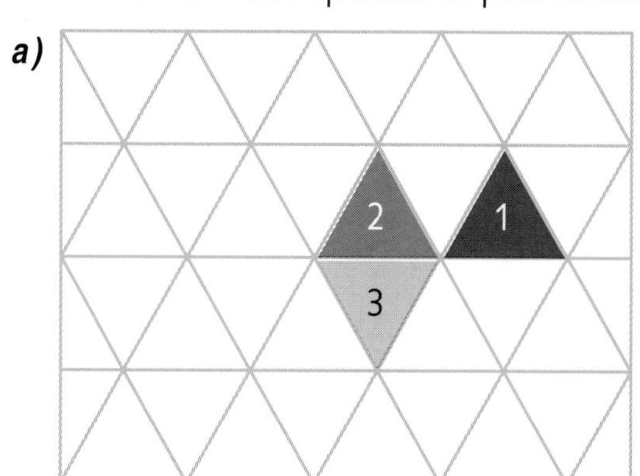

b)

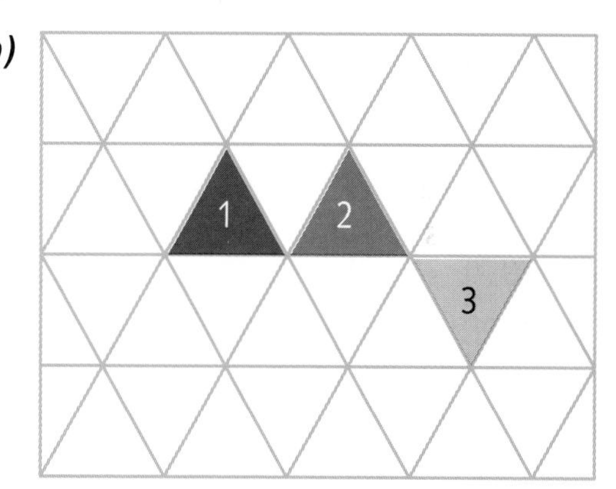

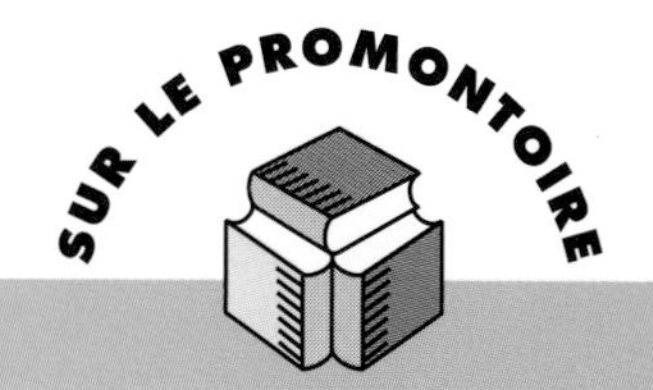

Des sept chanceux!

Stratégie : résoudre un problème plus simple

Dans une école, le concierge a numéroté 200 cases de 1 à 200. Combien de sept a-t-il utilisés en tout?

Des impairs!

Quelle est la somme de cette série de nombres?

$$1 + 3 + 5 + 7 + ... + 97 + 99$$

Daller une surface consiste à recouvrir complètement cette surface à l'aide de figures ou de motifs sans laisser de trou et sans qu'il y ait superposition des motifs.

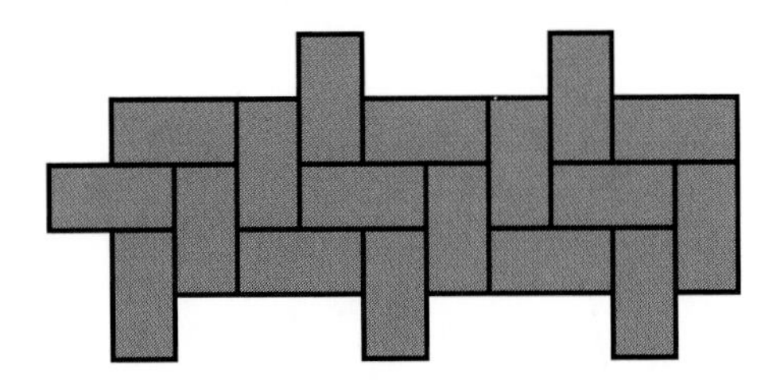

Plusieurs formes géométriques permettent de daller le plan. En voici quelques exemples.

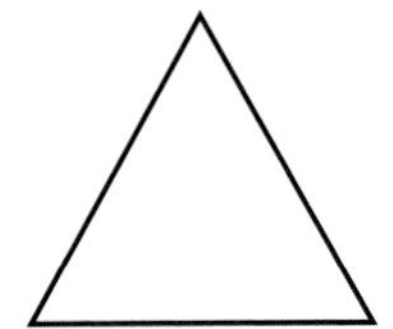

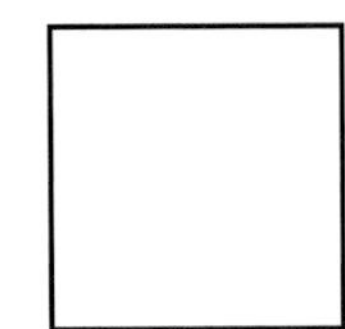

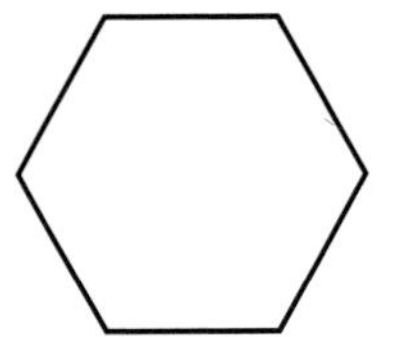

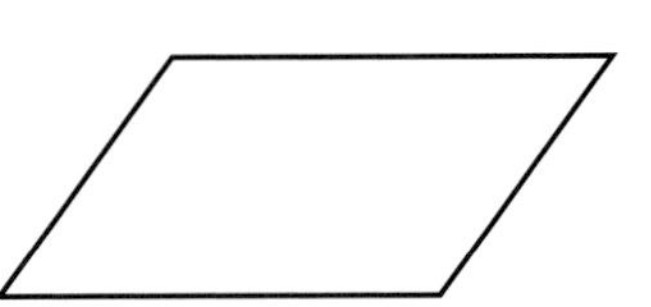

Plusieurs formes géométriques qui permettent de daller le plan peuvent être modifiées pour créer des figures irrégulières, qui elles aussi permettent de daller le plan. Ces modifications peuvent être obtenues :

- par translation;

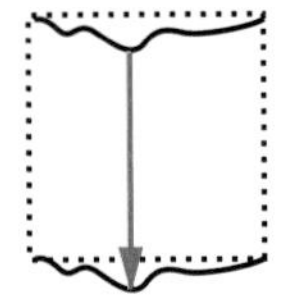

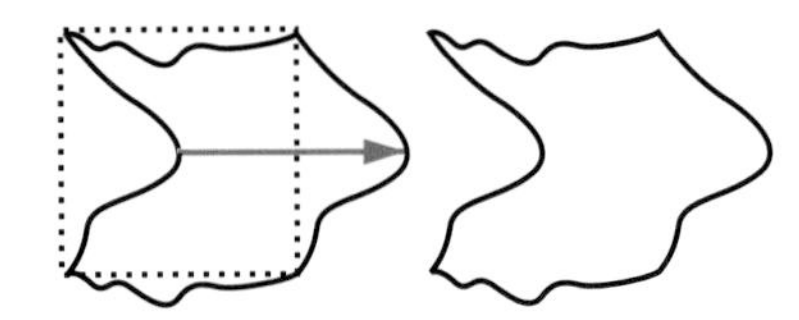

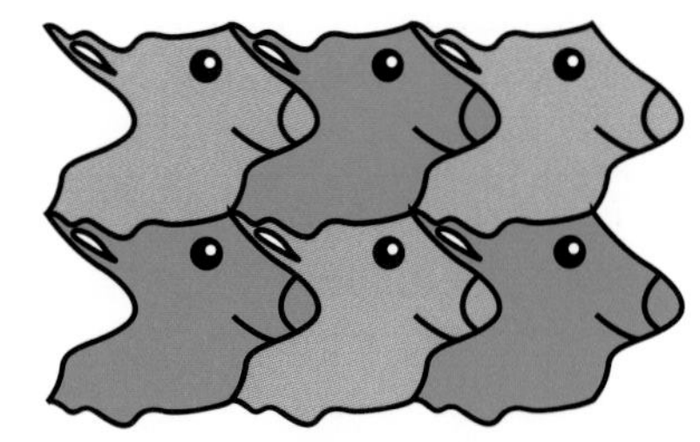

- ou par rotation.

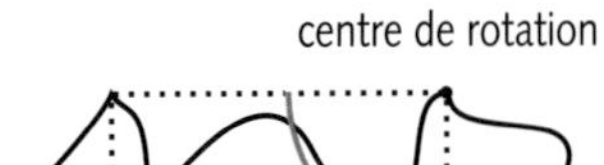

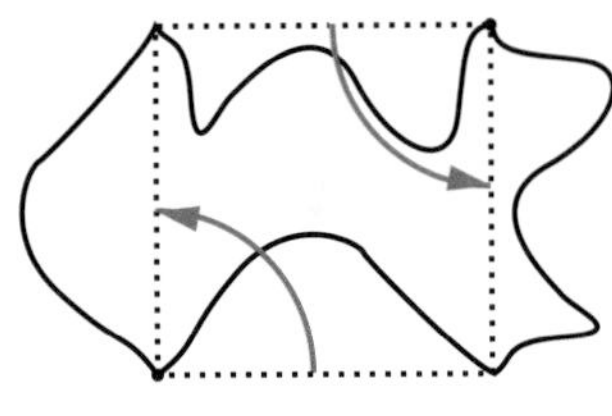

Voici un carré modifié de façon à obtenir une forme irrégulière qui permet de daller le plan.

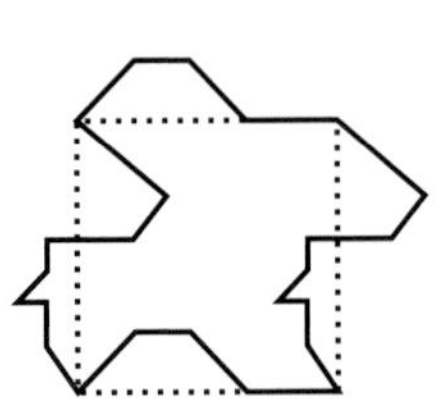

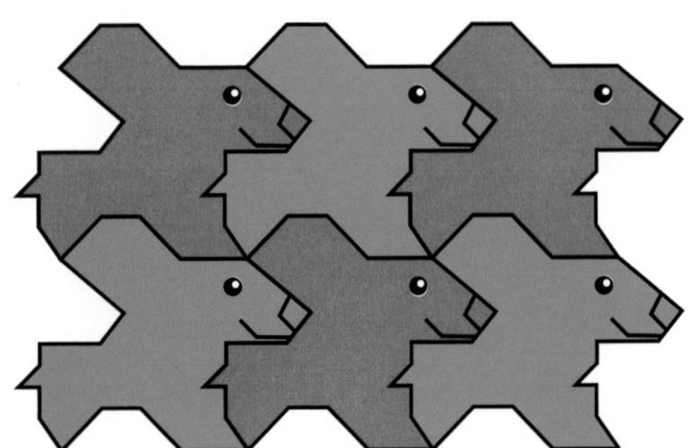

Laisse aller ton imagination et crée un dallage plaisant à regarder!

Je connais la signification des expressions suivantes :

Image : figure transformée.

Translation : transformation qui, à tout point du plan, fait correspondre un point image suivant une même direction, un même sens et une même distance.

Rotation : transformation qui, à tout point du plan, fait correspondre un point image suivant un centre, un angle et un sens de rotation donnés.

Réflexion : transformation du plan qui, à tout point P, fait correspondre un point P' tel que $\overline{PP'}$ est coupé perpendiculairement et en son milieu par une droite m.

Points symétriques : deux points qui sont l'image l'un de l'autre par une réflexion.

Figures symétriques : figures qui sont l'image l'une de l'autre par une réflexion.

Axe de symétrie : axe de la réflexion qui applique une figure sur elle-même.

Figure symétrique : figure qui possède au moins un axe de symétrie.

Médiatrice : axe de symétrie d'un segment.

Je maîtrise les habiletés suivantes :

Construire l'image d'une figure par une translation.

Construire l'image d'une figure par une rotation.

Construire l'image d'une figure par une réflexion.

Construire l'axe ou les axes de symétrie d'un angle, d'un segment ou d'un polygone.

Que de transformations!

1. **Trace l'image** de la figure donnée par la transformation décrite.

a)

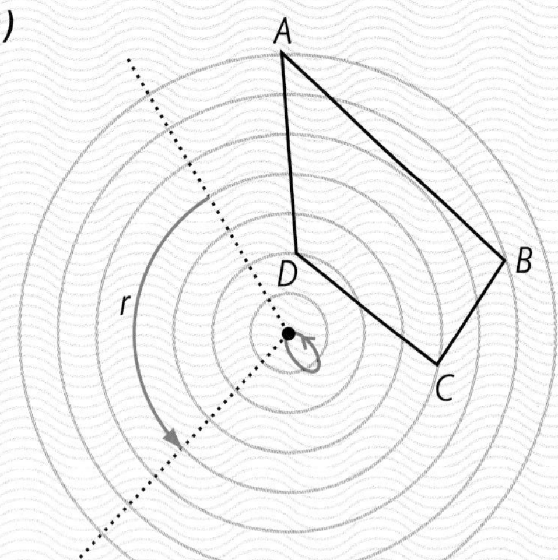

b)

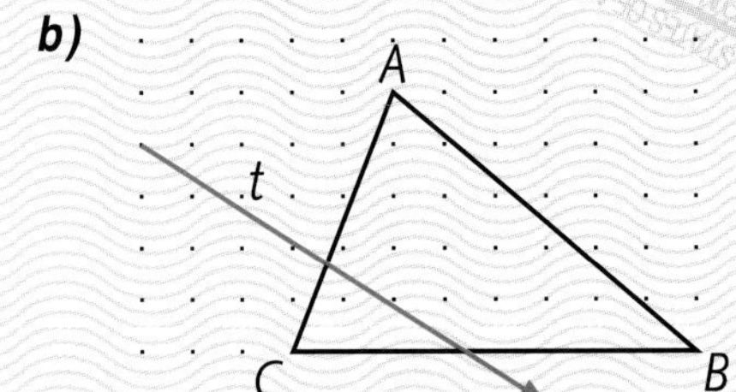

c)

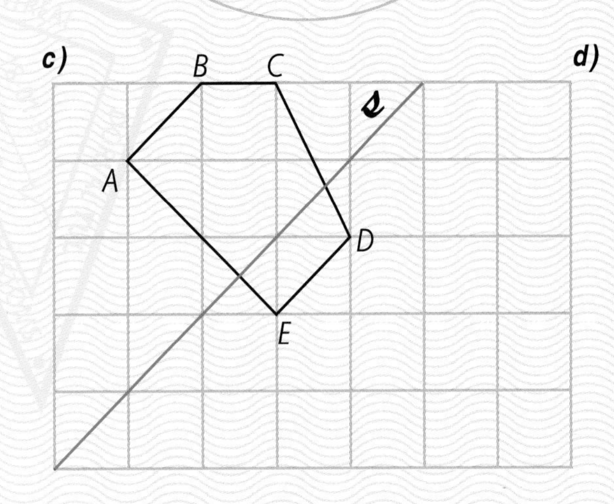

d)

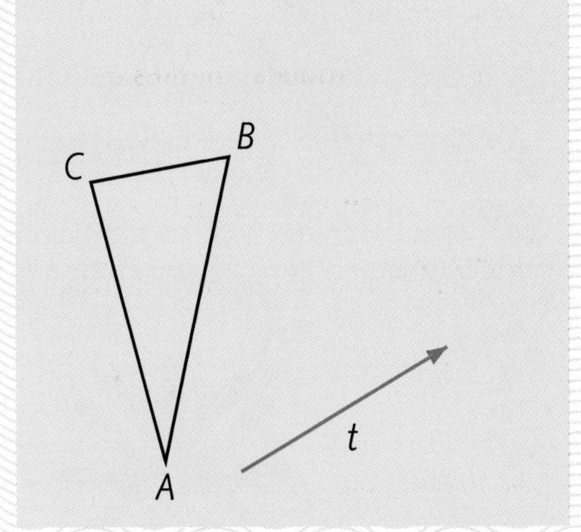

e)

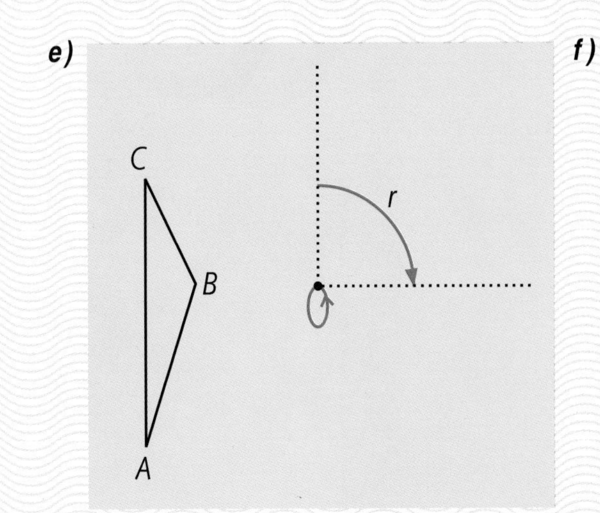

f)

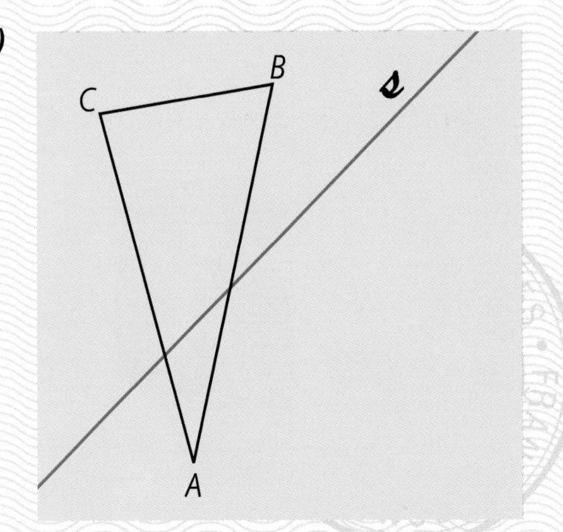

2. Trace tous les axes de symétrie de ces figures, s'ils existent.

a)

b)

c)

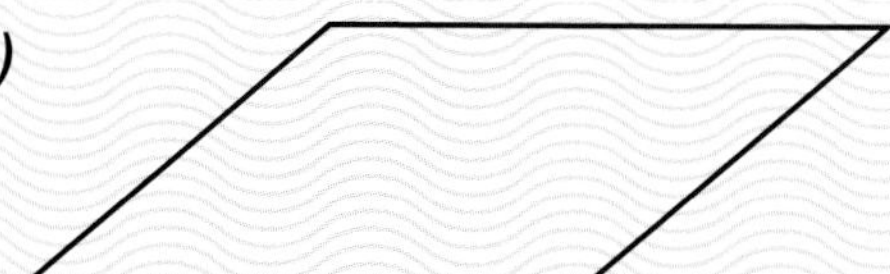

d)

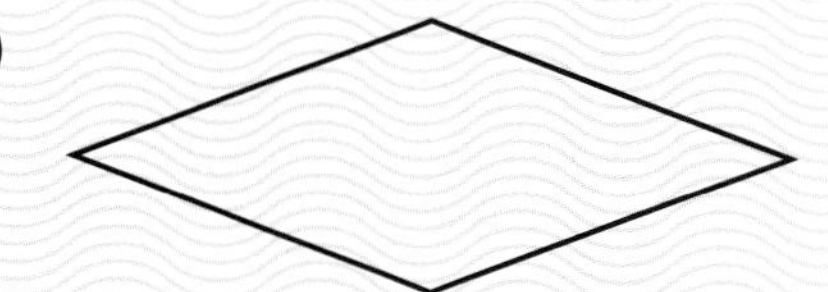

3. Trace l'axe de symétrie de ces deux figures à l'aide de ton compas et de ta règle. Laisse les traces de ta démarche.

a)

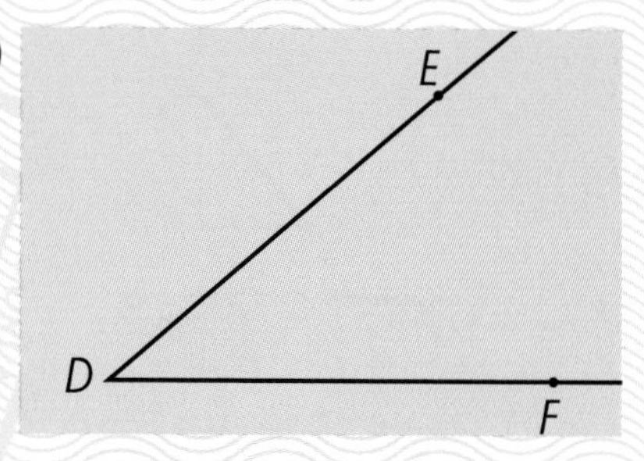

b)

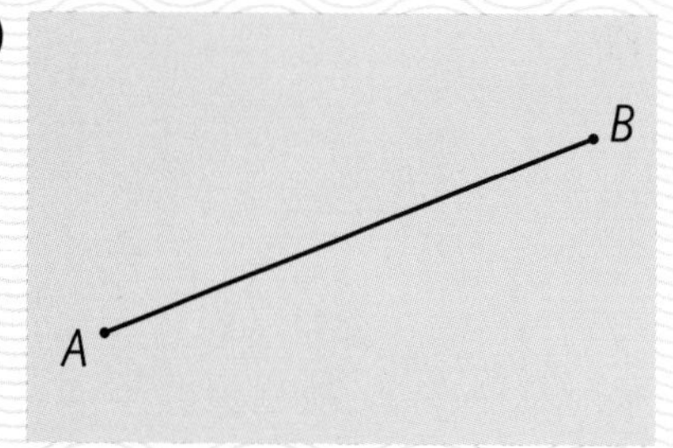

4. Nomme toutes les transformations (translation, rotation ou réflexion) que l'on peut découvrir dans chaque figure.

a)

b)

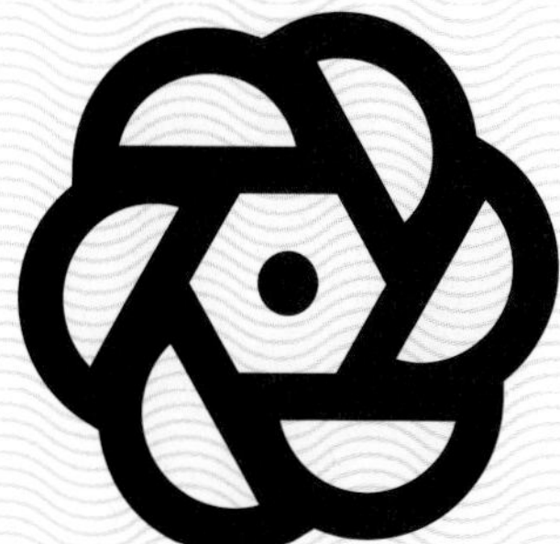

c)

d)

ITINÉRAIRE 14

TRIANGLES ET QUADRILATÈRES

Les grandes idées :

- construction de triangles et de quadrilatères;
- lignes remarquables d'un triangle ou d'un quadrilatère;
- propriétés des triangles et des quadrilatères.

Objectif terminal :

Résoudre des problèmes portant sur des triangles et des quadrilatères.

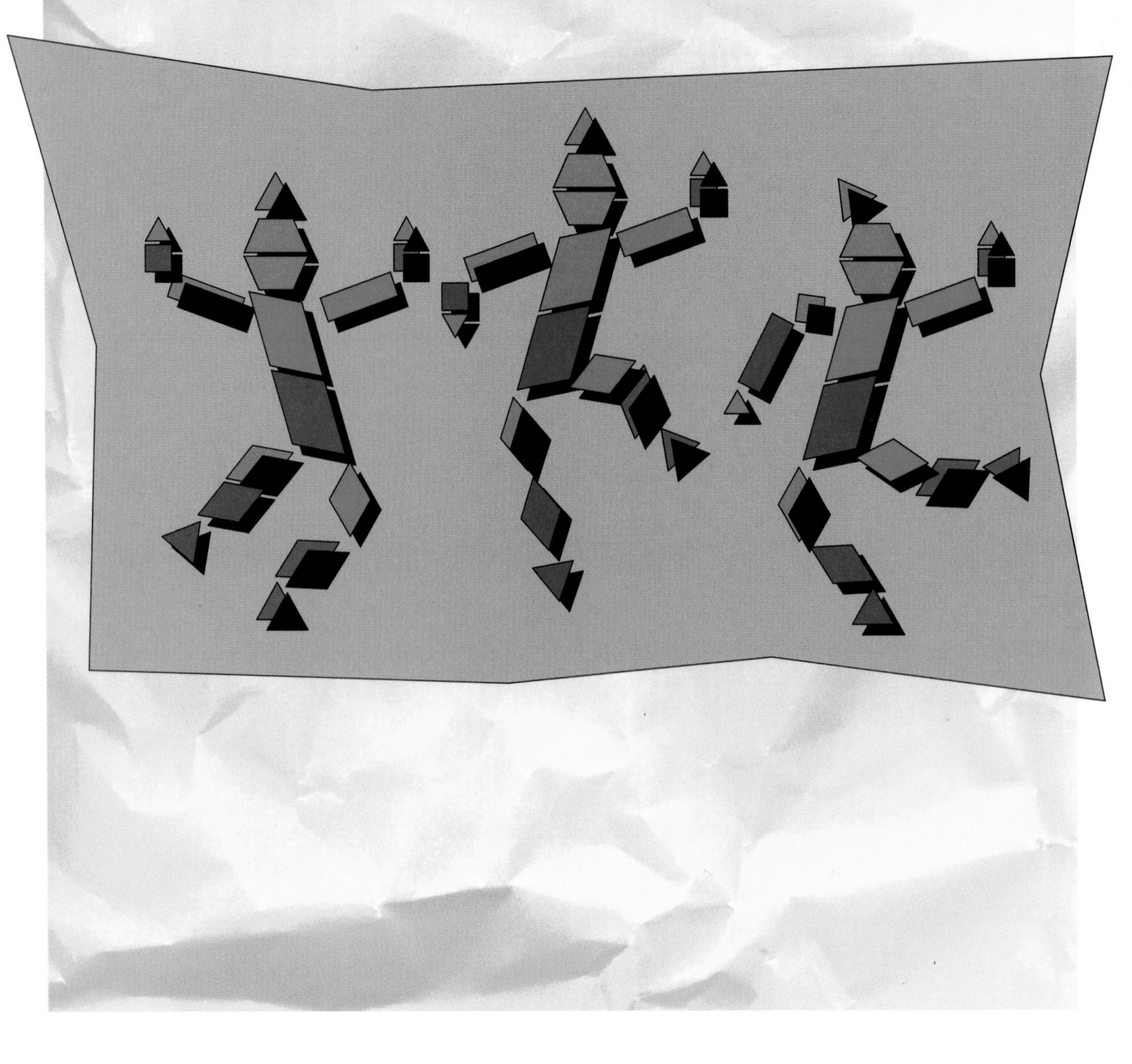

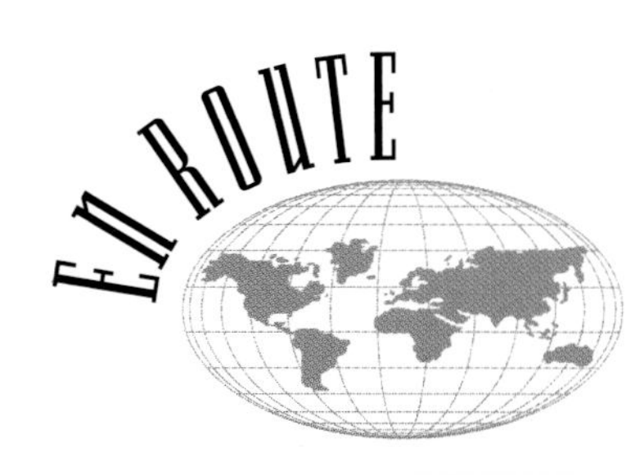

... VERS LES POLYGONES

LES TRIANGLES

Le triangle sous toutes ses formes!

On annonce qu'un avion est disparu au-dessus du triangle des Bermudes.

- Que sais-tu à propos du triangle des Bermudes?
- Comment joue-t-on du triangle musical?
- Quels sont les éléments qui constituent un triangle?

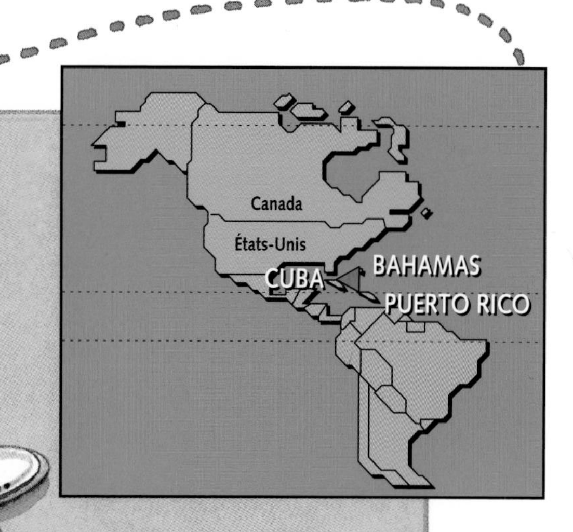

a) Parmi les figures suivantes, identifie les triangles.

1) 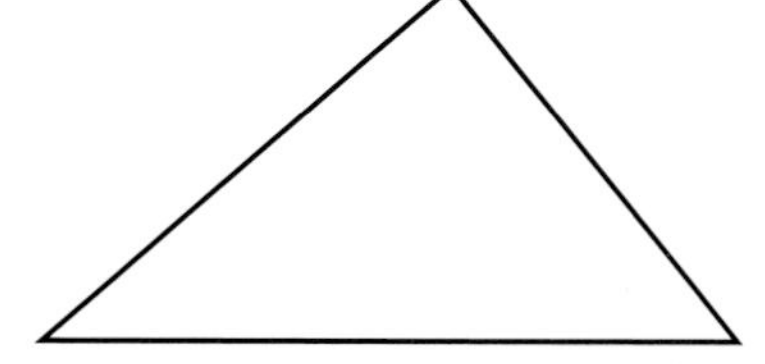

2) 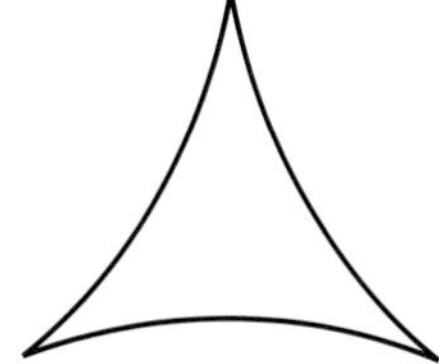

3) 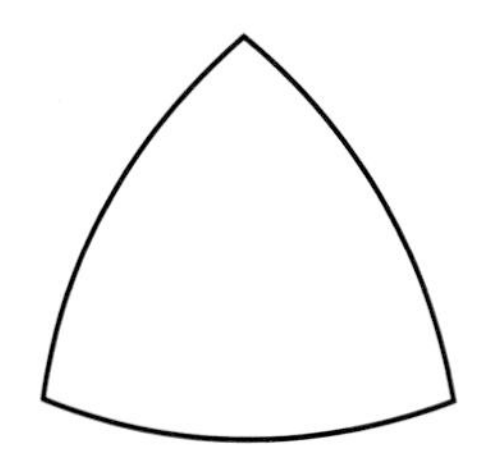

4) 

b) Est-il possible de construire dans la réalité un objet conforme à l'illustration suivante?

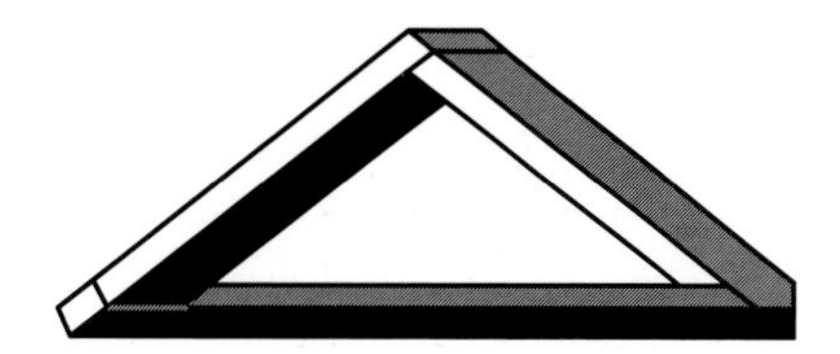

c) Est-il vrai que tout polygone est décomposable en triangles?

A) LIGNES REMARQUABLES DANS LE TRIANGLE

Dans un triangle, il est possible de tracer des lignes remarquables. Ainsi :

1° On peut joindre un sommet au milieu du côté opposé.

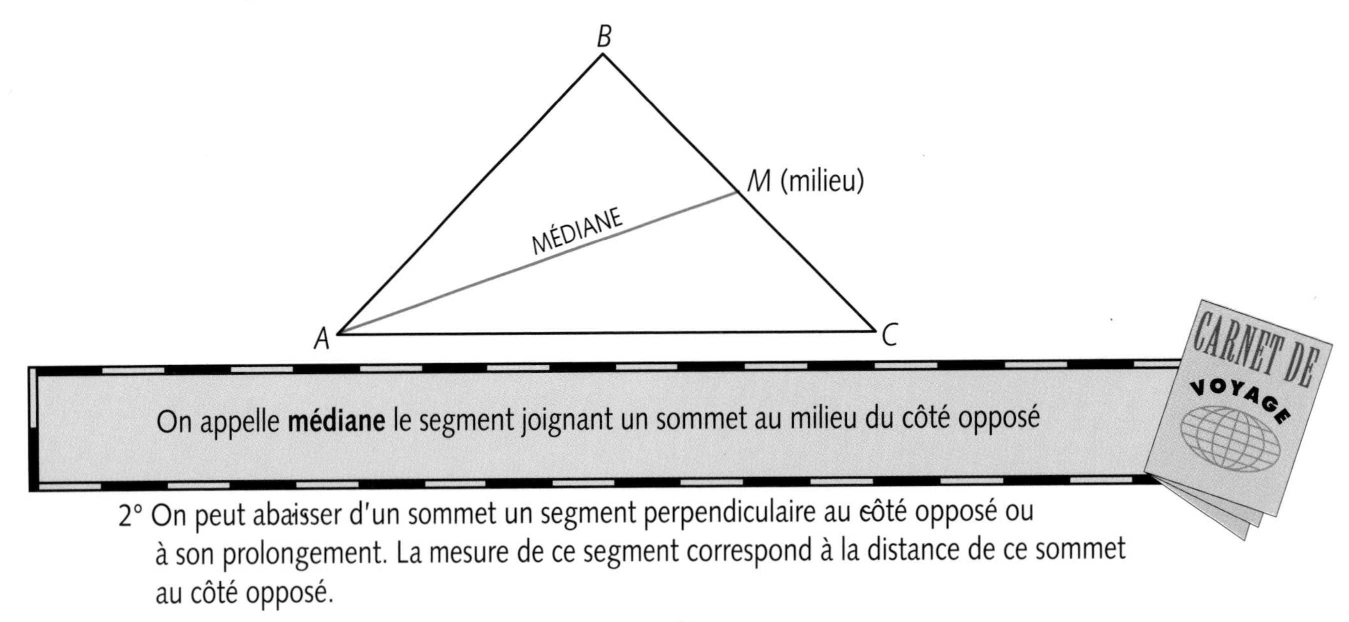

On appelle **médiane** le segment joignant un sommet au milieu du côté opposé

2° On peut abaisser d'un sommet un segment perpendiculaire au côté opposé ou à son prolongement. La mesure de ce segment correspond à la distance de ce sommet au côté opposé.

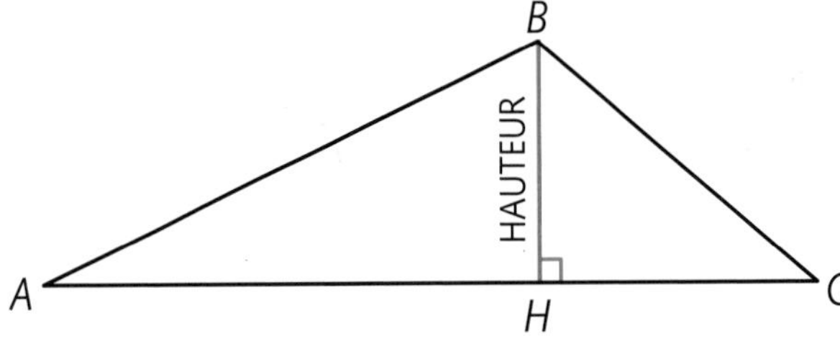

On appelle **hauteur** le segment, ou la longueur du segment, abaissé d'un sommet perpendiculairement au côté opposé ou à son prolongement.

3° On peut élever une perpendiculaire sur le milieu d'un côté.

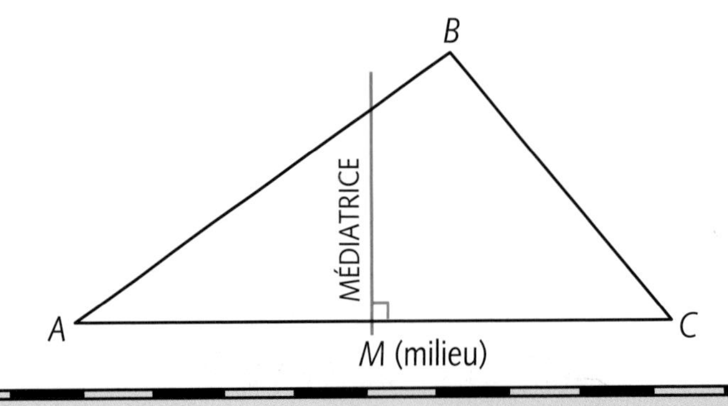

On appelle **médiatrice** la droite élevée perpendiculairement sur le milieu d'un côté.

a) Tout triangle a 3 médianes. À l'aide de ta règle, trace les 3 médianes de ce triangle.

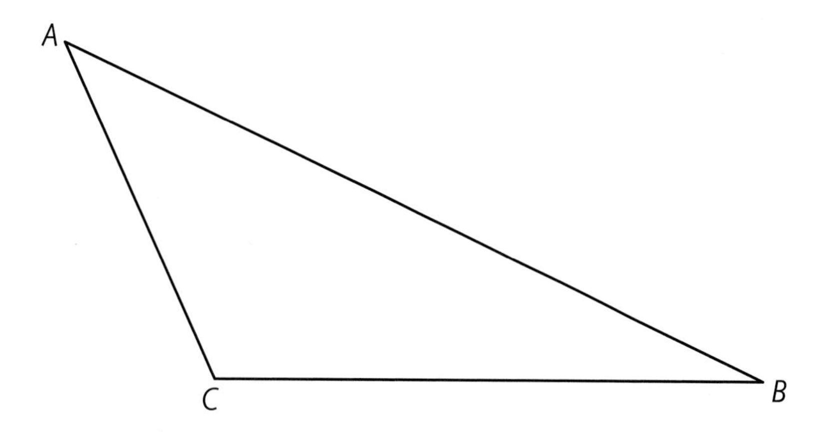

b) Tout triangle a 3 hauteurs. À l'aide de ton équerre, trace les 3 hauteurs de ce triangle.

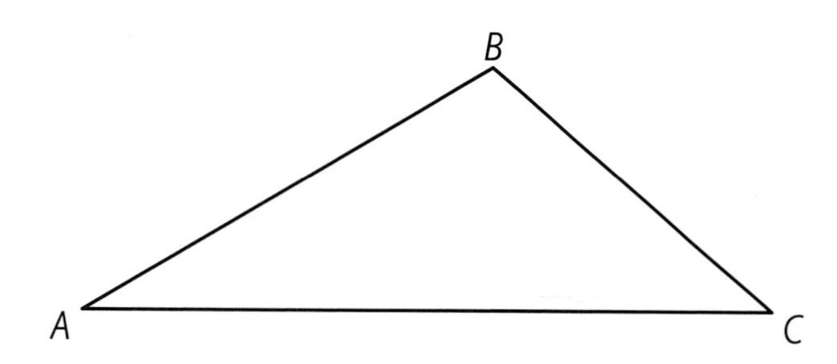

c) Tout triangle a 3 médiatrices. À l'aide de ta règle et de ton équerre, trace les 3 médiatrices de ce triangle.

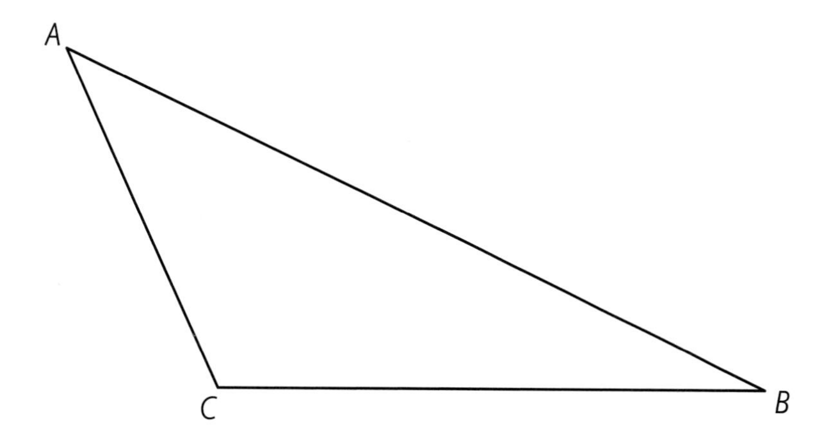

d) Dans le triangle suivant, trace les 3 médianes.

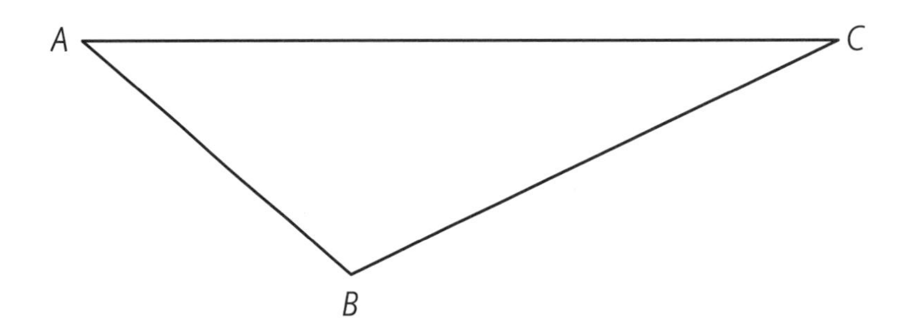

Les 3 médianes se rencontrent en un même point. Ce point est appelé **centre de gravité** du triangle. C'est aussi le centre d'équilibre du triangle.

e) Dans le triangle suivant, trace les 3 médiatrices.

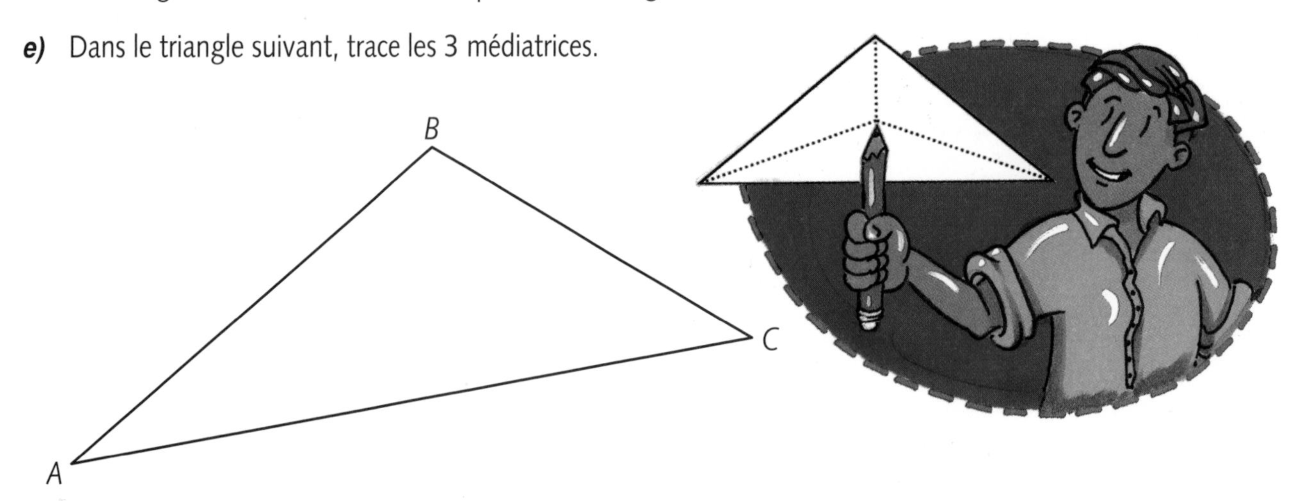

Les 3 médiatrices se rencontrent en un même point. Ce point est à égale distance des sommets. C'est le **centre d'un cercle** qui passe par les sommets du triangle.

f) Les 3 hauteurs d'un triangle, ou leur prolongement, se rencontrent-elles en un même point? Vérifie-le.

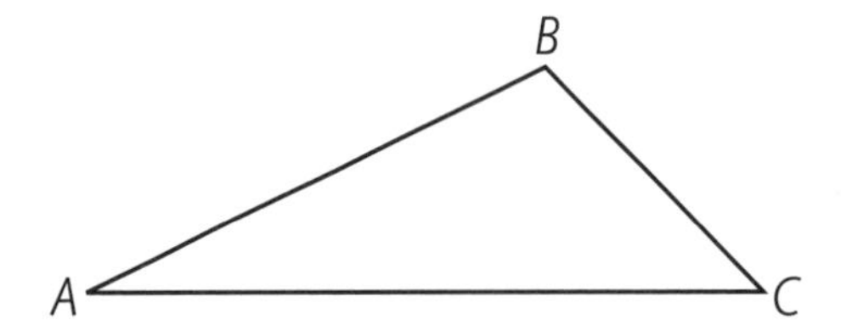

g) Trace les 3 hauteurs de ce triangle rectangle.

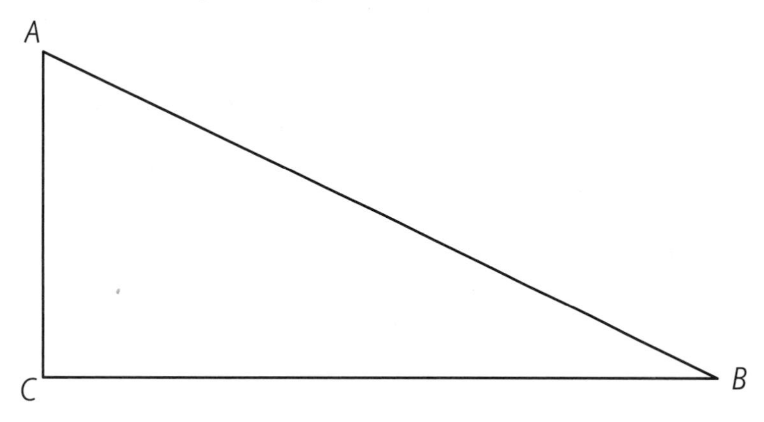

Que se passe-t-il de particulier?

h) Trace les 3 médianes, les 3 hauteurs et les 3 médiatrices de ce triangle équilatéral.

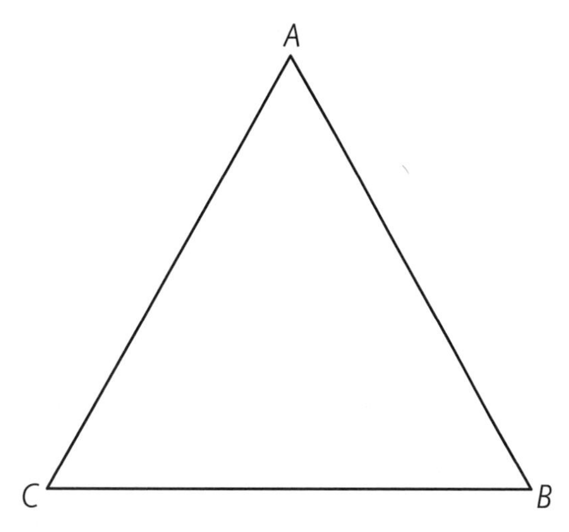

Que se passe-t-il de particulier dans ce dernier triangle?

i) Sur deux droites parallèles, on a construit plusieurs triangles ayant tous le segment *AB* comme base.

1) Trace la hauteur de chacun de ces triangles relativement à la base $\overline{AB}$.

2) Que peut-on affirmer à propos de ces hauteurs?

3) Trace la médiatrice de $\overline{AB}$ pour chacun de ces triangles.

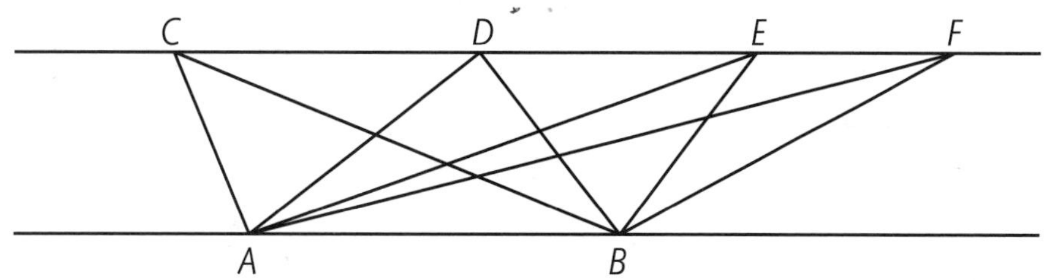

B) CLASSIFICATION DES TRIANGLES

On classe les triangles d'après les **mesures de leurs angles.**

Caractéristique	Nom	Illustration
Un triangle qui a...	est appelé...	
trois angles aigus	triangle acutangle	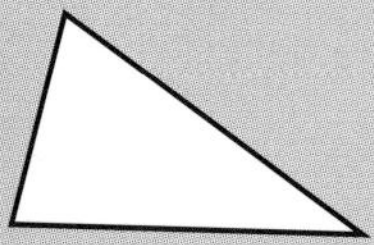
un angle droit	triangle rectangle	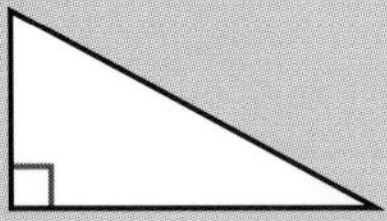
un angle obtus	triangle obtusangle	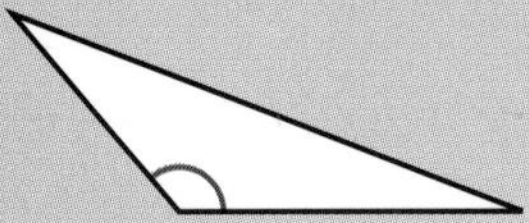
deux angles congrus	triangle isoangle	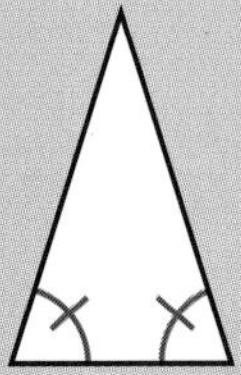
trois angles congrus	triangle équiangle	

CARNET DE VOYAGE

On peut également classer les triangles d'après les **mesures de leurs côtés.**

Caractéristique	Nom	Illustration
Un triangle qui a...	est appelé...	
ses côtés non congrus	triangle scalène	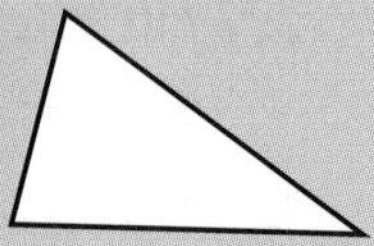
deux côtés congrus	triangle isocèle	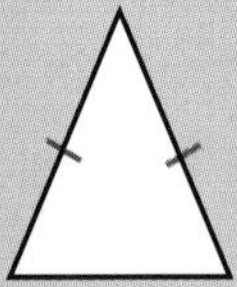
trois côtés congrus	triangle équilatéral	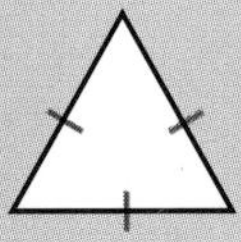

CARNET DE VOYAGE

Pour **décrire** un triangle, on utilise les termes de cette classification.

1 Décris chaque triangle selon les caractéristiques de ses angles et de ses côtés.

a)

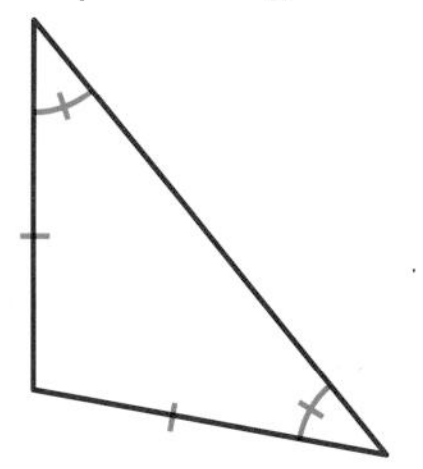

b)

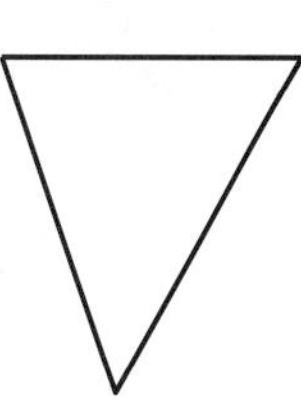

c)

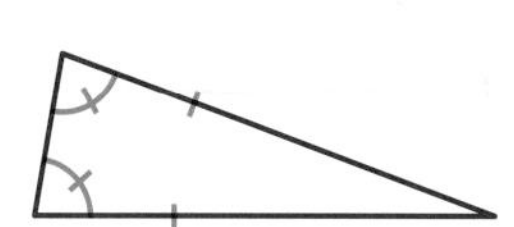

d)

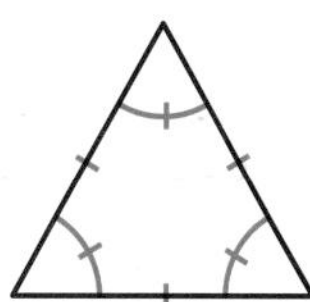

e)

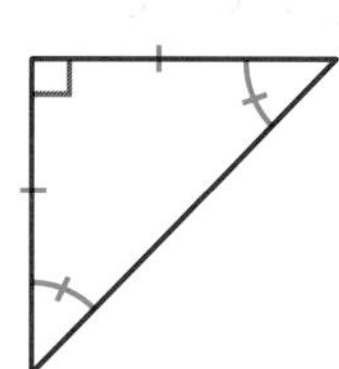

f)

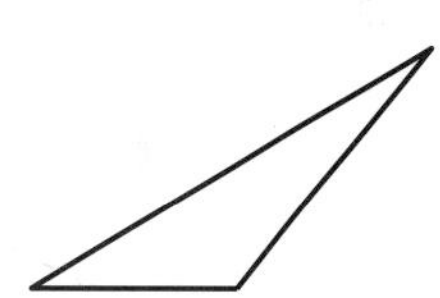

g)

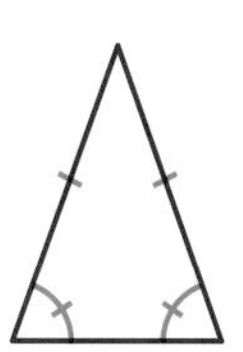

h)

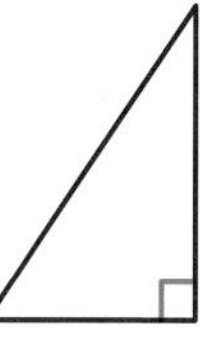

2 Est-il possible de construire le triangle décrit? Si oui, construis-le à main levée dans ton cahier.

a) triangle rectangle isocèle

b) triangle obtusangle scalène

c) triangle acutangle équilatéral

d) triangle rectangle équilatéral

e) triangle acutangle scalène

f) triangle obtusangle isocèle

g) triangle obtusangle équilatéral

h) triangle rectangle scalène

3. Dans ce plan quadrillé, on a construit un premier triangle rectangle isocèle. En traçant la hauteur issue de *B*, on a engendré et reproduit un deuxième triangle, puis un troisième.

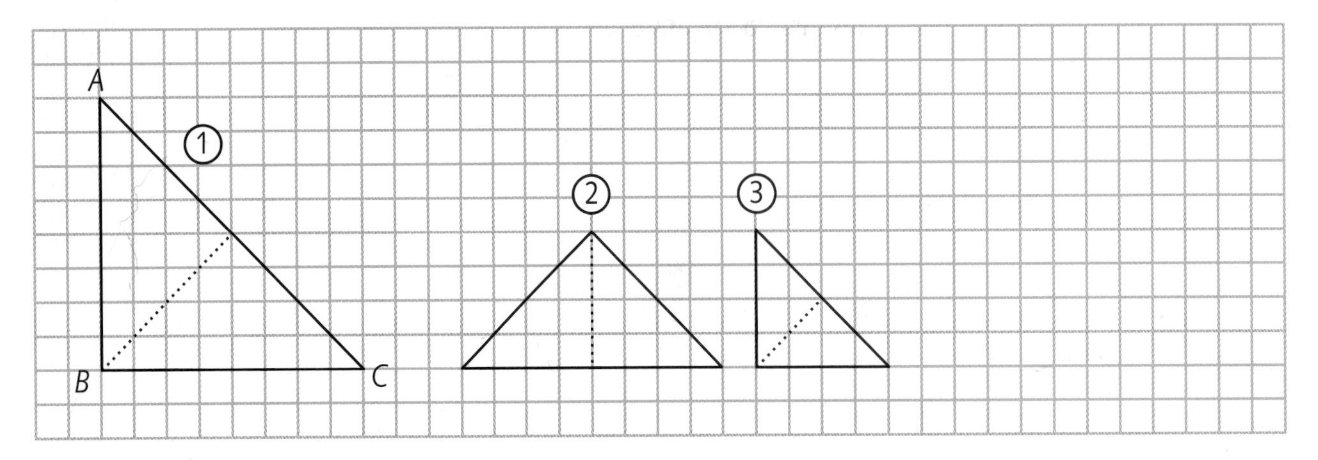

   a) Ajoute deux autres triangles à cette suite.

   b) Nomme chacun des triangles selon les caractéristiques de ses angles et de ses côtés.

   c) La forme des triangles change-t-elle d'un triangle à l'autre?

4. Voici une autre suite engendrée à partir d'un triangle rectangle scalène.

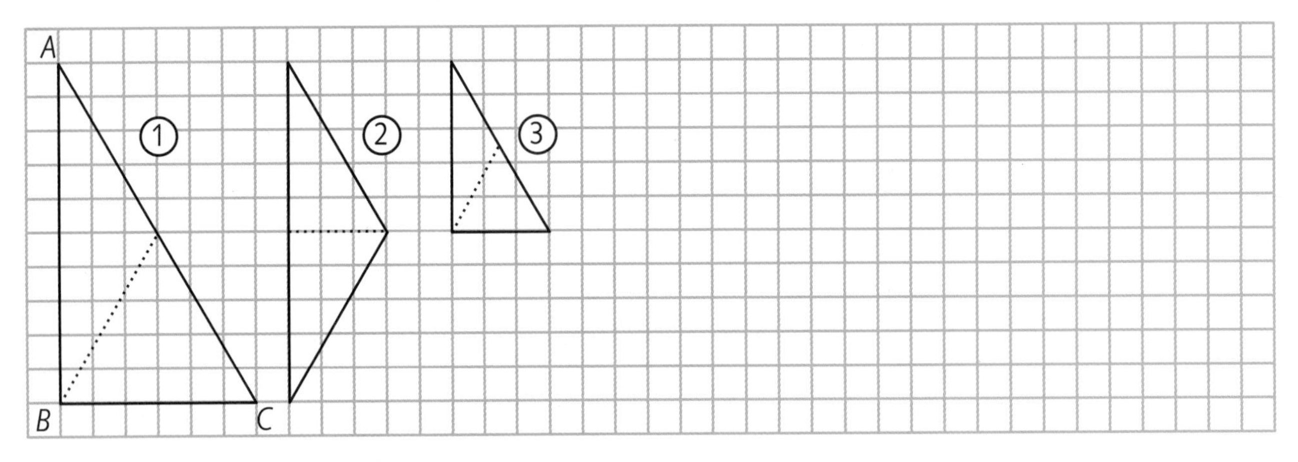

   a) Ajoute deux autres triangles à cette suite.

   b) Nomme chacun des triangles selon les caractéristiques de ses angles et de ses côtés.

   c) La forme des triangles change-t-elle d'un triangle à l'autre?

5. On veut construire un seul triangle en utilisant le nombre de cure-dents indiqué. Tout cure-dents doit être totalement utilisé. Remplis ce tableau.

Nombre de cure-dents	Peut-on former un Δ?	Nom du Δ selon les côtés	Nom du Δ selon les angles
1			
2			
3			
4			
5			
6			
7			
8			
9			
10			

6. Voici un géoplan formé de 9 points.

a) Si cela est possible, trace un triangle rectangle isocèle en ne reliant que 3 points de ce géoplan.

b) Si cela est possible, trace un triangle isocèle non rectangle en ne reliant que 3 points de ce géoplan.

c) Si cela est possible, trace un triangle scalène en ne reliant que 3 points de ce géoplan.

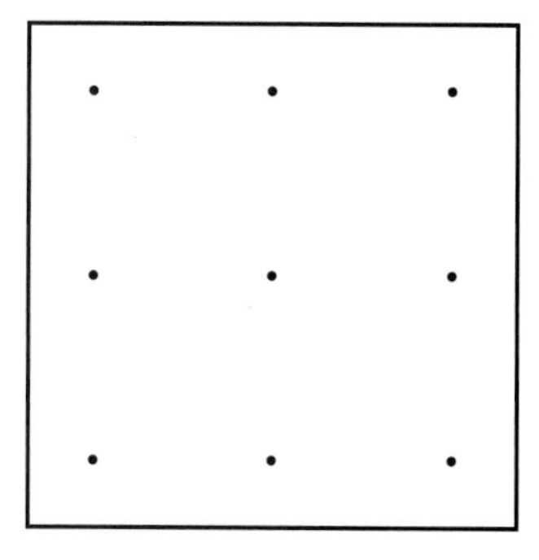

d) Si cela est possible, trace un triangle équilatéral en ne reliant que 3 points de ce géoplan.

7. Tu dois ici faire preuve d'imagination et surtout ne pas avoir peur de faire des essais.

Des triangles congrus sont des triangles qui ont tous les mêmes mesures.

a) Trace une autre ligne de façon à former 4 triangles congrus et nomme la sorte de triangles que tu as obtenus.

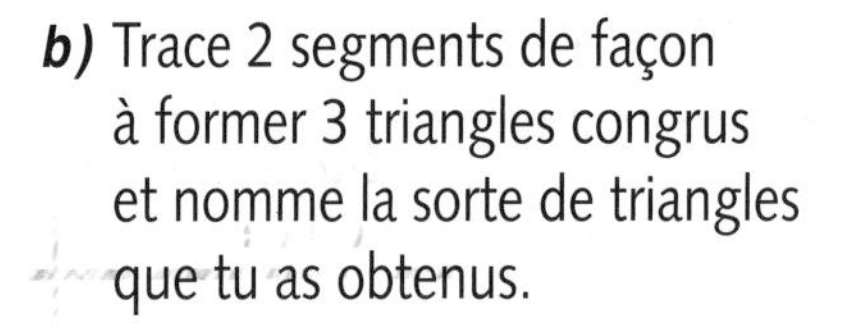

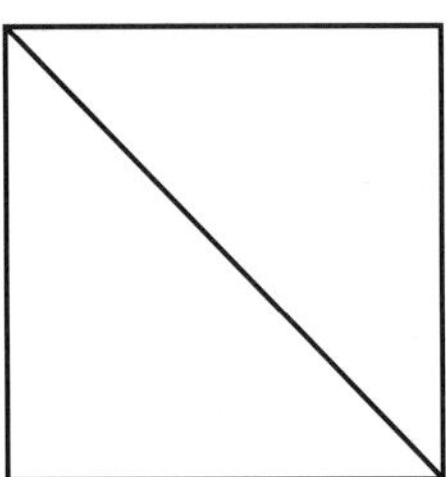

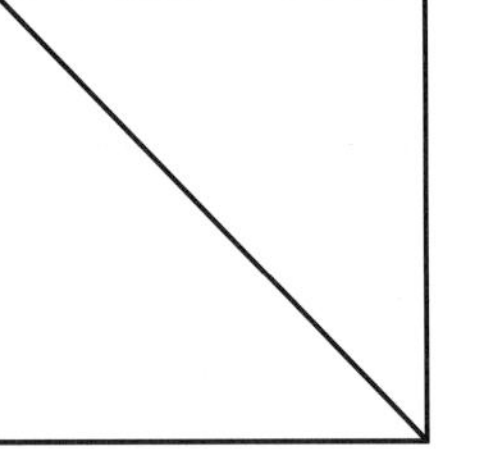

b) Trace 2 segments de façon à former 3 triangles congrus et nomme la sorte de triangles que tu as obtenus.

c) Trace 3 segments de façon à former 4 triangles congrus et nomme la sorte de triangles que tu as obtenus.

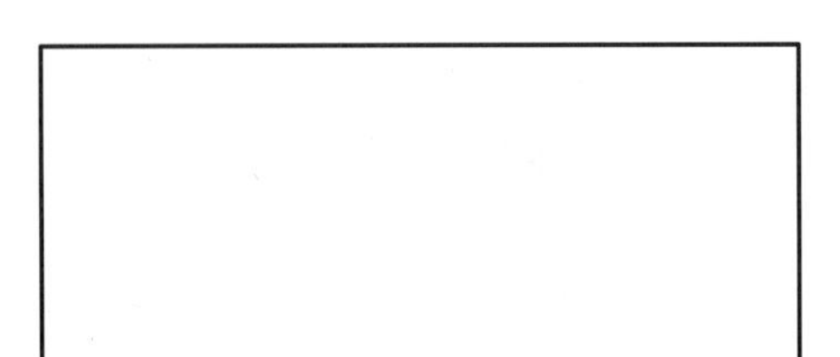

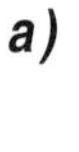

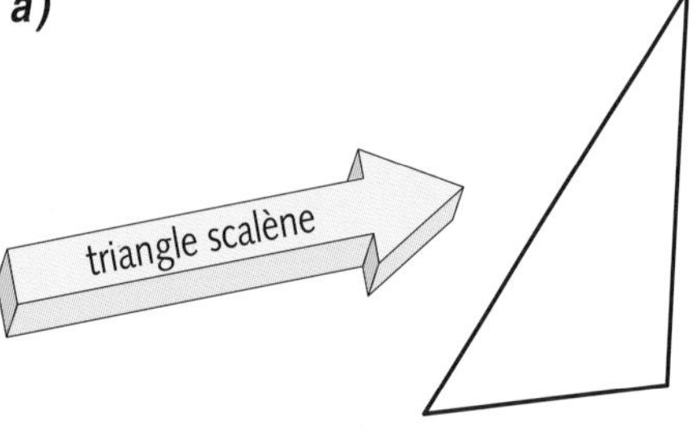

d) Trace 3 segments de façon à former 4 triangles congrus et nomme la sorte de triangles que tu as obtenus.

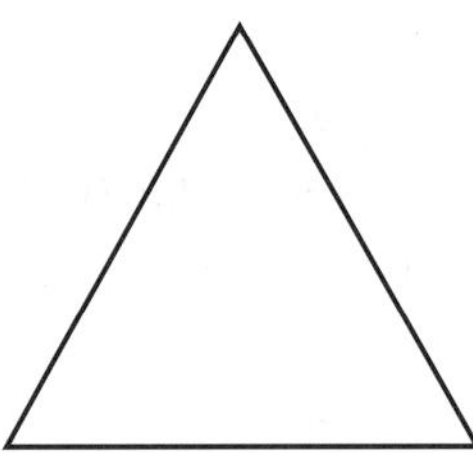

8. Indique si le triangle décrit a un axe de symétrie. Si oui, trace cet axe de symétrie.

a)

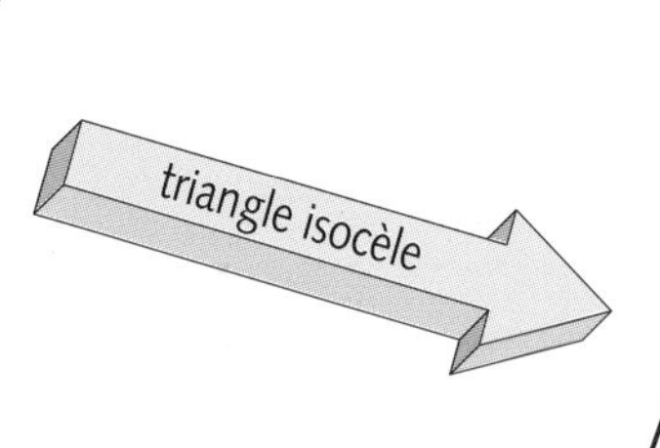

b)

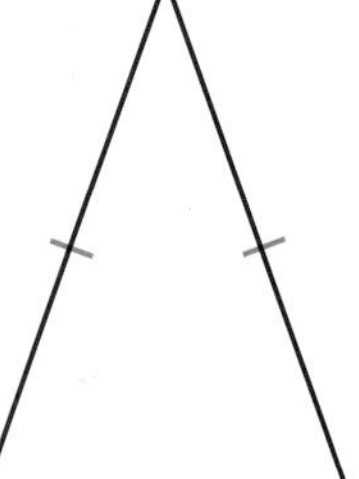

c)

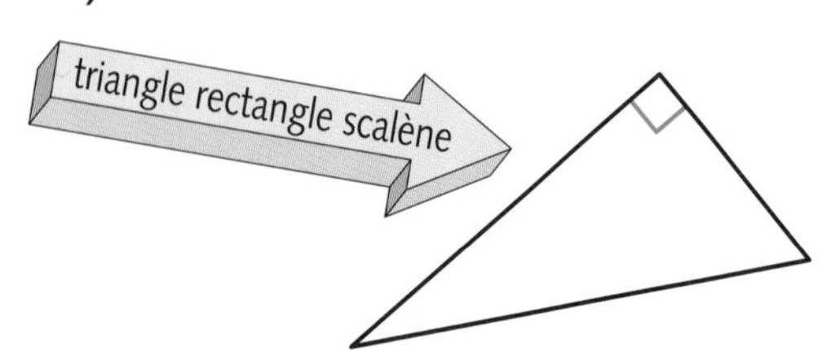

d)

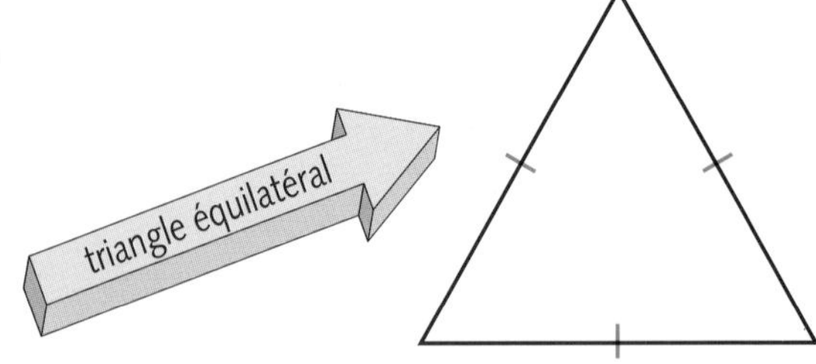

9. Le triangle *MNP* est isocèle. Trace :

   a) la bissectrice de l'angle *N* avec ton compas;

   b) la médiatrice de $\overline{MP}$ avec ton compas;

   c) la hauteur issue de *N* et relative à la base $\overline{MP}$ à l'aide de ton équerre;

   d) la médiane relative au sommet *N* et au côté $\overline{MP}$;

   e) l'axe de symétrie du Δ *MNP*.

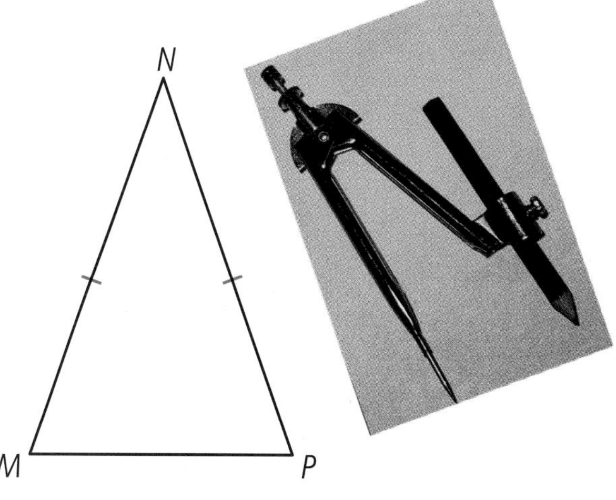

10. Quelle conclusion peut-on tirer des constructions réalisées à l'exercice précédent?

11. La conclusion précédente est-elle applicable à un triangle équilatéral?

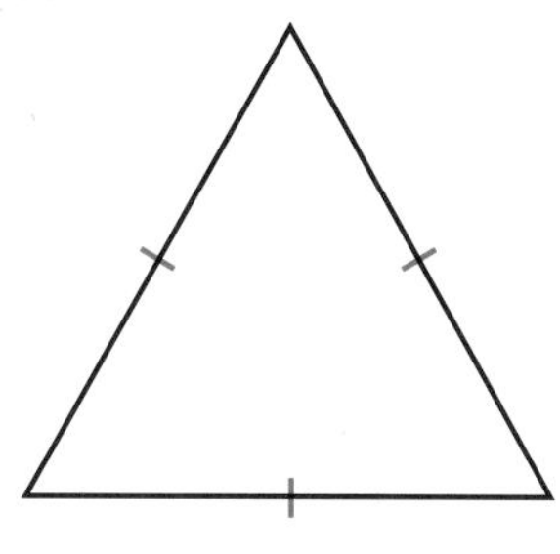

12. Trace la médiane issue de l'angle droit dans le triangle rectangle isocèle. Quels qualificatifs peut-on donner aux deux triangles obtenus?

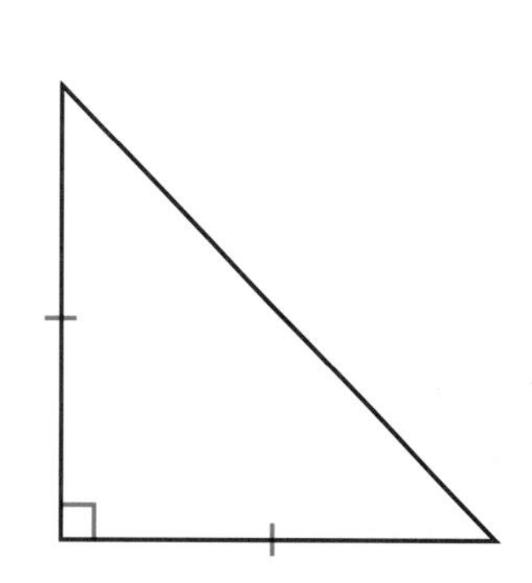

13. Trace une hauteur du triangle équilatéral ci-dessous. Quels qualificatifs peut-on donner aux deux triangles obtenus?

14. Trace la bissectrice de l'angle *B* du triangle rectangle *ABC* ci-contre. Quels qualificatifs peut-on donner aux deux triangles obtenus?

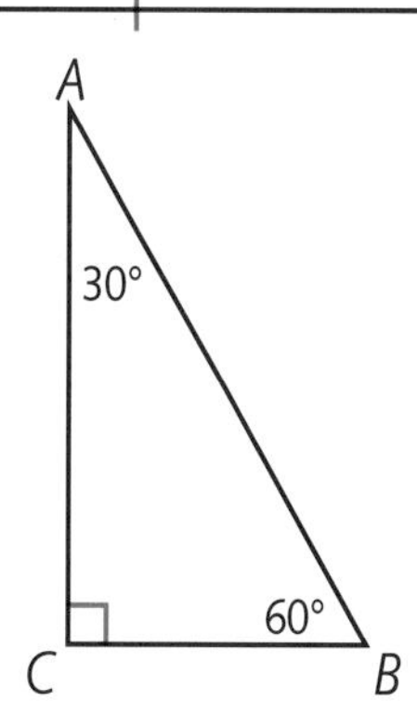

15. Voici 4 triangles différents. Chaque membre de l'équipe en découpe un. Ensuite, chacun coupe les 3 pointes en suivant les pointillés et les juxtapose l'une à l'autre de sorte qu'elles aient le même sommet.

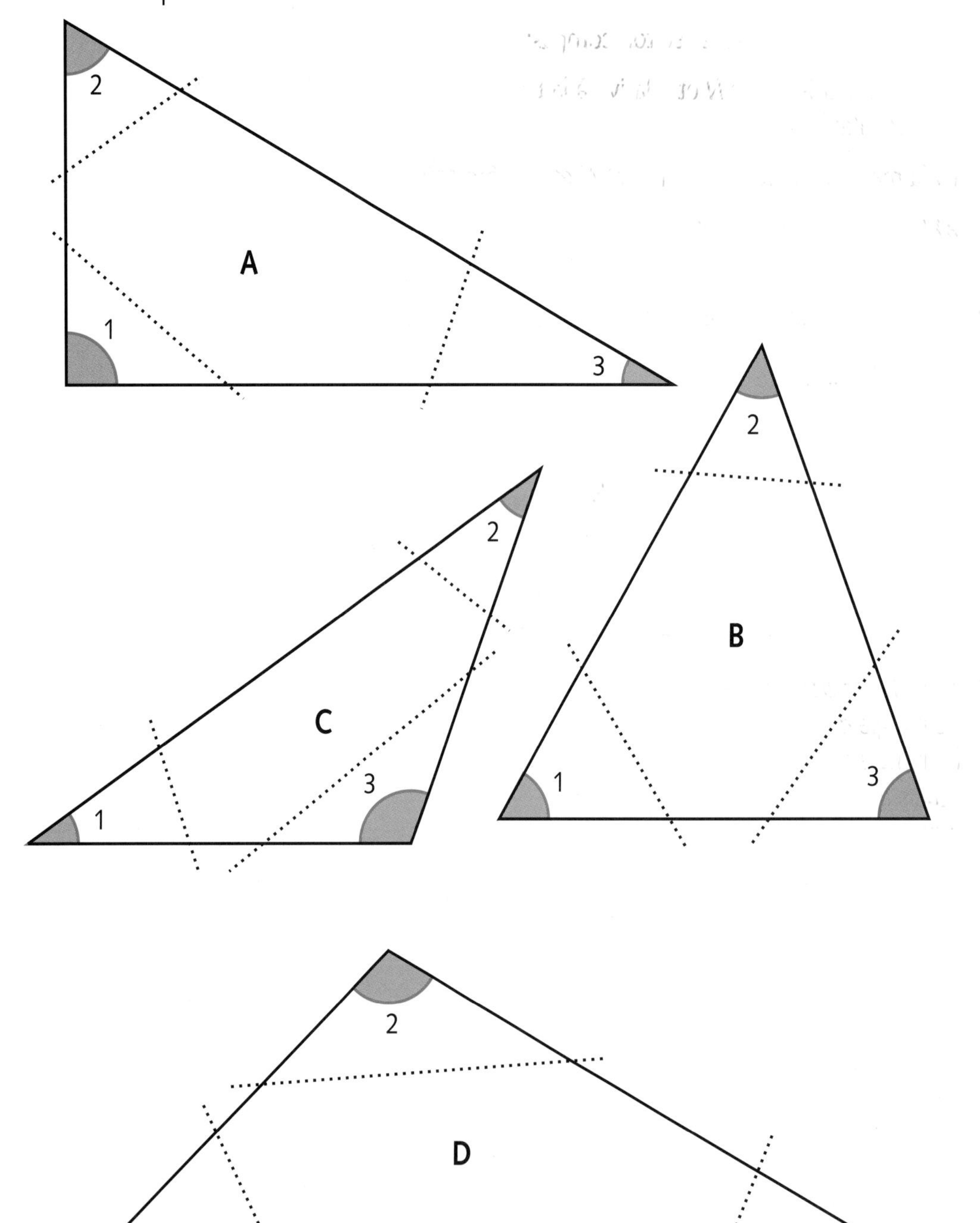

a) Quelle sorte d'angle les 3 pointes réunies par leur sommet forment-elles?

b) Quelle est la mesure d'un angle plat?

c) Que peut-on affirmer à propos de la somme des mesures des angles d'un triangle?

16 Sans rien mesurer, déduis la mesure d'angle inconnue dans chaque cas.

a) B: ?; A: 60°; C: 43°

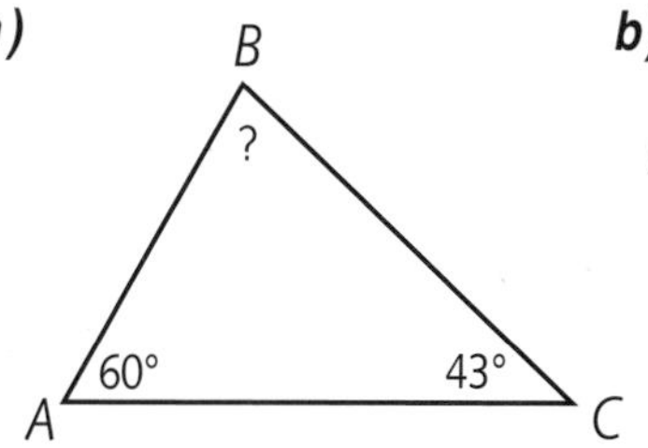

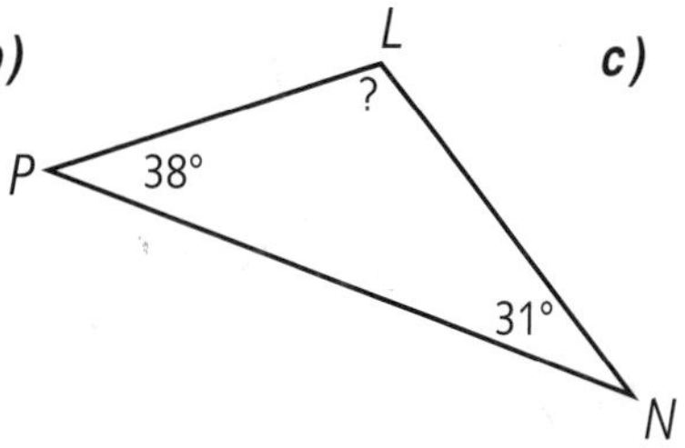

b) L: ?; P: 38°; N: 31°

c) G: 19°; T: ?; S: 44°

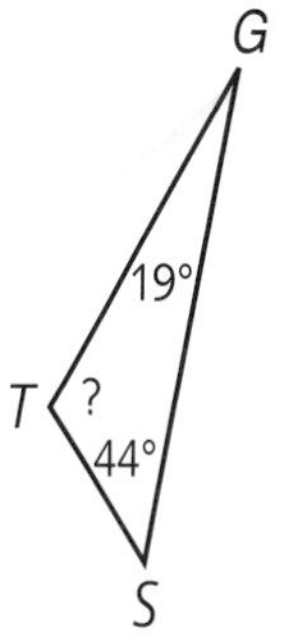

d) B: ?; A: 149°; C: 13°

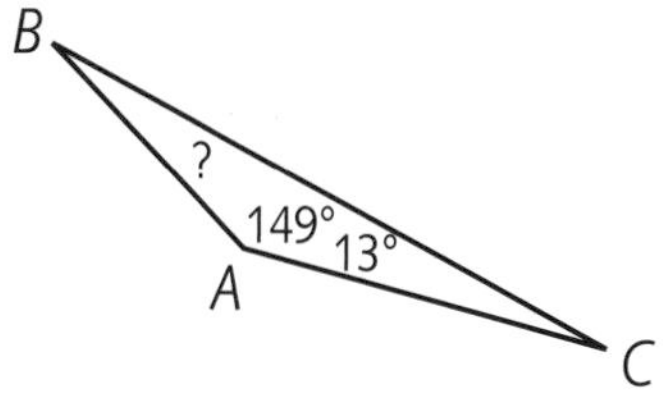

e) J: ?; F: 32°; M: 127°

f) B: ?; A: 105°; C: 20°

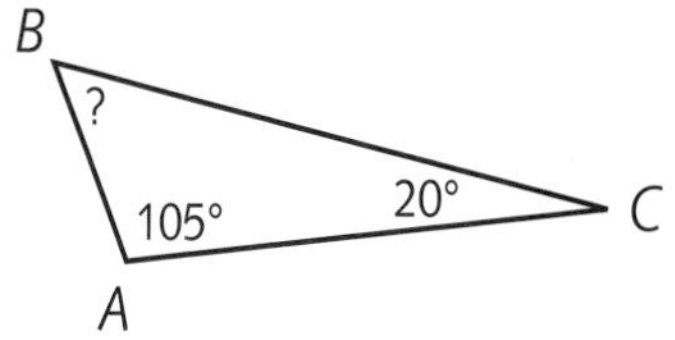

17 Sans rien mesurer, déduis la mesure d'angle inconnue dans ces triangles rectangles.

a) A: 75°; B: ?; C: angle droit

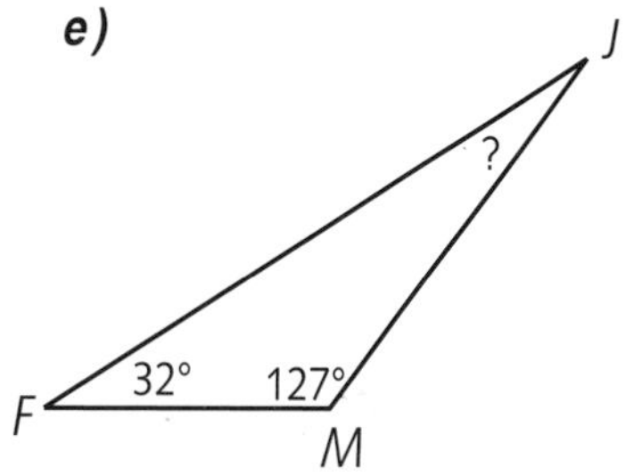

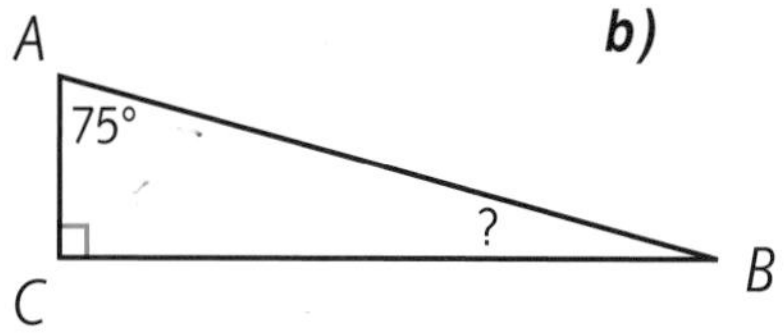

b) R: ?; S: angle droit; T: 48°

c) A: 34°; B: angle droit; C: ?

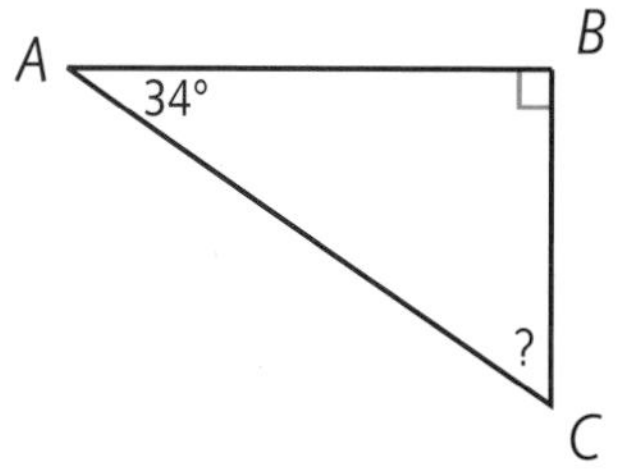

18

a) Quel nom donne-t-on à deux angles dont la somme de leur mesure est 90°?

b) Quelle caractéristique les deux angles aigus d'un triangle rectangle possèdent-ils?

c) Écris un raisonnement qui peut me convaincre de ce que tu viens d'affirmer.

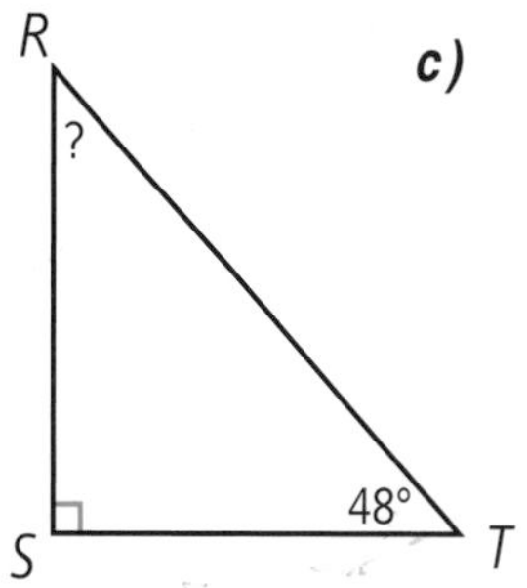

CARNET DE VOYAGE

19 Sans rien mesurer, déduis des indications fournies la mesure d'angle demandée.

a)

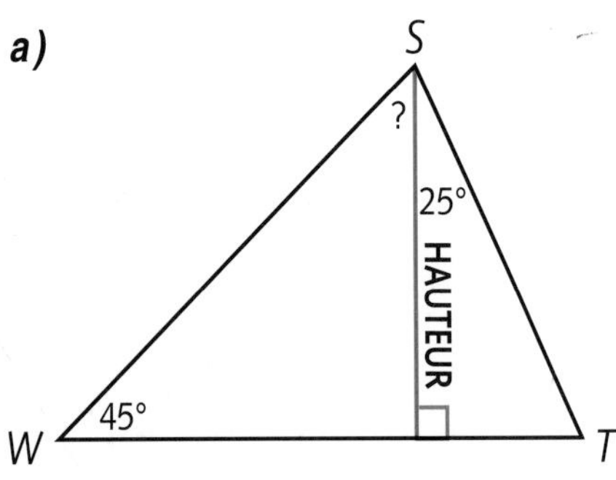

b)

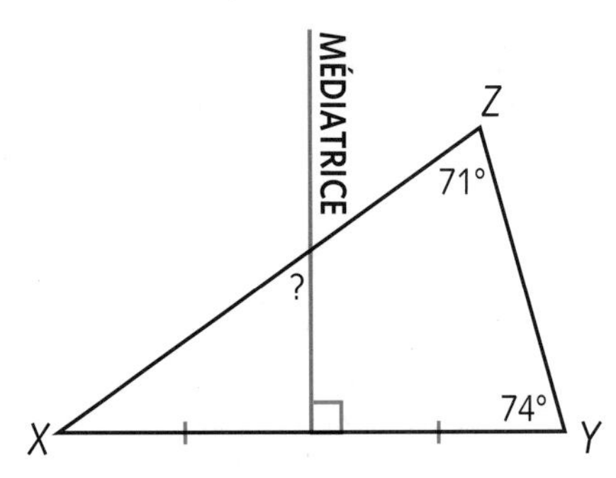

20 Déduis la mesure demandée.

a)

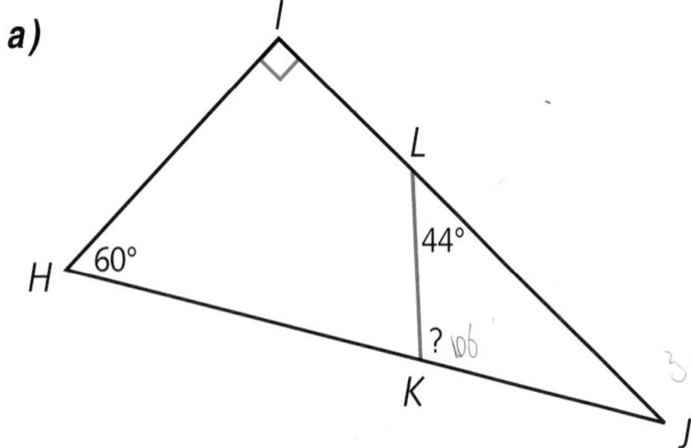

b)

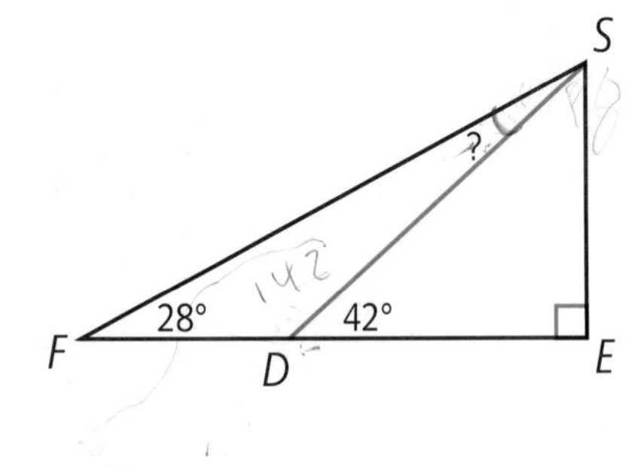

21 Voici des triangles isocèles. Déduis la mesure demandée.

a)

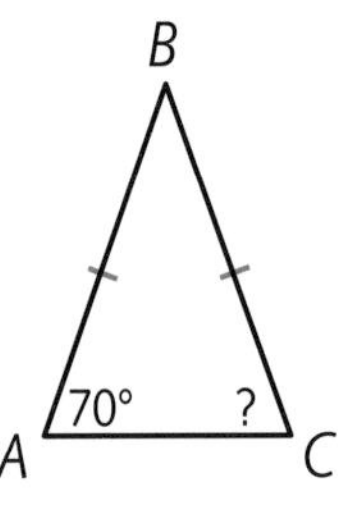

b)

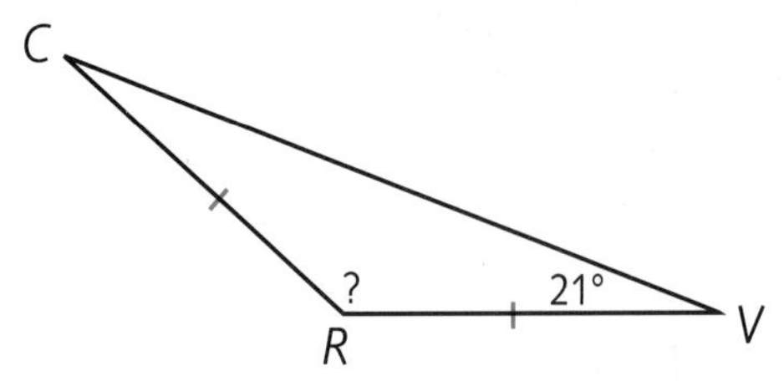

c)

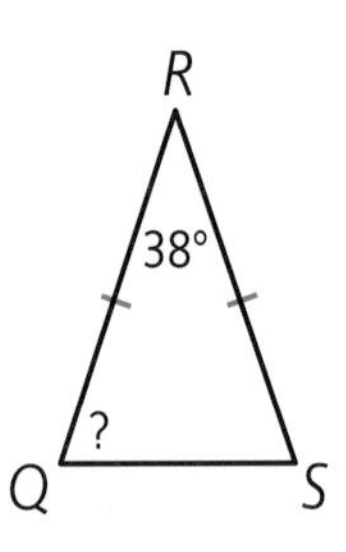

d)

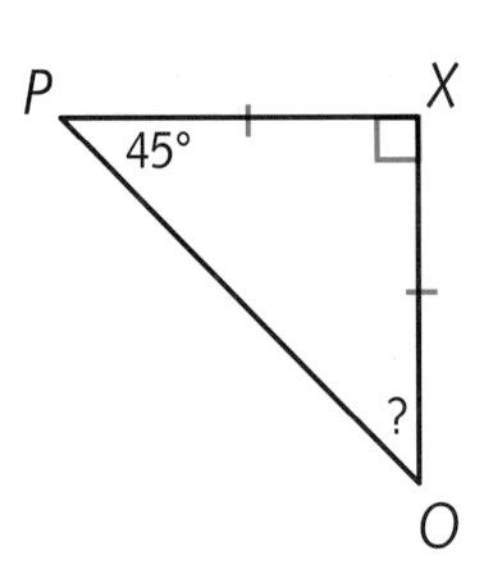

22 Quelle est la mesure des angles aigus de tous les triangles rectangles isocèles?

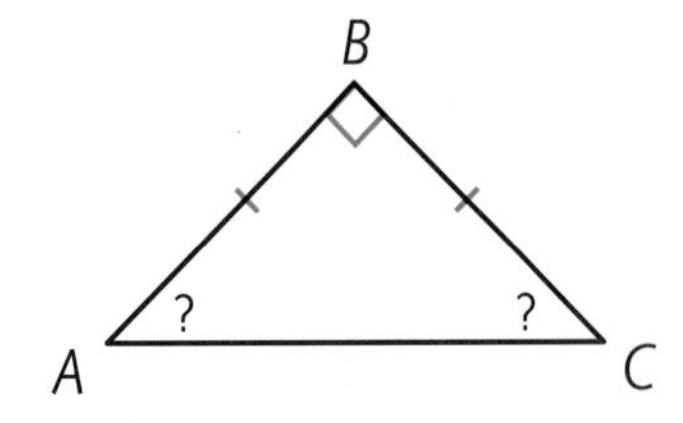

23

a) Quelle est la mesure des angles d'un triangle équilatéral?

b) **Écris le raisonnement qui permet de convaincre quelqu'un que la mesure des angles d'un triangle équilatéral est 60°.**

24

Sans rien mesurer, déduis la mesure d'angle demandée.

a)

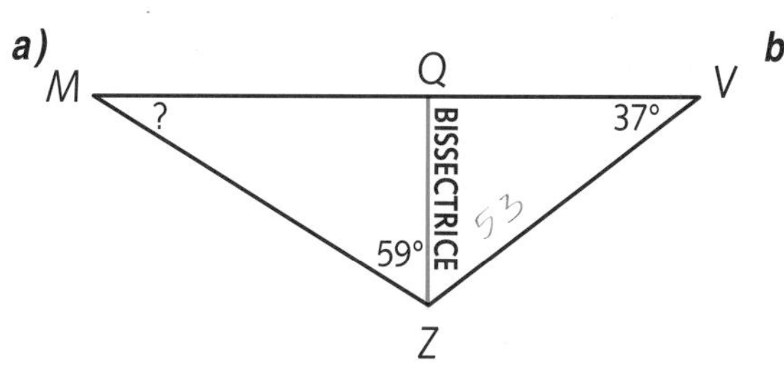

b)

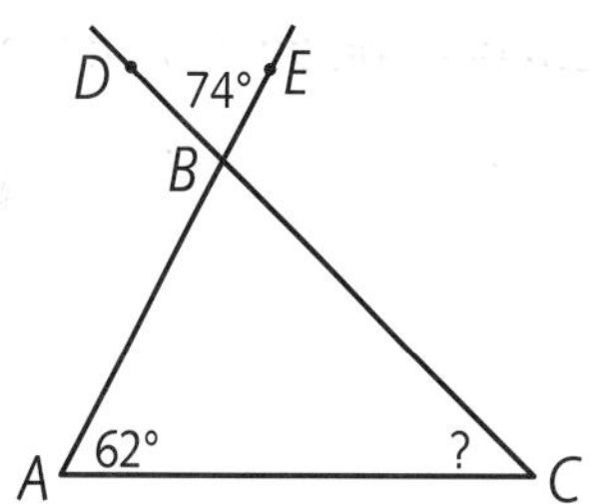

c)

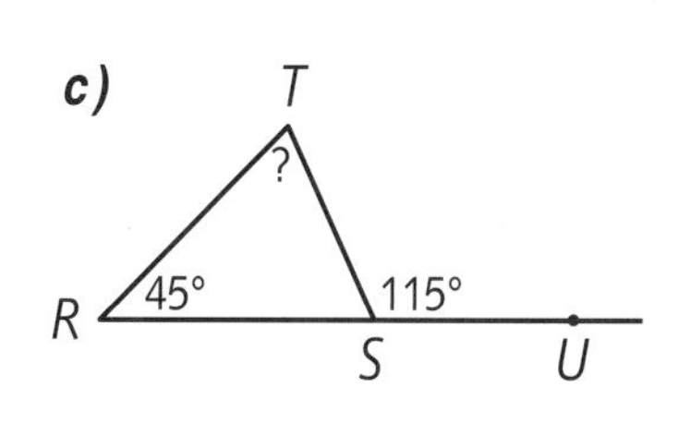

d)

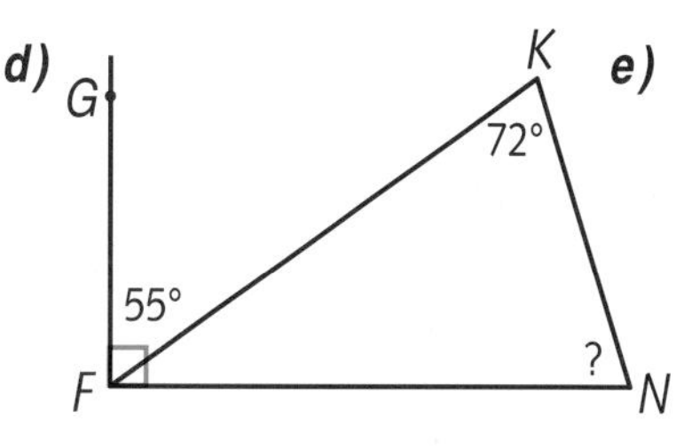

e)

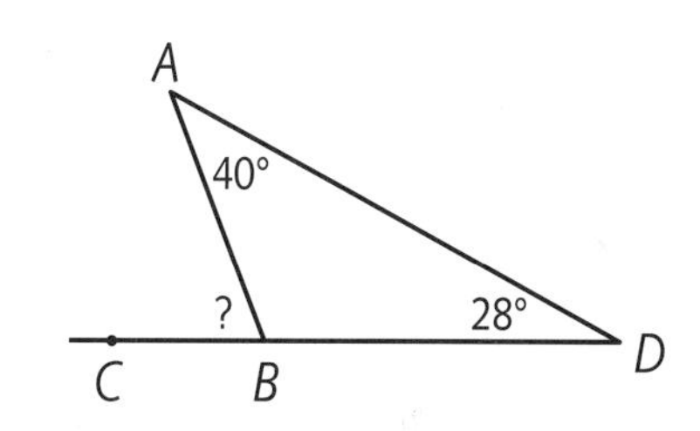

25

Dans chaque cas, trouve une expression qui peut représenter la mesure demandée.

a) $a°$, $b°$, ?

b)

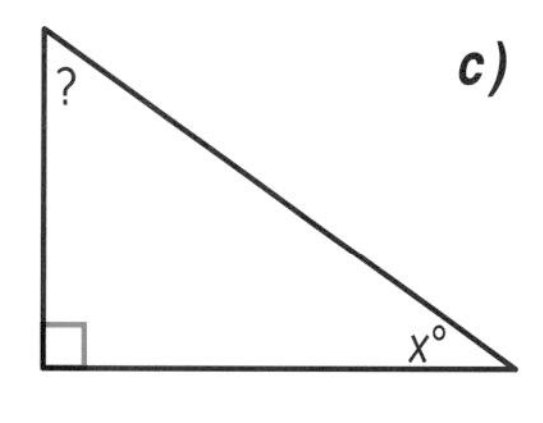

c)

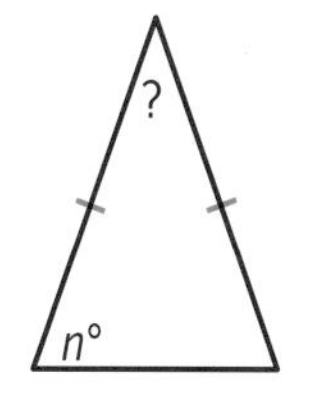

d)

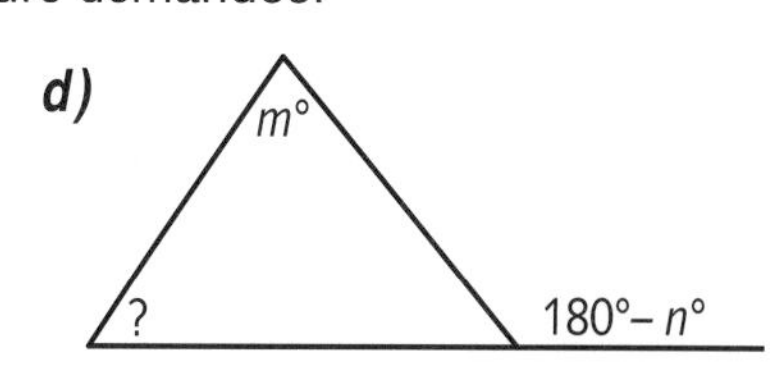

26

On trace la hauteur $\overline{BE}$ d'un triangle équiangle ABC.
Déduis m ∠ ABE.

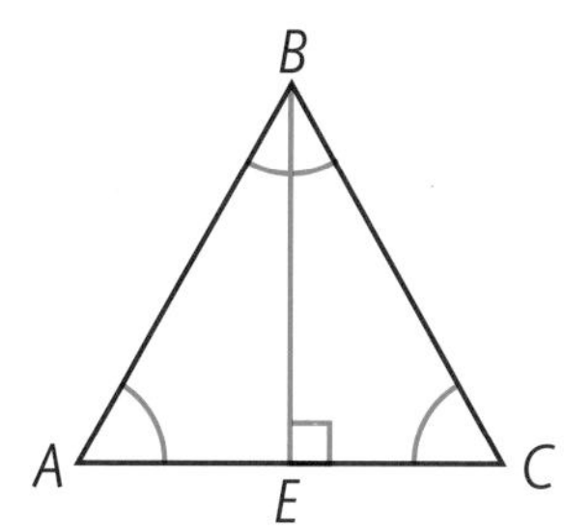

27

L'un des angles d'un triangle rectangle DEF mesure 45°. Le côté $\overline{DE}$ mesure 5 cm.
Déduis m $\overline{DF}$.

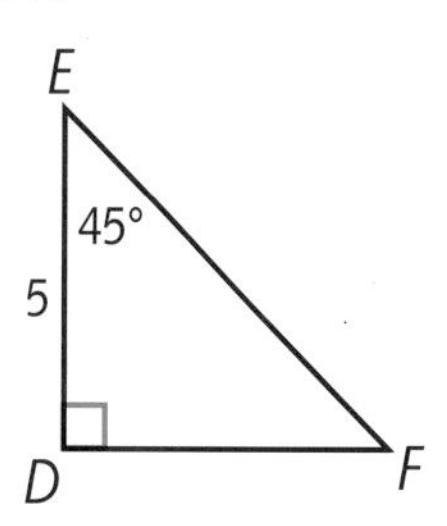

28 Déduis m $\overline{MN}$ à partir des indications fournies sur cette figure.

29 Les angles A et B du Δ ABC mesurent respectivement 48° et 84°, et le côté $\overline{AB}$ mesure 6 cm. Pourquoi peut-on être assuré que m $\overline{BC}$ = 6 cm?

30 ***a)*** À partir des précisions fournies sur la figure ci-contre, déduis :

1) m $\overline{CD}$

2) m $\overline{AC}$

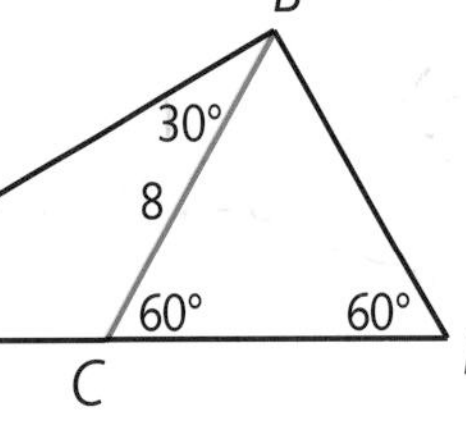

b) Quel nom peut-on donner au segment BC?

31 À partir des indications fournies sur la figure ci-contre, déduis :

a) m $\angle$ VZX ***b)*** m $\overline{XZ}$

c) m $\angle$ XZT ***d)*** m $\overline{ZT}$

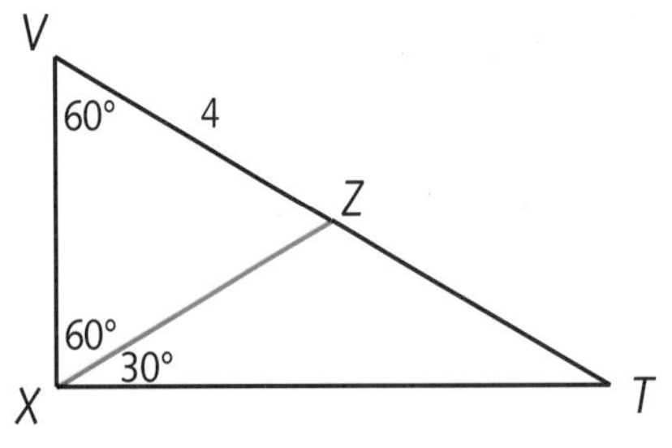

FLASH PROBLÈME

Certains problèmes peuvent avoir des solutions inattendues.

32 Résous ces deux problèmes.

a) Caroline va à la station-service. Elle remplit son réservoir de 28 litres d'essence à 65,9¢ le litre et achète un litre d'huile à 2,25 $ le litre. Combien lui remettra-t-on si elle paye avec un billet de 20 $?

b) À la quincaillerie, ta mère achète un article de 100 $. On lui accorde une réduction de 20 % et elle doit payer une taxe de 15,56 %. Que devrait-on calculer en premier, le réduction ou la taxe?

1) Quelle est ta prédiction?

2) Vérifie.

Triangles particuliers!

■ Les 3 mesures d'angle d'un triangle vont en augmentant de 10°. Quelles sont ces 3 mesures?

■■ Les 3 mesures des angles d'un triangle sont telles que la mesure du premier est le double de la mesure du deuxième et la mesure du troisième est la somme des mesures des deux premiers. Quelles sont ces 3 mesures?

CONSTRUCTION DE TRIANGLES

Des fermes de toit de maison!

Une technicienne en architecture a dessiné deux modèles de fermes de toit. Elle n'a cependant pas encore indiqué sur les plans les dimensions de ces fermes de toit. Aide-la à le faire, sachant que les dimensions sont les suivantes :

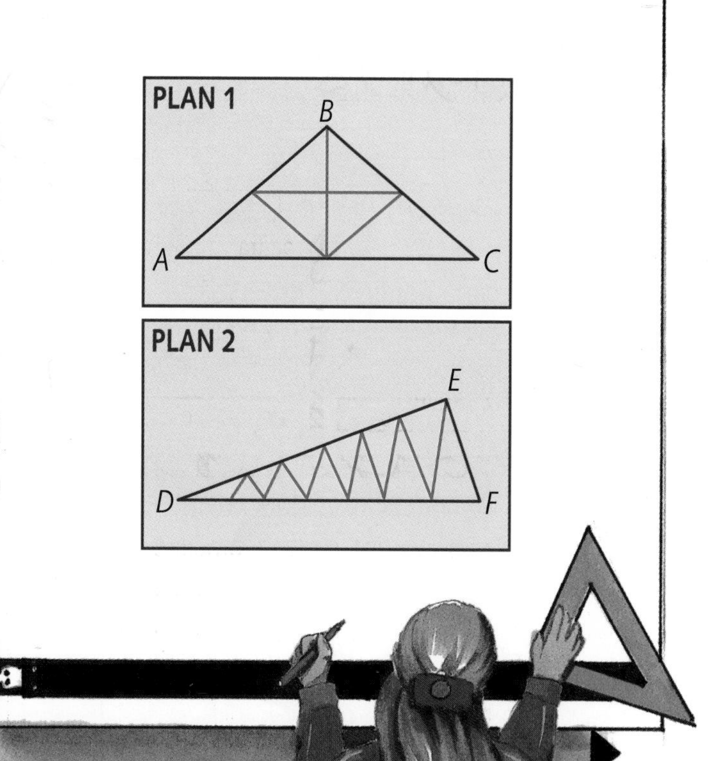

- Pourquoi les dimensions 5 m, 5 m et 10 m ne conviennent-elles pas au premier plan?
- Les dimensions 9 m, 5 m et 3 m peuvent-elles convenir au second plan?

On distingue différents cas de construction de triangles.

1° On veut construire un triangle dont on connaît **les mesures des 3 côtés.**

a) Coupe 3 bâtonnets à café à 9 cm, 3 cm et 5 cm.

b) Construis un triangle avec ces 3 bâtonnets.

c) Quelle **condition** les mesures des segments doivent-elles remplir pour que tu puisses construire un triangle avec 3 segments?

d) Remplace le bâtonnet de 3 cm par un bâtonnet de 10 cm. Combien de formes triangulaires différentes es-tu capable de construire avec ces 3 segments?

e) Voici le film de la construction d'un triangle ayant des côtés de 10 cm, 9 cm et 5 cm. En suivant ce procédé, construis ce même triangle sur une feuille.

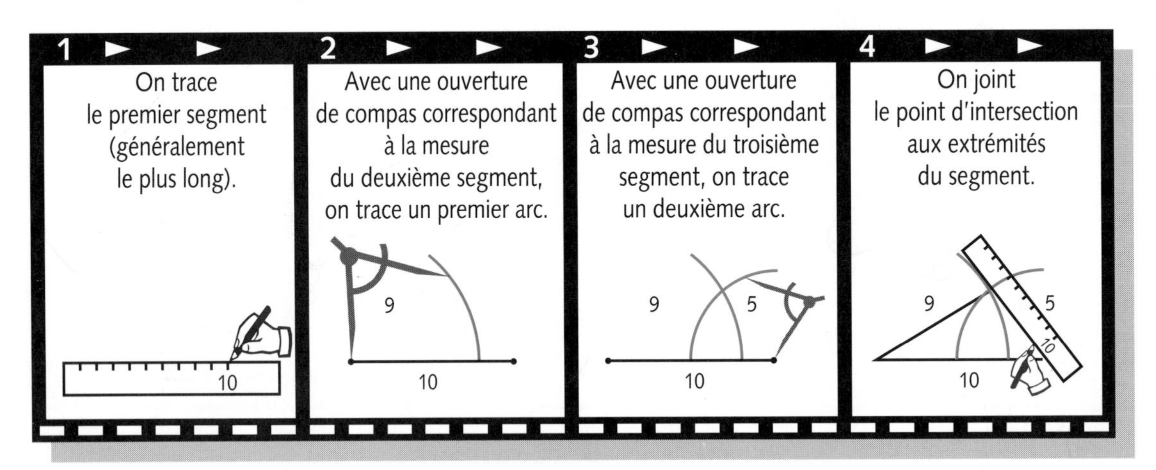

f) En utilisant le même procédé, construis un triangle dont les côtés mesurent 3 cm, 4 cm et 5 cm. Quelle sorte de triangle obtiens-tu?

g) Peut-on construire un triangle dont les mesures des côtés sont 8 cm, 6 cm et 15 cm? Explique pourquoi.

2° On veut construire un triangle dont on connaît **la longueur d'un côté et les mesures des angles situés aux extrémités.**

a) On veut construire un triangle ayant un côté de 8 cm avec des angles de 50° et 60° situés aux extrémités de ce côté.

1) Trace un segment de 8 cm.

2) Avec ton rapporteur, construis des angles de 50° et 60° aux extrémités de ce segment.

3) Complète le triangle.

b) Construis le triangle qui a des angles de 15° et 130° aux extrémités d'un côté de 6 cm.

c) Construis le triangle qui a des angles de 60° et 140° aux extrémités d'un côté de 6 cm. Qu'observe-t-on de particulier dans ce dernier cas?

d) Quelle mesure maximale totale les deux angles aux extrémités d'un segment peuvent-ils avoir lorsqu'on veut former un triangle?

3° On veut construire un triangle dont on connaît **les longueurs de deux côtés et la mesure de l'angle que forment ces deux côtés.**

a) On veut construire un triangle qui a un angle de 30° formé par des côtés de 6 cm et 9 cm.

1) Construis un angle de 30°.

2) À partir du sommet de l'angle, détermine deux côtés de 6 cm et 9 cm.

3) Trace le côté qui manque pour former un triangle.

b) Construis le triangle qui a un angle de 90° formé par des côtés de 5 cm et 9 cm.

c) Construis le triangle qui a un angle de 120° formé par des côtés de 6 cm et 8 cm.

d) Geneviève s'est amusée à construire des triangles en augmentant la mesure de l'angle, mais en gardant constantes les mesures des côtés formant cet angle.

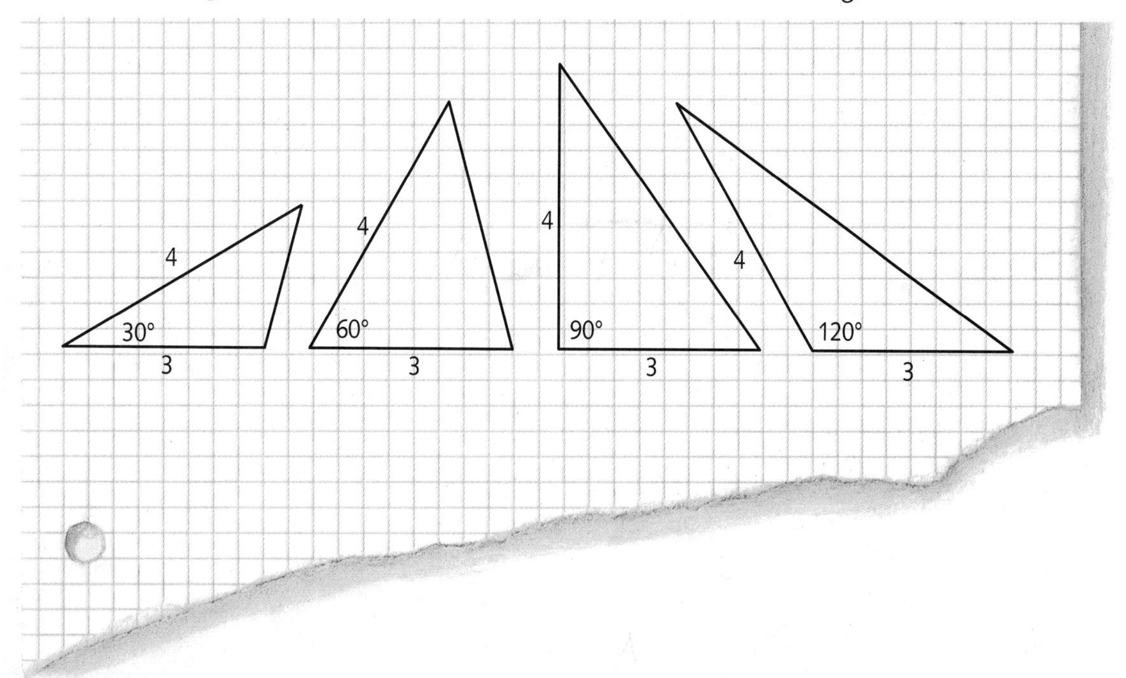

En observant ces constructions, elle fait les affirmations suivantes. Détermine lesquelles sont vraies.

1)
La mesure d'un angle dans un triangle peut varier entre 0° et 180°.
2)
Plus la mesure d'un angle est grande, plus la mesure du côté opposé à cet angle est grande.
3)
Dans un triangle, au plus grand angle est opposé le plus grand côté.
4)
Dans un triangle, au plus petit côté est opposé le plus petit angle.
CARNET DE VOYAGE

1 Construis les triangles qui ont les mesures données.

a) Trois côtés de 5 cm, 3 cm et 6 cm.

b) Un angle de 40° entre des côtés de 30 mm et 50 mm.

c) Des angles de 80° et 58° aux extrémités d'un segment de 6 cm.

d) Deux angles de 60° sur un segment de 6 cm.

e) Un angle de 150° compris entre des côtés de 2 cm et 7 cm.

2 Détermine s'il est possible de construire un triangle qui a :

a) des côtés de 6 cm, 10 cm et 2 cm;

b) des angles de 30°, 120° et 40°;

c) des côtés de 12 cm et 10 cm formant un angle de 120°;

d) des angles de 120° et 50° sur un côté de 5 cm.

3

Quel nom ou qualificatif
peut-on donner à un triangle qui a...
a) des angles de 30°, 120° et 30°?
b) des côtés de 9 cm, 12 cm et 8 cm?
c) des angles de 40° et 110°, et un côté de 3 cm?
d) des côtés de 6 cm, 6 cm et 6 cm?

4 Construis d'abord le triangle décrit. Utilise ensuite ta règle afin de déterminer la mesure du troisième côté du triangle.

a) Triangle ayant un angle de 80° compris entre des côtés de 6 cm et 8 cm.

b) Triangle ayant des côtés de 5 cm et 8 cm qui forment un angle de 40°.

5 Les mesures de côtés du triangle ci-contre sont 5,19 cm, 5,25 cm et 5,3 cm. Associe ces mesures avec le bon côté.

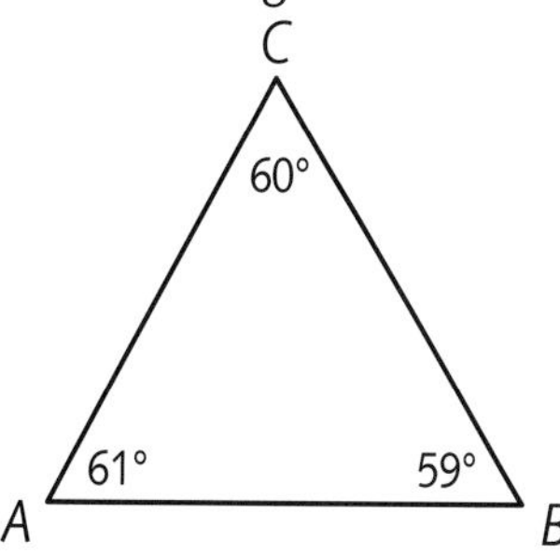

6 Construis d'abord le triangle décrit. Utilise ensuite ta règle afin de déterminer la mesure du deuxième et du troisième côté du triangle.

a) Triangle ayant des angles de 100° et 50° aux extrémités d'un côté de 6 cm.

b) Triangle ayant des angles de 60° et 60° aux extrémités d'un côté de 6 cm.

7 Construis d'abord le triangle décrit. Utilise ensuite ton rapporteur afin de déterminer la mesure des angles du triangle.

a) Triangle ayant des côtés de 8 cm, 4 cm et 6 cm.

b) Triangle ayant un angle de 80° compris entre des côtés de 4 cm et 6 cm.

8 Un triangle a des angles qui mesurent respectivement 30°, 50° et 100°. Son plus grand côté mesure 6 cm et son plus petit côté mesure 3,04 cm. Quelle est la mesure de l'angle qui fait face à l'autre côté?

9

Deux triangles qui ont exactement les mêmes mesures d'angles ont-ils nécessairement les mêmes mesures de côtés?

Philosophe et mathématicien grec du VIe siècle, Pythagore fit d'importantes découvertes : la table de multiplication, le système décimal et la preuve de la relation entre les côtés d'un triangle rectangle.

10 Qu'est-ce qui est illogique dans chaque cas?

a)

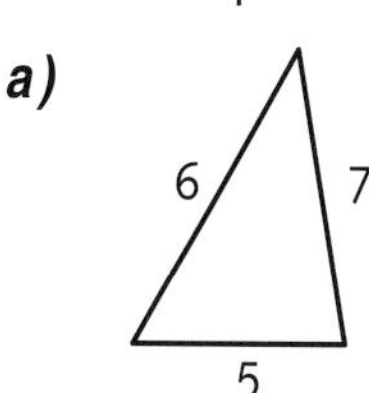

b)

3
5
9

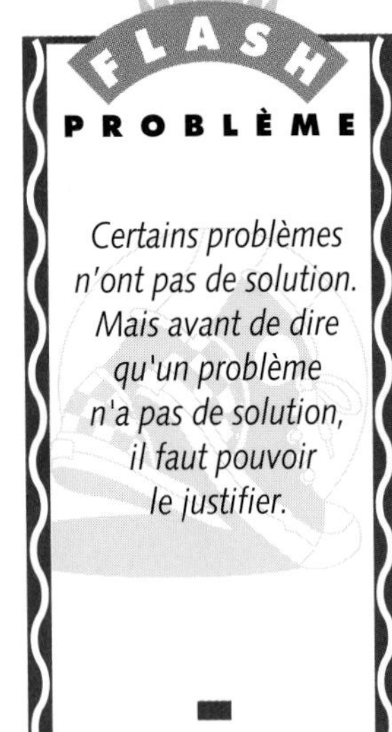

11 On n'a pas toujours de solution pour tout, même en mathématique.

a) Construis le triangle rectangle qui a deux angles de 50°.

b) Construis le triangle isocèle qui a deux angles de 100°.

12

Comment peux-tu disposer deux triangles équilatéraux pour former un carré?

13 En ne déplaçant qu'un seul segment, place la graine dans une pelle à poussière.

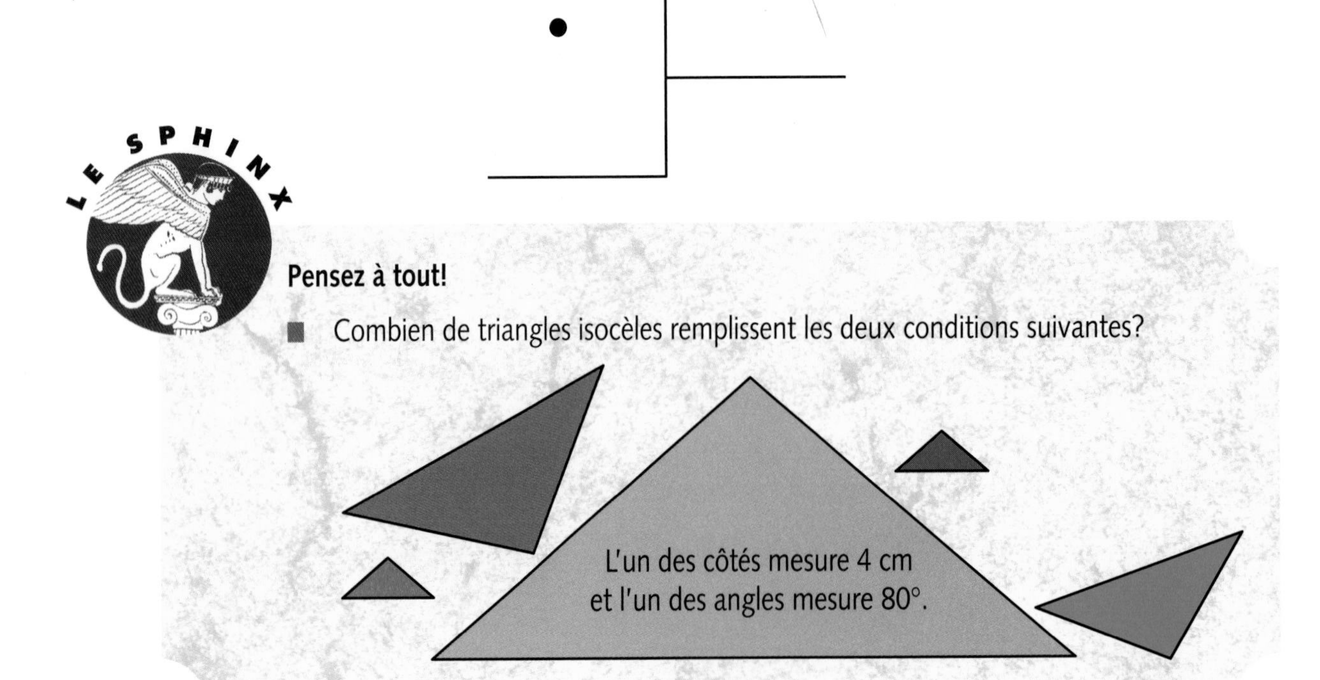

LE SPHINX
L'un des côtés mesure 4 cm et l'un des angles mesure 80°.

Pensez à tout!

- Combien de triangles isocèles remplissent les deux conditions suivantes?

LES QUADRILATÈRES

Les formes humaines!

Ces deux photos aériennes montrent que l'être humain a tendance à quadriller la terre...

- Quelle est la forme de quadrilatère la plus répandue sur les terres agricoles?
- Dans les différentes constructions (maisons, édifices, etc.), quelle est la forme la plus courante?
- Est-il vrai que l'être humain recherche la perpendicularité, ou les angles droits, dans ses constructions?

Un quadrilatère est un polygone à 4 côtés. On classe les quadrilatères d'après les caractéristiques de leurs côtés ou de leurs angles.

Nom	Caractéristique	Illustration
trapèze	quadrilatère qui a au moins deux côtés parallèles	
parallélogramme	trapèze qui a ses côtés parallèles deux à deux	
rectangle	parallélogramme qui a ses angles droits	
losange	parallélogramme qui a ses côtés congrus	
carré	parallélogramme qui a ses côtés congrus et ses angles droits	
quadrilatère quelconque	quadrilatère qui n'a aucune paire de côtés parallèles	

CARNET DE VOYAGE

D'après cette classification, on constate qu'on a les relations suivantes entre les différents types de quadrilatères.

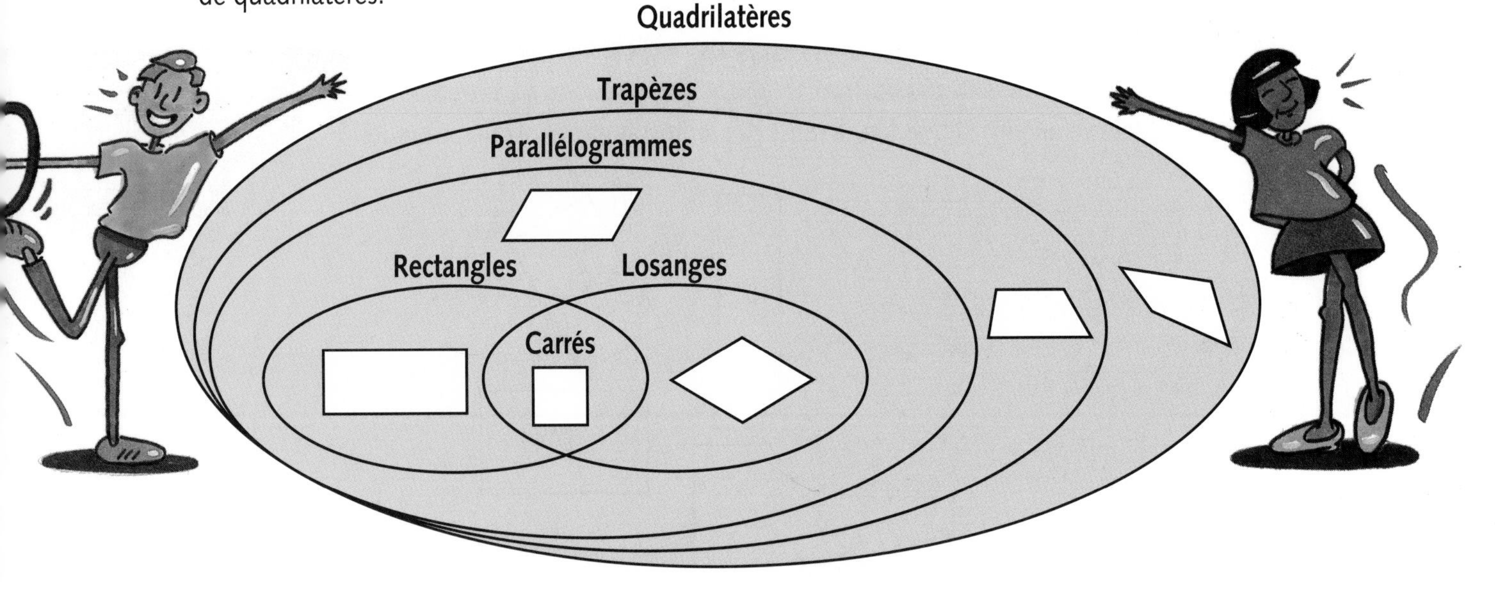

1° Tout carré est un losange, un rectangle, un parallélogramme, un trapèze et un quadrilatère.

2° Tout losange est un parallélogramme, un trapèze et un quadrilatère.

...

a) **Vrai ou faux?**

1) Tout rectangle est un parallélogramme, un trapèze et un quadrilatère.
2) Tout parallélogramme est un trapèze et un quadrilatère.
3) Tout parallélogramme est un losange.
4) Tout rectangle est un carré.
5) Les rectangles carrés sont des losanges.

On divise la classe des trapèzes en sous-catégories. Ainsi, on a :

Trapèzes

Parallélogrammes	Non-parallélogrammes
	Trapèzes rectangles Trapèzes isocèles

b) Quelle caractéristique supplémentaire :

1) les trapèzes rectangles possèdent-ils?

2) les trapèzes isocèles possèdent-ils?

1. Identifie les rectangles. Si une figure n'est pas un rectangle, explique pourquoi.

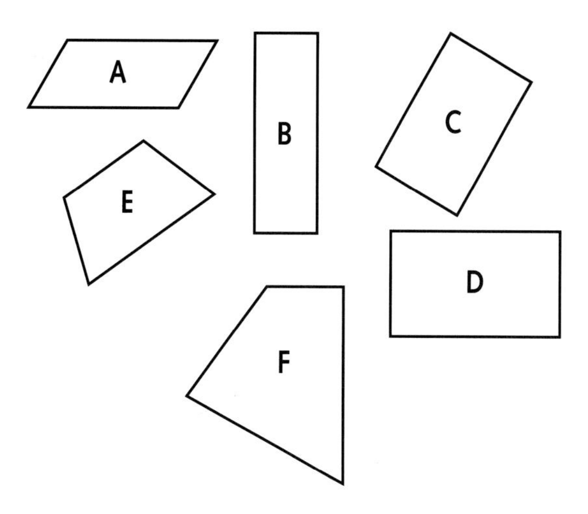

2. Trace :

a) un segment qui partage ce triangle en un trapèze isocèle et un triangle équilatéral;

b) deux segments qui partagent ce triangle en deux trapèzes rectangles et un triangle équilatéral.

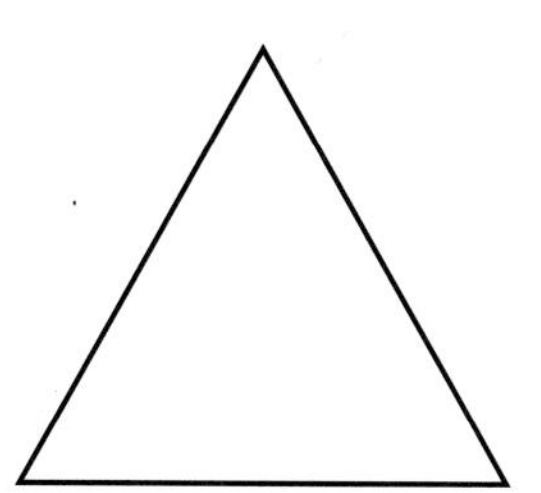

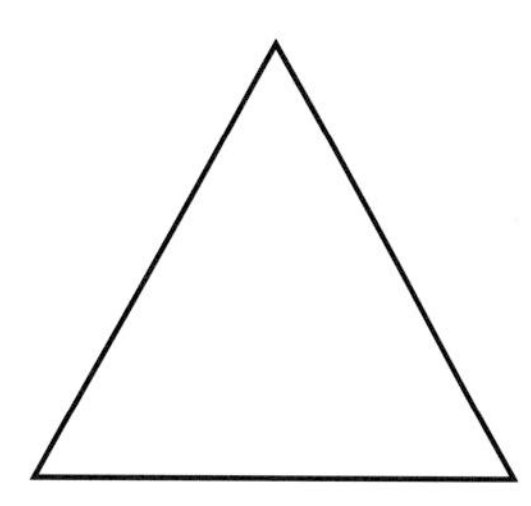

3. Si l'on recouvre ce hibou à l'aide des pièces ci-contre, lesquelles ne seront pas utilisées?

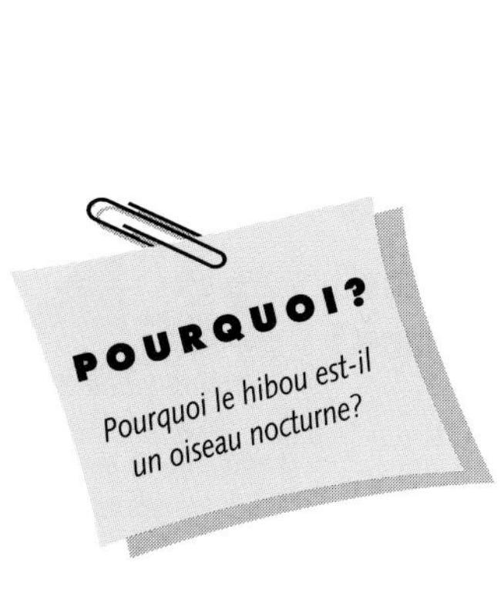

POURQUOI?
Pourquoi le hibou est-il un oiseau nocturne?

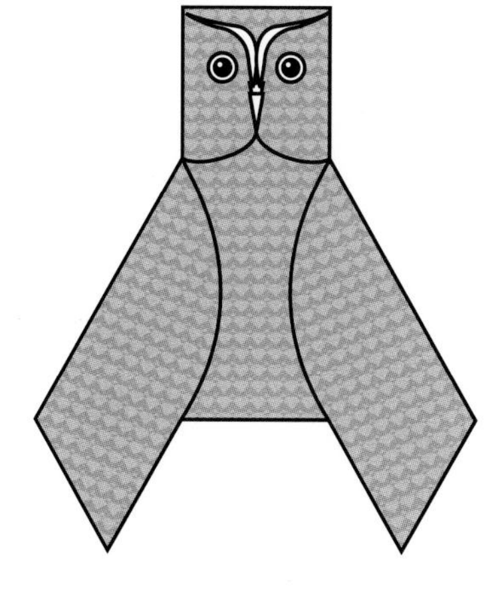

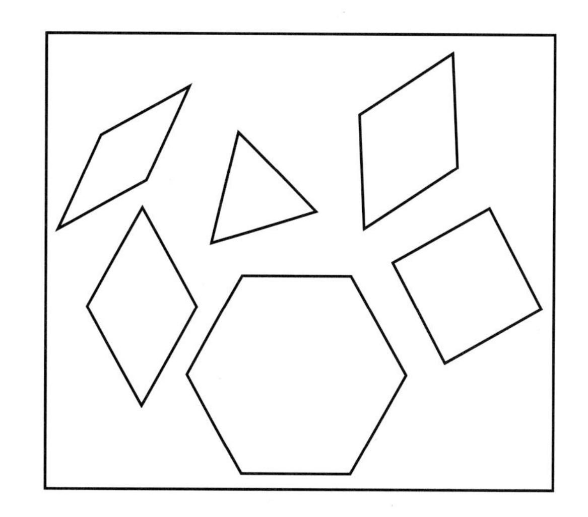

4 Sachant qu'un coin signale un angle droit, qu'un même nombre de traits sur des côtés ou des angles signifie qu'ils sont congrus et qu'un même nombre de flèches sur des côtés signifie qu'ils sont parallèles, trouve le nom de la figure qui traduit la caractéristique illustrée.

a)

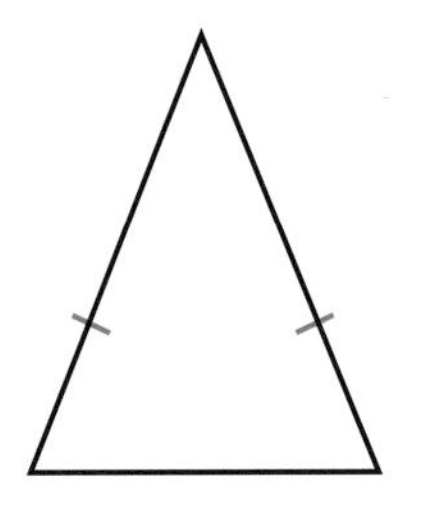

b)

c)

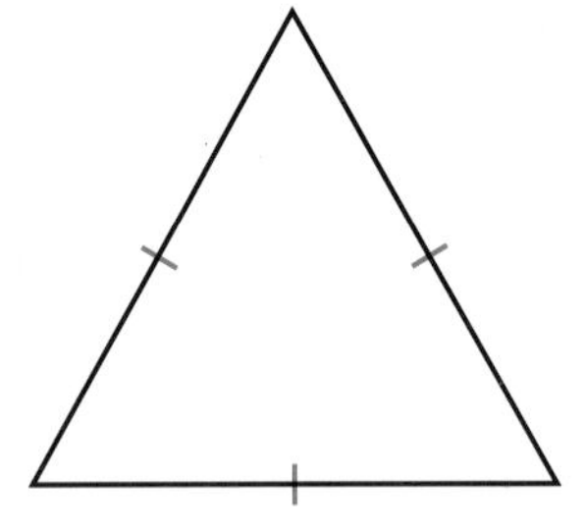

d)

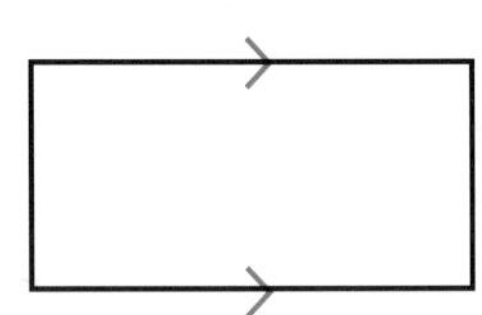

e)

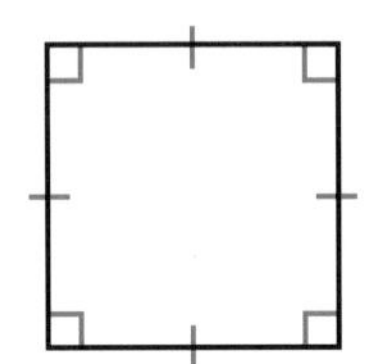

f)

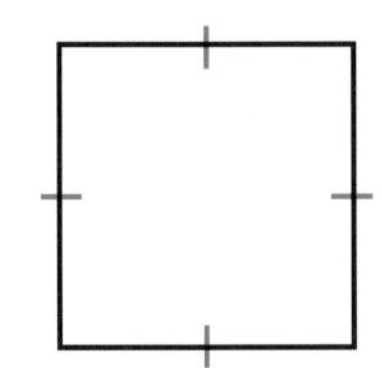

g)

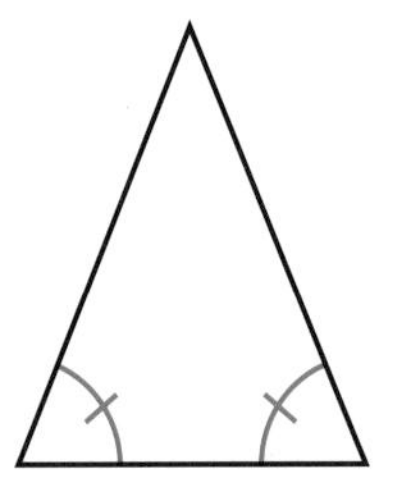

h)

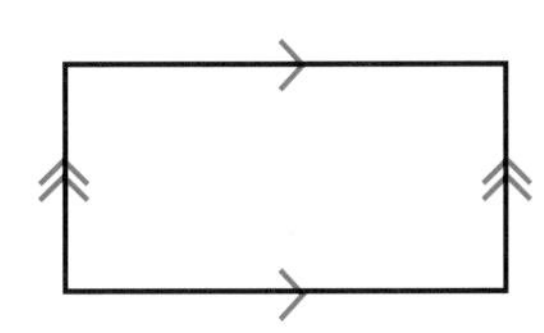

i)

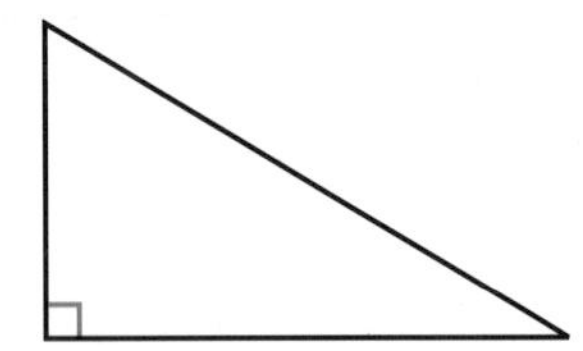

j)

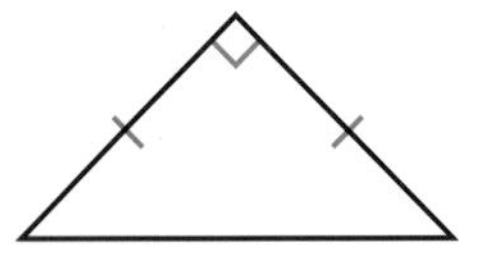

5 Dessine un cube coupé de façon à montrer :

a) un triangle équilatéral;

b) un carré;

c) un rectangle;

d) un trapèze non rectangle;

e) un trapèze isocèle non rectangle.

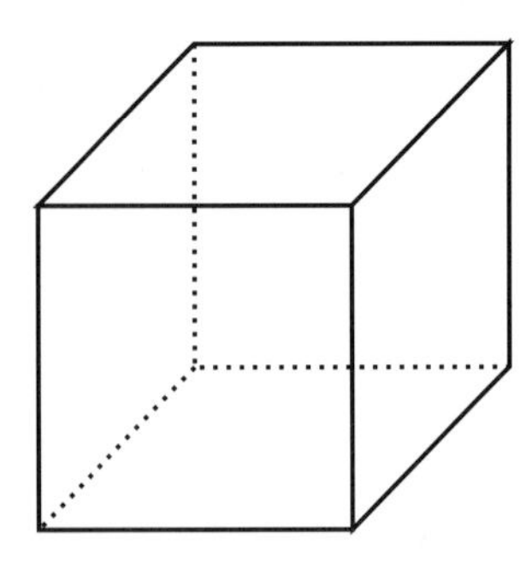

6. On place un miroir sur la figure à l'endroit indiqué. Quelle sorte de figure forme-t-on?

a)

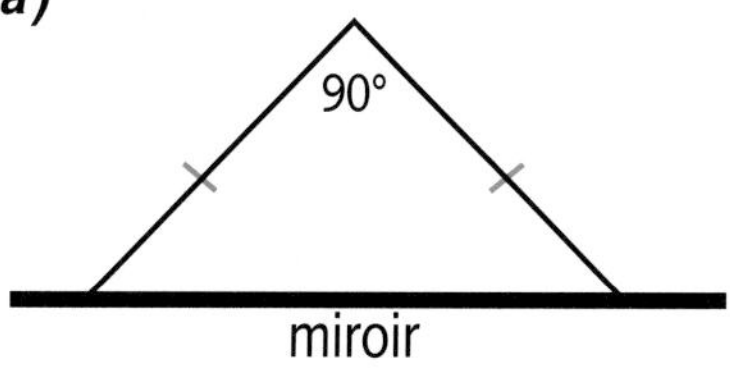

b)

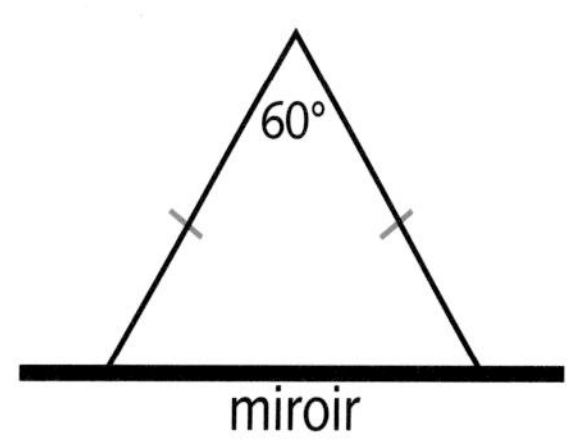

c)

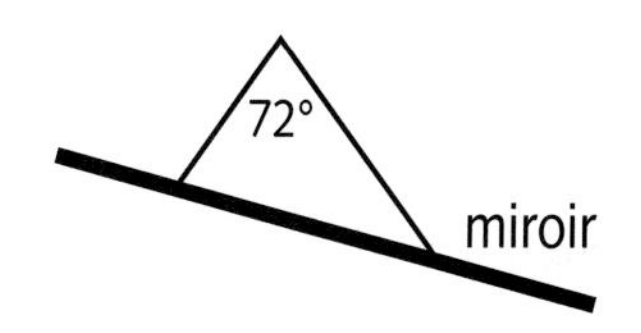

d) Le miroir est parallèle à l'un des segments.

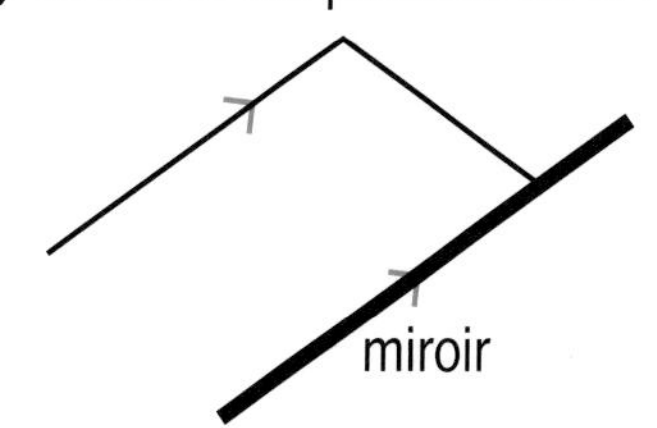

7. Quelle sorte de quadrilatère l'image et la figure initiale forment-elles dans chaque cas?

a)

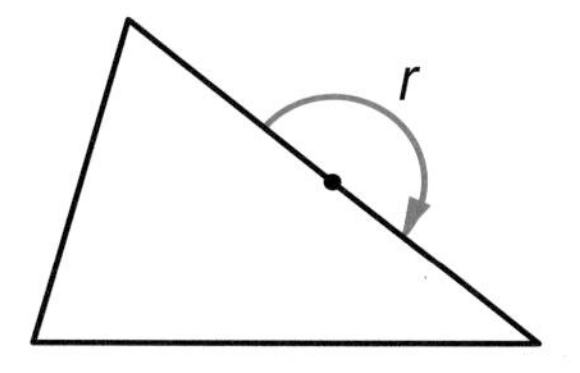

b)

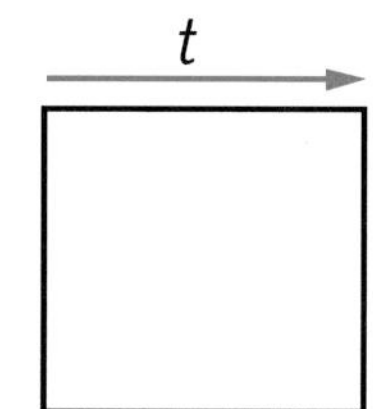

c)

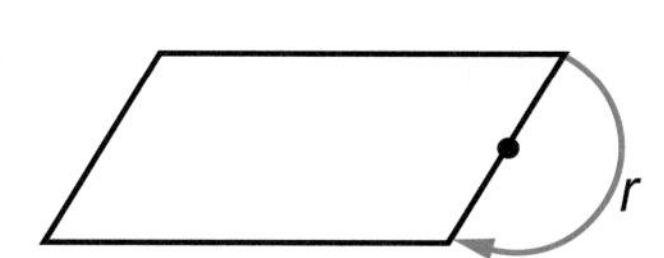

d)

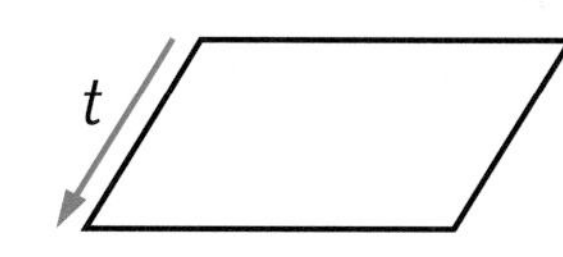

e)

f)

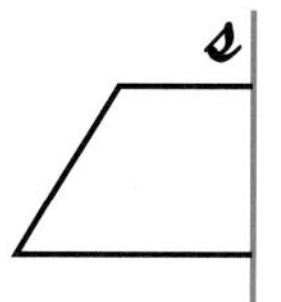

8. Voici des quadrilatères quelconques. Joins par un segment les points milieux des côtés consécutifs et détermine quelle sorte de figure est ainsi formée dans chaque cas.

a)

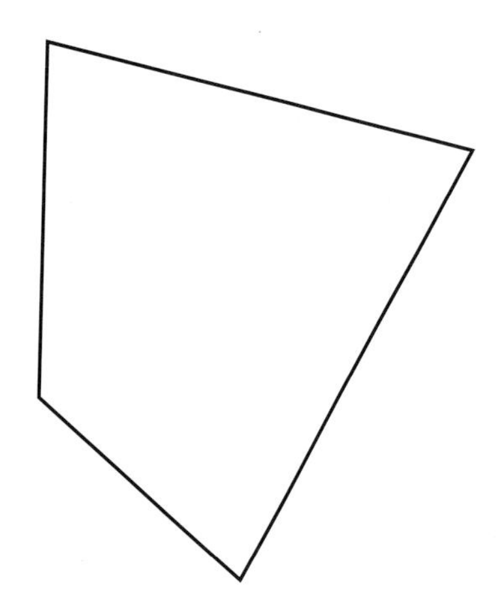

b)

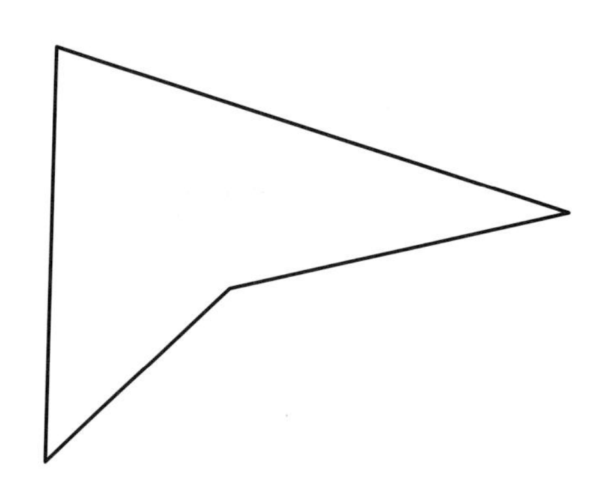

c)

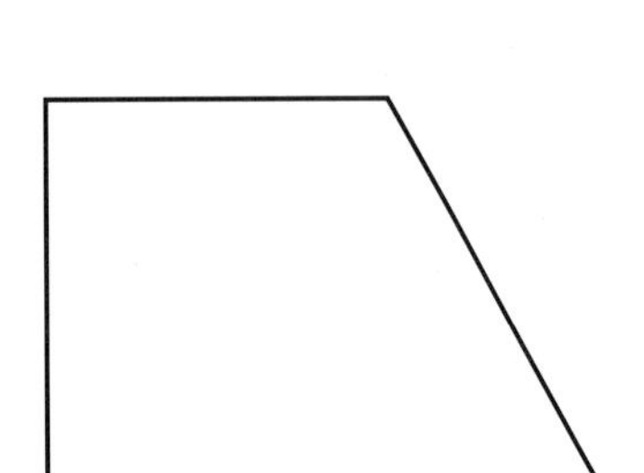

d)

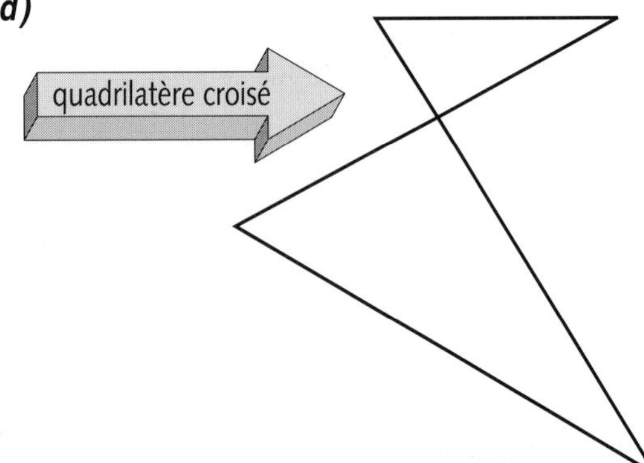

9. Si cela est possible, trace :

a) deux carrés non congrus en ne reliant dans chaque cas que 4 points du géoplan;

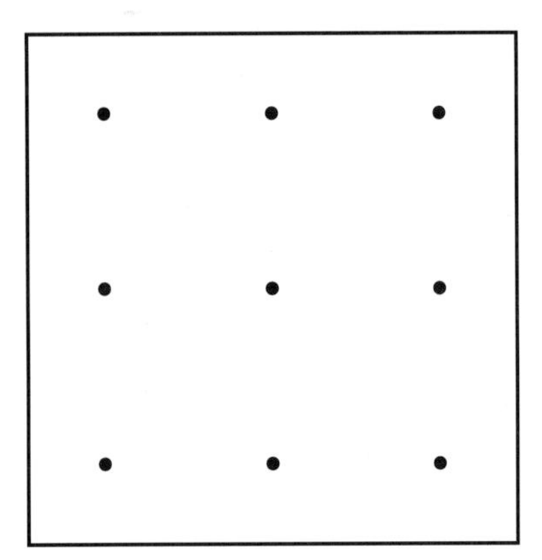

b) un quadrilatère quelconque en ne reliant que 4 points du géoplan.

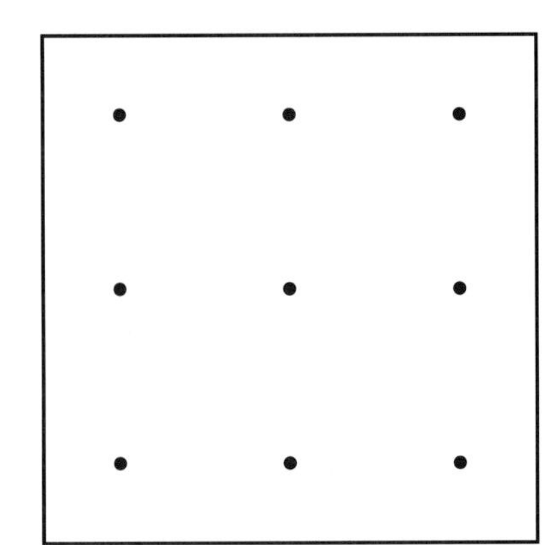

10 Quelle est la forme de la face obtenue si l'on coupe le solide tel que l'indique la corde?

a)

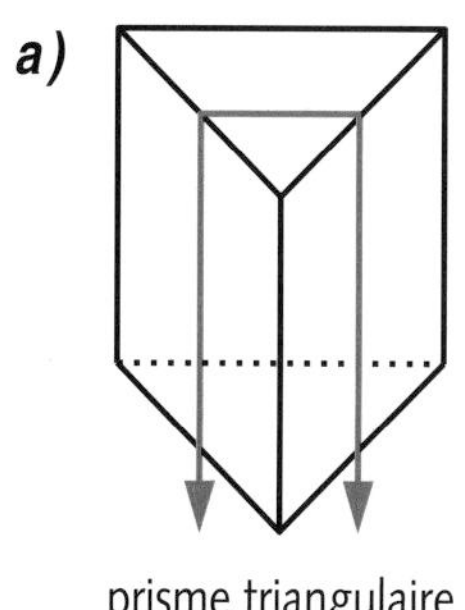

prisme triangulaire

b)

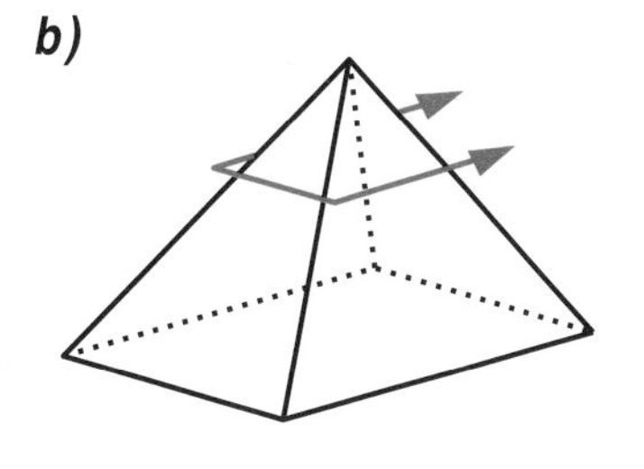

pyramide à base carrée

c)

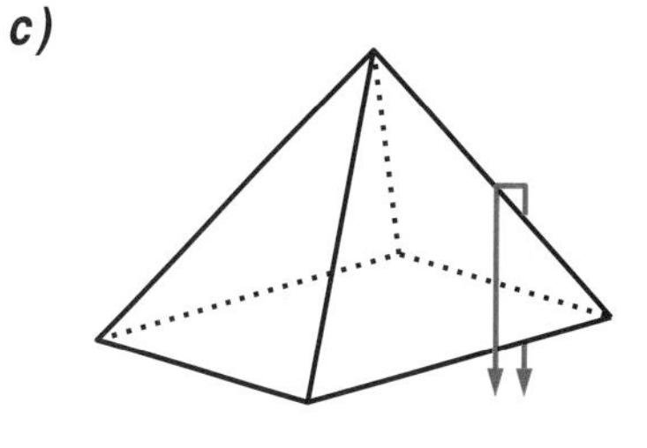

pyramide à base rectangulaire

11 Comment disposerais-tu les deux triangles isocèles congrus ci-dessous afin de former :

a) un parallélogramme losange?

b) un parallélogramme non losange?

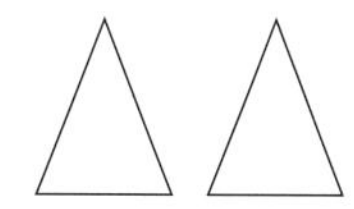

12 Jacques a-t-il raison?

Si l'on fait coïncider parfaitement un côté de chacun de deux triangles équilatéraux congrus, on forme nécessairement un losange.

13 Un losange est à l'origine de cette suite.

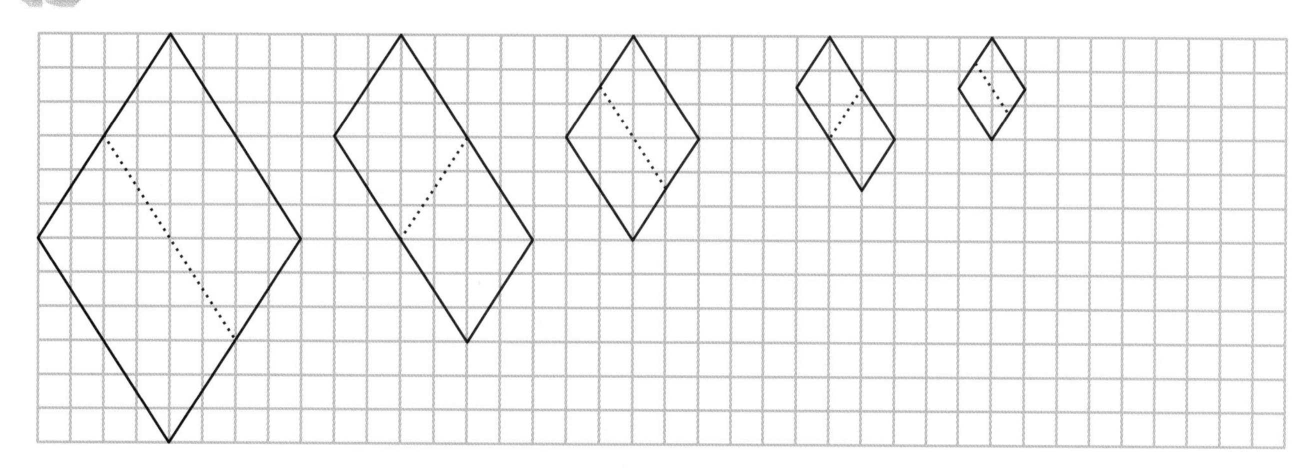

Nomme chacune des figures selon les caractéristiques de ses angles et de ses côtés.

14. Outre les caractéristiques de base par lesquelles on les définit, certains quadrilatères possèdent d'autres propriétés. On énumère dans ce tableau un certain nombre de ces propriétés. Marque la case d'un X si le quadrilatère correspondant possède la propriété nommée.

Propriété \ Quadrilatère	Carré	Losange	Rectangle	Parallélogramme	Trapèze rectangle	Trapèze isocèle	Trapèze
1. Tous les côtés sont congrus.							
2. Tous les angles sont congrus.							
3. Les côtés opposés sont congrus.							
4. Les angles opposés sont congrus.							
5. Les angles sont droits.							
6. Les angles consécutifs sont supplémentaires.							
7. Les diagonales sont congrues.							
8. Les diagonales se coupent en leur milieu.							
9. Les diagonales se coupent perpendiculairement.							
10. Les diagonales sont des axes de symétrie.							
11. La figure admet au moins un axe de symétrie.							

15 La figure $ABCD$ est un carré de 3 m de côté et la diagonale $\overline{BD}$ mesure 4,24 m. Sans mesurer, déduis :

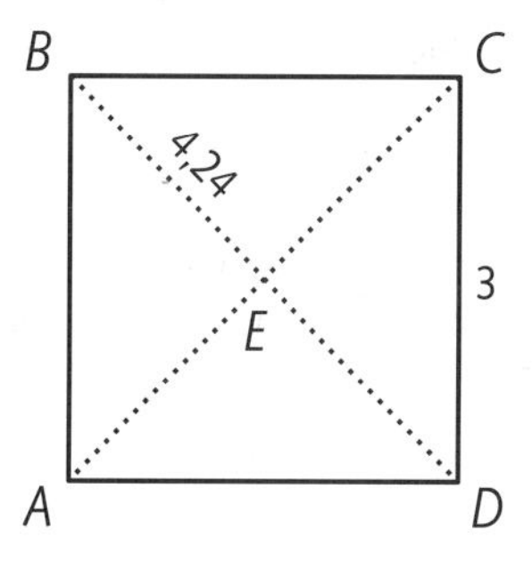

a) m $\overline{DA}$

b) m $\overline{AE}$

c) m $\overline{BC}$

d) m $\overline{AC}$

e) m $\angle A$

16 Le quadrilatère $ABCD$ est un rectangle et ses mesures de côtés sont données en décimètres. Sans mesurer, déduis :

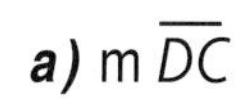

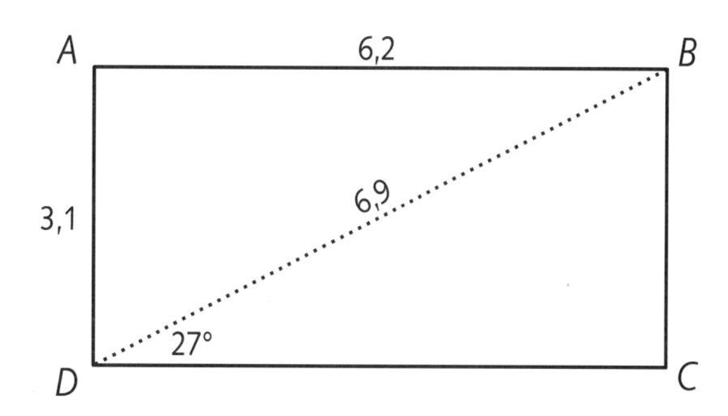

a) m $\overline{DC}$

b) m $\overline{AC}$

c) m $\angle ADC$

d) m $\angle C$

17 Le quadrilatère $ABCD$ est un parallélogramme et ses mesures de côtés sont données en centimètres. L'angle A mesure 21°, m $\overline{EB}$ = 1,1 cm et m $\overline{EC}$ = 5,4 cm. Sans mesurer, déduis :

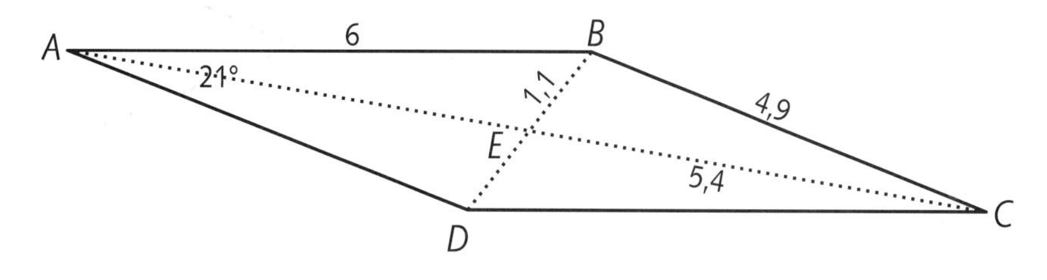

a) m $\overline{AE}$

b) m $\angle C$

c) m $\angle D$

d) m $\overline{AD}$

e) m $\overline{DE}$

18 Le quadrilatère $ABCD$ est un losange de 5,8 cm de côté, m $\overline{BE}$ = 2,2 cm et m $\overline{EC}$ = 5,4 cm. Sans mesurer, déduis :

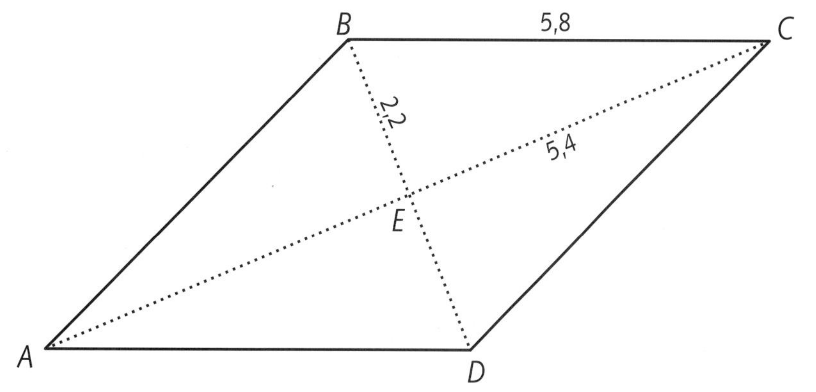

a) m $\angle AED$

b) m $\overline{AE}$

c) m $\overline{AD}$

d) m $\overline{BD}$

19. Un travailleur en construction doit marquer par des repères le rectangle où seront placées les fondations d'un édifice. Son seul instrument est un décamètre à ruban. Jusqu'à présent, il a repéré 4 points. De plus, il est certain que chaque côté a la bonne mesure. Cependant, il n'est pas certain que ces 4 points forment un rectangle. Comment peut-il s'en assurer en utilisant seulement son décamètre à ruban?
(Suggestion : s'aider de l'une des propriétés du rectangle.)

A   B

D C

20. On peut déterminer si une figure est un losange en vérifiant si les côtés sont congrus ou encore en vérifiant si les diagonales se coupent perpendiculairement en leur milieu. En utilisant le second moyen, découvre les figures qui sont des losanges.

a)

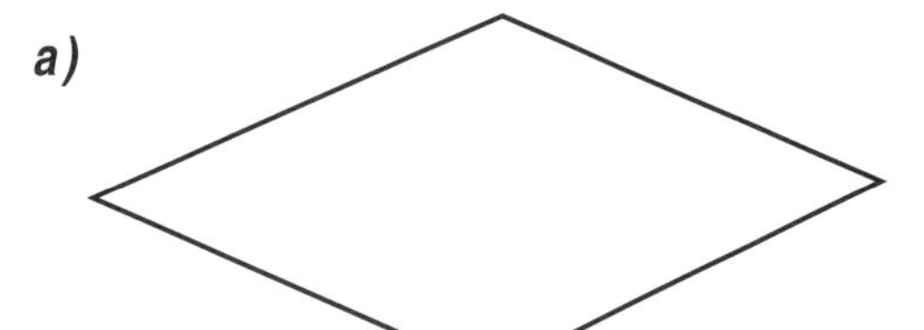

b)

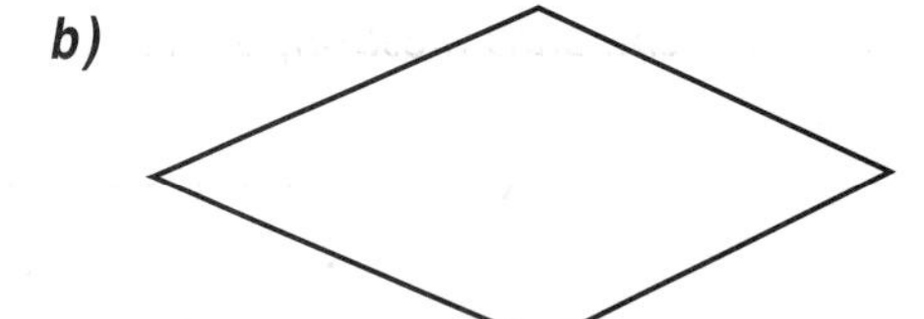

c)

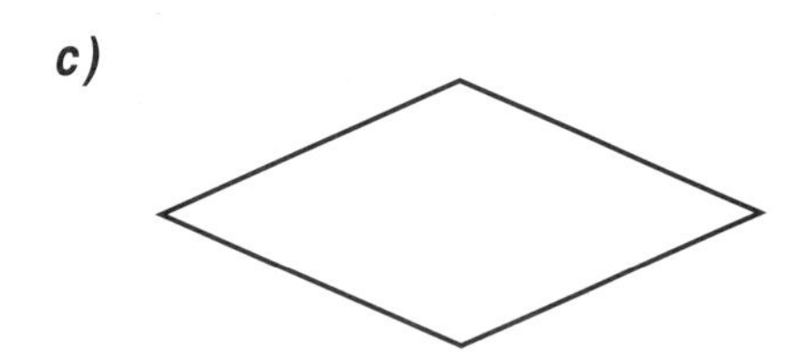

d)

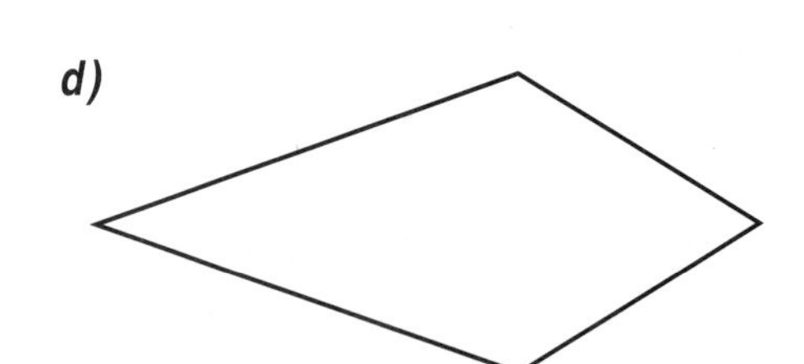

21. Quelle propriété du losange les cerfs-volants possèdent-ils?

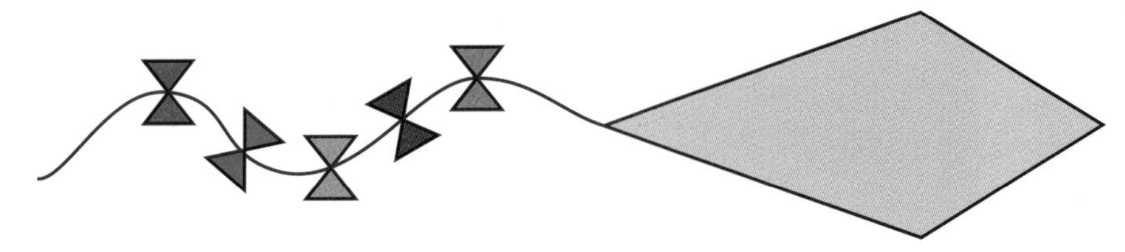

POURQUOI?
Pourquoi le cerf-volant
peut-il voler?

22. Quelles sont les propriétés que possède :

a) le rectangle et que ne possède pas le parallélogramme?

b) le losange et que ne possède pas le rectangle?

c) le carré et que ne possède pas le losange?

23 Complète la phrase qui traduit chaque illustration.

a)

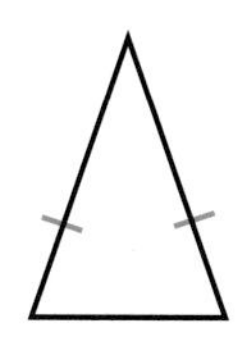

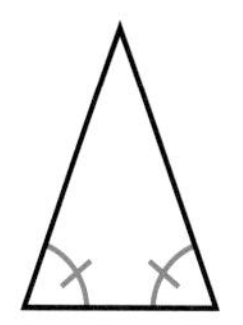

Si un triangle est isocèle, alors il est _____.

b)

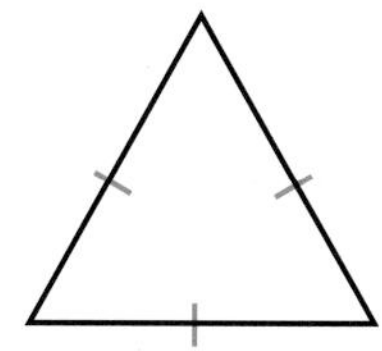

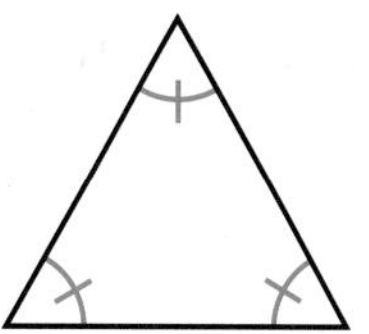

Si un triangle est équilatéral, alors il est _____.

c)

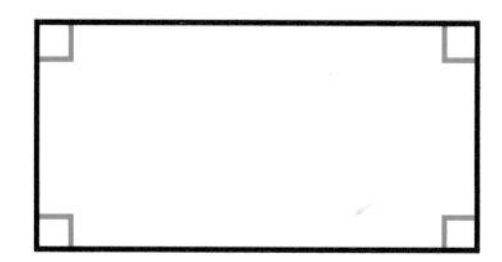

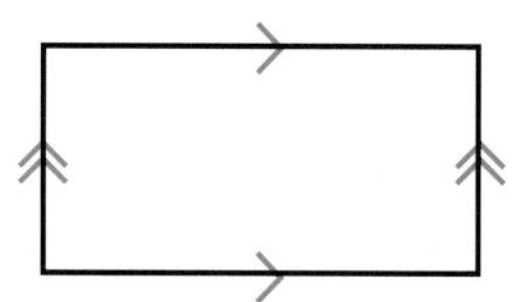

Si un quadrilatère est un rectangle, alors il est un _____.

d)

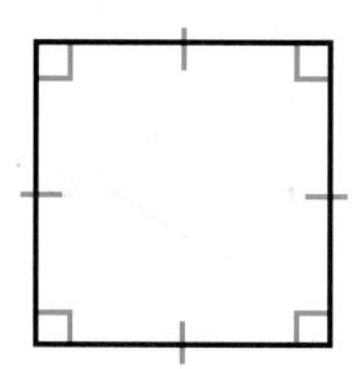

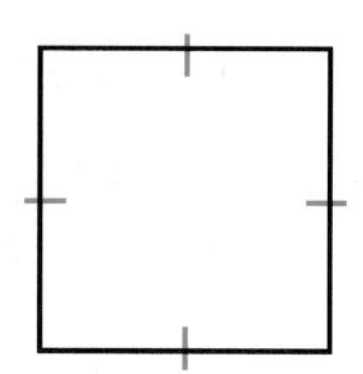

Si un quadrilatère est un carré, alors il est un _____.

e)

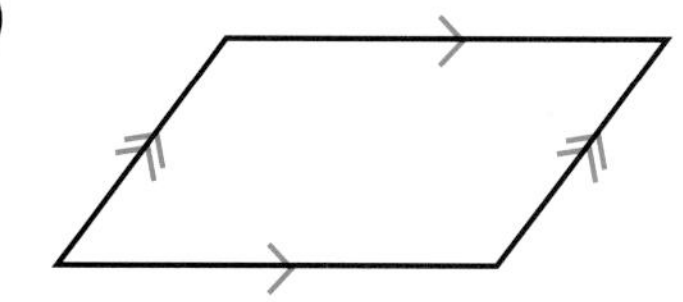

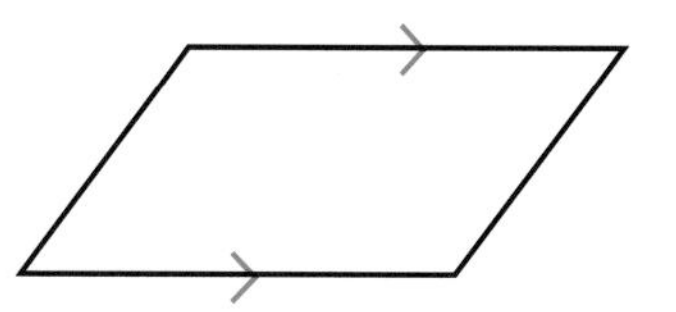

Si un quadrilatère est un parallélogramme, alors il est un _____.

24 On a formé un losange à l'aide de deux triangles équilatéraux. Déduis les mesures des angles du losange.

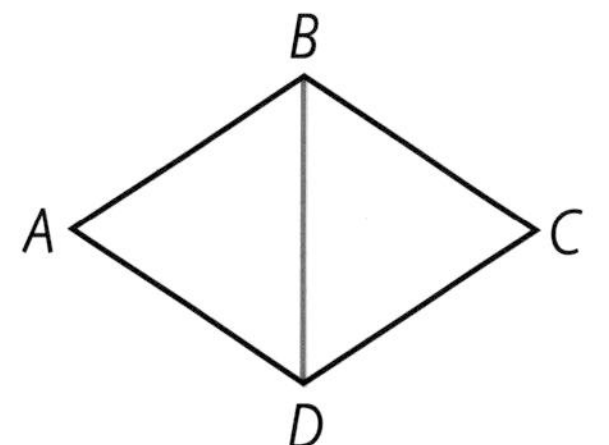

25 Dans un carré, on trace la diagonale $\overline{AC}$. Déduis la mesure de l'angle *CAB*.

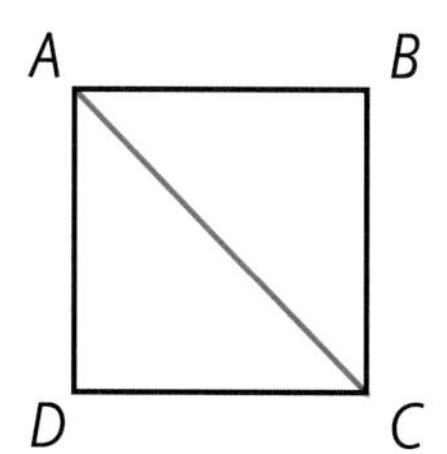

26 On a formé un trapèze rectangle à l'aide d'un rectangle et d'un triangle rectangle. Sachant que l'angle *C* mesure 58°, déduis la mesure de l'angle *ABC*.

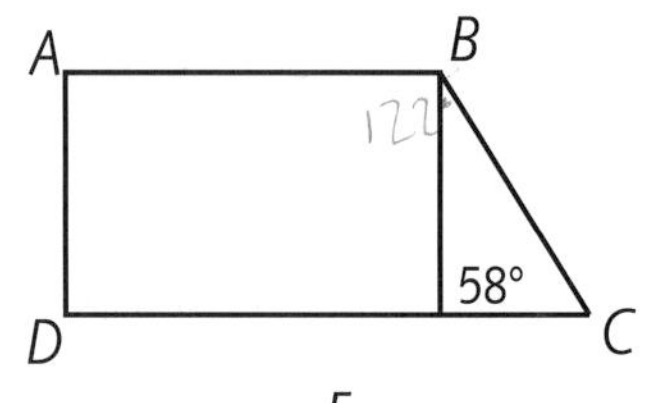

27 La diagonale $\overline{EG}$ d'un parallélogramme *DEFG* forme des angles de 40° et 80° avec les côtés. Sans rien mesurer, déduis la mesure de l'angle *D*.

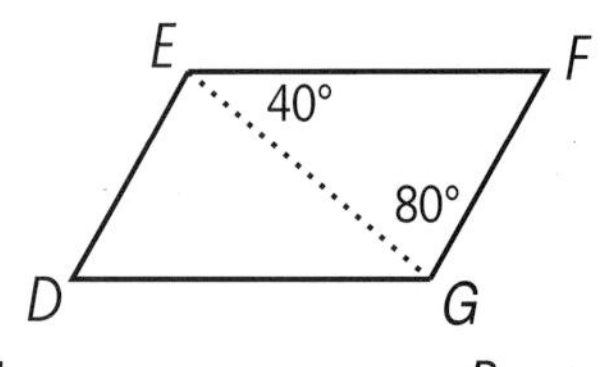

28 On a formé un trapèze isocèle à l'aide d'un rectangle et de deux triangles rectangles congrus. Sachant que m ∠ *N* = 55°, déduis m ∠ *NMP*.

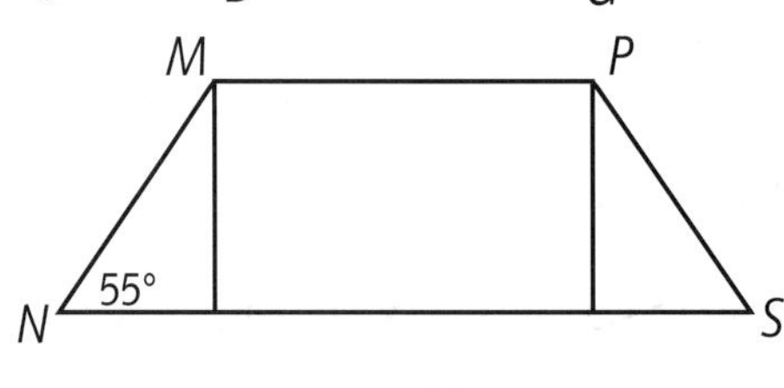

29 On a formé un trapèze rectangle à partir du triangle rectangle isocèle *STV*, comme le montre l'illustration ci-contre. Quelles caractéristiques le second triangle possède-t-il?

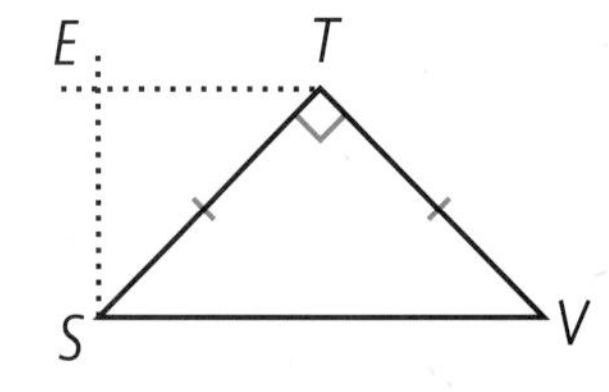

30 On forme un triangle équilatéral *ABC* à partir de l'extrémité d'un rectangle de 4 cm sur 2 cm. Quelle est m $\overline{AB}$?

31 Dans le trapèze rectangle *ABCD*, la diagonale $\overline{BD}$ mesure 3 cm et forme un angle droit avec le côté $\overline{BC}$. De plus, la mesure de ∠ C est de 45°. Déduis m $\overline{BC}$.

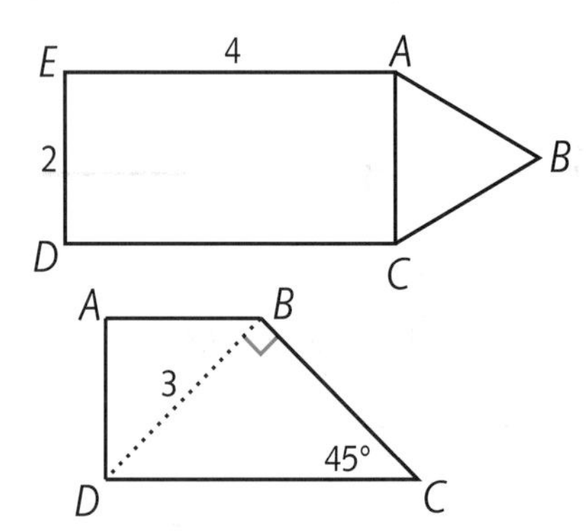

32 On trace les diagonales d'un rectangle. On forme ainsi 4 triangles isocèles. Pourquoi est-on assuré que ces triangles sont isocèles?

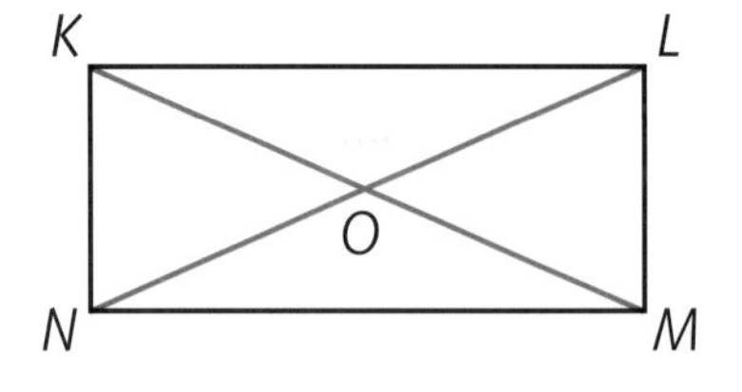

33 On trace les diagonales d'un losange. Ces diagonales mesurent respectivement 2 cm et 8 cm. Pourquoi peut-on affirmer que :

a) le Δ *XZW* est rectangle?

b) le Δ *ZXR* est isocèle?

c) la hauteur du Δ *XZT* est 1 cm?

d) la m $\overline{ZX}$ < 5 cm?

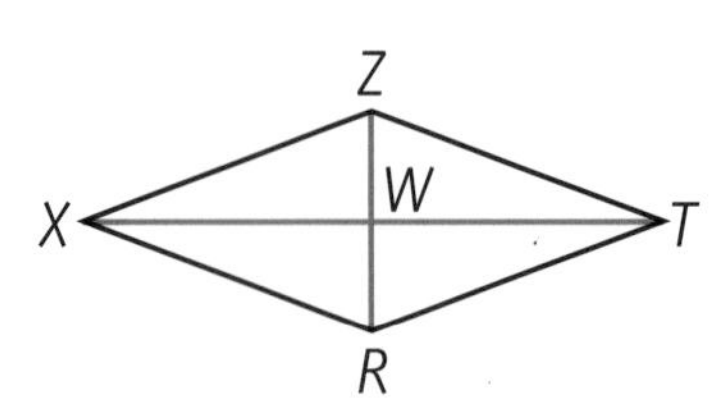

34 On forme un parallélogramme *ACDE* à partir d'un rectangle *ABCD* de 3 cm sur 2 cm, comme le montre l'illustration ci-contre.
La diagonale $\overline{CE}$ coupe le côté $\overline{AD}$ en *S*.
Donne les deux énoncés qui permettent de déduire que le point *S* est à 1,5 cm du point *A*.

35 Grâce aux propriétés des différents quadrilatères, il est souvent possible de les construire à partir d'un nombre minimal de données.

a) Quelle est l'unique donnée dont on a besoin pour construire un carré?

b) Quelles sont les deux données dont on a besoin pour construire un rectangle?

c) Voici différents parallélogrammes ayant les mêmes mesures de côtés.

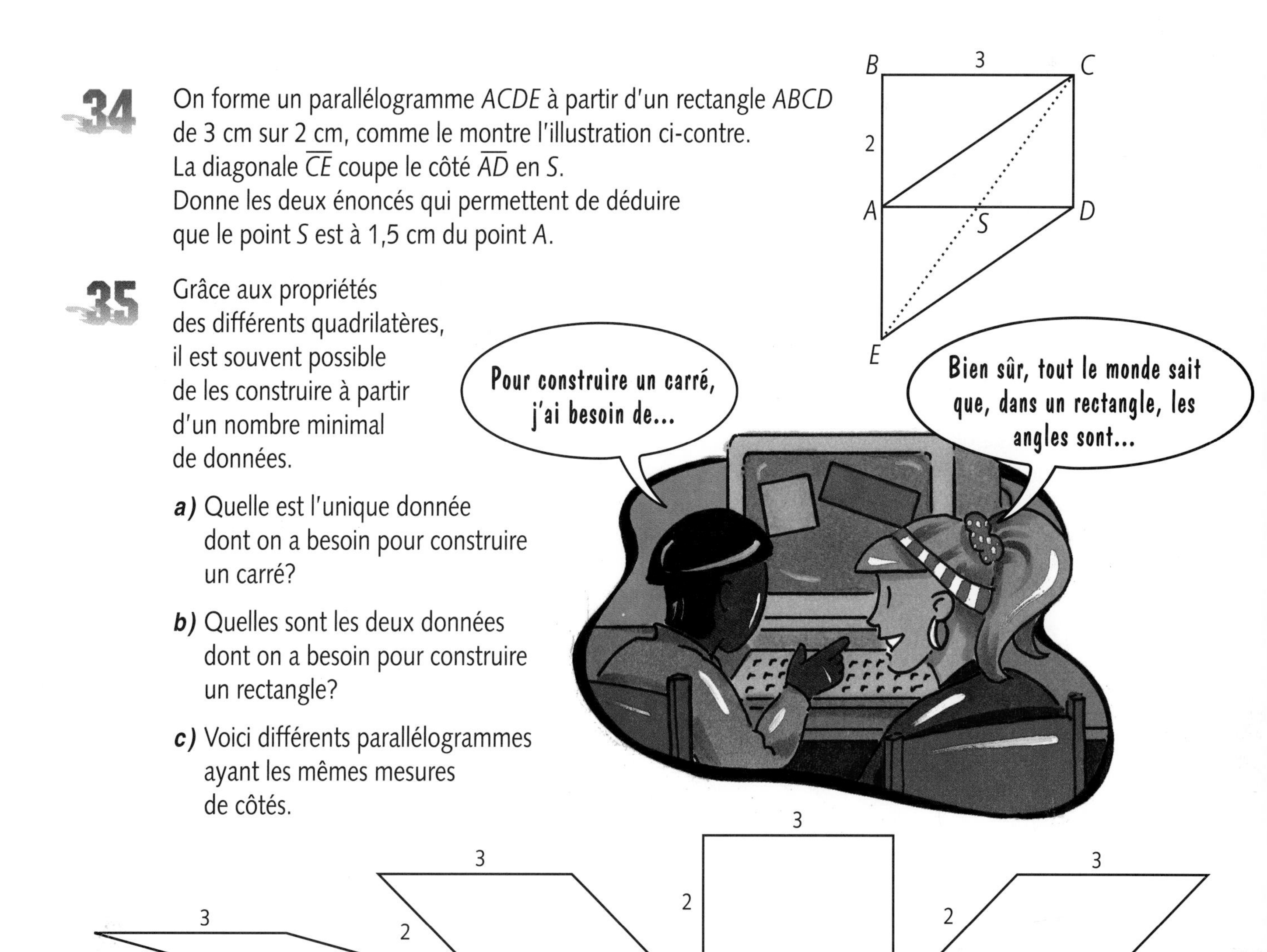

En plus des mesures des deux côtés, quelle autre mesure doit-on connaître pour construire un parallélogramme donné?

d) Voici différents losanges qui ont tous la même mesure de côté.

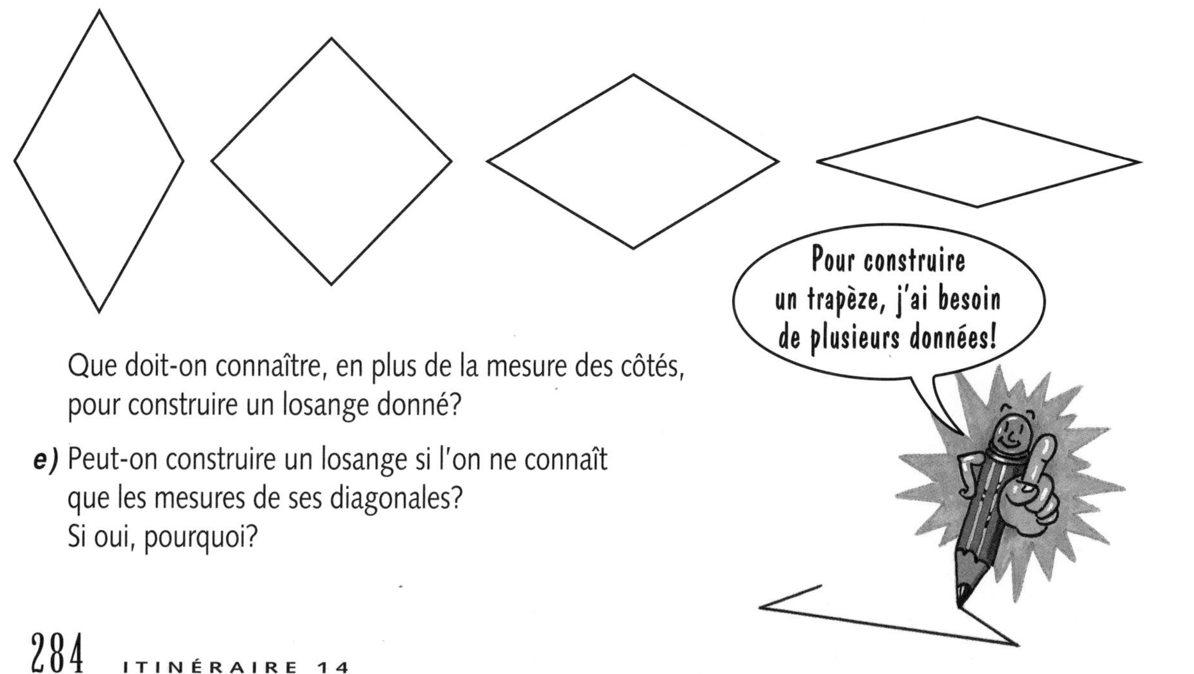

Que doit-on connaître, en plus de la mesure des côtés, pour construire un losange donné?

e) Peut-on construire un losange si l'on ne connaît que les mesures de ses diagonales?
Si oui, pourquoi?

36. À l'aide de ton rapporteur et de ta règle, complète la construction :

a) d'un carré;

b) d'un losange;

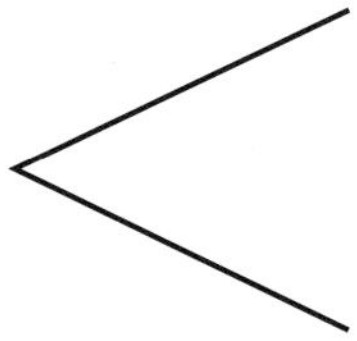

c) d'un losange;

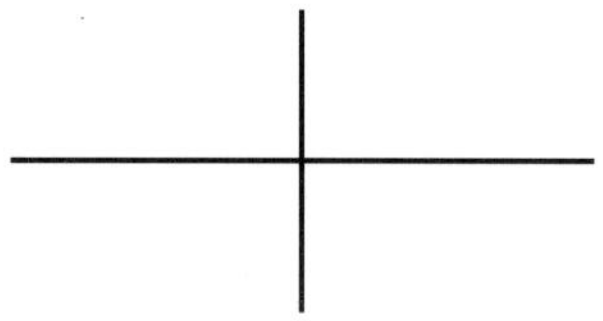

d) d'un rectangle;

e) d'un parallélogramme;

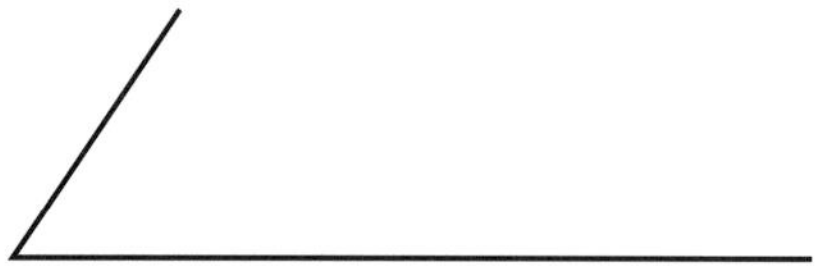

f) d'un trapèze;

g) d'un carré;

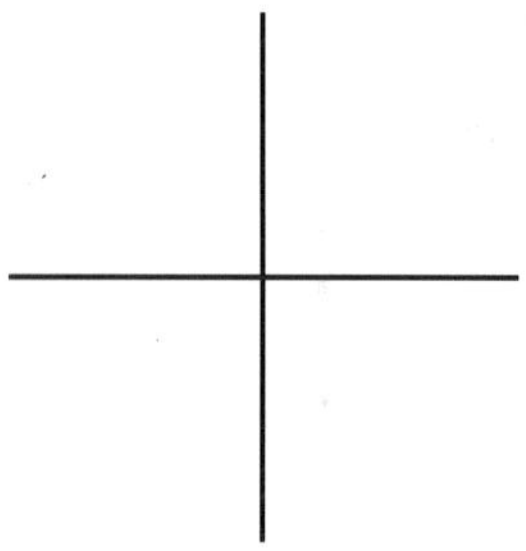

h) d'un rectangle;

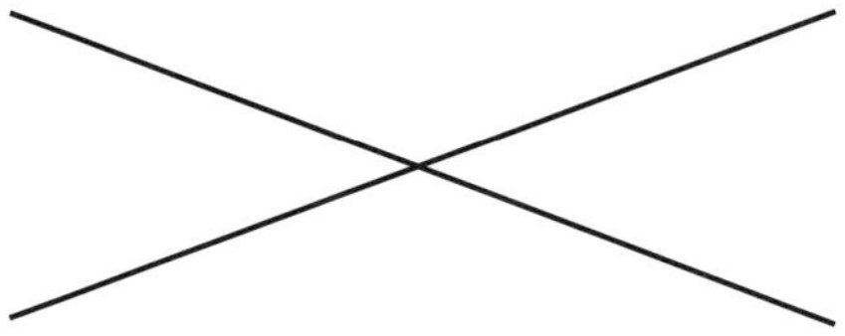

i) d'un trapèze isocèle;

j) d'un trapèze rectangle.

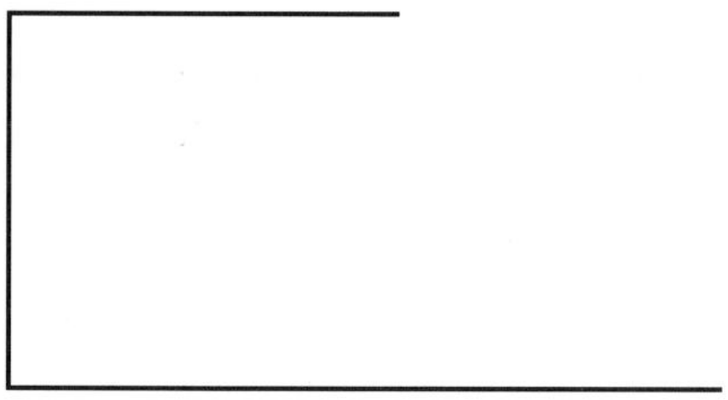

Construis dans ton cahier la figure décrite.

a) Un carré de 2,8 cm de côté.

b) Un rectangle de 2,5 cm sur 3,2 cm.

c) Un rectangle dont les diagonales, mesurant 4 cm, forment un angle de 50°.

d) Un parallélogramme dont les côtés, mesurant 3 cm et 4 cm, forment un angle de 70°.

e) Un losange dont les diagonales mesurent 5 cm et 3 cm.

f) Un losange de 5 cm de côté dont l'un des angles mesure 30°.

Trouve le périmètre d'un triangle isocèle dont deux des côtés mesurent respectivement 6 cm et 8 cm.

Dans ton cahier, place 3 points comme ceux suggérés ci-dessous, puis construis un parallélogramme en utilisant ces 3 points comme sommets.

A • *B* •

• *C*

Des parallélogrammes cylindriques!

■ Si l'on déroule le cylindre en carton d'un rouleau de papier, on obtient un parallélogramme.

Voici deux parallélogrammes que l'on a obtenus à partir d'un cylindre en carton :

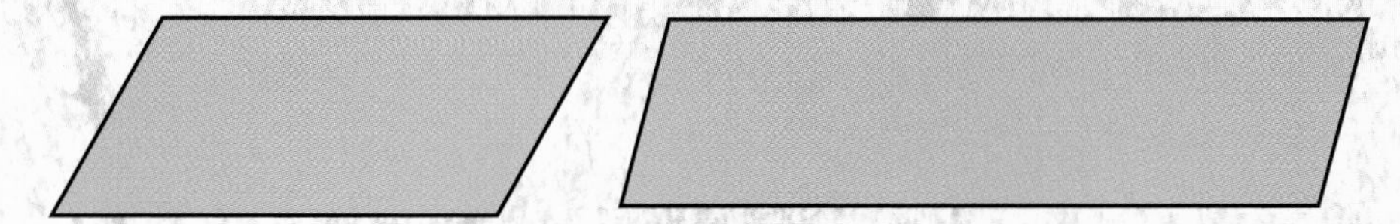

Quelle propriété les parallélogrammes qui peuvent former un cylindre possèdent-ils?

Indice : Les deux parallélogrammes suivants n'ont pas cette propriété.

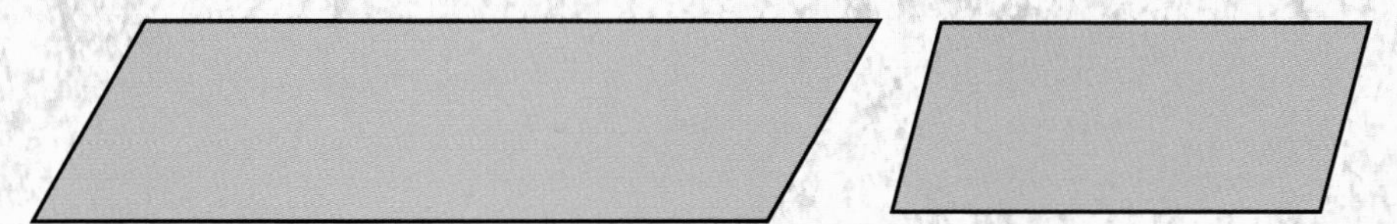

Je connais la signification des expressions suivantes :

Médiane : segment joignant un sommet au milieu du côté opposé.

Hauteur : segment, ou la longueur du segment, abaissé d'un sommet perpendiculairement au côté opposé ou à son prolongement.

Médiatrice : droite élevée perpendiculairement sur le milieu d'un côté.

Trapèze : quadrilatère qui a au moins deux côtés parallèles.

Parallélogramme : quadrilatère qui a ses côtés parallèles deux à deux.

Rectangle : quadrilatère qui a ses angles droits.

Losange : quadrilatère qui a ses côtés congrus.

Carré : quadrilatère qui a ses côtés congrus et ses angles droits.

Trapèze isocèle : trapèze qui a ses deux côtés non parallèles congrus.

Trapèze rectangle : trapèze qui a au moins un angle droit.

Angles opposés d'un quadrilatère : angles qui se font face dans un quadrilatère.

Angles consécutifs d'un quadrilatère : angles qui se suivent dans un quadrilatère.

Je maîtrise les habiletés suivantes :

Construire les hauteurs, les médianes et les médiatrices d'un triangle.

Nommer un triangle suivant les caractéristiques de ses angles et de ses côtés.

Exprimer les relations entre les différents ensembles de triangles.

Déduire ou **justifier** la mesure d'un angle ou d'un côté d'un triangle à partir des propriétés des triangles.

Construire un triangle à partir :
- des mesures des 3 côtés;
- des mesures d'un angle et des deux côtés qui forment cet angle;
- des mesures d'un côté et des angles aux extrémités de ce côté.

Nommer un quadrilatère suivant les caractéristiques de ses angles et de ses côtés.

Énoncer les propriétés des différents quadrilatères.

Exprimer les relations entre les différents ensembles de quadrilatères.

Déduire ou **justifier** la mesure d'un angle ou d'un segment en s'appuyant sur une ou des propriétés des quadrilatères.

Construire un quadrilatère à partir d'un nombre suffisant de données.

De la triangulation à la quadrature!

1. **Reproduis** ce triangle par calquage et trace :
   a) la hauteur issue de *A*;
   b) la médiane issue de *C*;
   c) la médiatrice de $\overline{BC}$.

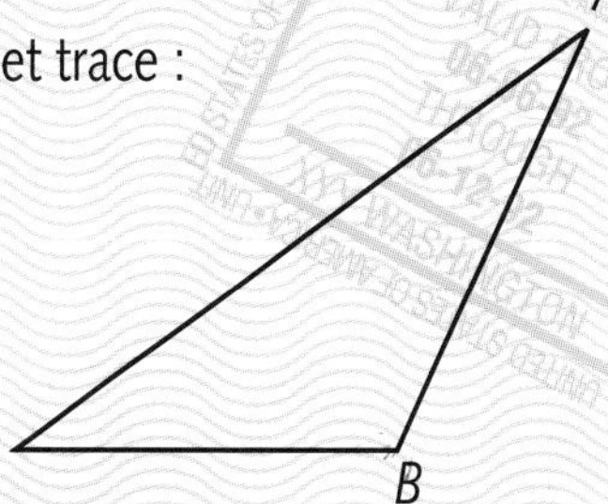

2. **Donne un qualificatif** à chaque triangle par rapport **à ses côtés.**

a)

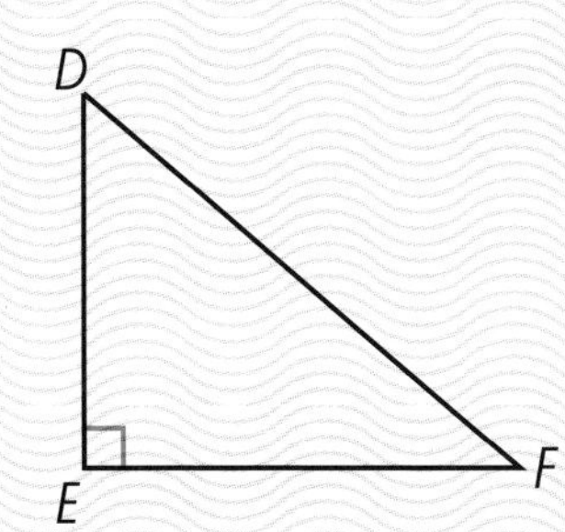

b)

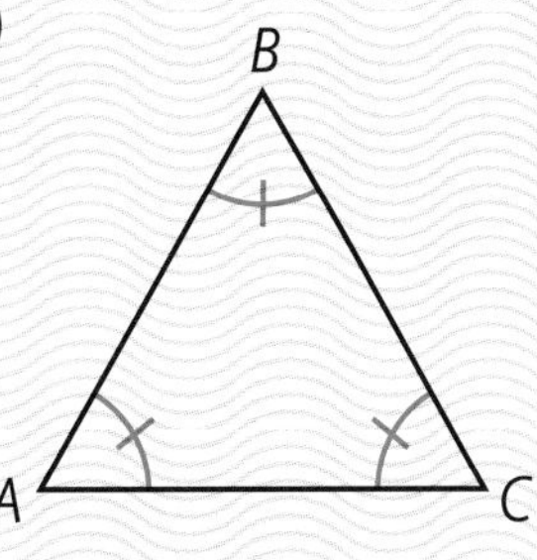

c)

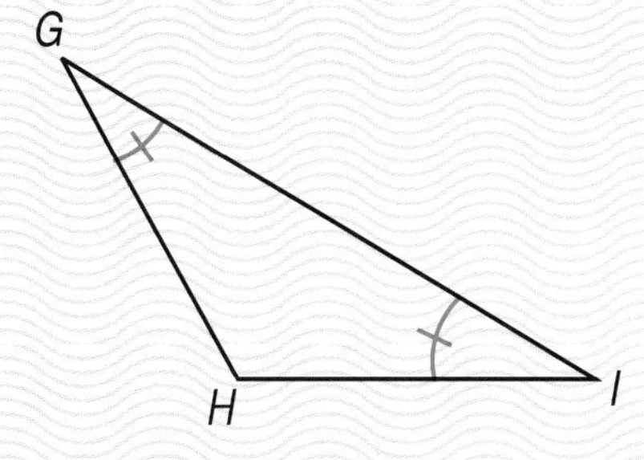

3. **Vrai ou faux?**
   a) Les triangles équilatéraux sont aussi isocèles.
   b) Certains triangles isocèles peuvent être obtusangles.
   c) Tous les triangles rectangles sont scalènes.
   d) Certains triangles équilatéraux peuvent être rectangles.
   e) Un triangle équilatéral est nécessairement acutangle.

4. **Déduis** la mesure de l'angle *A* dans chaque cas.

a)

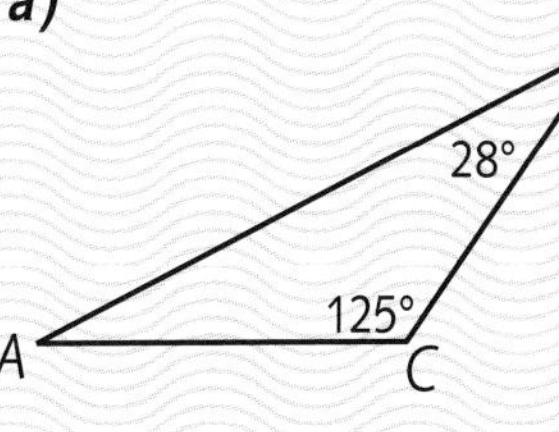

b)

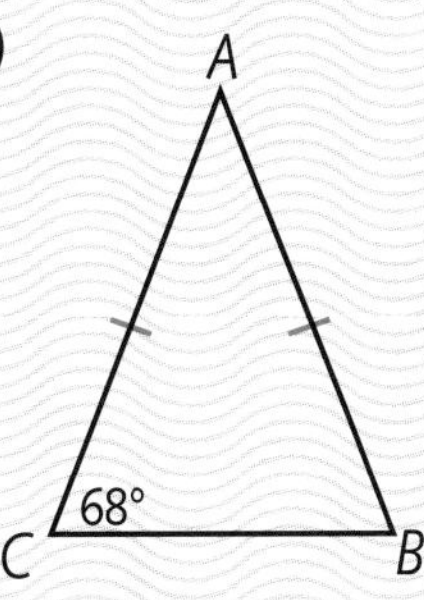

c)

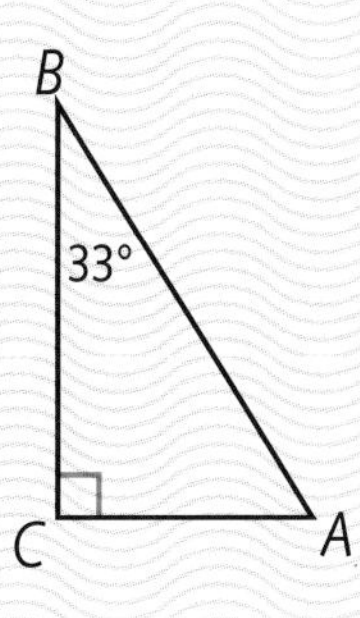

5. En te référant à la figure donnée, **déduis :**
   a) m $\overline{CE}$;
   b) m $\overline{DB}$.

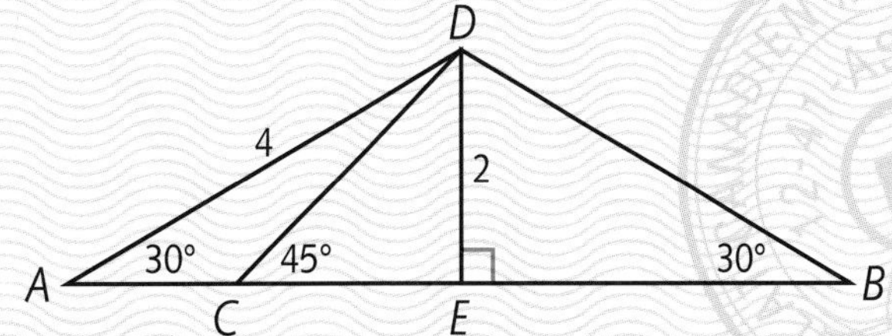

6. À l'aide de ton compas et de ta règle, **construis** un triangle dont les côtés mesurent 4,5 cm, 6 cm et 3,8 cm.

7. **Construis,** à l'aide de ta règle et de ton rapporteur, le triangle qui :

   a) possède des angles de 60° et 70° sur un côté de 4 cm;

   b) possède un angle de 80° formé par des côtés de 3 cm et 4 cm.

8. Un triangle possède des angles de 65° et 50°. **Pourquoi** peut-on être assuré que ce triangle est isocèle?

9. Un triangle possède des angles de 30° et 60°. **Pourquoi** peut-on dire que ce triangle est rectangle?

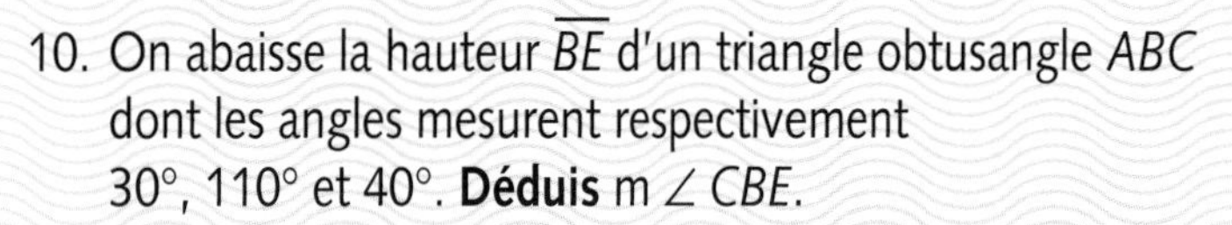

10. On abaisse la hauteur $\overline{BE}$ d'un triangle obtusangle *ABC* dont les angles mesurent respectivement 30°, 110° et 40°. **Déduis** m $\angle$ *CBE*.

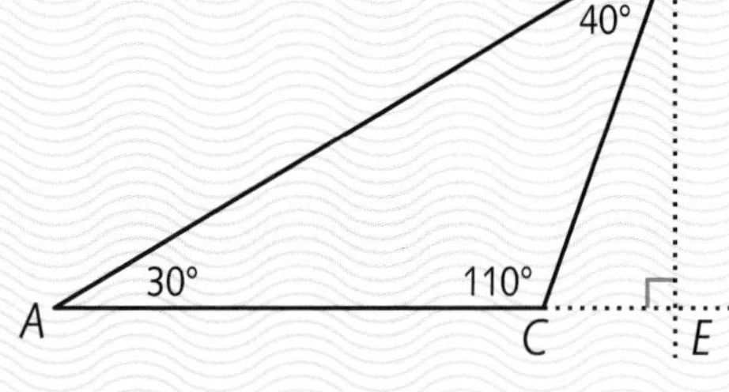

11. **Donne le nom** précis de ces quadrilatères.

a)

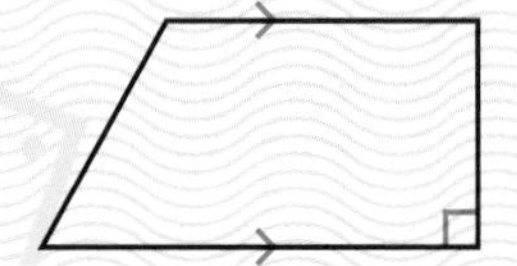

b)

c)

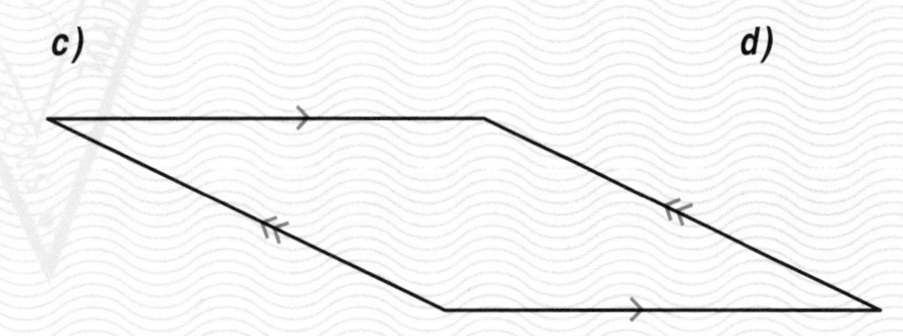

d)

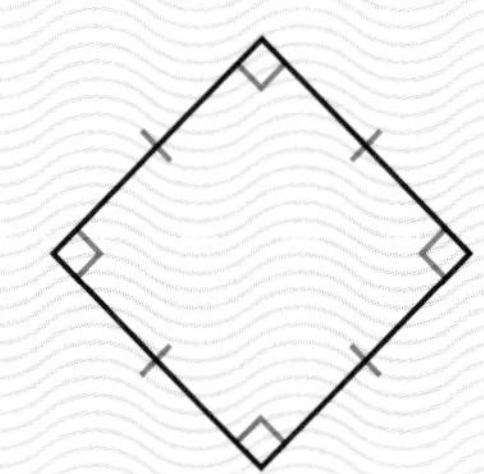

12. **Énonce les propriétés** que possède un carré quant à ses diagonales.

13. **Donne toutes les propriétés** d'un rectangle quant à ses :

    a) côtés; ***b)*** angles.

14. **Complète** ces propriétés du parallélogramme.

    a) Les angles opposés d'un parallélogramme ▬▬▬.

    b) Les angles consécutifs d'un parallélogramme ▬▬▬.

15. **Nomme** toutes les sortes de quadrilatères dont :

a) les diagonales se coupent en leur milieu;

b) les diagonales sont des axes de symétrie;

c) les diagonales se coupent en angles droits.

16. **Vrai ou faux?**

a) Tous les parallélogrammes sont des trapèzes.

b) Tous les trapèzes sont des rectangles.

c) Tous les losanges sont des carrés.

d) Certains parallélogrammes sont des rectangles.

e) Tous les carrés sont des losanges.

17. Le quadrilatère *ABCD* est un parallélogramme dans lequel m $\overline{AB}$ = 3,3 cm, m $\overline{AD}$ = 6 cm, m $\overline{EC}$ = 4,4 cm et m $\overline{BE}$ = 2 cm.

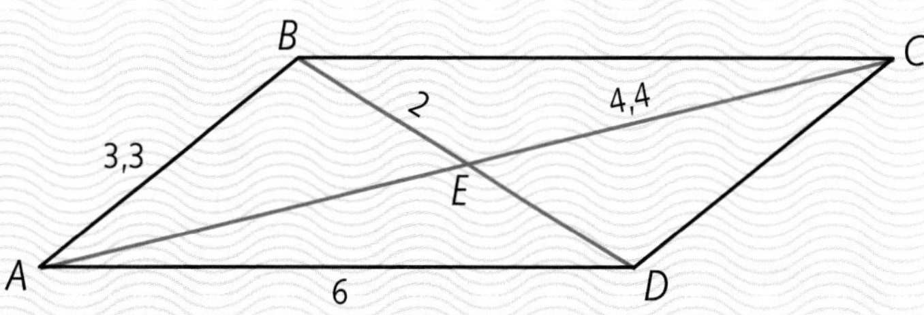

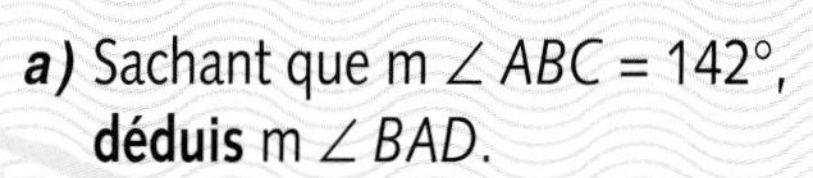

a) Sachant que m ∠ *ABC* = 142°, **déduis** m ∠ *BAD*.

b) **Déduis** m $\overline{AE}$.

c) **Déduis** m $\overline{DC}$.

18. Le quadrilatère *ABCD* est un losange, m $\overline{AD}$ = 5,2 cm, m $\overline{EA}$ = 5 cm et m $\overline{EB}$ = 1,5 cm.

a) Si l'angle *BAD* mesure 35°, **déduis** la mesure de l'angle *ADC*.

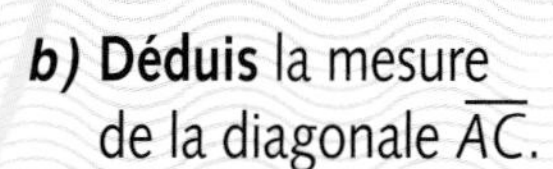

b) **Déduis** la mesure de la diagonale $\overline{AC}$.

c) **Déduis** m ∠ *DEC*.

d) **Déduis** m $\overline{BC}$.

19. La figure *ABCD* est un rectangle. **Pourquoi** peut-on être assuré que :

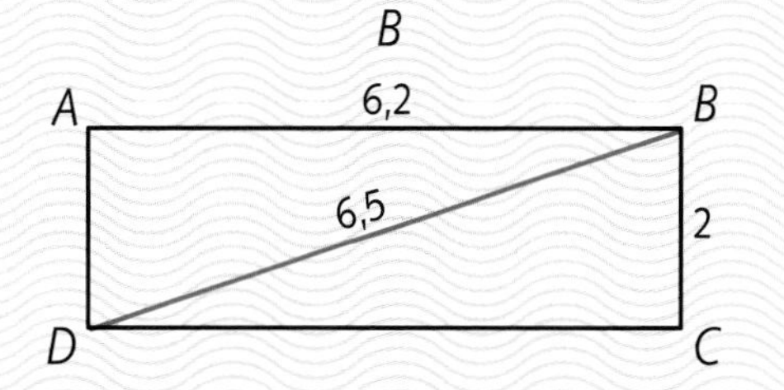

a) la mesure de l'angle *A* est 90°?

b) la mesure de $\overline{AC}$ est 6,5 cm?

20. **Construis** le losange qui a des diagonales de 2,8 cm et 3,8 cm de longueur.

21. **Construis** le parallélogramme qui a un angle de 60° entre des côtés de 2 cm et 3 cm.

ITINÉRAIRE 15

PÉRIMÈTRE ET AIRE

Les grandes idées :

- notion de périmètre et notion d'aire;
- formules de périmètre et formules d'aire;
- calcul du périmètre et calcul de l'aire de polygones;
- transformation d'unités d'aires;
- périmètre et aire de figures décomposables.

Objectif terminal :

Résoudre des problèmes portant sur le périmètre et l'aire de certains polygones.

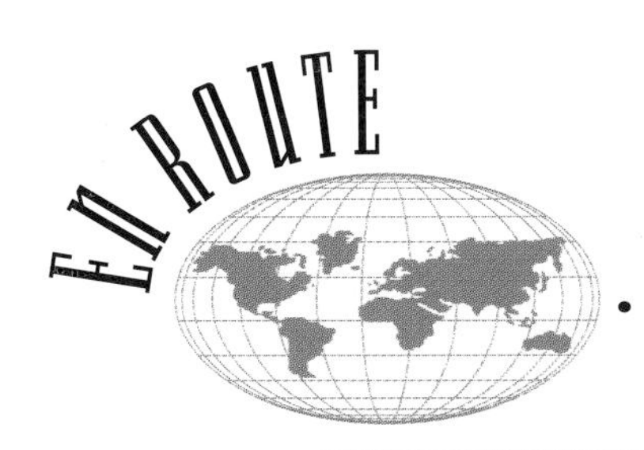

... VERS LES MESURES DE POLYGONES

PÉRIMÈTRE ET AIRE

Une question d'étendue!
J'aimerais recouvrir le plancher de ma salle de jeu d'un tapis résistant et poser tout le tour une bande de caoutchouc au bas des murs afin de les protéger. Combien cela peut-il me coûter? Voici le plan de ma salle de jeu.
Ça dépend du périmètre et de l'aire de votre plancher! Et de la qualité du tapis! Je vous recommande du tapis à 15 $ le mètre carré.
6,2 m
8,8 m
2 m
4 m
Plan de la salle de jeu

- À combien estimes-tu cette rénovation?
- Sachant que tous les angles de cette salle de jeu sont droits, peut-on en calculer le périmètre?
- Combien coûte l'achat de la bande de caoutchouc si elle se vend 3,50 $ le mètre?
- Combien coûte l'achat du tapis au prix suggéré?
- Combien coûte la pose du tapis si l'on doit payer 2 $ le mètre carré?
- Si la taxe est de 7 % sur les biens et de 4 % sur les services, quel est le coût de cette rénovation?

Deux des principales mesures d'un polygone sont le **périmètre** et **l'aire.**

a) En utilisant m $\overline{AB}$ comme unité, détermine la longueur du contour de la figure donnée.

1)

A B

2)

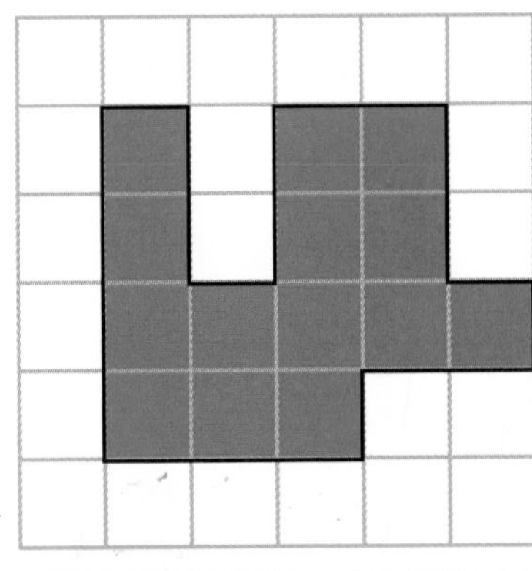

3)

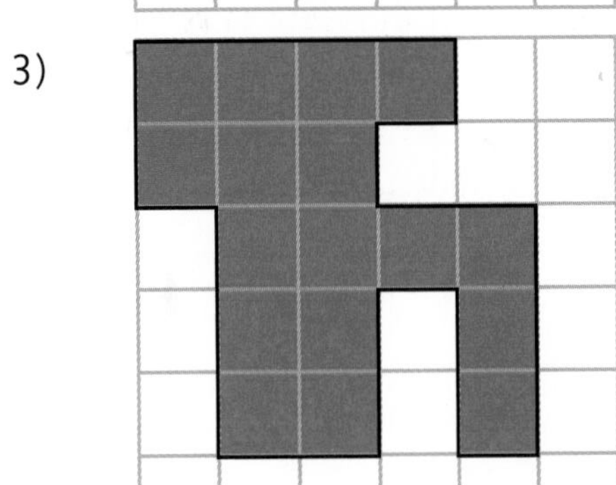

4)

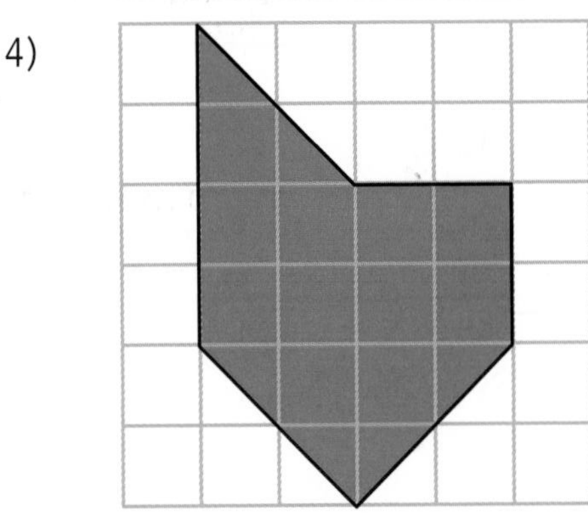

La diagonale d'un petit carré mesure 1,414 unité.

b) En utilisant le carré du quadrillage comme unité, détermine l'aire des figures ci-dessus.

CARNET DE VOYAGE

On appelle :

– **périmètre** d'un polygone la mesure exprimant la longueur de son contour;

– **aire** d'un polygone la mesure exprimant la grandeur de sa surface.

Plusieurs situations de la vie courante exigent que l'on calcule un périmètre; d'autres nécessitent la connaissance de l'aire.

c) Dans les situations suivantes, indique de quelle mesure on a besoin lorsqu'on veut :

1) poser une bordure à une nappe;
2) recouvrir un plancher d'un tapis;
3) calculer le temps qu'il faut pour faire le tour d'un lac;
4) clôturer un terrain;
5) étendre de l'engrais sur un terrain;
6) peindre un mur;
7) déneiger une patinoire;
8) poser les bandes d'une patinoire;
9) poser un trottoir autour d'une piscine;
10) ratisser les feuilles mortes dans une cour.

Les caractéristiques de certains polygones font que leur périmètre peut être facilement calculé. Il en est ainsi pour :

1° le **carré :**

1) Quelle propriété des carrés joue un rôle important dans le calcul de son périmètre?

2) Calcule le périmètre de chaque carré.

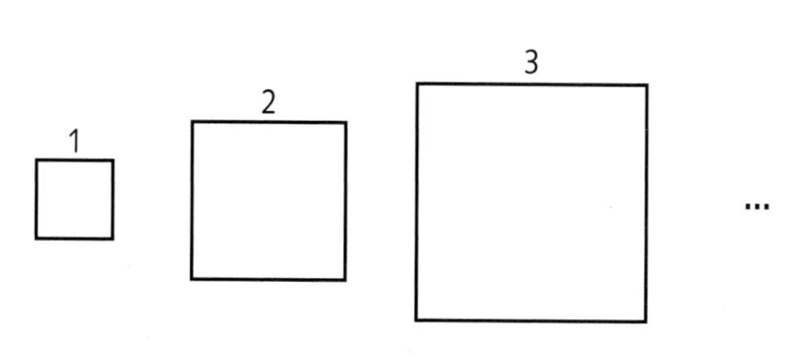

3) Complète ce tableau de variation.

Côtés du carré	1	2	3	4	5	...	c
Périmètre	4						

2° le **losange :**

1) Quelle propriété des losanges joue un rôle important dans le calcul de son périmètre?

2) Calcule le périmètre de chaque losange.

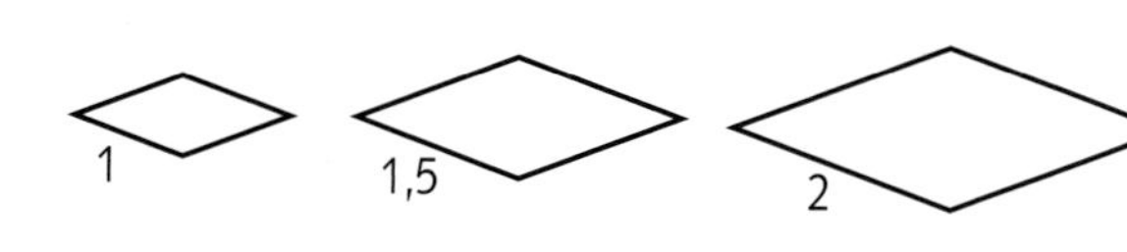

...

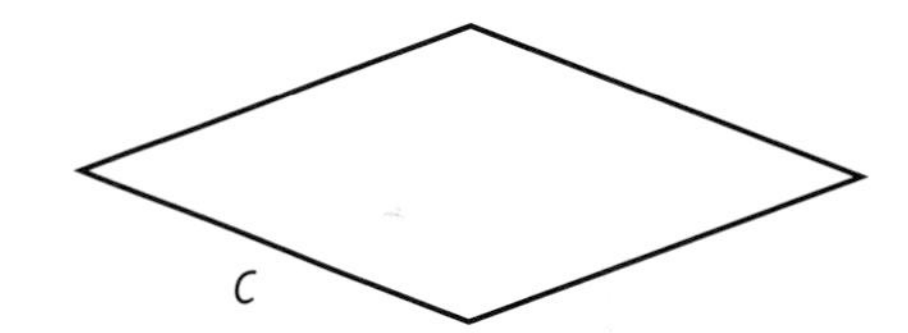

3) Complète ce tableau de variation.

Côtés du losange	1	2	3	4	5	...	c
Périmètre	4						

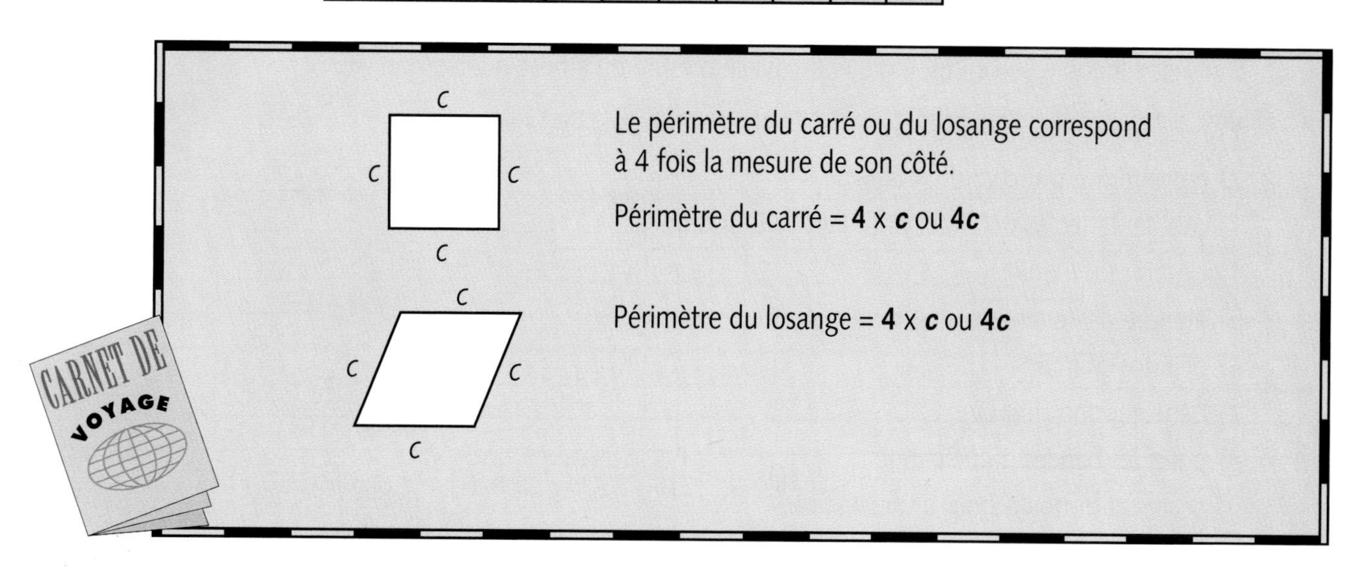

Le périmètre du carré ou du losange correspond à 4 fois la mesure de son côté.

Périmètre du carré = **4** x ***c*** ou **4*c***

Périmètre du losange = **4** x ***c*** ou **4*c***

3° le **rectangle** et le **parallélogramme :**

1) Calcule le périmètre de chaque rectangle et de chaque parallélogramme.

2) Quelle propriété joue un rôle important dans le calcul du périmètre des rectangles ou des parallélogrammes?

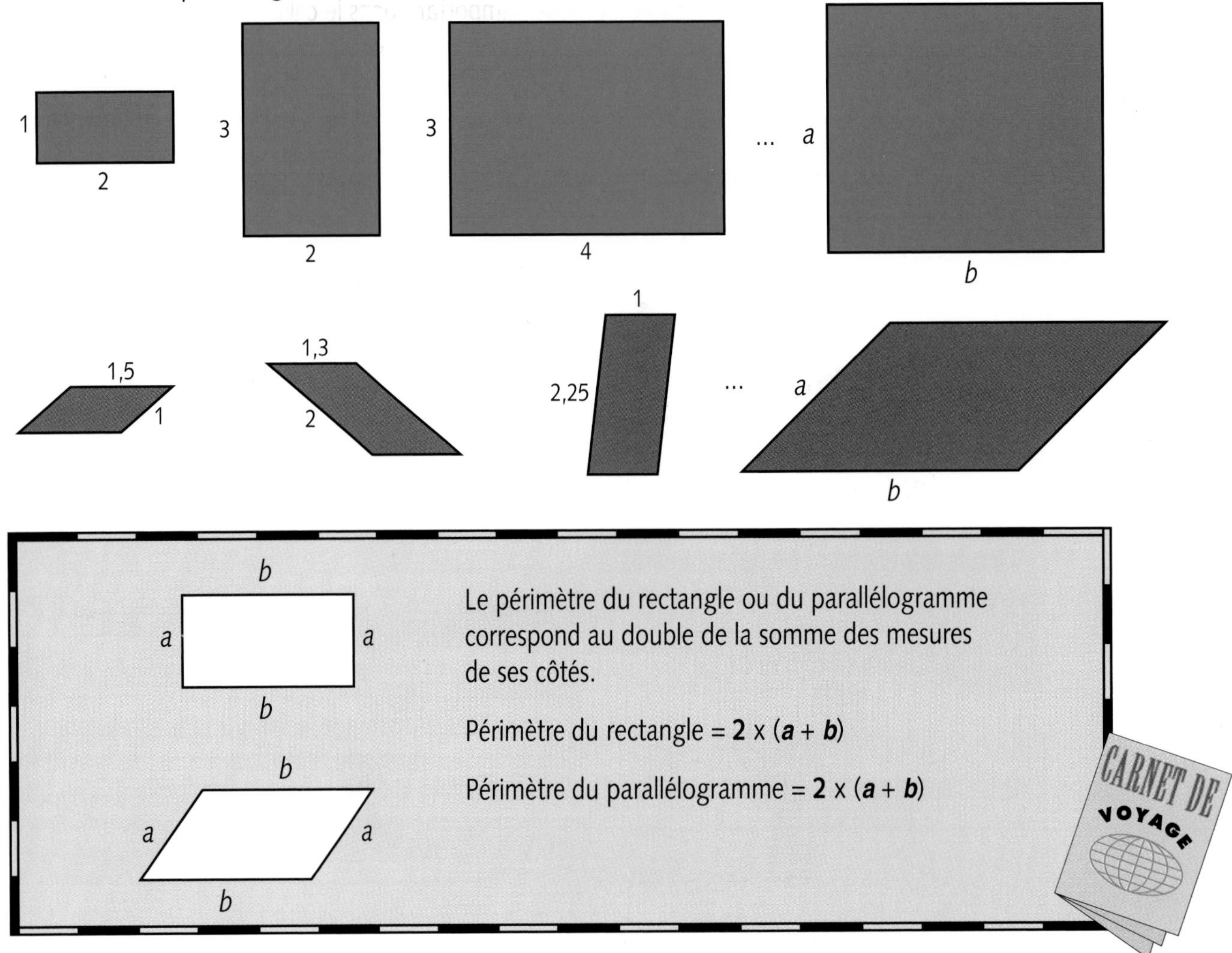

4° les **polygones réguliers :**

1) Quelle propriété des polygones réguliers joue un rôle important dans le calcul du périmètre?

2) Comment calculer le périmètre de chacun de ces polygones réguliers?

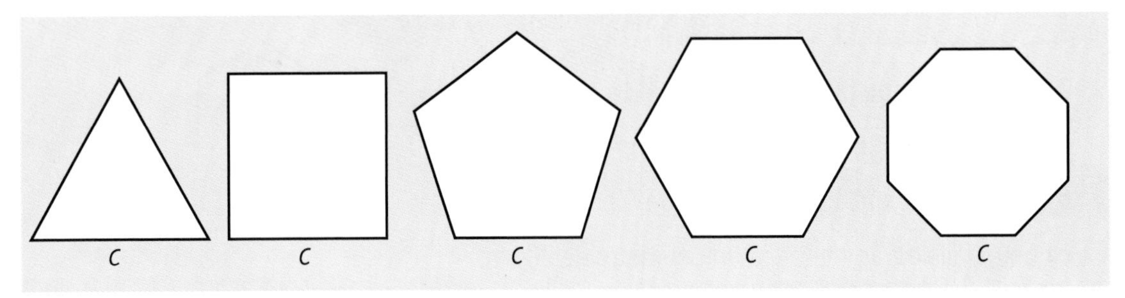

3) Quelle règle peut-on imaginer pour calculer le périmètre d'un polygone régulier de *n* côtés?

5° les **autres polygones :**

Pour tout polygone, on obtient le périmètre en additionnant les mesures de tous ses côtés.

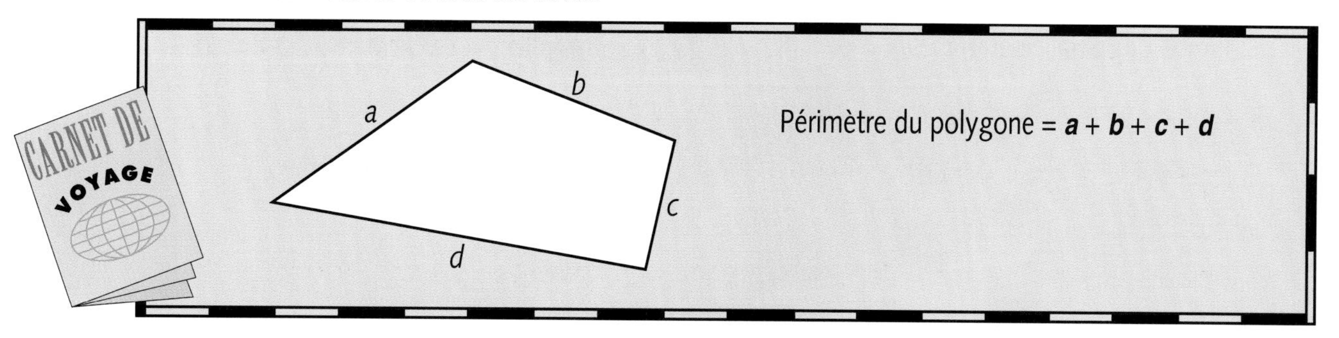

Périmètre du polygone = ***a*** + ***b*** + ***c*** + ***d***

1 Trouve le périmètre de la couverture de ton manuel *Carrousel.*

2 Détermine le périmètre de ces figures.

a) 1 cm

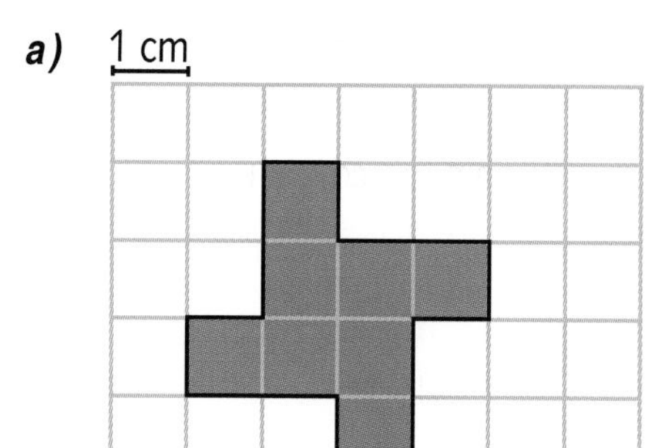

b) 1 cm

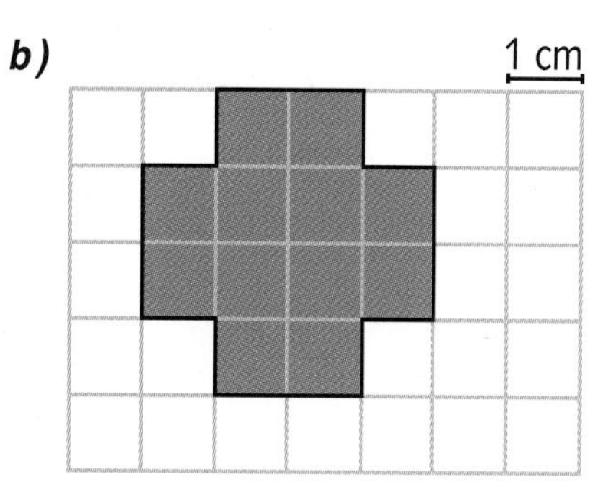

3 Trouve, à l'aide de ta règle, le périmètre de cette figure.

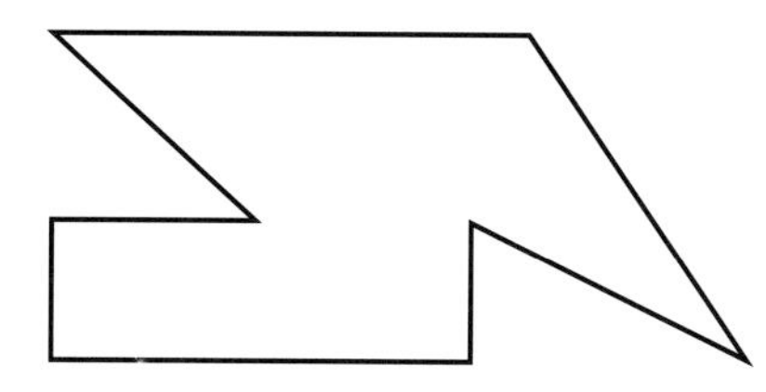

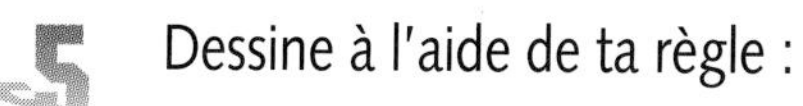

4 Voici une suite de polygones réguliers ayant un côté commun de 50 mm. Quelle est la suite formée des périmètres de ces figures?

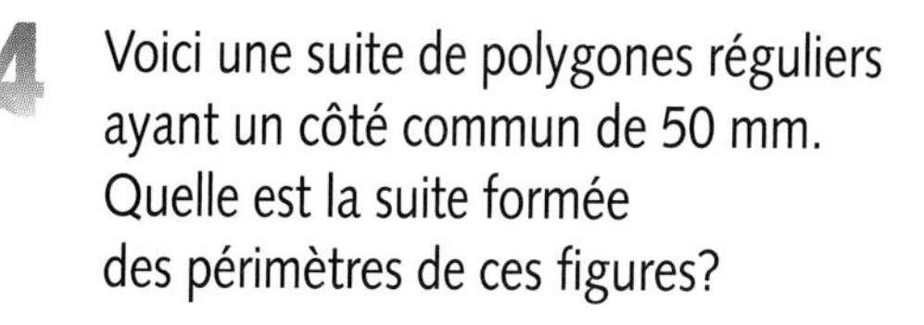

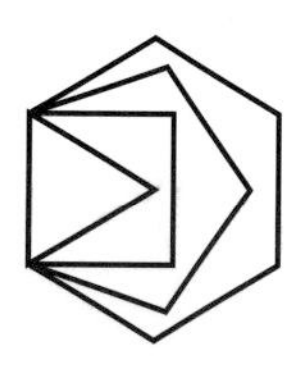

5 Dessine à l'aide de ta règle :

a) un carré qui a un périmètre de 8 cm;

b) un rectangle qui a un périmètre de 12 cm;

c) un parallélogramme qui a un périmètre de 20 cm;

d) un losange qui a un périmètre de 24 cm;

e) un pentagone qui a un périmètre de 23 cm.

6 Trouve le périmètre :

a) d'un carré de 4 cm de côté;

b) d'un rectangle de 4 cm sur 6 cm;

c) d'un losange de 10 cm de côté;

d) d'un parallélogramme de 5 cm et 8 cm de côtés.

7 Un carré a un périmètre de 36 cm. Quelle est la mesure d'un côté?

8 Un rectangle a 18 cm de périmètre. On transforme ce rectangle en doublant les mesures de ses côtés. Quel est le périmètre de ce nouveau rectangle?

9 Quel est le périmètre d'un rectangle dont la largeur mesure 5 cm et dont la longueur est de 3 cm de plus que la largeur?

10 ***a)*** Quel est le périmètre d'un triangle équilatéral de 12 cm de côté?

b) Quelle est la mesure de côté d'un triangle équilatéral qui a un périmètre de 66 cm?

11 Le périmètre d'un triangle isocèle est de 36 cm. Le côté non congru aux autres mesure 14 cm. Quelle est la mesure des côtés congrus?

12 On a posé une corde autour d'une piscine rectangulaire. La corde se vend 18¢ le mètre. Le coût de la corde utilisée est de 6,12 $. La piscine a une longueur de 11 m. Quelle est sa largeur?

13 On veut border une nappe de 2,8 m sur 2,5 m de dentelle. La dentelle nécessaire pour faire ce travail a coûté 3,18 $. Combien se vend un mètre de cette dentelle?

14 Les dimensions d'un rectangle sont de 6 cm sur 8 cm. À chaque coin, on coupe un carré de 1 cm^2. De combien de centimètres a-t-on diminué son périmètre?

15 On joint les points milieux de deux côtés opposés d'un losange de 8 cm de côté. On forme ainsi deux parallélogrammes. Le périmètre de l'un de ces parallélogrammes est-il la moitié du périmètre du losange?

16 Quel est le périmètre :

a) d'un carré de b cm de côté?

b) d'un triangle équilatéral de n m de côté?

c) d'un losange de a dm de côté?

d) d'un rectangle de x cm sur y cm?

e) d'un parallélogramme dont les côtés mesurent 4,1 cm et 6,3 cm?

17. Deux figures qui ont le même périmètre n'ont pas nécessairement la même aire.
    Construis une troisième figure ayant le même périmètre, mais une aire encore plus petite.

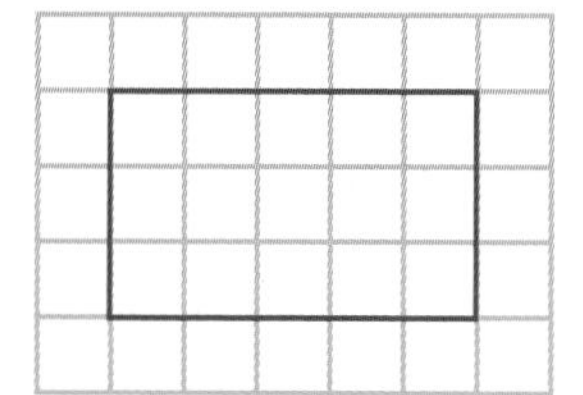

Fig. 1

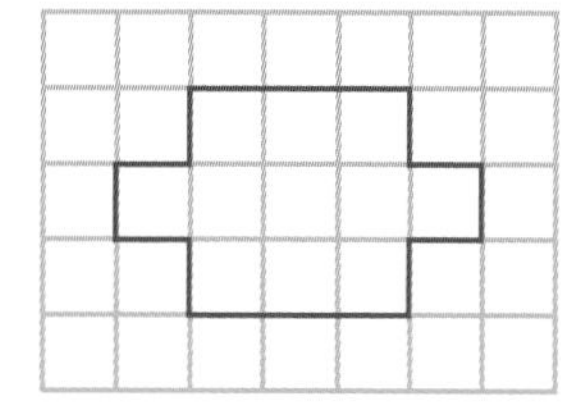

Fig. 2

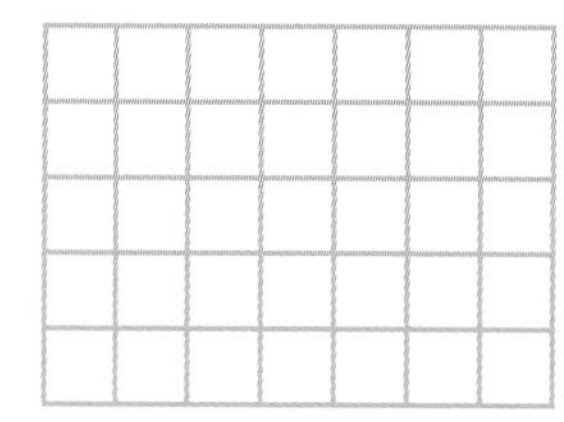

Fig. 3

18. Avec 4 carrés, on peut faire divers arrangements donnant des formes différentes. Dans ces arrangements, on exige que deux carrés voisins aient toujours un côté commun.

    Voici deux arrangements de 4 carrés.
    En tout, on peut faire 5 formes différentes.

    a) Trace les autres formes et découvre celle qui a le plus petit périmètre.

    b) Quel est le plus grand périmètre obtenu?

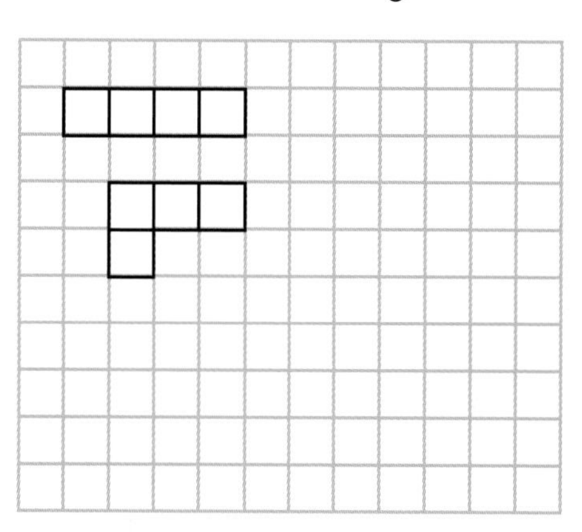

19. Voici un rectangle de dimensions 3 x 4.
    Son périmètre est de 14 unités et son aire est de 12 unités carrées.

    Il est possible de modifier la forme de ce rectangle en enlevant des carrés de façon à conserver son périmètre tout en diminuant son aire.

    Trace une figure qui a un périmètre de 14 unités, mais dont l'aire est la plus petite possible.

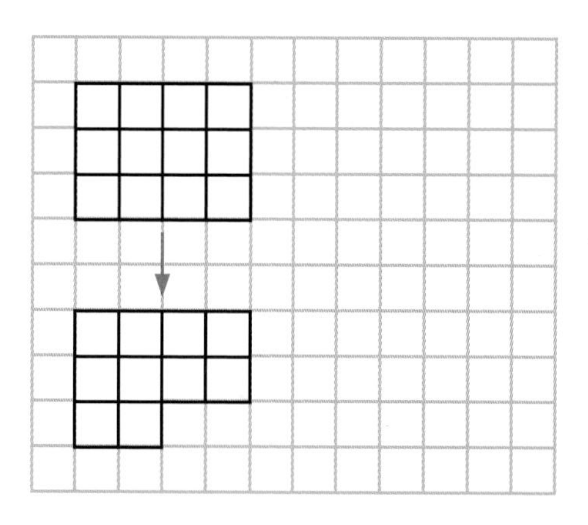

20. Trace le rectangle :

    a) qui a une hauteur de 3 unités et un périmètre de 18 unités;

    b) qui a une base de 8 unités et un périmètre de 20 unités.

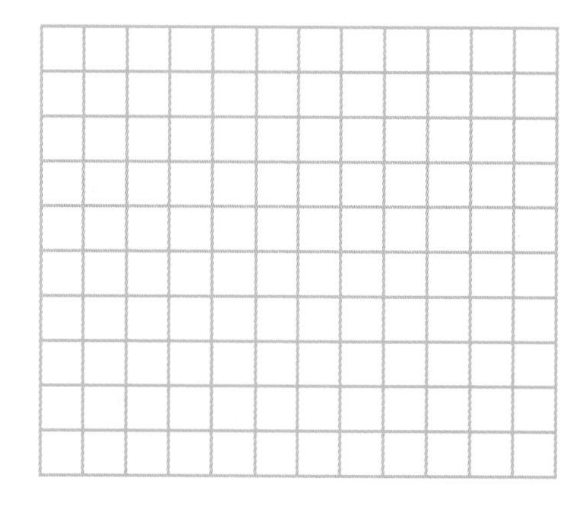

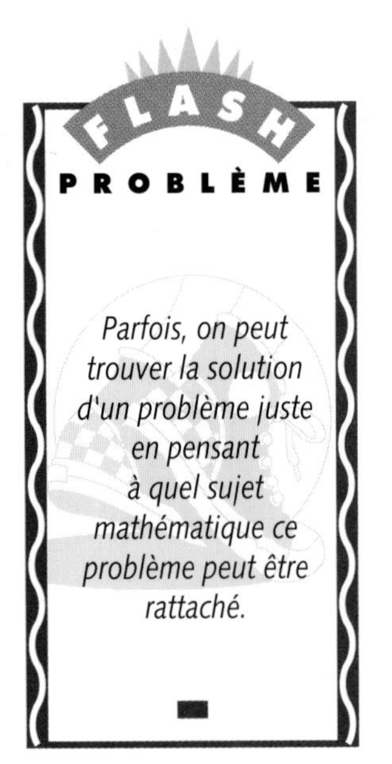

FLASH
PROBLÈME
Parfois, on peut trouver la solution d'un problème juste en pensant à quel sujet mathématique ce problème peut être rattaché.

21 Indique à quel sujet mathématique chaque problème peut être rattaché.

a) Jeffrey travaille dans un centre commercial, à un comptoir casse-croûte. Aujourd'hui, il a tiré aléatoirement les nombres 6 et 8. Ainsi, à tous les 6 clients ou clientes, il donnera un sandwich et, à tous les 8 clients ou clientes, il donnera une boisson. Parmi les 72 premiers clients ou clientes, indique le rang de ceux ou celles qui gagneront les deux primes à la fois : le sandwich et la boisson.

b) On lance 5 dés et on obtient 2, 3, 3, 5 et 6. Quels sont les entiers que permet d'obtenir la séquence suivante?

■ x ■ ÷ ■ + ■ – ■

c) Quel est le plus petit quotient que l'on peut former avec 2 de ces 4 nombres?

2,5	0,04	12,8	0,002

Une question de disposition!

■ Comment doit-on disposer 16 carreaux de céramique pour qu'ils forment un quadrilatère avec le plus petit périmètre?

■■ Comment doit-on disposer 16 carreaux de céramique pour qu'ils forment un quadrilatère avec le plus grand périmètre?

■■■ Enlève deux cure-dents de façon à former deux carrés.

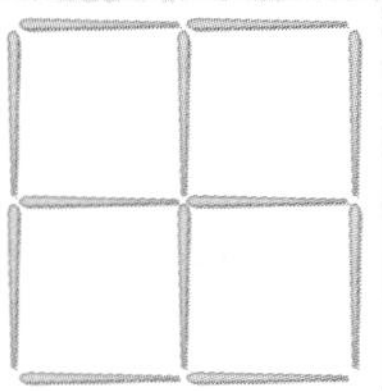

Des bâtonnets!

Stratégie : changer de point de vue

On a 6 bâtonnets à café. Sans les briser, comment peut-on les placer bout à bout pour former 4 triangles équilatéraux?

Des segments de droite!

Comment peut-on relier ces 9 points par 4 segments de droite sans lever le crayon?

AIRE DE POLYGONES

Les spécialistes de l'aire!

- Combien de carreaux du format illustré cet ouvrier utilisera-t-il pour recouvrir ce plancher?
- Avec un format de carreau plus petit, emploierait-il plus ou moins de carreaux?
- De quoi dépend généralement le nombre de carreaux nécessaires pour recouvrir un plancher?

L'**aire** est une **mesure.** C'est la mesure de l'étendue ou de la surface d'une région de plan. Cette mesure s'exprime à l'aide d'un nombre et d'une unité de mesure d'aire. Le nombre qui exprime l'aire dépend de l'unité d'aire utilisée.

a) Calcule l'aire de ces deux polygones si l'unité est un carré du quadrillage.

1) 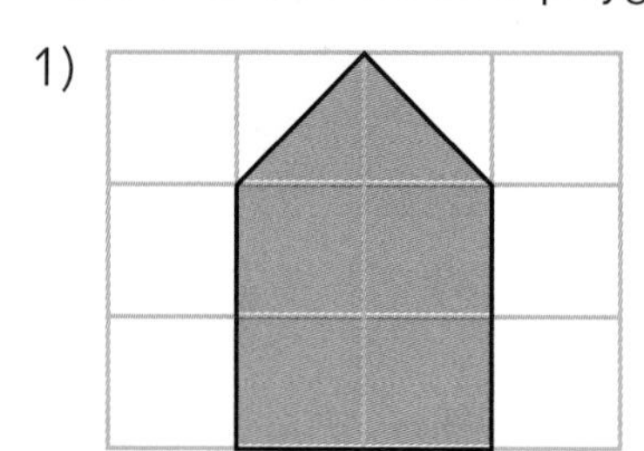

2) 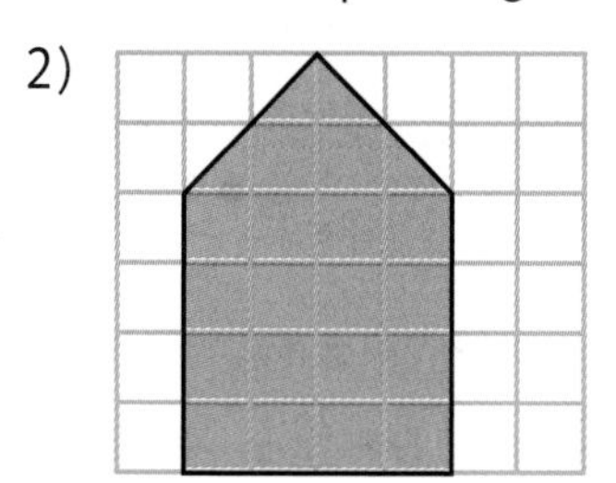

Il est donc important de s'entendre sur les unités de mesure d'aire. Les principales unités de mesure d'aire sont les suivantes :

- Le carré de 1 mm sur 1 mm, appelé **millimètre carré** et noté **mm²**. Il permet de mesurer de petites surfaces avec précision.

  ▪ 1 mm²

- Le carré de 1 cm sur 1 cm, appelé **centimètre carré** et noté **cm²**. On l'utilise pour les petites surfaces.

  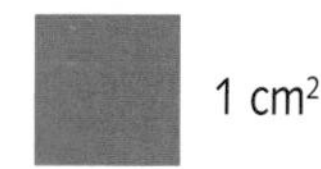

- Le carré de 1 dm sur 1 dm, appelé **décimètre carré** et noté **dm²**. Il est peu utilisé.

- Le carré de 1 m sur 1 m, appelé **mètre carré** et noté **m²**. Il est utilisé pour mesurer la surface des planchers, des murs ou des plafonds des maisons, des terrains résidentiels, des patinoires, etc.

b) Quelle est l'aire d'un grain de beauté?

c) Quelle est l'aire de l'ongle du petit doigt?

d) Quelle est l'aire de la paume d'une main?

e) Combien de personnes peuvent se tenir debout sur 1 m²?

Pour de plus grandes surfaces,
on utilise le **kilomètre carré.**

- Le **kilomètre carré** correspond à l'aire d'un carré de 1 km sur 1 km et est noté **km².** Il sert à mesurer la surface des lacs, des régions, des pays, etc.

f) Si l'on marche à une vitesse de 4 km par heure, combien faut-il de temps pour faire le tour d'un terrain de 1 km²?

Toutes ces unités d'aire sont intimement liées les unes aux autres. Chacune vaut 100 fois l'unité qui lui est immédiatement inférieure.

km² ← x 100 ← **hm²** ← x 100 ← **dam²** ← x 100 ← **m²** ← x 100 ← **dm²** ← x 100 ← **cm²** ← x 100 ← **mm²**

g) Que doit-on faire pour passer d'une unité inférieure à une unité supérieure?

h) En utilisant le carré ci-contre, démontre que 1 cm² = 100 mm².

i) Transforme chaque mesure en centimètres carrés.

1) 3 dm² 2) 4 m² 3) 46,5 dm² 4) 206 mm² 5) 0,4 dm²

j) Transforme chaque mesure en mètres carrés.

1) 300 dm² 2) 4 906 cm² 3) 76,9 dm² 4) 20 706 mm² 5) 0,4 hm²

k) Transforme chaque mesure en millimètres carrés.

1) 1,2 dm² 2) 0,6 m² 3) 0,5 dm² 4) 206 cm²

l) Transforme chaque mesure en kilomètres carrés.

1) 3 000 hm² 2) 400 dam² 3) 56 078,5 m²

m) Complète ces tableaux.

1)

m²	dm²
2	
	345
0,54	

2)

mm²	cm²
5 400	
	88
820	

3)

km²	hm²
0,02	
	122,5
4,24	

Dans le domaine de la construction comme dans bien d'autres, les prix sont souvent fixés d'après l'aire. Le prix des édifices est en relation avec l'aire du plancher.

Le tapis se vend au mètre carré; le prix des travaux de peinture s'évalue en fonction de l'aire de la surface à peindre; pour recouvrir un canapé, on tient compte de la surface à recouvrir pour l'achat de l'étoffe; etc.

Il est donc important de se donner des techniques d'estimation d'aire. Les deux techniques les plus utilisées pour estimer l'aire sont :

- l'estimation d'une partie de la surface et la généralisation au tout;
- l'estimation de la surface par quadrillage.

1° On essaie d'estimer l'aire d'une partie de la figure. Ensuite, on recherche combien de fois cette partie est contenue dans toute la figure. On déduit ainsi une bonne estimation de l'aire.

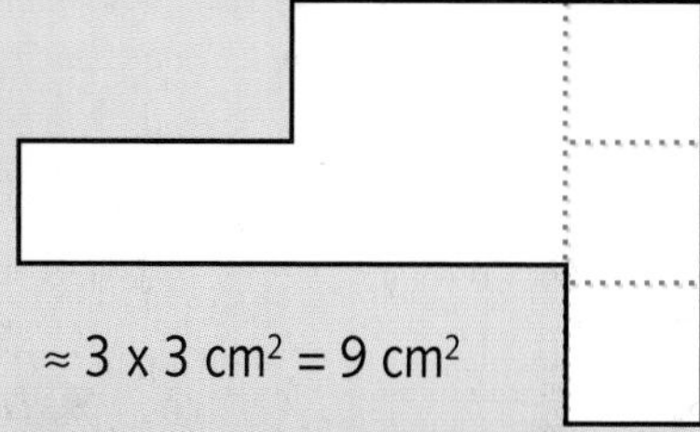

La partie quadrillée est contenue à peu près 3 fois dans la figure.

$\approx 3 \times 3\ cm^2 = 9\ cm^2$

2° On essaie d'imaginer le nombre de colonnes et le nombre d'unités par colonne. Une simple multiplication nous donne l'estimation recherchée.

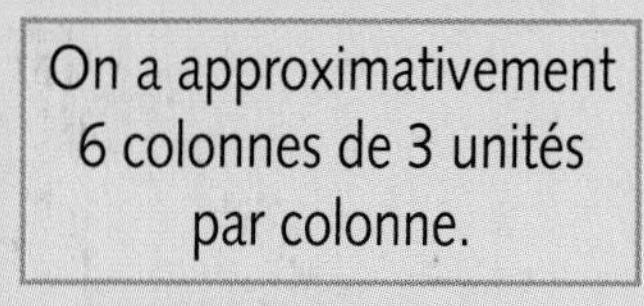

On a approximativement
6 colonnes de 3 unités
par colonne.

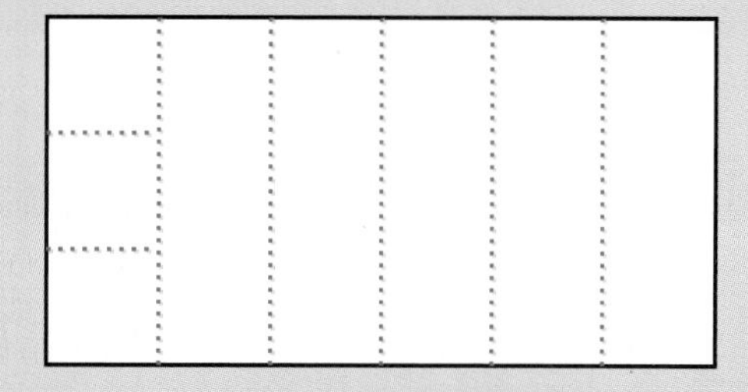

$\approx 6 \times 3\ cm^2 = 18\ cm^2$

1. En utilisant ces techniques ou d'autres que tu peux imaginer, donne une estimation de l'aire de la surface décrite en utilisant l'unité appropriée.

   a) Le plancher de la classe.

   b) Le mur de droite dans la classe.

   c) Le dessus de ton pupitre.

   d) Le dessus du bureau de l'enseignante ou l'enseignant.

   e) Un côté de la porte du local.

   f) Le tableau de la classe.

   g) Ton manuel *Carrousel* ouvert.

   h) La plus grande fenêtre de la classe.

2. Estime l'aire de ces figures en centimètres carrés.

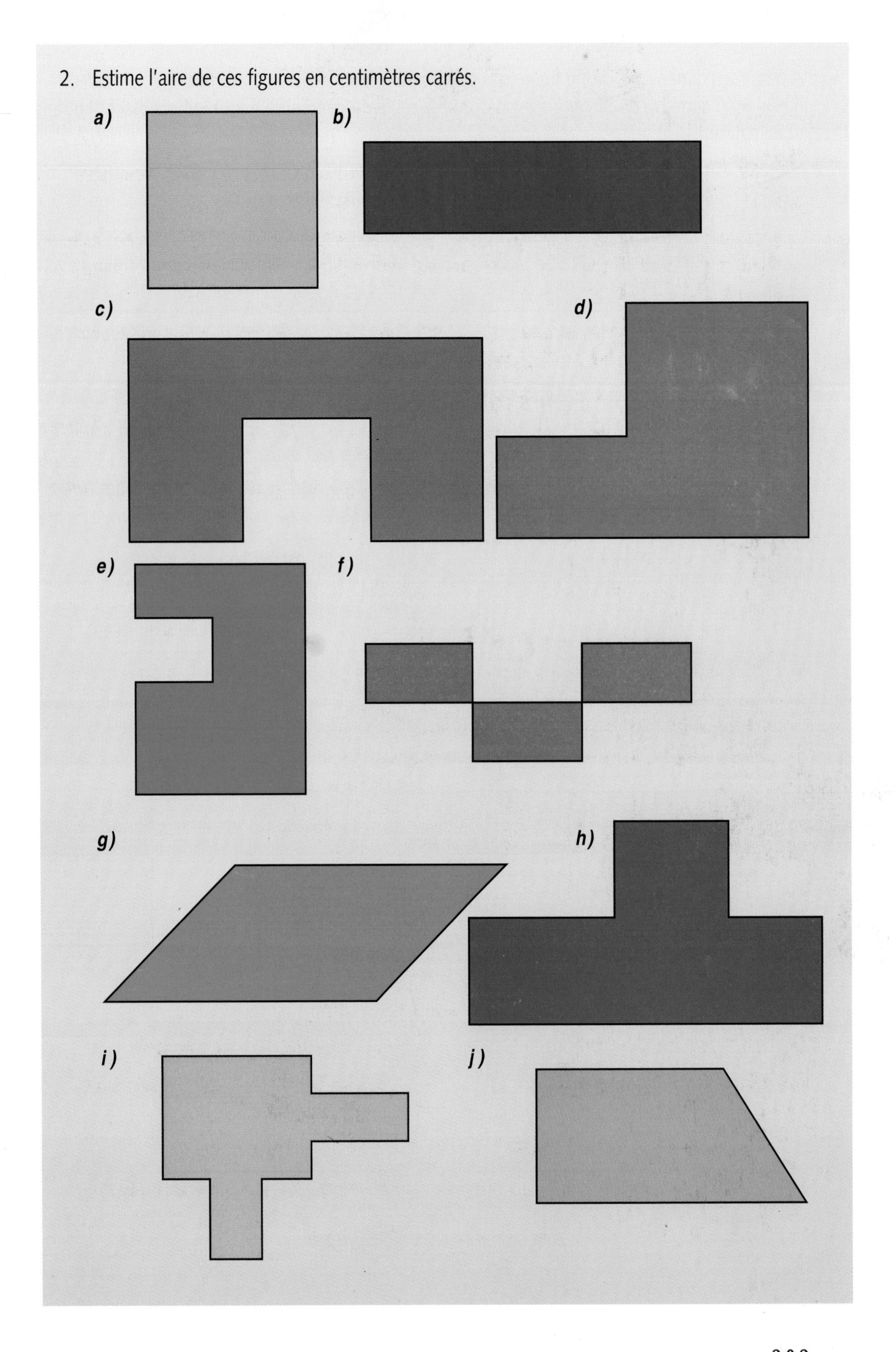

À partir des dimensions d'une figure, on peut calculer l'aire exacte ou estimée. Ainsi, le calcul de l'aire du carré ou du rectangle est basé sur **la règle du dénombrement d'objets placés en rangées et en colonnes.**

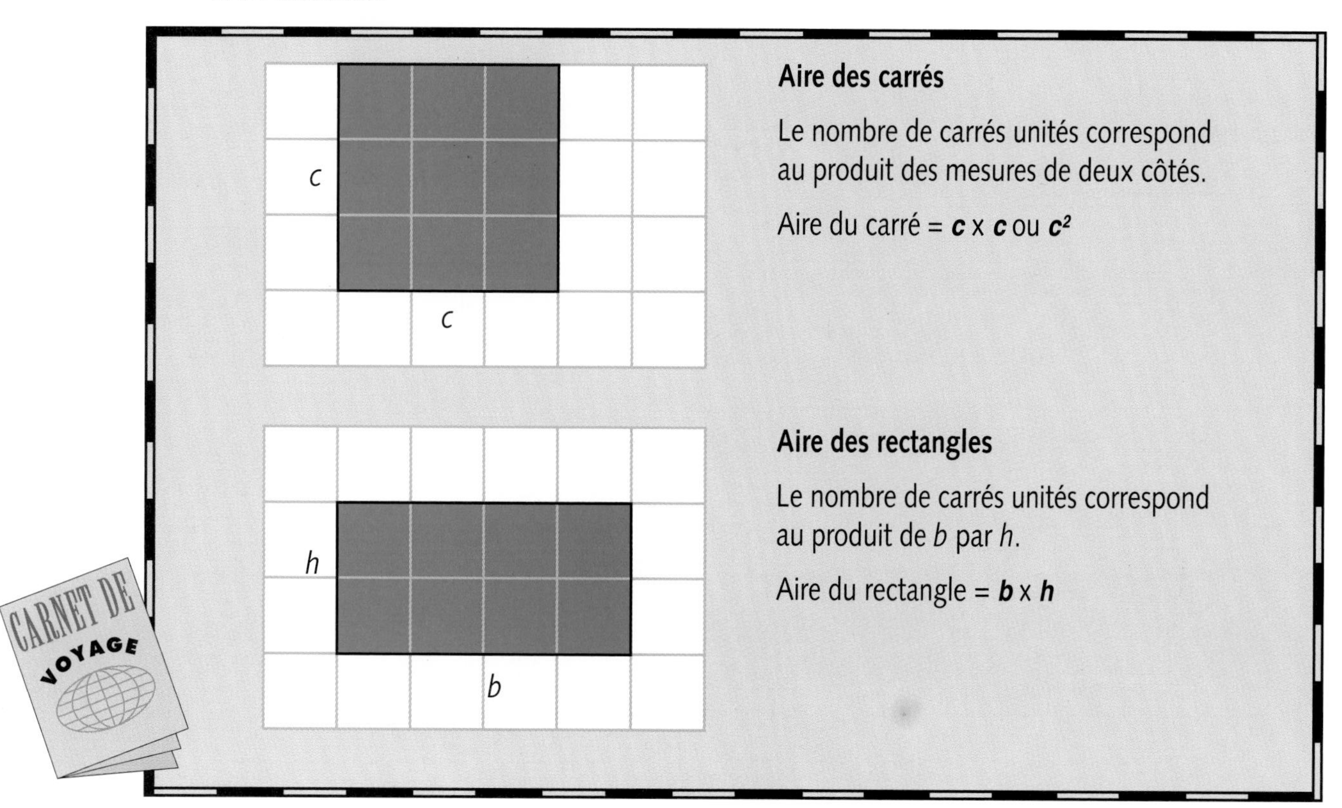

Aire des carrés

Le nombre de carrés unités correspond au produit des mesures de deux côtés.

Aire du carré = $\boldsymbol{c} \times \boldsymbol{c}$ ou $\boldsymbol{c^2}$

Aire des rectangles

Le nombre de carrés unités correspond au produit de b par h.

Aire du rectangle = $\boldsymbol{b} \times \boldsymbol{h}$

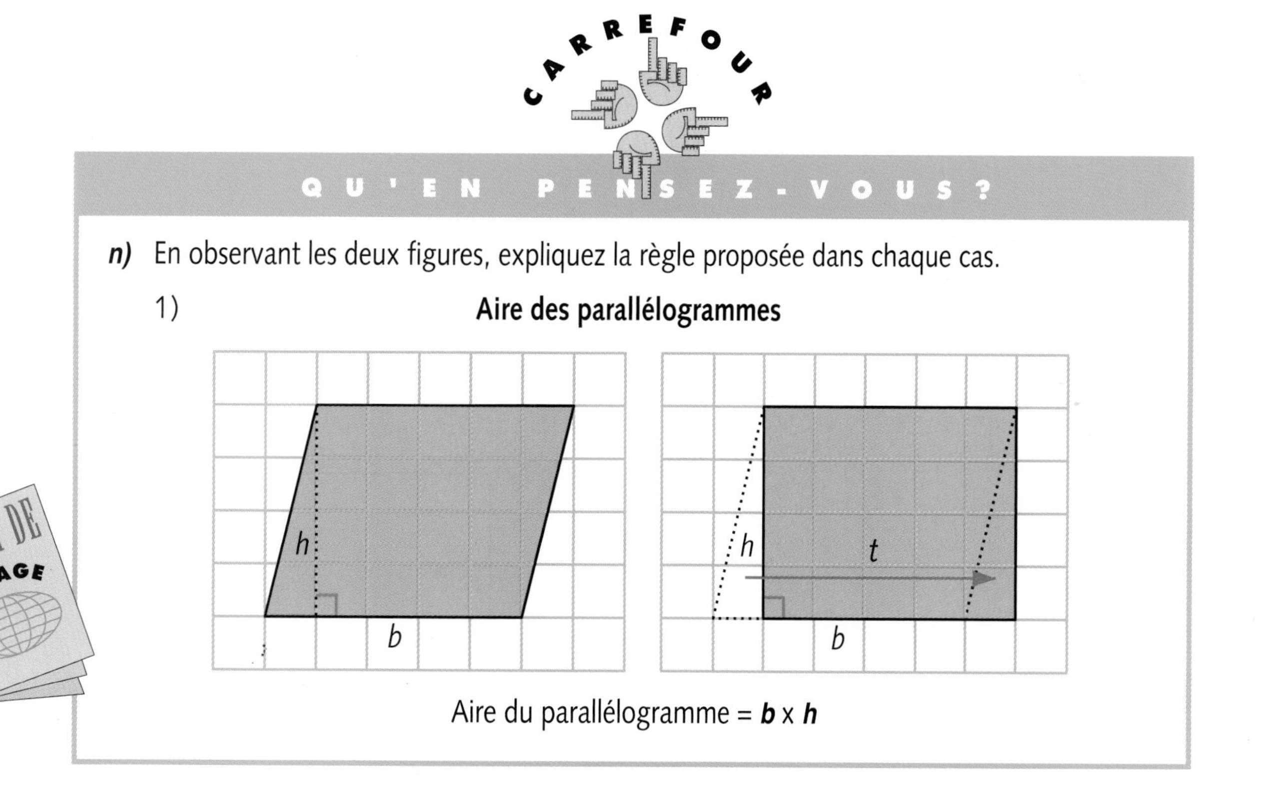

n) En observant les deux figures, expliquez la règle proposée dans chaque cas.

1) **Aire des parallélogrammes**

Aire du parallélogramme = $\boldsymbol{b} \times \boldsymbol{h}$

2) **Aire des trapèzes**

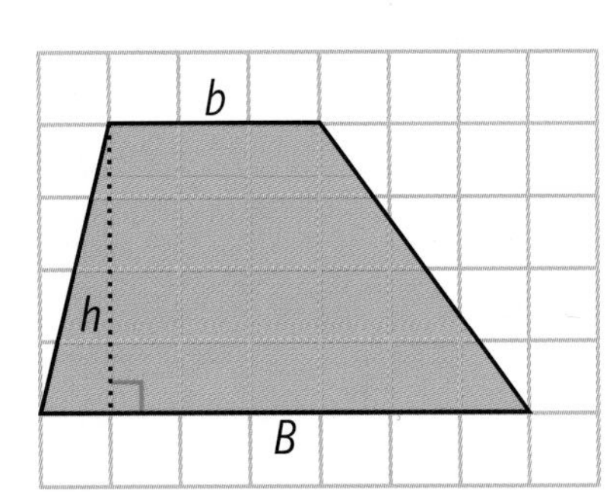

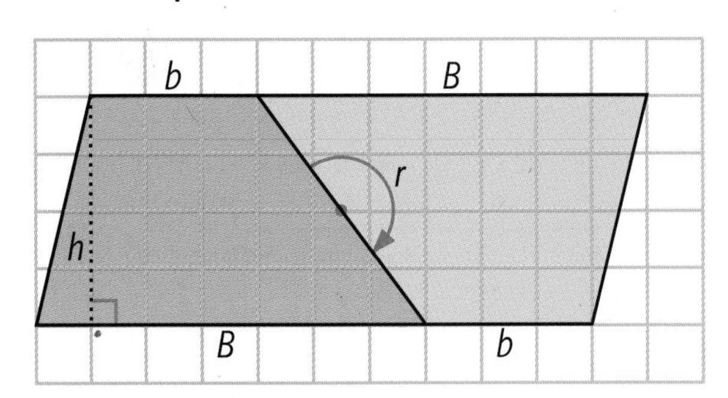

$$\text{Aire du trapèze} = \frac{(\boldsymbol{B} + \boldsymbol{b}) \times \boldsymbol{h}}{2}$$

3) **Aire des triangles**

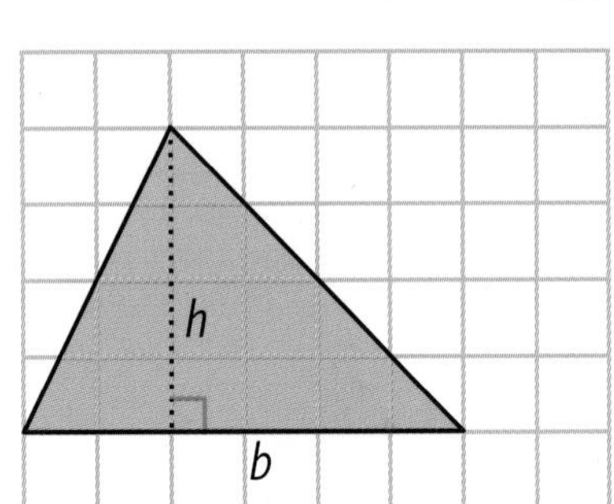

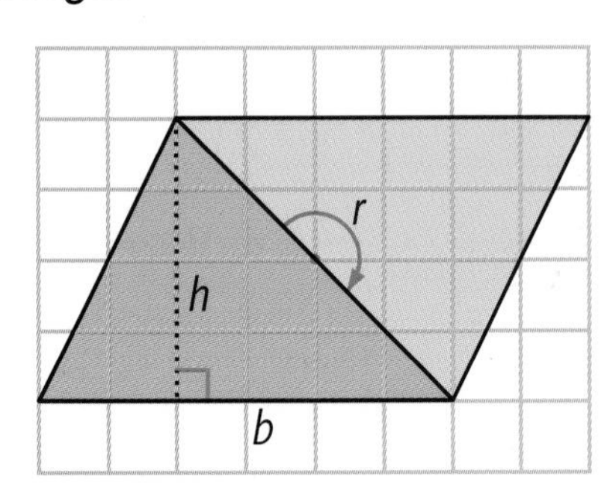

$$\text{Aire du triangle} = \frac{\boldsymbol{b} \times \boldsymbol{h}}{2}$$

4) **Aire des losanges**

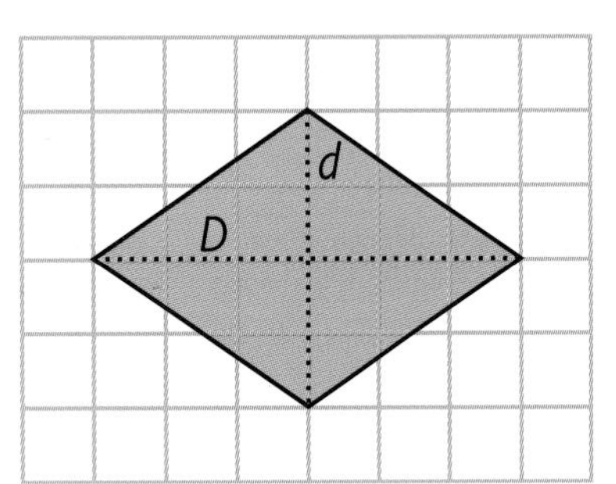

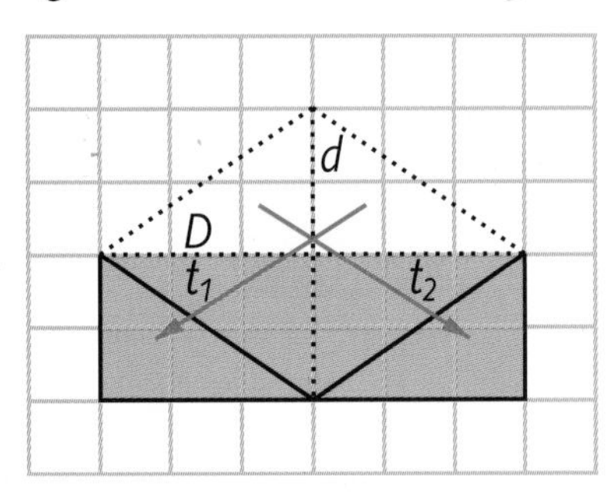

$$\text{Aire du losange} = \frac{\boldsymbol{D} \times \boldsymbol{d}}{2}$$

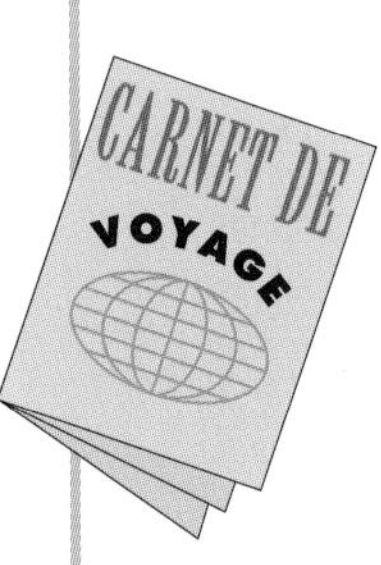

1 Calcule l'aire de ces figures après avoir écrit la règle (formule) qui te permet de la calculer.

a)

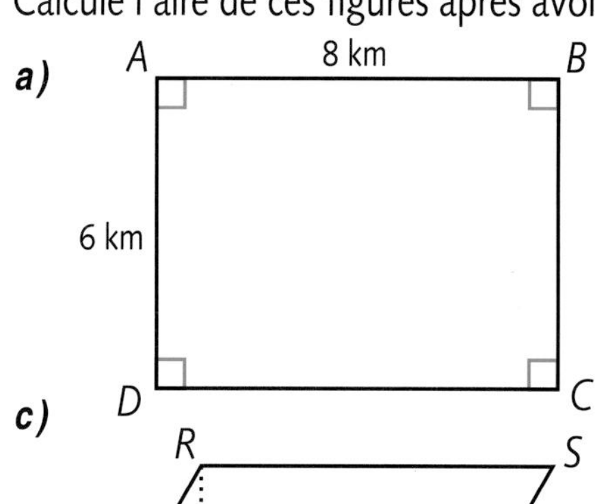

b)

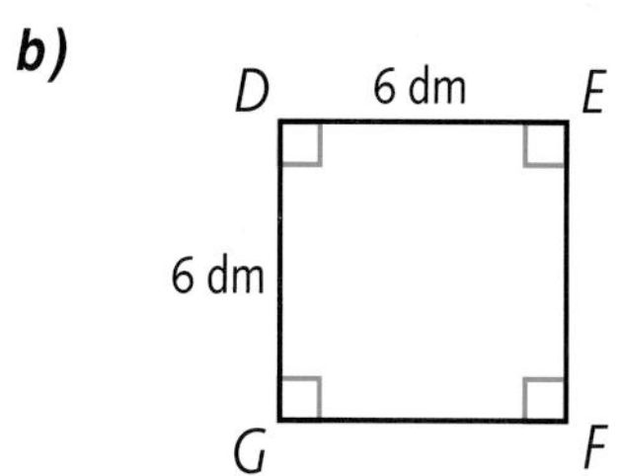

c)

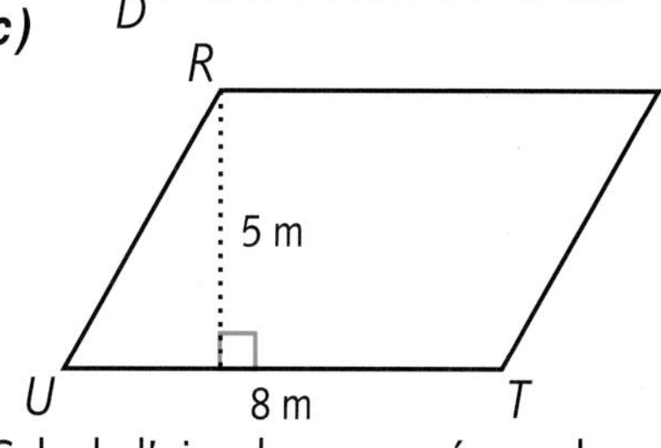

d)

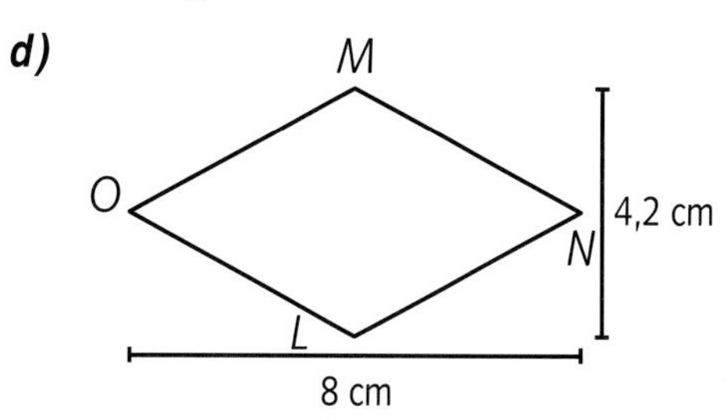

2 Calcule l'aire de ces carrés ou de ces rectangles après avoir écrit la règle qui te permet de la calculer.

a)

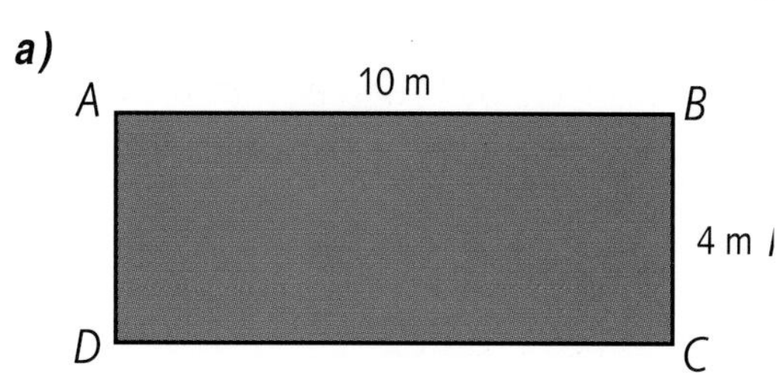

b)

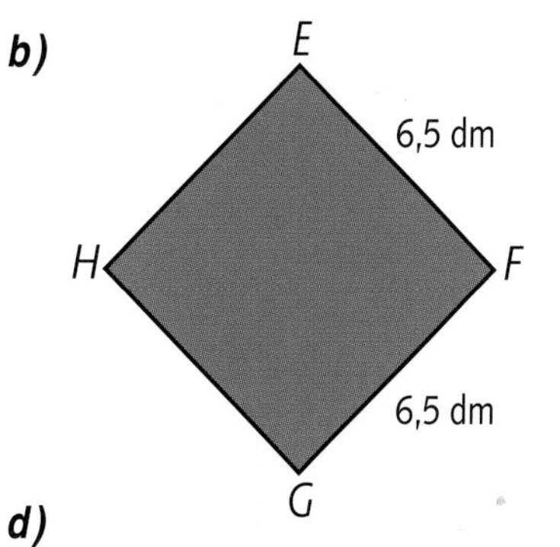

c)

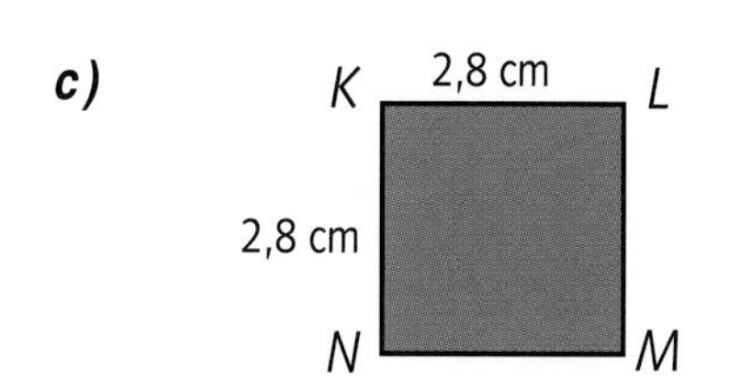

d)

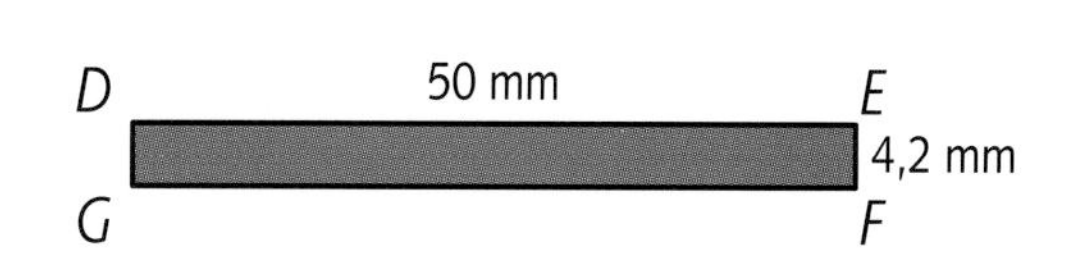

3 À partir des mesures fournies, calcule l'aire de ces rectangles après avoir écrit la règle qui te permet de la calculer.

a) **b)** **c)**

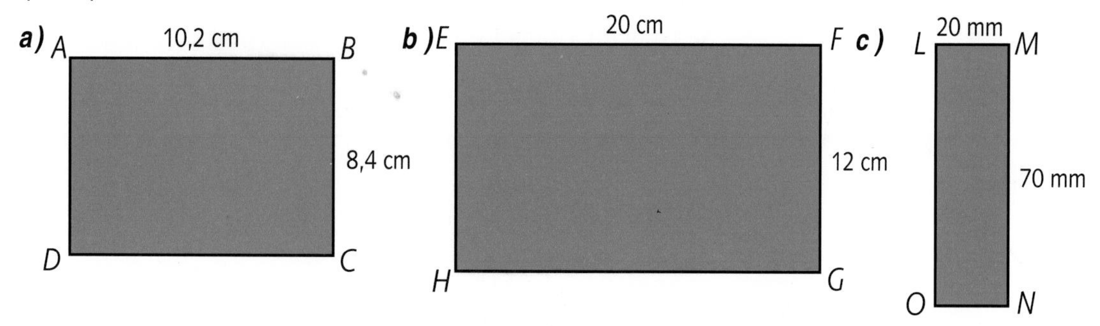

4 À partir des mesures fournies, calcule l'aire de ces parallélogrammes après avoir écrit la règle qui te permet de la calculer.

a)

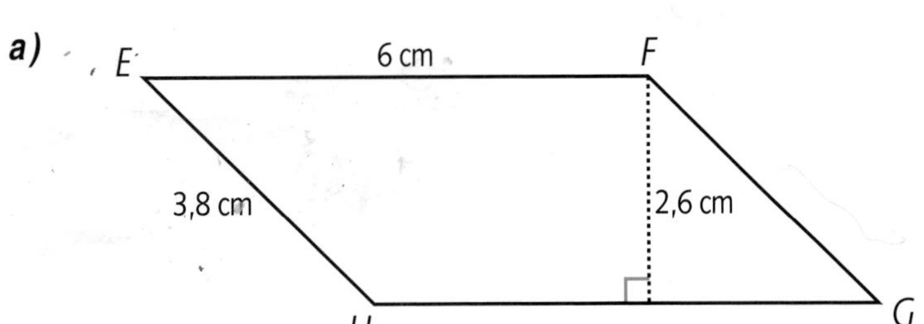

b)

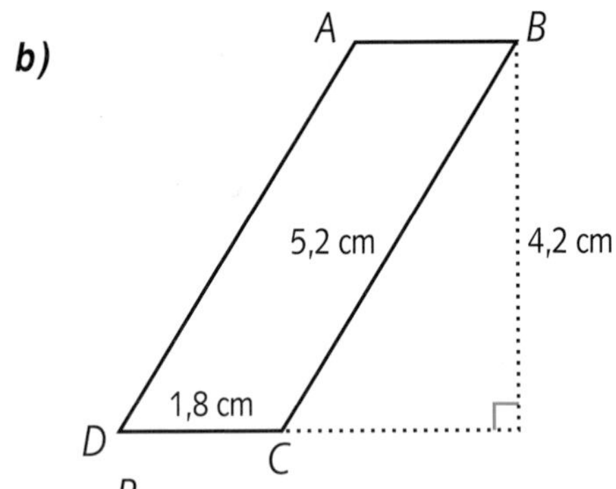

c)

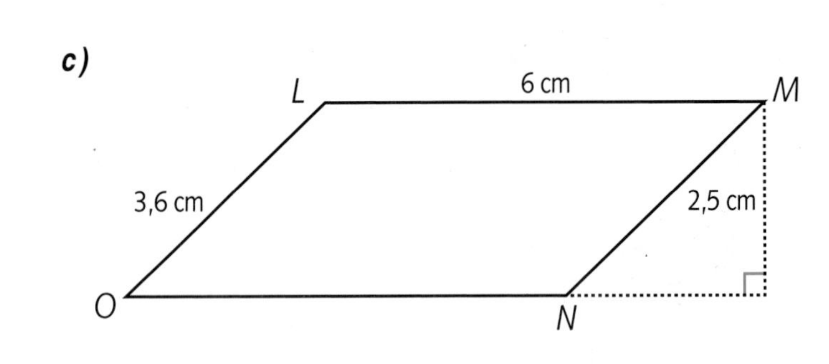

d)

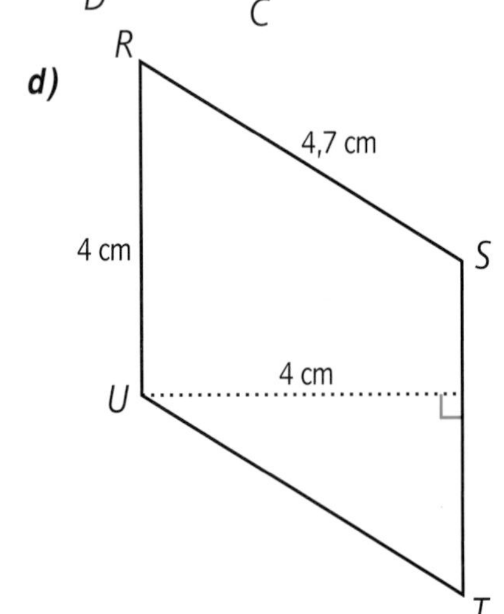

5 Exprime l'aire de la figure ci-dessous en :

a) millimètres carrés;

b) centimètres carrés;

c) décimètres carrés.

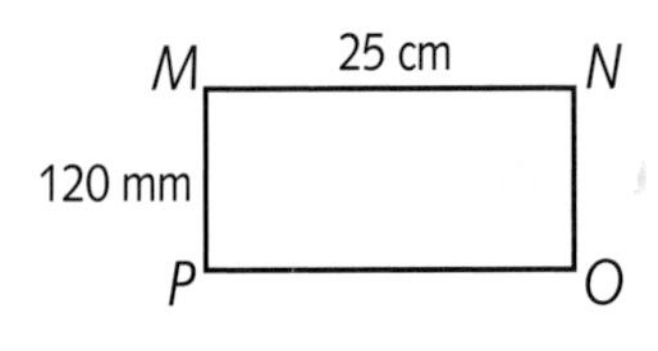

6 À partir des mesures fournies, calcule l'aire de ces triangles après avoir écrit la règle qui te permet de la calculer.

a)

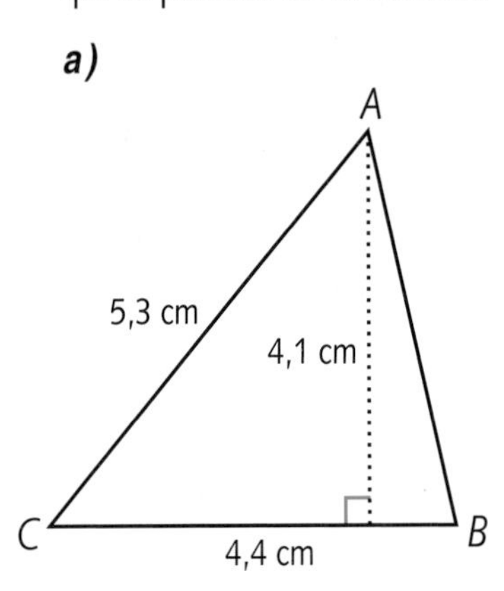

b)

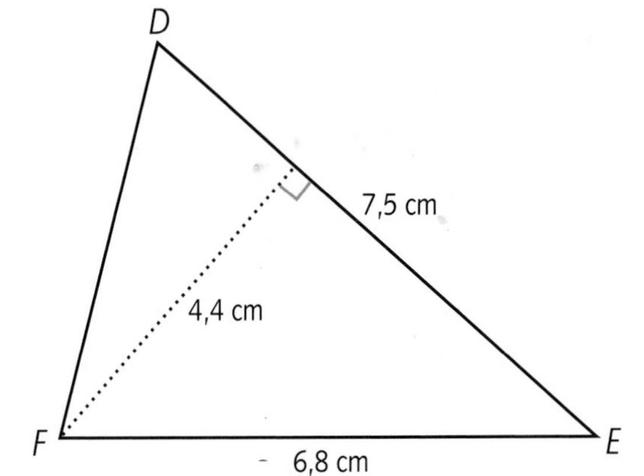

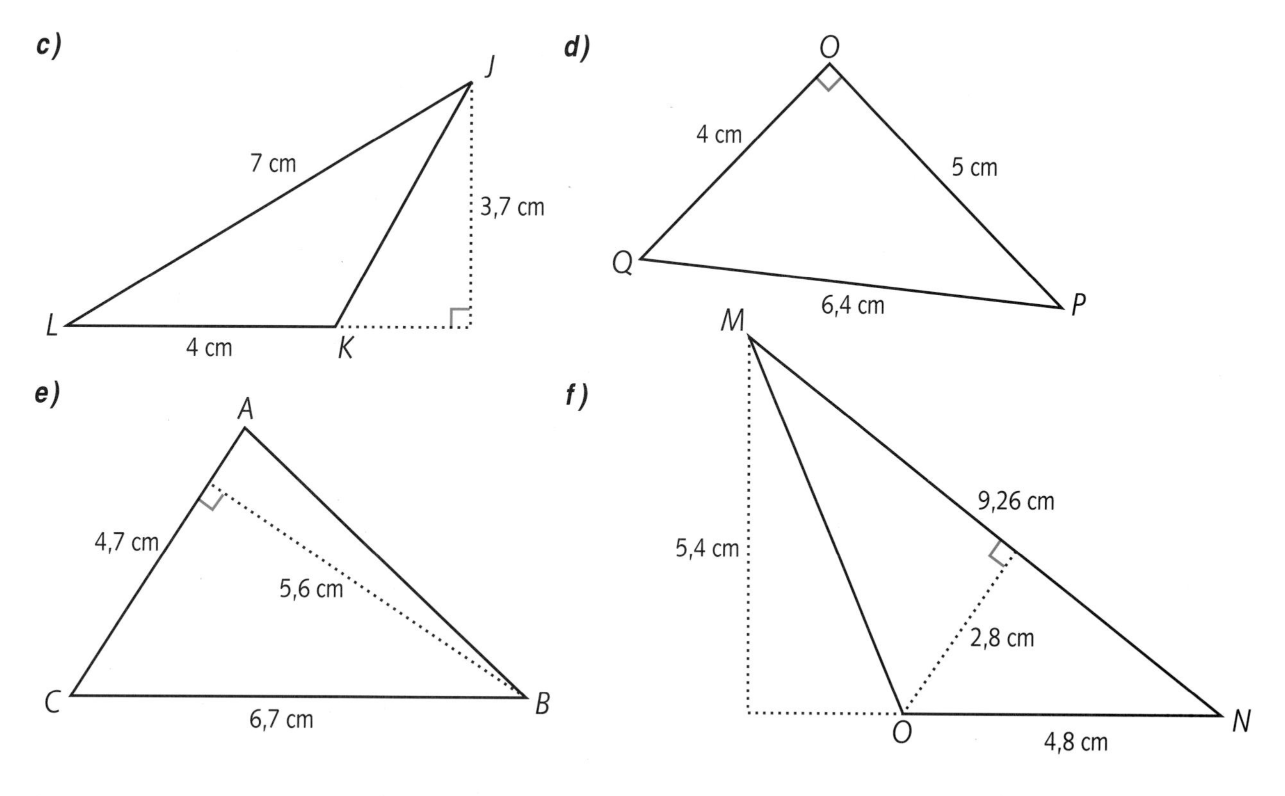

7 À partir des mesures fournies, calcule l'aire de chaque figure après avoir écrit la règle qui te permet de la calculer.

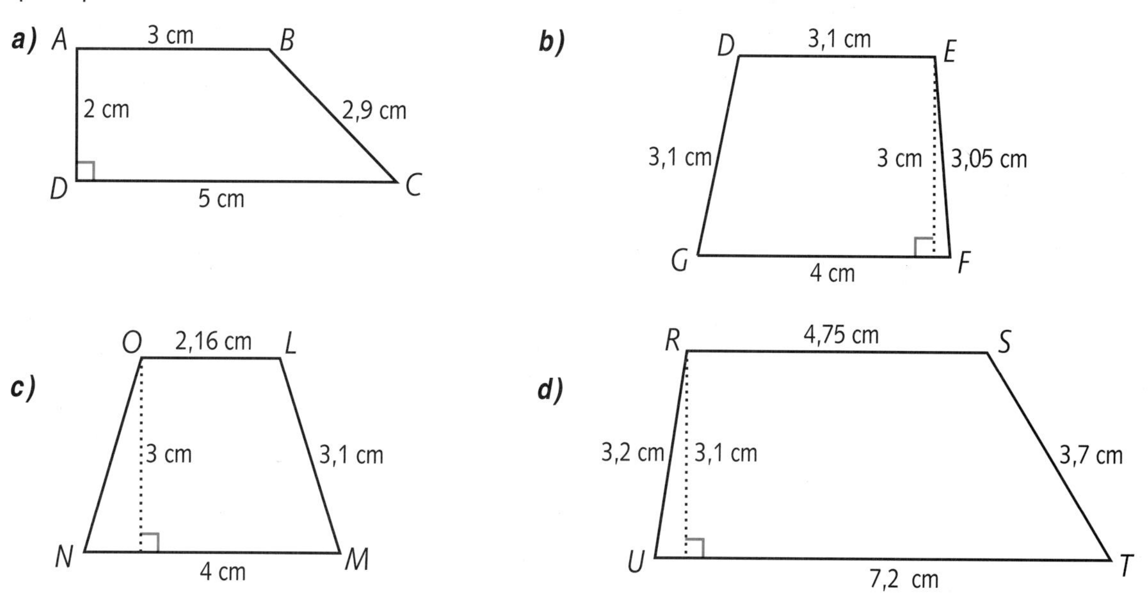

8 À partir des mesures fournies, calcule l'aire de ces losanges après avoir écrit la règle qui te permet de la calculer.

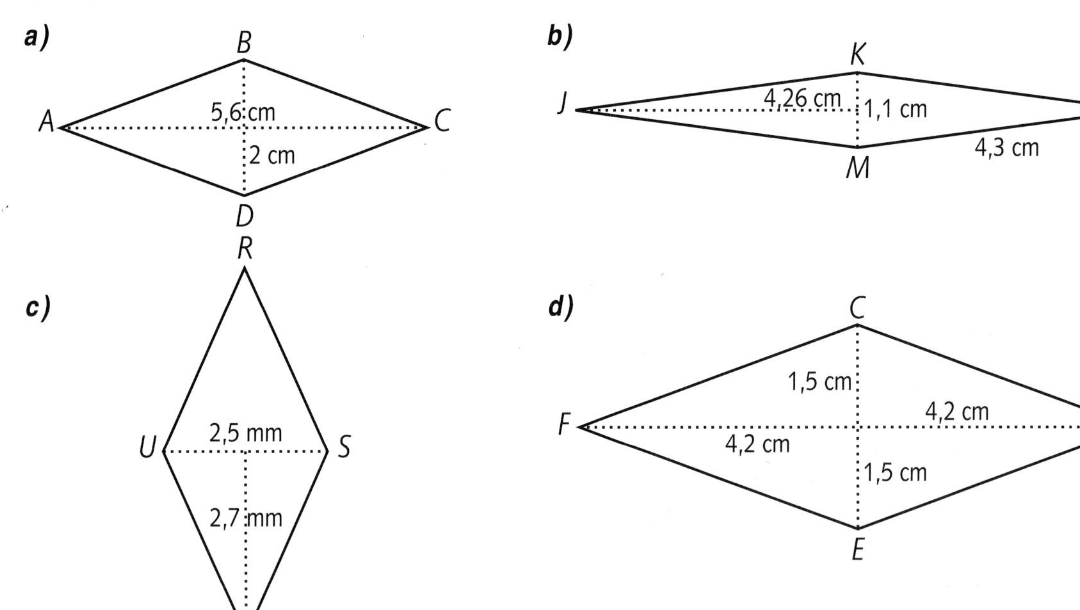

9 À partir des mesures fournies, calcule l'aire de chaque figure après avoir écrit la formule qui te permet de la calculer.

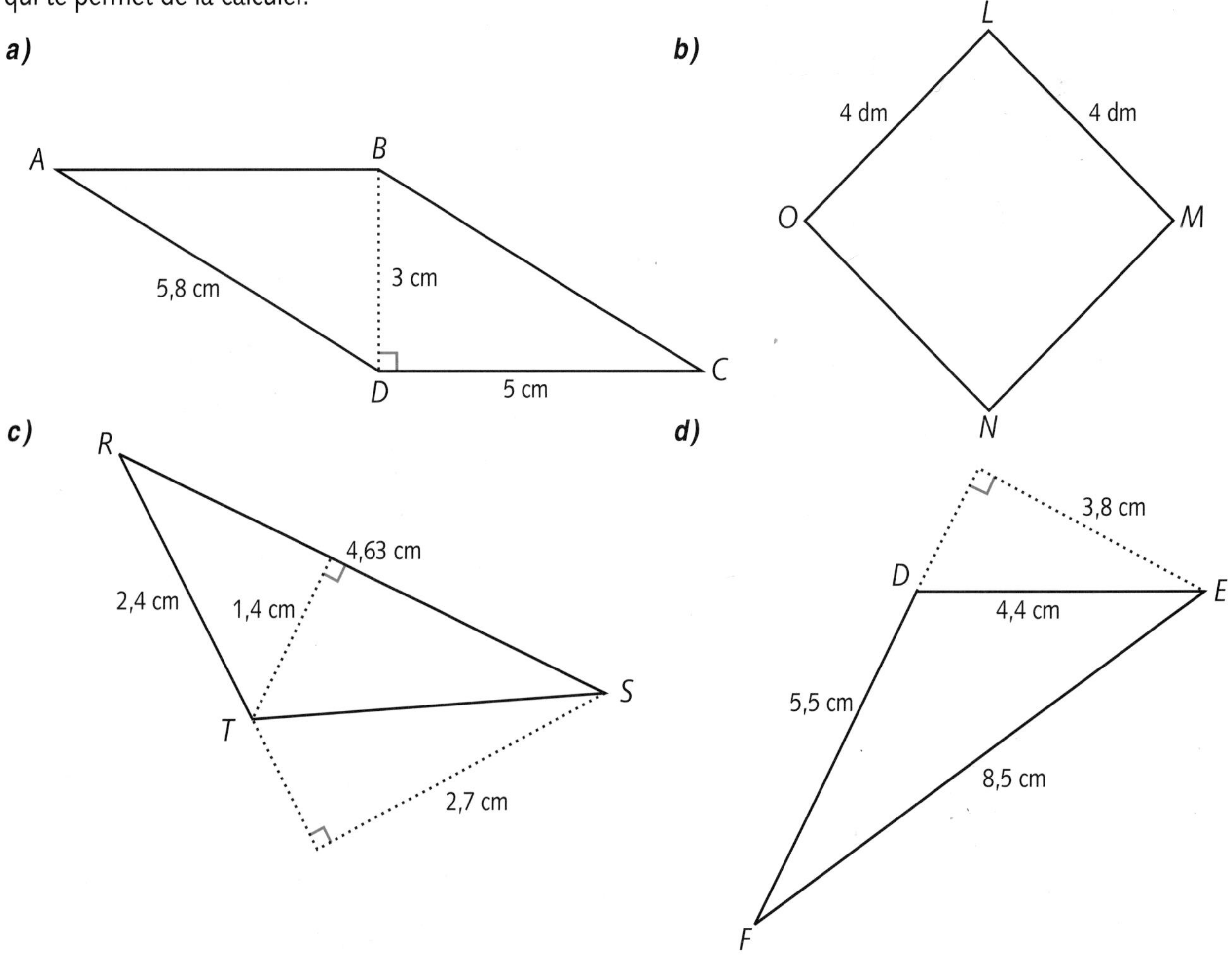

10. Sachant que les sommets des figures sont aux intersections du quadrillage, déduis les mesures appropriées et calcule l'aire de chaque figure.

a)

b)

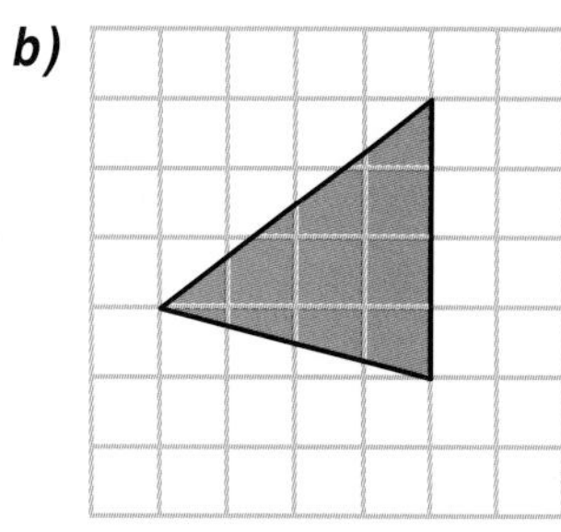

c)

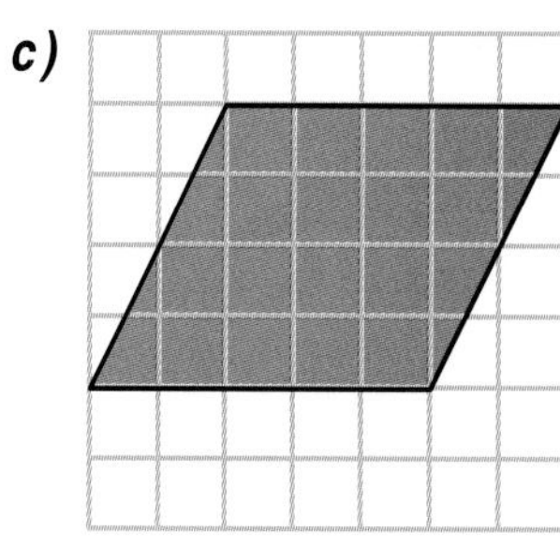

d)

e)

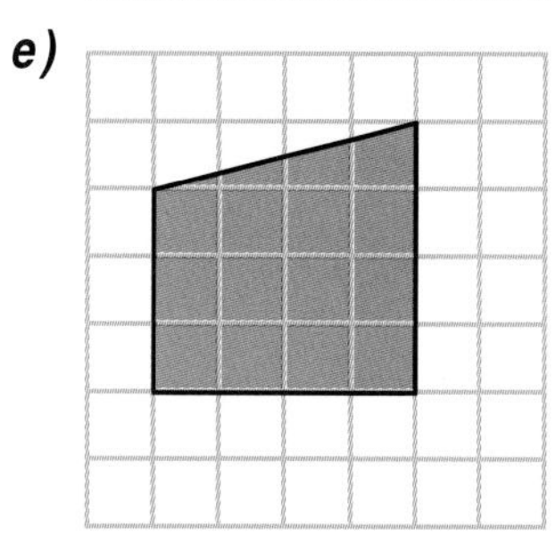

f)

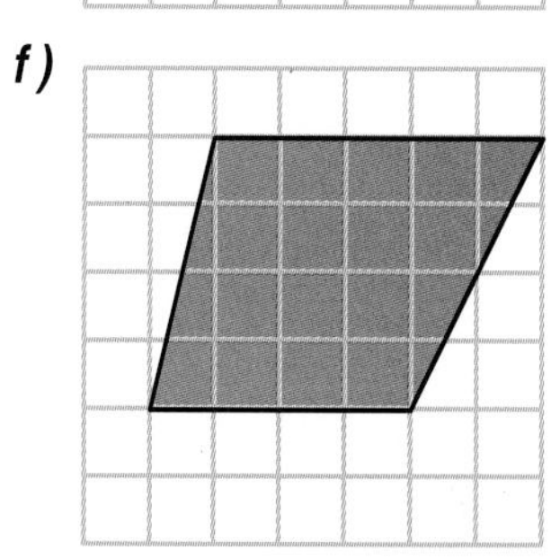

11. On peut calculer l'aire de certaines figures après les avoir décomposées en d'autres figures. En utilisant cette stratégie, calcule l'aire de la figure donnée. Les sommets de ces figures sont aux intersections du quadrillage.

a)

b)

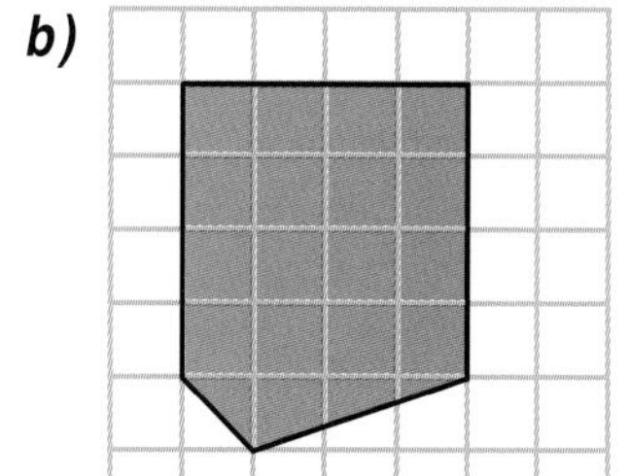

c)

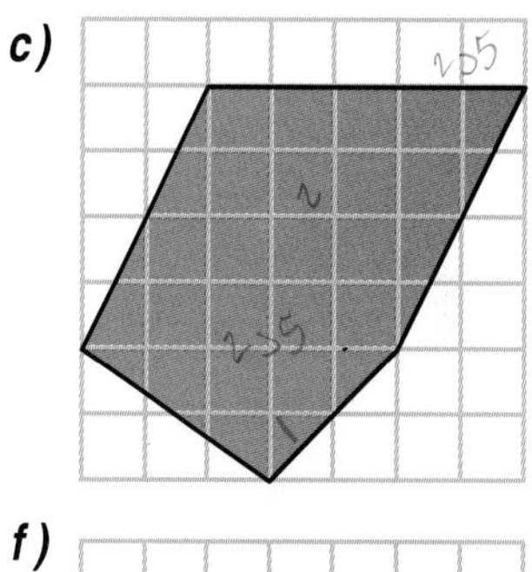

d)

e)

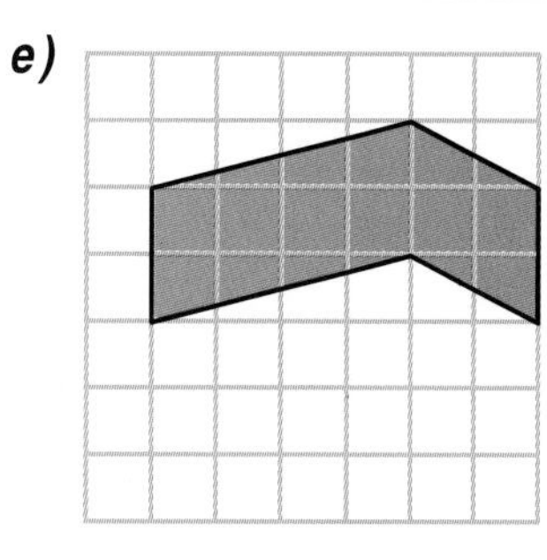

f)

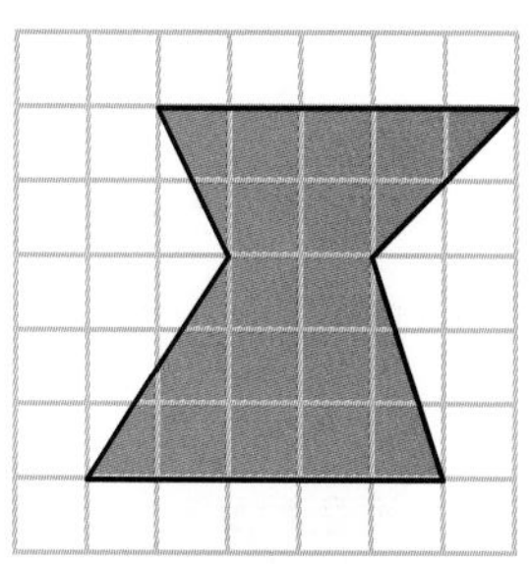

g)

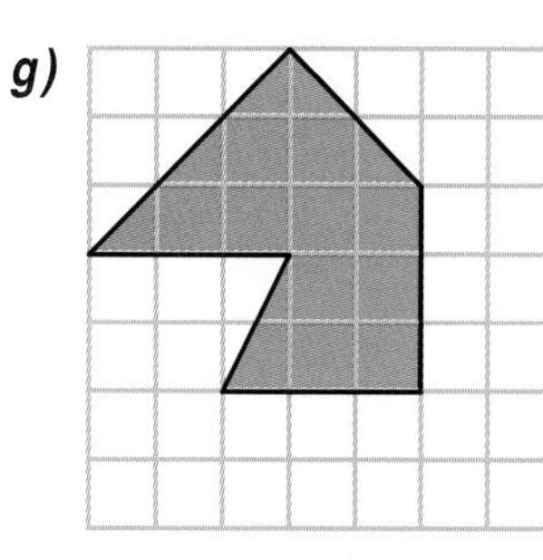

h)

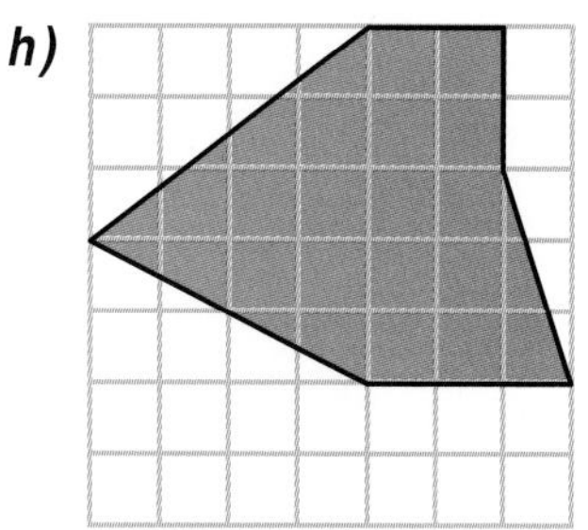

i)

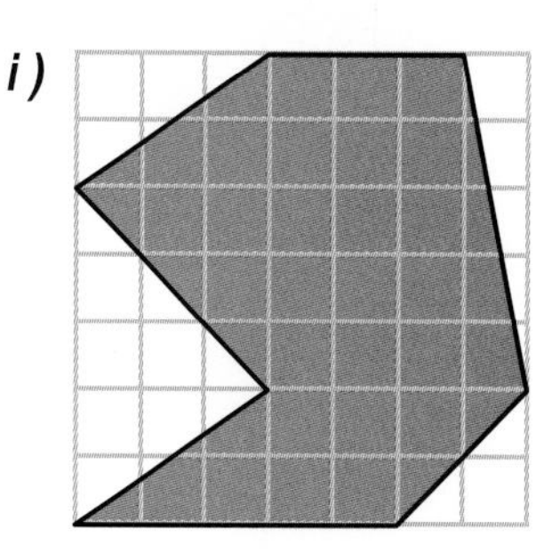

12. Il est possible de déduire l'aire de certaines figures par encadrement. On trace un rectangle encadrant la figure. Ensuite, à l'aire du rectangle, on enlève l'aire des figures qui entourent la figure donnée. Calcule l'aire de chaque figure par encadrement. Les sommets de ces figures sont aux intersections du quadrillage.

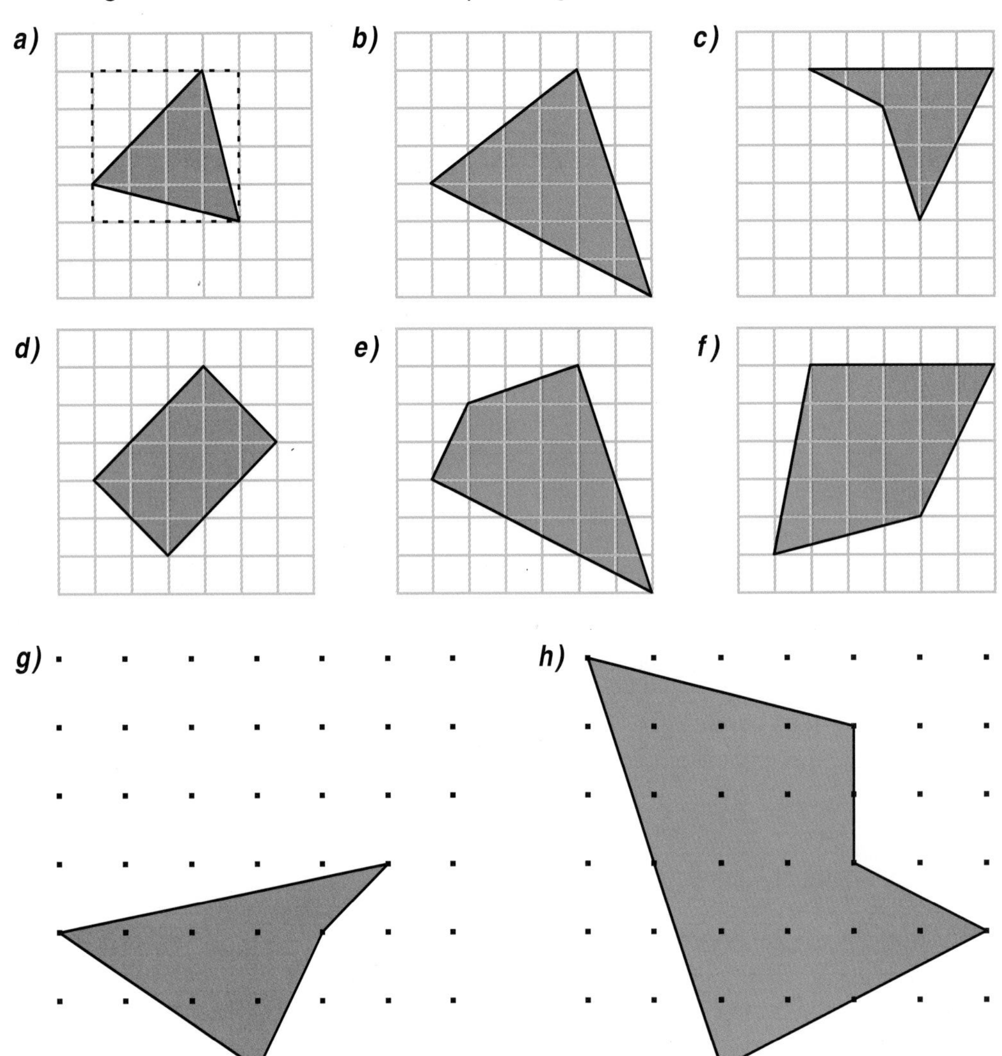

13. Déduis l'aire de la figure colorée si les mesures sont données en centimètres.

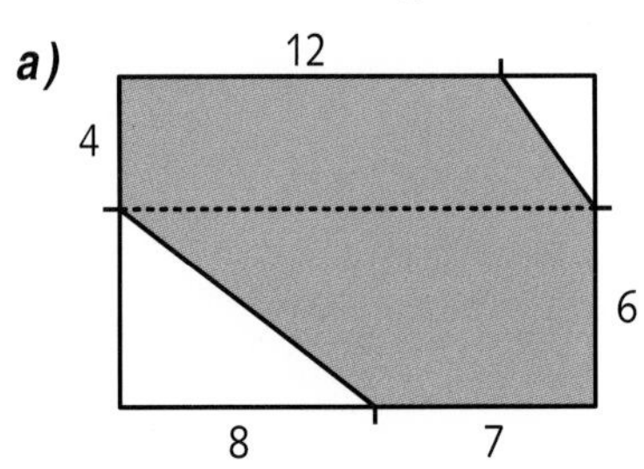

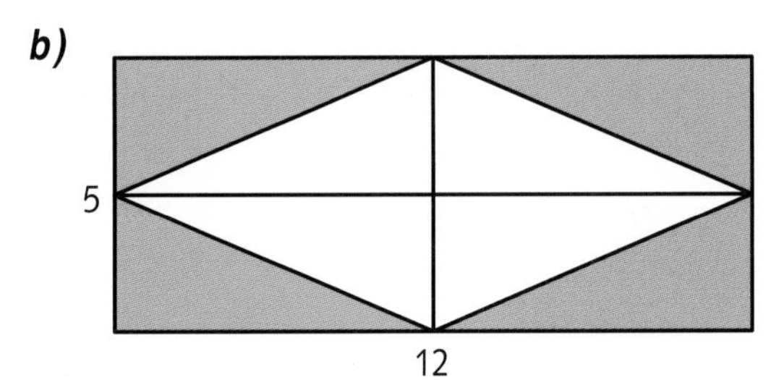

14

Exprime l'aire de chaque figure en millimètres carrés et en centimètres carrés.

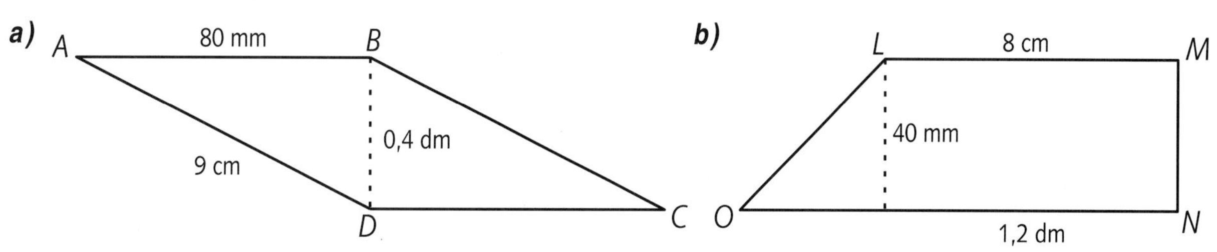

15

Une fenêtre a les dimensions suivantes : 2 m sur 1,5 m. Calcule son périmètre et son aire intérieure.

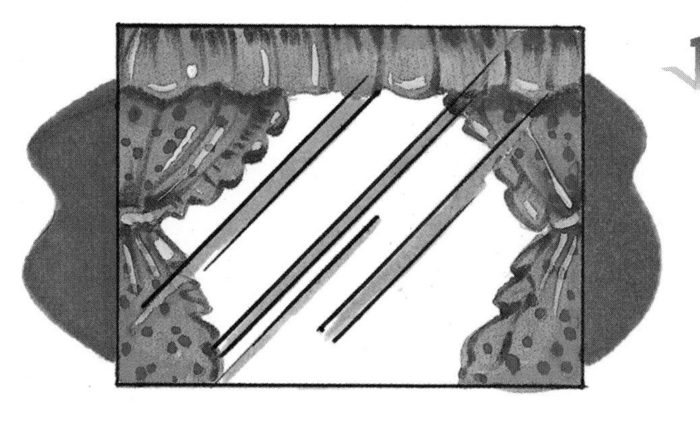

16

On a peint sur les grandes portes d'un bâtiment un losange dont les diagonales mesurent respectivement 4,2 m et 2,4 m.
Quelle est l'aire de ce losange?

17

Un satellite artificiel fonctionne à l'énergie solaire. Des accumulateurs sont disposés sur deux panneaux qui ont la forme d'un parallélogramme dont les côtés mesurent 4 m et 2 m. La largeur des panneaux est de 1,8 m. Calcule le périmètre et l'aire de chaque panneau.

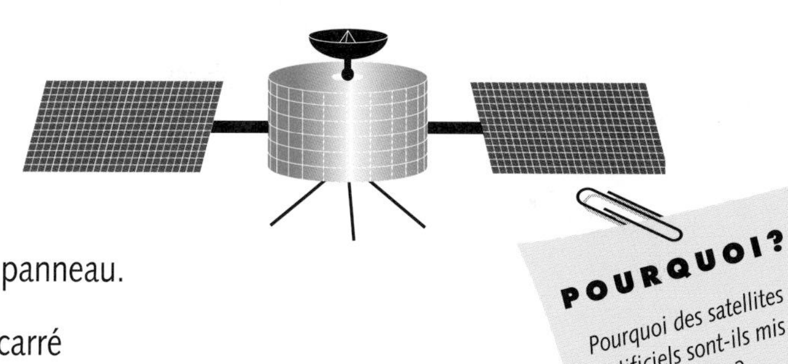

POURQUOI?

Pourquoi des satellites artificiels sont-ils mis en orbite?

18

La planche du jeu de Monopoly est un carré dont les diagonales mesurent 70 cm. Calcule son aire.

Le Monopoly est le précurseur des jeux de société modernes. Il a été inventé en 1935 par l'Américain Charles Darrow.

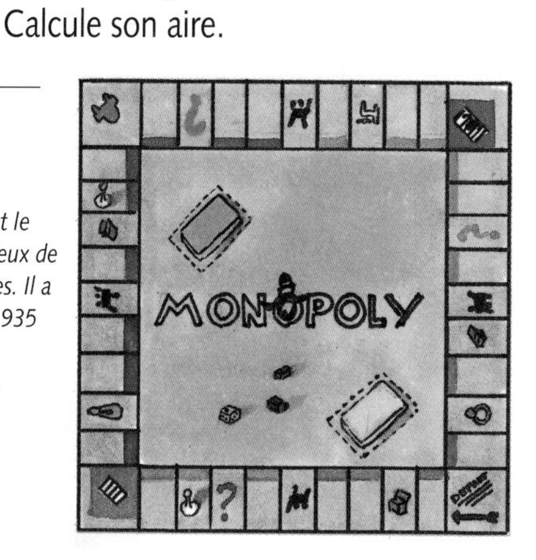

19

Au baseball, le terrain est un carré dont les diagonales mesurent 38,9 m. À l'aide des propriétés du carré, calcule l'aire du terrain intérieur.

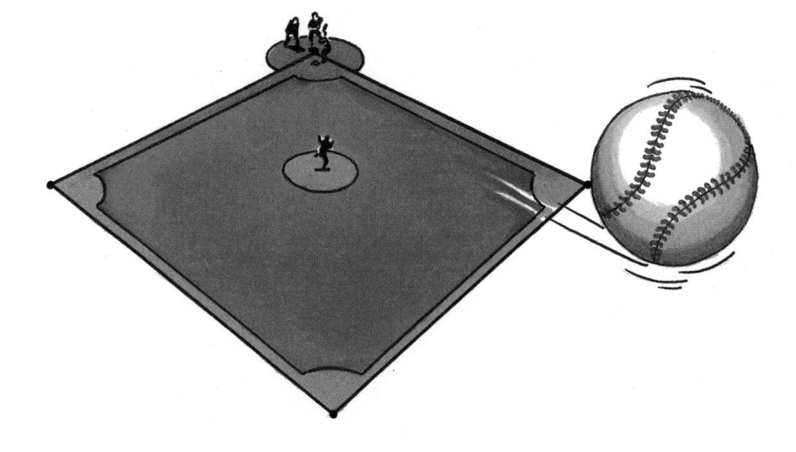

20 Les côtés d'une gomme à effacer ont la forme d'un parallélogramme. Les côtés de ce parallélogramme mesurent 4,8 cm et 1,8 cm. Sa hauteur est de 1,5 cm. Quelle est la somme des aires de toutes les faces de cette gomme si sa largeur est de 2 cm?

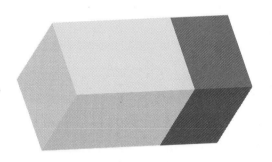

21

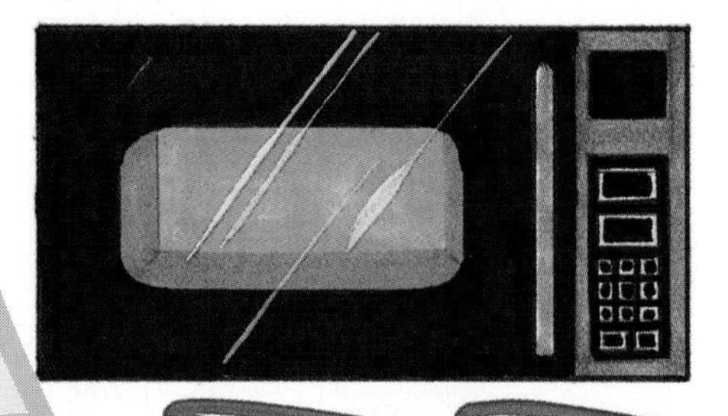

POURQUOI?

Pourquoi le four à micro-ondes peut-il cuire les aliments?

La porte d'un four à micro-ondes est rectangulaire et son périmètre extérieur est de 130 cm. Sa hauteur est de 25 cm. Quelle est son aire?

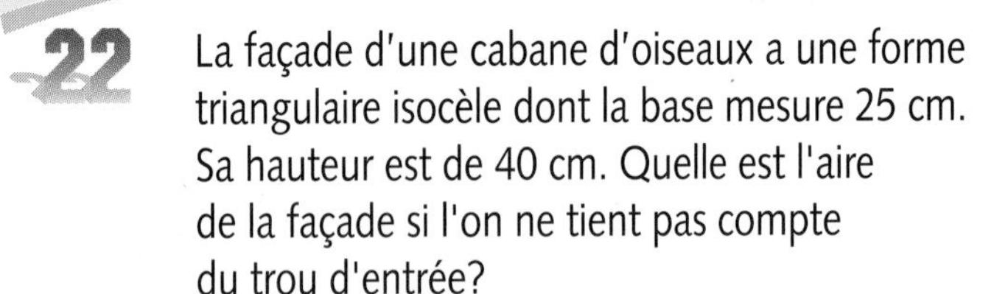

22 La façade d'une cabane d'oiseaux a une forme triangulaire isocèle dont la base mesure 25 cm. Sa hauteur est de 40 cm. Quelle est l'aire de la façade si l'on ne tient pas compte du trou d'entrée?

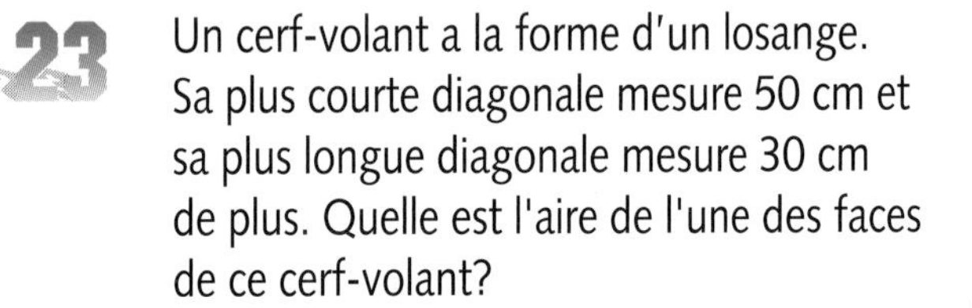

23 Un cerf-volant a la forme d'un losange. Sa plus courte diagonale mesure 50 cm et sa plus longue diagonale mesure 30 cm de plus. Quelle est l'aire de l'une des faces de ce cerf-volant?

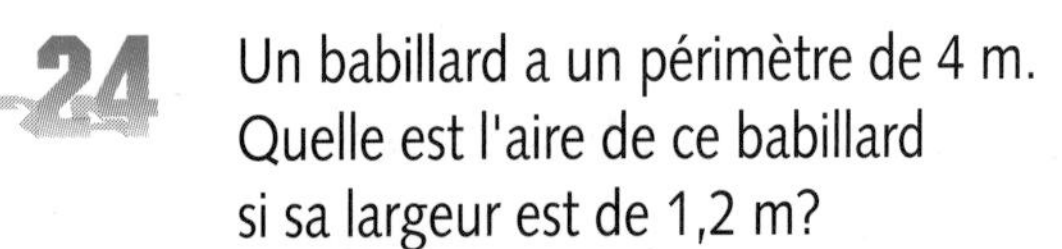

24 Un babillard a un périmètre de 4 m. Quelle est l'aire de ce babillard si sa largeur est de 1,2 m?

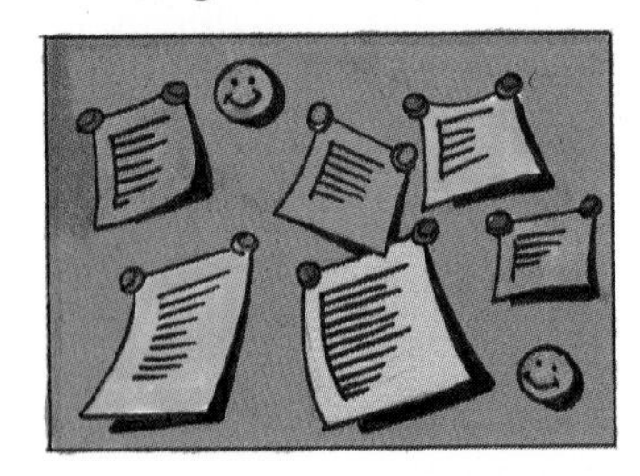

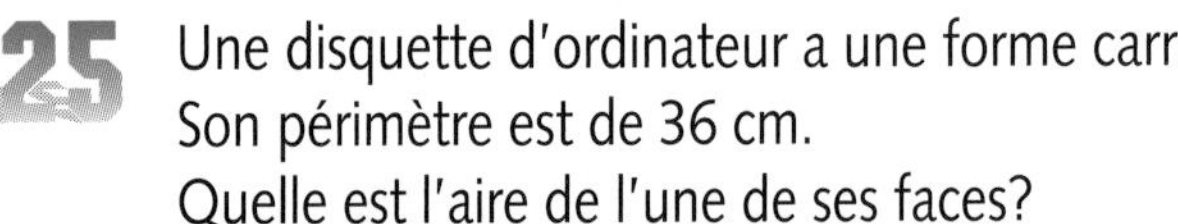

25 Une disquette d'ordinateur a une forme carrée. Son périmètre est de 36 cm. Quelle est l'aire de l'une de ses faces?

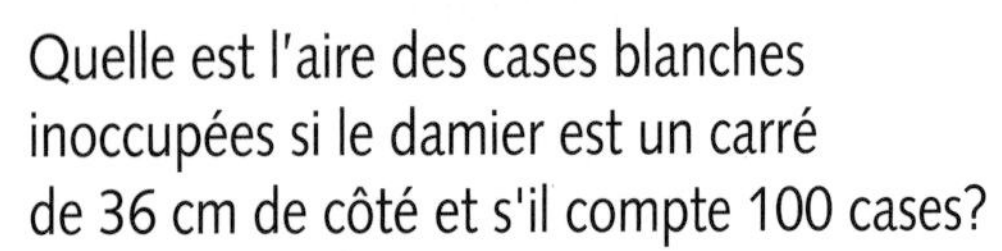

26 Quelle est l'aire des cases blanches inoccupées si le damier est un carré de 36 cm de côté et s'il compte 100 cases?

27 Au handball, le but a la forme et les dimensions illustrées. Quelle est l'aire du filet qui entoure le but?

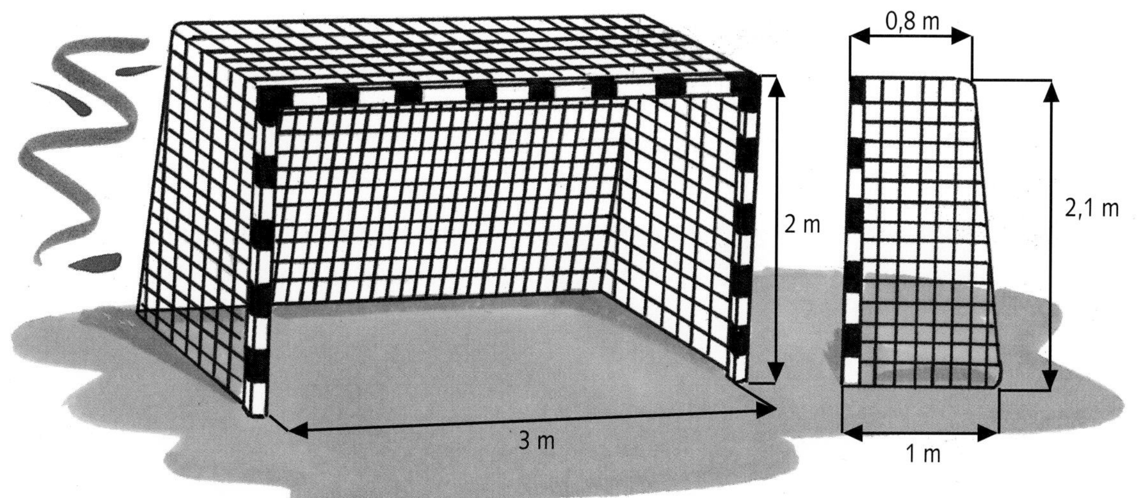

28 Déduis l'aire de la partie colorée.

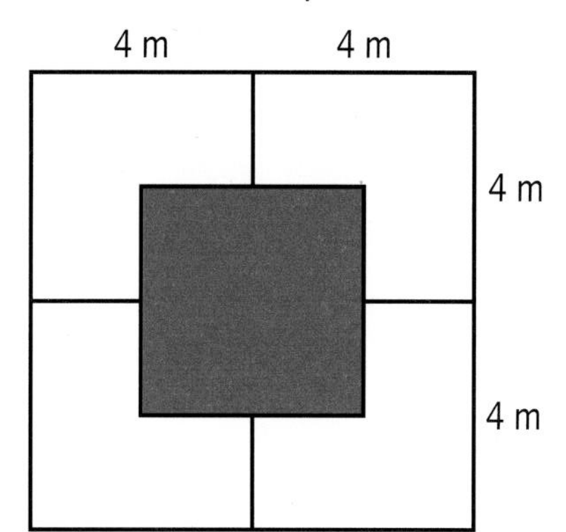

29 ***a)*** Lequel des deux parallélogrammes *ABCE* et *ABDF* a la plus grande aire?

b) Quelle est l'aire du trapèze *ABDE*?

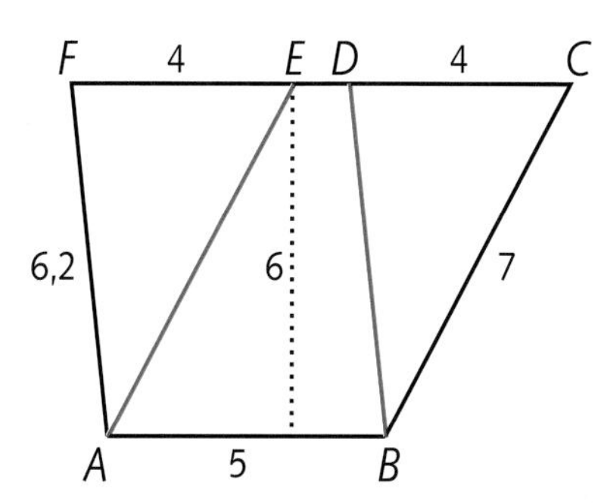

30 Que dirais-tu pour convaincre quelqu'un que l'aire du triangle *ABC* est plus grande que l'aire du triangle *ACD*?

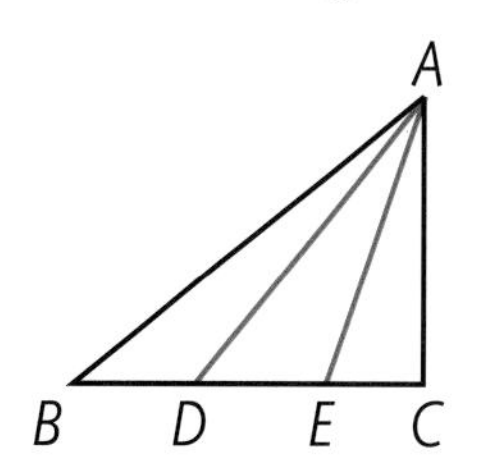

31 Imaginons un triangle formé par une corde attachée à 3 clous. Deux des clous (*A* et *C*) sont fixes et le clou B est mobile, de sorte que l'on peut modifier la forme du Δ *ABC*. Où devrait-on placer le clou *B* pour que l'aire du Δ *ABC* soit :

a) maximale?

b) minimale?

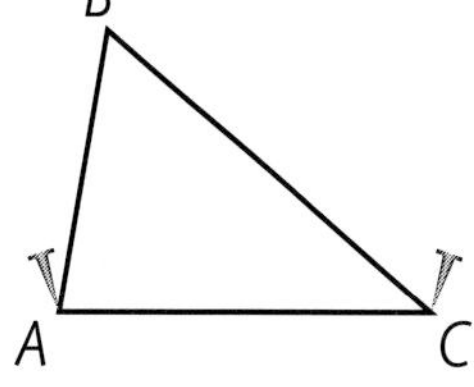

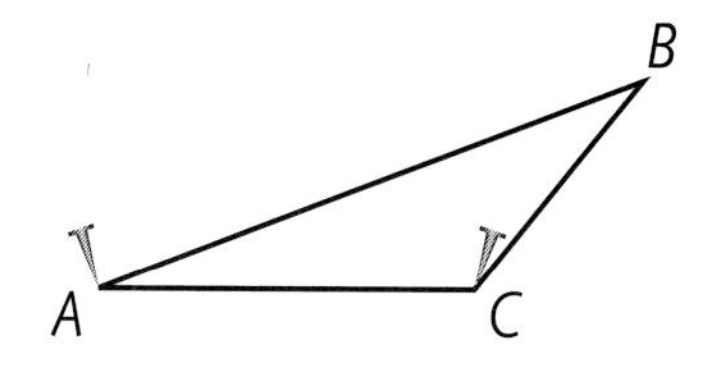

32 Sépare-t-on un trapèze en deux trapèzes ayant la même aire si l'on relie :

a) les points milieux des côtés non parallèles? Justifie ta réponse.

b) les points milieux des côtés parallèles? Justifie ta réponse.

33 On a placé le triangle coloré de différentes façons sur le triangle *ABC*.
Dans quel cas l'aire du triangle ombré est-elle la moitié du triangle *ABC*?

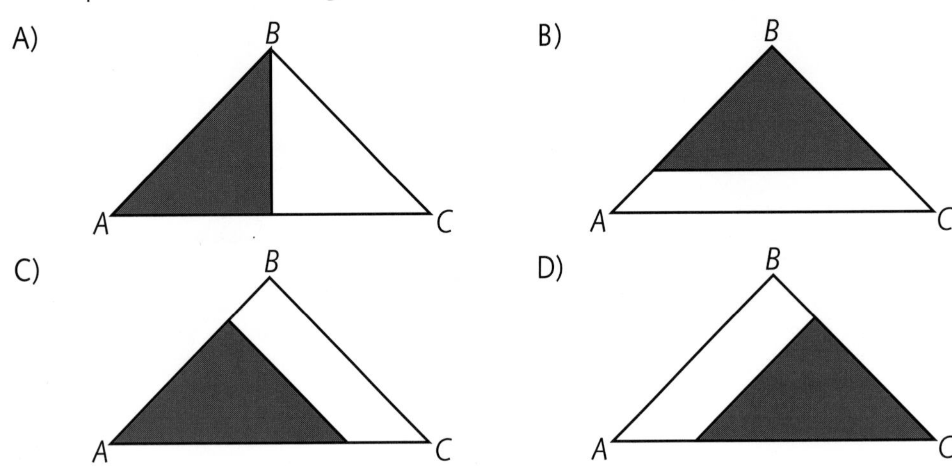

34 On a obtenu les triangles 1 et 2 ci-dessous en transformant le triangle *n*.

– On a formé le triangle 1 en doublant la base du triangle *n*.

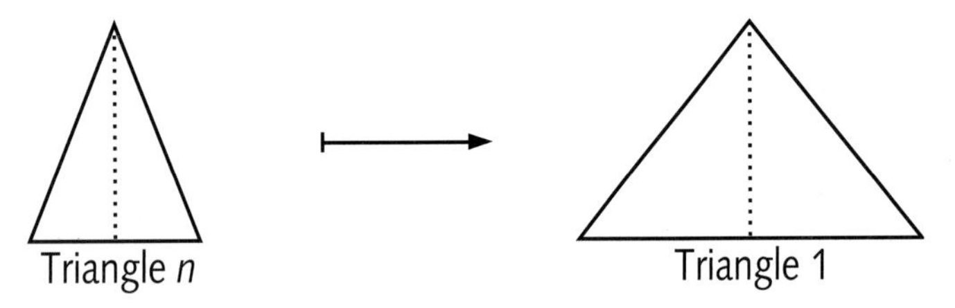

– On a formé le triangle 2 en doublant la hauteur du triangle *n*.

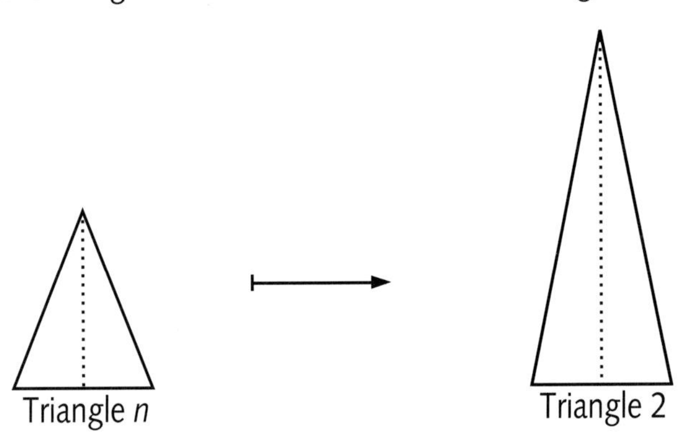

Lequel des deux triangles 1 et 2 a la plus grande aire?

35 Quels sont tous les rectangles dont les mesures sont des entiers et qui ont un périmètre égal à 40 unités?

36 Qu'arrive-t-il à l'aire d'un rectangle si l'on double sa longueur tout en divisant sa hauteur par deux? Qu'en est-il de son périmètre?

FLASH PROBLÈME

Parfois, on peut trouver la solution juste en se demandant par quelle ou quelles stratégies le problème peut être résolu.

37 On connaît plusieurs stratégies pour résoudre un problème.

Faire des déductions.
Travailler à reculons.
Diviser le problème en sous-problèmes.
Faire une simulation.
Construire un tableau.
Faire des essais.
Rechercher une régularité.
Faire un dessin.

Parmi toutes ces stratégies, laquelle ou lesquelles conviennent le mieux pour résoudre les problèmes suivants?

a) La somme des deux chiffres d'un nombre est 11. Si l'on change l'ordre des deux chiffres, on diminue le nombre de 9. Quel est le nombre initial?

b) Un fil de fer de 52 cm doit être coupé en deux parties. Chaque partie doit être pliée pour former un carré dont la mesure du côté est un entier. Le total des aires des deux carrés est de 97 cm^2. Quelles sont les mesures de côtés des deux carrés?

LE SPHINX

De carrés en carrés!

■ Trouve un carré pour lequel le nombre exprimant son aire est le même que celui qui exprime son périmètre.

■■ Trouve un rectangle non carré pour lequel le nombre exprimant son aire est le même que celui qui exprime son périmètre.

■■■ Donne la suite des aires des carrés ci-contre si la suite des périmètres est 16, 8, 4, 2 et 1.

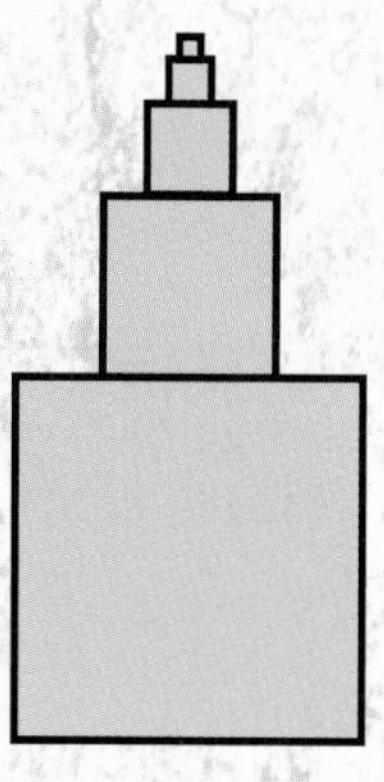

Je connais la signification des expressions suivantes :

Périmètre : mesure exprimant la longueur du contour d'une figure.

Aire : mesure exprimant la grandeur ou l'étendue d'une surface.

1 mm^2 : unité de mesure de surface correspondant à un carré de 1 mm de côté.

1 cm^2 : unité de mesure de surface correspondant à un carré de 1 cm de côté.

1 dm^2 : unité de mesure de surface correspondant à un carré de 1 dm de côté.

1 m^2 : unité de mesure de surface correspondant à un carré de 1 m de côté.

1 km^2 : unité de mesure de surface correspondant à un carré de 1 km de côté.

Grande base et **petite base :** dans un trapèze, le plus grand et le plus petit des côtés parallèles.

Je maîtrise les habiletés suivantes :

Étant donné une situation, **distinguer** laquelle entre le périmètre et l'aire est la mesure appropriée.

Énoncer les formules ou les règles relatives au périmètre :

- d'un carré ou d'un losange : $P = 4 \times c$ ou $4c$;
- d'un polygone régulier : $P = n \times c$;
- d'un rectangle ou d'un parallélogramme : $P = 2 \times (a + b)$;
- d'un polygone : somme des mesures des côtés.

Calculer le périmètre de polygones.

Calculer la mesure d'un côté dans un triangle ou dans un quadrilatère à partir du périmètre.

Estimer l'aire d'un polygone.

Transformer une mesure de surface d'une unité à une autre.

Énoncer les formules ou les règles relatives à l'aire :

- du carré : $A = c \times c$ ou c^2;
- du triangle : $A = \frac{(b \times h)}{2}$;
- du rectangle : $A = b \times h$;
- du parallélogramme : $A = b \times h$;
- du losange : $A = \frac{D \times d}{2}$;
- du trapèze : $A = \frac{(B + b) \times h}{2}$.

Calculer l'aire d'un triangle ou d'un trapèze.

Calculer l'aire d'un polygone en le transformant ou en le décomposant en triangles ou en trapèzes.

Du périmètre à l'aire!

Pour les questions nos 1 à 10 inclusivement, seules les réponses sont exigées.

1. **De quelle mesure,** entre le périmètre et l'aire, s'agit-il lorsqu'on parle :

   a) de la longueur d'un coupe-froid qui entoure une porte?

   b) du dessus d'une table?

   c) du nombre de carreaux qui forment un plafond?

2. De **quelle mesure**, entre le périmètre et l'aire, a-t-on besoin pour calculer :

   a) le prix du cadre d'une porte?

   b) la quantité de peinture nécessaire pour rafraîchir un mur?

3. **Calcule le périmètre** de ces polygones.

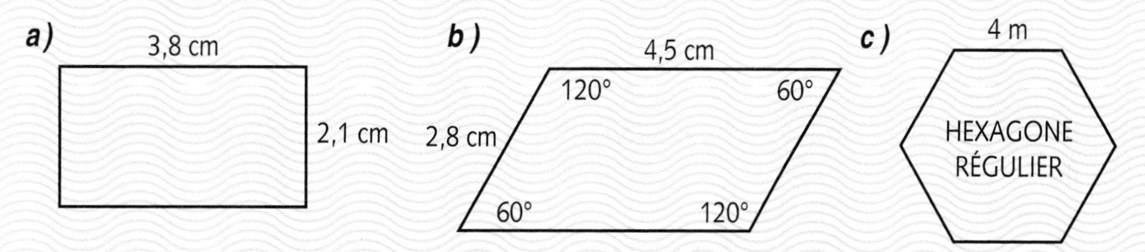

4. On veut entourer un terrain de tennis d'une clôture. Le terrain a une forme rectangulaire de 15 m sur 30 m. **Quelle est la longueur** de clôture nécessaire?

5. Chaque matin, Frédéric parcourt un pâté de maisons pour distribuer le journal. Son trajet a la forme du trapèze rectangle illustré ci-contre. **Donne le périmètre** de ce trapèze.

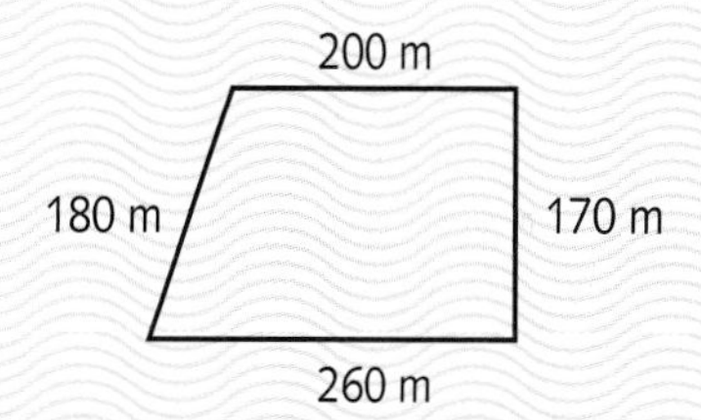

6. On a donné à une plate-bande de fleurs la forme d'un triangle équilatéral. On a utilisé 21 m de clôture en plastique pour la protéger sur ses 3 côtés. **Quelle est la longueur d'un côté** de cette plate-bande?

7. On a utilisé 48 m de drain pour assurer l'écoulement de l'eau tout le tour d'une maison rectangulaire de 14 m de façade. **Quelle est la largeur** de cette maison?

8. Caroline a frappé un circuit et elle a fait à la course le tour des buts. Ces buts sont disposés en losange. Elle a parcouru ainsi 84 m en 12 s. **Quelle distance** sépare les buts?

9. **Estime** en centimètres carrés l'aire du polygone ci-contre.

10. Un tapis décoratif a une aire de 8,25 m². **Exprime** cette mesure en :

a) décimètres carrés; ***b)*** centimètres carrés.

11. Un panneau de contreplaqué rectangulaire mesure 1 200 mm sur 2 400 mm. **Exprime** son aire en mètres carrés.

12. **Calcule l'aire** de ces polygones. La règle appropriée et la réponse sont exigées.

a)

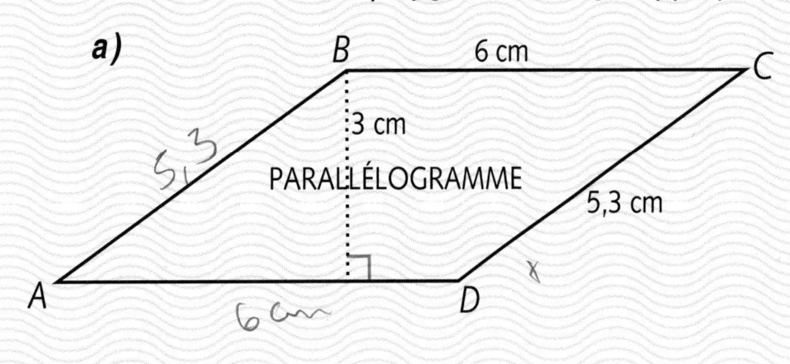

b)

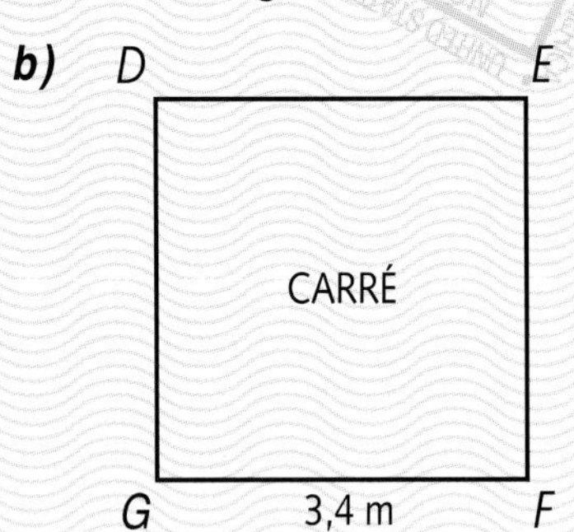

c)

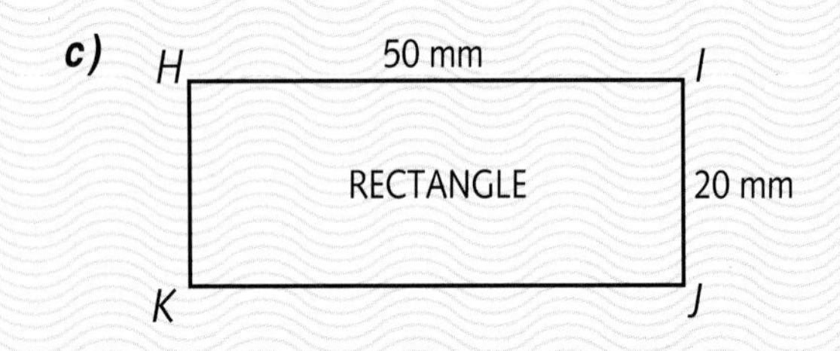

d)

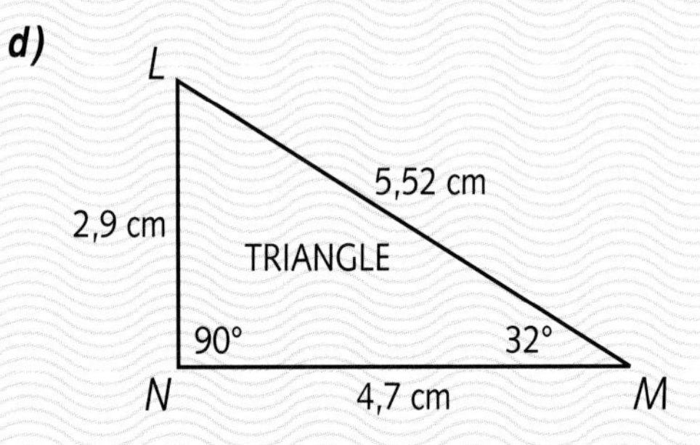

e)

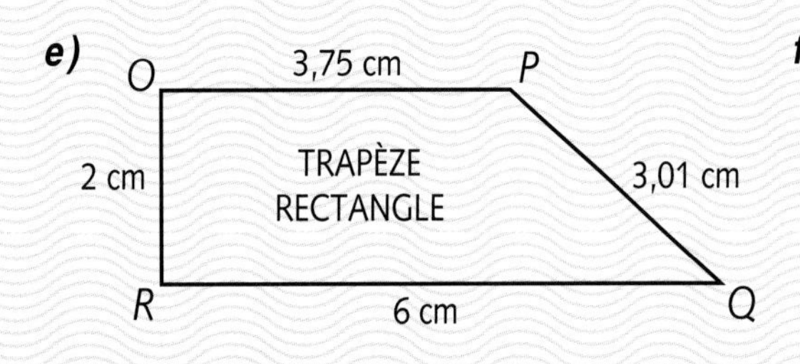

f)

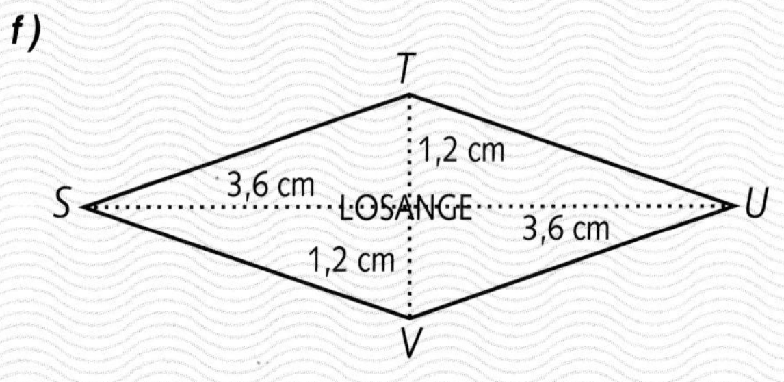

13. **Calcule l'aire** de ces triangles. La règle et les calculs sont exigés.

a)

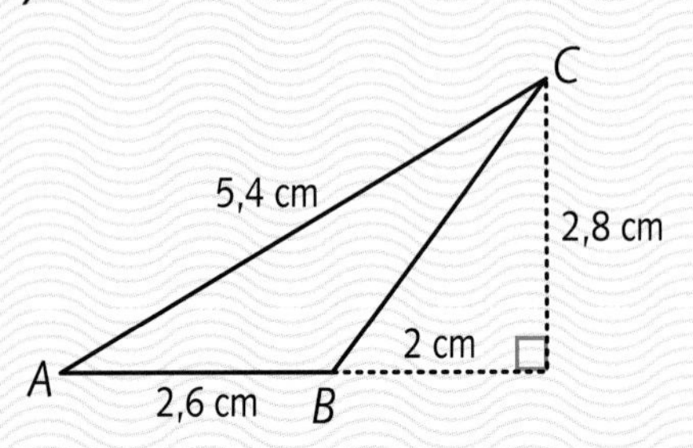

b)

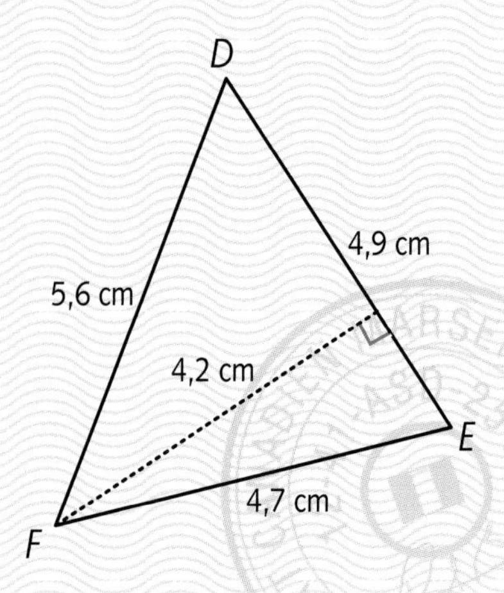

14. Une terrasse de ciment a la forme et les dimensions illustrées ci-contre. **Quelle est son aire?** On exige la règle et la trace des calculs.

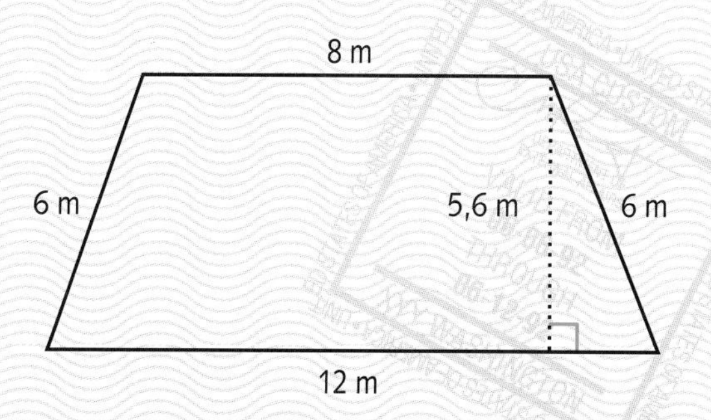

15. **Quelle est l'aire** de la figure illustrée ci-dessous si le quadrillage représente des centimètres carrés et que les sommets sont aux intersections du quadrillage? La réponse est suffisante.

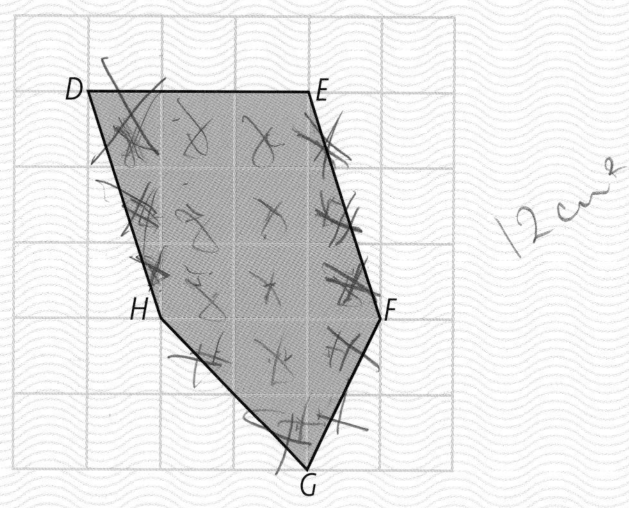

12 cm².

16. Une salle à manger a la forme illustrée ci-contre. On veut recouvrir son plancher d'une marqueterie en chêne. **Quel sera le coût de l'achat de la marqueterie**, qui se vend 20 $ le mètre carré? (Les données sur la figure sont en mètres.) La trace complète de la démarche est exigée.

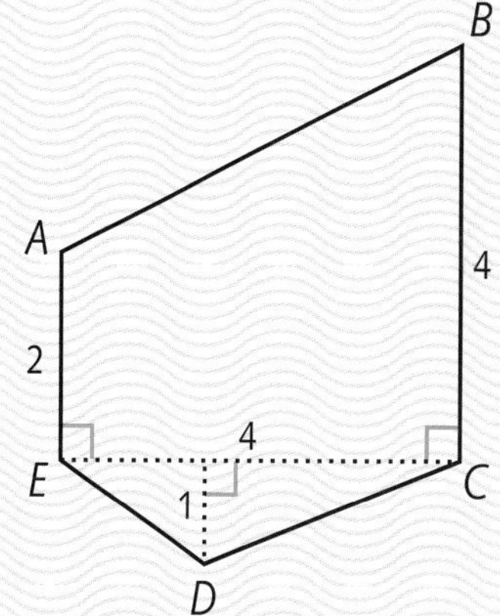

17. L'appui-bras d'une chaise de parterre a la forme ci-dessous. On doit la découper dans une pièce rectangulaire de 20 cm sur 50 cm. **Quelle est la mesure de la surface** de bois ainsi gaspillée? On demande seulement la trace des calculs.

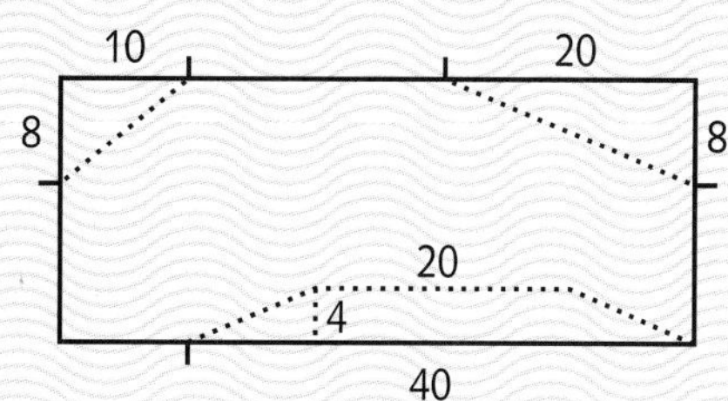

INDEX

Source des photos

Avertissement

Il a été impossible de retrouver certains propriétaires de droits d'auteur. Une entente pourra être conclue avec ces personnes dès qu'elles prendront contact avec l'Éditeur.

Nous tenons à remercier les personnes et les organismes qui nous ont gracieusement fourni des documents photographiques et qui ont collaboré lors des séances de photographie.

Photos de la page couverture : Jean Martin

p. 9	Patricia Desjardins
p. 11	Patricia Desjardins
p. 22	Pierre Labranche
p. 23	Agence spatiale canadienne
p. 24	Agence spatiale canadienne
p. 23	Ministère du Loisir, de la Chasse et de la Pêche, photo : Fred Klus
p. 44	Patricia Desjardins
p. 48	Ville de Montréal
p. 50	Archives nationales du Québec, Direction de Montréal, A. Fortin
p. 58	Patricia Desjardins
p. 61	Pierre Labranche
p. 62	Pierre Labranche
p. 70	Jardin zoologique de Granby
p. 78	Ville de Montréal
p. 81	Pierre Labranche
p. 83	Ministère du Loisir, de la Chasse et de la Pêche
p. 93	Industrie, Sciences et Technologie Canada, Patricia Desjardins
p. 111	Magazine Justice, photo : Jacques Lessard
p. 114	Ville de Montréal
p. 116	Pierre Labranche
p. 117	Patricia Desjardins
p. 120	Pierre Labranche
p. 136	Publiphoto, Gérard Lacz
p. 137	Emmanuelle Bruno
p. 142	Nicole Houle
p. 144	Pierre Labranche
p. 145	Ville de Montréal
p. 151	Pierre Labranche
p. 154	Pierre Labranche
p. 167	Pierre Labranche
p. 177	Publiphoto, R, Lanaud, O. Plantey, J. P. Danvoye, Derome, P. Olivain, S. Clément
p. 178	Pierre Labranche
p. 182	Pierre Labranche
p. 183	Pierre Labranche
p. 196	Publiphoto, Schuster
p. 204	Pierre Labranche
p. 234	Magazine Franc Vert, photo : Guy Grenier
p. 272	Publiphoto, R. Maisonneuve
p. 301	Publiphoto, Guy Schiele